RARY
Y0-BSL-477
SACRAMENTO, CA 95814
06/2017

ИНТЕЛЛЕКТУАЛЬНЫЙ ТРИЛЛЕР

Константин
ОБРАЗЦОВ

# Красные цепи

МОСКВА
2017

УДК 821.161.1-312.4
ББК 84(2Рос=Рус)6-44
О-23

Разработка серии *А. Саукова*

Иллюстрация (фотоколлаж) на обложке
и форзацах *В. Коробейникова*

**Образцов, Константин Александрович.**

О-23 Красные цепи / Константин Образцов. – Москва : Издательство «Э», 2017. – 576 с. – (Интеллектуальный триллер).

ISBN 978-5-699-87159-9

Петербург. Загадочный и мрачный, временами безжалостный и надменный, взирающий на суету мира живых с холодной чопорностью мертвеца. Этот город потрясает, завораживает и непрестанно пожирает человеческие жизни, превращая людей в призраков, а призраков делая похожими на людей.

За его парадным фасадом в обветшавших коммунальных квартирах, среди лабиринтов серых улиц, в гулких недрах хмурых подъездов и колодцах дворов скрываются сумасшедшие гении, адепты древних культов, извращенцы, лидеры тайных организаций... и ядовитое нечто, не постижимое здравым рассудком.

И каждое новолуние в этом городе происходят жестокие убийства молодых женщин. Но зловещий ночной потрошитель – лишь звено в багрово-красной цепи демонических страстей, безумия и одиночества, удавкой протянувшейся сквозь пространство и время из мрака средневековых легенд...

**УДК 821.161.1-312.4**
**ББК 84(2Рос=Рус)6-44**

**ISBN 978-5-699-87159-9**

Тайны существуют, чтобы человек не сошел с ума.

*Нил Гейман*

Но там, где есть чудовище, есть и чудо.

*Огден Нэш*

Самая великая уловка Дьявола — в том, чтобы заставить нас поверить, что он не существует.

*Шарль Бодлер*

# Часть I
# РТУТЬ

## Глава 1

Огни фонарей дрожат и мерцают, как капли воды на стекле под порывами ветра. Ночь накрыла город стылой тьмой и тяжелым осенним дождем, который колотит во все стороны, куда направит его недобрый ветер.

Три слабо светящихся во мраке окна кажутся окнами в другой мир, таинственный, теплый, уютный: здесь мягкий желтый свет десятками мерцающих огоньков отражается в стекле бутылок и зеркальные полки выглядят праздничными, как рождественская елка. Из двух колонок негромко и хрипло поет Армстронг. Я поднимаю стакан, вдыхаю аромат виски — запах дыма с рыбацких верфей, дегтя, просмоленных канатов и густого тумана над озером — и делаю глоток. Жидкое торфяное пламя пробегает через гортань и согревает меня изнутри. Я оглядываюсь вокруг. Несколько маленьких столиков, вокруг которых стоят старые шаткие стулья, большой пыльный диван, рядом с ним стол из круглой деревянной катушки для кабеля и двух пивных кегов. Темные стены, увешанные фотографиями и старыми плакатами рок-групп, теряются в пыльном полумраке. Поздним вечером буднего дня в баре почти никого, только за дальним столиком в самом углу сидят напротив друг друга двое молчаливых пьяниц, гипнотизирующих бокалы с пивом у себя под носом так, словно ждут, что оно обратится в водку. На стойке по левую руку от меня скалится провалом пустого рта большая желтая тыква — заготовка на Хэллоуин. Впрочем, этот праздник здесь можно отмечать каждую ночь уик-энда. Надпись, сделанная белой канцелярской замазкой на зеркале у входа, честно предупреждает: «В пятницу и субботу – АД!» Тогда в два маленьких зала битком набивается жаркая толпа, грохочет музыка, бурлит алкогольный паводок, прорывая плотины рассудка, и к двум часам ночи люди уверенно превращаются в гоблинов и ведьм. Впрочем, некоторые уже такими сюда приходят.

Но сейчас тут тихо и пусто, музыка не валит с ног, и никто не толкает под локоть, расплескивая тебе на грудь твой же собственный скотч. Я делаю еще один глоток. Здесь я давно уже дома.

Каждому человеку нужно такое место, где можно почувствовать себя дома, и часто в гораздо большей степени, чем там, где мы ужинаем, засыпаем, просыпаемся и уходим, чтобы снова вернуться вечером. И бар как нельзя лучше подходит для того, чтобы стать таким местом – во всяком случае, для меня. Чтобы на улице лил вечный дождь, а здесь был теплый желтый свет, и негромкая музыка, и чтобы можно было сказать бармену: «Налей-ка мне как всегда, дружище, плесни на два пальца этого пойла».

– Налей-ка мне еще, Маришка, – говорю я. – Плесни на два пальца этого пойла.

– Это что-то новое, – смеется Марина. – Тебе уже хватит на сегодня, по-моему. С каких это пор односолодовый виски у тебя стал пойлом?

– Если бы ты была знакома с ним так же хорошо, как и я, могла бы тоже называть его пойлом. Дружеское прозвище.

Я улыбаюсь и смотрю на нее сквозь сияющий янтарь скотча, который еще остается на дне моего бокала.

– Сделаю лучше тебе кофе, пьяница, – говорит она и идет к кофейному аппарату. Я одним глотком допиваю виски и закуриваю. Дым поднимается к потемневшему абажуру над стойкой и клубится там, похожий на причудливый вращающийся светильник.

Я вижу ее в «Винчестере» почти каждый вечер уже полгода. В последние пять-шесть месяцев у меня достаточно времени, чтобы приходить сюда постоянно и просиживать до глубокой ночи. Иногда выпадают нелегкие дни, заполненные делами и суетой, и я прихожу в бар, пропахший формалином, ладаном и сырой землей; иногда пустые, как те дневные телевизионные передачи, которыми я заполняю время в ожидании вечера. А вечер – это мягкий свет, похожий на сияние скотча в бокале, и старая барная стойка, испещренная царапинами и бесчисленными следами каблуков-шпилек, и согревающий сердце виски, и ветхий деревянный стул, и Марина. Главное – это Марина. Конечно, есть еще маленькая веселая Иришка Орешкина, и томная Снежана, и Настя, но главное – Марина. Я никогда не узнавал заранее, кто работает вечером, чтобы сохранить то радостное мгновенное чувство, когда открываешь деревянную дверь с матовым стеклом, звякает треснувший колокольчик, и вот секунда – и в полумраке за стойкой видишь знакомый профиль, темные волосы, быстрое изящное движение, и она пока не видит меня, а я уже прошел половину пути до стойки по затоптанному грязному ковру, и тогда она поворачивается, и улыбка ее расцветает навстречу.

– Привет, мой любимый бармен.

– Привет, пьяница!

Наверное, за полгода почти ежедневного общения можно неплохо узнать человека. Что до меня, то я вообще считаю, что внутреннее содержание большинства людей полностью исчерпывается за несколько минут разговора. А за шесть месяцев поговоришь и расскажешь вообще обо всем: о прошлом и будущем, о разочарованиях и радостях, о друзьях, родных и знакомых, о книгах и фильмах... В общем, более чем достаточно, чтобы исчерпать все возможные темы для бесед. Но с Мариной все по-другому. Нам всегда есть что сказать друг другу и есть что послушать. И в конце концов не так важно, о чем мы разговариваем. Иногда слова – это просто фон, как музыка или бормочущий телевизор, избавление от тишины. И тогда становится важно другое. Важно, насколько близко к моей руке на стойке бара лежит ее рука, как она улыбается мне, и вот я тоже улыбаюсь в ответ. Я смотрю на нее, и мне кажется, что ничего и никого прекраснее я не видел в своей жизни. Может быть, причиной этому уютный домашний полусвет и мерцание зеркальных полок бара, может быть, скотч, а может быть, это что-то большее. И сейчас я хочу думать именно так.

– Вот твой кофе, – говорит Марина, ставит передо мной дымящуюся бодрящими ароматами чашку и остается стоять рядом. Нас разделяет только стойка. Я сижу и смотрю на ее руки, лежащие на темной деревянной поверхности, – такие легкие, красивые и изящные.

– Трудный день? – спрашивает она.

– Так заметно? – Я поднимаю голову. Ее лицо в обрамлении темного каре волос прямо передо мной.

– Ну... вообще-то, да, – отвечает Марина и снова улыбается.

Я чуть отодвигаюсь в сторону, стараясь рассмотреть свое отражение в зеркальной стене за полками. Из-за бутылок выглядывает мой унылый двойник: всклокоченные волосы, щетина, бледная вытянутая физиономия и покрасневшие глаза.

– Да, – соглашаюсь я. – Денек тот еще. Были нелегкие проводы.

– Кто на этот раз?

– Молодая девушка. Самоубийца. Прыгнула с шестнадцатого этажа. Закрытый гроб, родители, и все такое.

– Ужас. – Марина передергивает плечами.

Ветер, набрав полные ладони холодного дождя, бросает его в темные стекла окон, и вода стекает струями вниз, как будто скользят руки созданий, скрывающихся в ненастной темноте. Тяжелые капли громко стучат в окно, словно кто-то просит впустить его внутрь. Двое молчаливых субъектов в углу как по команде поднимаются из-за своего столика, оставив бокалы с недопитым пивом, и так же безмолвно идут к двери, натягивая на ходу серые куртки. Коротко звякает колокольчик над входом.

– Всего доброго, приходите к нам еще! – звонко говорит им вслед Марина, но они уже исчезают во тьме вместе с мгновенным порывом ворвавшегося в бар холода. Стукнула, закрываясь, дверь. Теперь мы здесь только вдвоем.

Армстронга сменил Синатра: зеленые деревья, розы в цвету, какая прекрасная жизнь...

– Ужас, – снова повторяет Марина и смотрит на меня.

– Иногда единственное чудо, к которому человек может прикоснуться за всю свою жизнь, это именно смерть, – говорю я.

– Почему?

– Потому что вообще чудо – это свидетельство о том, что есть нечто большее, чем наша обычная жизнь. О том, что вечно. И нет ни одного столь яркого напоминания об этом, как смерть. А еще это то, что нельзя проигнорировать – так, как это делает человек, сталкиваясь в своей жизни с другими проявлениями чудесного или читая про то, что называется чудесами, или глядя на них по телевизору. Смерть не дает ни одного шанса остаться незамеченной теми, к кому она прикасается.

– Все равно... я бы, наверное, не смогла так работать, как ты. Мне было бы очень жалко людей: и тех, кто умер, а особенно тех, кто остался жить. Ну, просто это столько страданий...

Я кивнул и одним глотком выпил половину чашки горячего кофе. Марина знает, что я похоронный агент, и часто спрашивает меня о тех, кого я провожаю. Наверное, в ее глазах я некий Харон, медиатор потустороннего мира, хотя лично я организую проводы только для тела: тем, что было человеческой личностью или душой, занимаются совсем другие.

– Люди становятся гораздо лучше в минуты страданий, поверь мне. Я имею дело только с теми, кто неравнодушен к своим покойным, такая специфика работы. Возможно, за всю свою жизнь эти люди не испытывали чувств более чистых, искренних и сильных, как при потере близких, – причем и к этим самым близким в том числе.

И это истинная правда. Полтора года назад, когда я почти случайно начал работать в этом бизнесе, мне уже было трудно и неприятно общаться с большинством окружающих меня людей, если не сказать, что со всеми. Я и сейчас не могу назвать себя ни альтруистом, ни филантропом, но те несколько дней, что я провожу со скорбящими родственниками, отчасти примиряют меня со всем человеческим родом.

– А еще в такой ситуации люди часто искренне благодарны за помощь – тоже не самое распространенное человеческое качество. Так что можно сказать, что у меня просто прекрасная работа: я постоянно имею дело с чудом и искренними чувствами.

Марина улыбается.

– В твоем изложении звучит просто волшебно. Проводишь меня?

– До дома?

– Нет... когда я умру. Если уж этого чуда никому не избежать, я бы хотела, чтобы именно ты все для меня организовал. Мне кажется, у тебя неплохо получится.

– Очень надеюсь, что до этого не дойдет, – серьезно отвечаю я.

– Только положи меня в гроб красивой. – Марина веселится: смерть кажется ей чем-то далеким и совсем нестрашным. – Нос мой горбатый, может, наконец поправишь мне, потому что я точно умру раньше, чем сделаю себе пластику.

– Еще чего, – отвечаю я. – Я не лишу тебя посмертно главного в твоем шарме и обаянии.

Марина смеется и поворачивается в профиль. У нее очаровательный носик с горбинкой, предмет общего восхищения и ее постоянных шутливых издевательств над собой.

– Все равно, если что, я буду рассчитывать на твои услуги.

– Тогда нам нужно будет состариться вместе – при этом условии я согласен.

Марина смеется, откидывает темные волосы, и ее знаменитая улыбка сияет ярче, чем отраженный свет в зеркалах и стекле у нее за спиной. Она выходит из-за стойки и идет убрать стаканы с дальнего столика. Стрелка на часах уже приближается к двум, а значит, скоро нужно будет готовить бар к закрытию. Очередной вечер, незаметно ставший ночью, подходит к концу.

Я гашу сигарету, а Марина возвращается за стойку.

– А вообще я бы хотела никогда не умирать, – говорит она.

– Мне кажется, это ужасно тоскливо.

– Только если сидеть в баре каждый вечер, – парирует Марина. – А если постоянно чем-то заниматься, новым, интересным... ну, ездить по разным странам, читать, учить языки...

– То хватит тебя лет на сто, – отвечаю я. – А потом ты окажешься запертой в этом мире, как в склепе, в унылой компании опостылевших стран, надоевших людей и наскучивших занятий. Смерть придает жизни хоть какую-то осмысленность, хотя бы в качестве подведения итогов.

– А мне кажется, что умирать очень обидно, как выйти из кинотеатра посередине сеанса: фильм еще не закончился, а ты уже ушел.

– Тогда налей мне еще немного, и я выпью за апокалипсис: пусть фильм закончится для всех и сразу.

Марина с улыбкой качает головой, но наливает немного виски на дно моего стакана. Я залпом проглатываю огненный напиток, запиваю его остатками уже остывшего кофе, встаю, кладу деньги на барную стойку. Марина возится в углу с кассой.

Я смотрю наружу сквозь темное мокрое стекло. Дождь и ветер поджидают меня, как уличные хулиганы.

– Тебя проводить? – спрашиваю я.

– Все-таки решился? – улыбается Марина.

– Я имею в виду, до дома. Погода дрянь, да и время суток не располагает к прогулкам.

– Не надо, – Марина машет рукой, – я такси вызову. Спасибо. Да и мне тут еще нужно посчитать, потом выключить все... Поезжай.

– Как джентльмен, я должен был предложить.

– Спасибо, леди наймет себе экипаж.

Все, наш обычный ритуал прощания состоялся. Я ни разу за полгода не настоял на том, чтобы проводить ее, а она ни разу не согласилась, точно так же, как я ни разу не сделал попытки пригласить ее встретиться где-нибудь за пределами «Винчестера», а она ни разу не дала мне ни намека на то, что ожидает от меня чего-то подобного. Может быть, так даже лучше, оставаться друг для друга ночными собеседниками. А может быть, я просто боюсь потерять то, что есть между нами сейчас, и превратить это в двусмысленное слово «отношения». Пусть уж лучше все остается как есть.

Я застегиваю пальто и иду к дверям. Марина провожает до выхода. Я снова смотрю на нее, и у меня вдруг чуть сдавливает сердце от какого-то промелькнувшего щемящего чувства. Марина стоит передо мной, смотрит мне в глаза и улыбается. Я думаю о том, какая она красивая, а еще о том, как мне не хочется оставлять ее здесь одну.

— Ну все, пока, — говорит она и целует меня в щеку.

Я целую ее в ответ, прикасаясь губами к теплой мягкой коже, и чуть касаюсь руки.

— До завтра, — то ли прощаюсь, то ли спрашиваю я.

— До свидания, — улыбается она.

Я открываю дверь и выхожу на улицу.

Темнота, холод, ветер и дождь мгновенно обрушиваются на меня, злобно радуясь неожиданной ночной жертве. Ледяные капли бьют по лицу, сыплются за воротник, который я стараюсь поднять повыше. Из темных узких коридоров улиц с завыванием вырываются сквозняки. Чуть правее виднеется в сумраке серая громада стадиона. Стены домов уходят прямо в клубящееся серыми тучами небо. Кошмарные сновидения их обитателей смотрят на меня через черные мокрые стекла. Я подхожу к набережной и поднимаю руку. Машин в этот час совсем мало, и только минут через десять, когда стылый ветер уже пробрал меня до костей, из мрака вырывается нечто, словно наспех склепанное гоблинами из плохо подогнанных листов железа. Собственно, один из этих гоблинов и сидит за рулем.

— Куда ехать? — слышу я каркающий голос.

— Черная речка, — отвечаю я, — самое начало Приморского проспекта.

И, не дожидаясь переговоров о цене, падаю на продавленное сиденье и захлопываю дверцу.

— Поехали, — говорю я, откидываюсь на спинку, стараясь не очень надавливать ногами на ржавое днище, и прикрываю глаза.

* * *

Я просыпаюсь мгновенно, как будто кто-то повернул выключатель, и сразу открываю глаза. В комнате тихо, и только сквозь оконные рамы едва доносится протяжный шум просыпающегося города. Некоторое время я просто смотрю перед собой, осознавая реальность, к которой вернулся после долгих и тревожных блужданий во сне. Я лежу на диване, завернувшись в покрывало. Прямо передо мной темный экран молчащего телевизора. В одном углу комнаты неуклюжее кресло, в другом — большой старомодный шкаф. Залежи коробок с DVD громоздятся на полу по обе стороны от телевизионной тумбочки. Рядом с диваном небольшой шаткий столик, на нем две пустые бутылки из-под ирландского эля и пластиковый контейнер с остатками какой-то еды. Значит, вчера я еще заходил в магазин по дороге домой. Постепенно возвращаются воспоминания о прошлом вечере: ржавая колымага с угрюмым водителем, дождь, бар, Марина. Я приподнимаю покрывало, с удовольствием отмечая, что все-таки успел раздеться перед тем, как провалиться в сонное забытье. Некоторое время я еще лежу, пытаясь вспомнить сон, который видел, но образы сновидений мгновенно лопаются, как мыльные пузыри, стоит только мысленно к ним прикоснуться и попытаться обозначить словами. Постепенно от сна остается только смутное неуловимое ощущение, как будто близорукий человек пытается рассмотреть картину, расплывающуюся у него перед глазами в одно пестрое, но бесформенное пятно.

Я откидываю покрывало и встаю. Тело отвечает легким головокружением, но это уже привычное для меня ощущение. Иногда организм выражает свои протесты по поводу моих ночных бдений гораздо более радикально.

В окно льется мутный утренний свет. По проспекту уже несутся машины, постепенно формируя нескончаемый железный поток. Небо немного просветлело, дождя нет, и солнце висит за тонким пологом серой дымки размытым, но ярким пятном. Темная вода в реке сонной холодной змеей ползет мимо рассыпающихся набережных и каменных лестниц, подступающих к ее свинцовой поверхности. Деревья в парке на другом берегу расцвели, как печальные цветы смерти: желтым, багровым, лихорадочно-красным и рыжим.

Я иду на кухню, по пути заглядывая в кабинет, служащий мне одновременно и спальней: костюм аккуратно висит на вешалке, зацепившейся крюком прямо за крышу шкафа. Я не помню, как снимал одежду, но приятно, что некоторые рефлексы не зависят от состояния сознания. На кухне я наполняю стакан водой из-под крана и жадно пью. Наливаю второй, выпиваю почти до конца и выплескиваю остатки воды в раковину, на что она сразу отзывается недовольным хрипением. Часы на стене показывают восемь утра, и я не могу понять, что могло разбудить меня так рано, вырвав из сна, словно по сигналу тревоги.

Я возвращаюсь в комнату и вижу, что телефон слабо мерцает: пропущен звонок или сообщение. Так и есть: оповещение о новом письме, пришедшем на мой электронный ящик. Я беру телефон, иду в кабинет и включаю ноутбук, вяло раздумывая о том, от кого могло быть сообщение и не потребуется ли от меня в связи с этим каких-то активных действий прямо сейчас. Пусть уж лучше это будет спамом.

Систему оповещений о новых письмах, приходящих на электронную почту, я поставил себе год назад. В работе похоронного агента своевременное получение информации – это гарантия успешного бизнеса, а многим моим информаторам – сотрудникам полиции, врачам «Скорой помощи», вообще всем тем, кто первым оказывается у еще не успевшего остыть тела, часто гораздо проще послать СМС или отправить сообщение на электронную почту со своего телефона. Кого-то из этих людей я знаю лично, с кем-то знаком только заочно, а некоторые предпочитают скрываться за анонимными электронными адресами, получая свою долю от моих комиссионных с помощью электронных платежей. Меня это вполне устраивает – во всяком случае, гарантирует то, что какой-нибудь участковый или санитар не станет навязываться мне в приятели и надоедать лишними разговорами.

В почтовом ящике одно новое сообщение с адреса dilleachta@gmail.com. Да, так и есть – один из моих анонимов. Пара интересных дел за последние полгода, стандартная оплата, электронный анонимный кошелек.

На этот раз в теле письма я вижу только одно слово, набранное крупным шрифтом.

МАРИНА.

Я откидываюсь на спинку стула и чувствую, как кровь с шумом приливает к голове, мгновенно вымывая остатки алкоголя. Пару секунд я просто смотрю на слово, написанное крупными буквами. Ощущение такое, словно кто-то в пустой квартире неожиданно окликнул меня по имени: внезапное, очень личное и страшное обращение.

Шум в голове сменяется крикливым хором мыслей. Я хватаю телефон и набираю номер. Секунда ожидания, и женский голос вежливо сообщает мне, что «аппарат вызываемого абонента выключен или находится вне зоны действия сети». В следующее мгновение я срываюсь с места и лихорадочно начинаю одеваться. Письмо так и остается открытым, и на экране по-прежнему светится имя: МАРИНА. Я мельком вижу его, когда захлопываю входную дверь.

Мой «Wrangler» стоит у парадной. На лобовом стекле несколько крупных желтых листьев – штрафные квитанции осени. Я прыгаю за руль и, уже выезжая из двора, понимаю, что не знаю, куда мне ехать. У меня есть фамилия Марины и номер ее мобильного телефона, но для того, чтобы установить адрес, мне потребуется два звонка и пятнадцать минут времени, а я не хочу ждать ни секунды. Я решаю ехать в «Винчестер» и, если ситуация не прояснится, потом разобраться на месте.

Через одиннадцать минут я резко торможу у дверей бара, наплевав на правила парковки и на возмущенные сигналы подрезанного мной «Jaguar». Мне невероятно везет: за эти несколько минут бешеной гонки я раза три должен был лишиться прав, два раза разбить свою и чужую машины, и это не считая очевидных последствий вчерашних алкогольных возлияний.

Железные жалюзи «Винчестера», которые обычно опускают на ночь, защищая двери и окна, сейчас подняты, и я вижу, что в баре горит свет. Сердце сжимается в тугой комок. Любое нарушение установленного порядка в этом мире – это сигнал опасности или уже свершившейся беды. Внезапный ночной звонок в дверь, чужие люди у дома или офиса, настежь раскрытая дверь соседской квартиры – и свет в ночном баре в девятом часу утра.

Я открываю дверь: она не заперта, колокольчик отзывается тусклым, неживым звяканьем.

Под потолком горят тусклые лампочки в большой погнутой люстре, похожей на висящего паука. Включенный свет странным образом создает ощущение, что в помещении темнее, чем если бы оно было освещено только утренним солнцем, лениво заглядывающим через окна. Неприглядные детали интерьера, обычно скрытые полумраком, теперь бесстыдно лезут в глаза: неопрятные стены, ковер, похожий на втоптанную в пол грязную тряпку, пятна на обивке дивана. Я вижу, как что-то метнулось за барной стойкой, и подхожу ближе. Маленькая Ира Орешкина, еще одна девушка-бармен этого заведения, смотрит на меня огромными округлившимися глазами так, будто увидела призрака.

– Ой, – говорит она. Я вижу, как дрожит ее рука, сжимающая пивной бокал с какой-то желтой жидкостью, плещущейся на дне.

– Привет, Ириша, – говорю я.

– Ой, – отвечает она, и я вижу, как в ее больших карих глазах появляются слезы.

Из небольшого коридора, отделенного от зала тремя ступеньками, доносятся голоса и несет холодным воздухом. Я иду туда. В коридоре тоже горит свет, я иду мимо туалетов и вижу, что дверь черного хода, обычно запертая на тяжелый железный крюк, открыта настежь. Голоса становятся громче. Из подсобки, расположенной рядом с черным ходом, слышится звук падения чего-то тяжелого. Мне навстречу выходит Толик – хозяин бара. Его лицо, обычно покрытое красно-бронзовым загаром спортсмена-экстремала, сейчас непривычно бледно, короткие светлые волосы взъерошены.

– Уже знаешь?.. – спрашивает он меня и, не дожидаясь ответа, скрывается за одной из боковых дверей. Я прохожу мимо подсобки. Еще один совладелец «Винчестера», Андрей, длинными волосами и бородкой похожий на постаревшего мушкетера, вместе с каким-то незнакомым человеком возится с упавшим пивным кегом. Он не замечает меня, и я выхожу через дверь черного хода во двор.

Двор этот квадратный и почти всегда пустой. Его иногда используют как ринг для поединков гости бара, достаточно пьяные, чтобы необходимость физически выяснять отношения казалась неизбежной, но сохранившие довольно благоразумия, чтобы не делать этого на танцполе. Дома, окружающие двор с четырех сторон, похожи на троллей, которых застал свет утра, и они окаменели, разинув беззубые провалы дверей и вытаращив мутные остекленевшие глаза окон под низкими тяжелыми бровями карнизов. Бледные солнечные лучи скользят по их изрытой оспой времени серой каменной коже.

Первое, что я вижу – это машины. «Скорая помощь», рядом с открытыми задними дверцами которой курят санитары. Полицейский автомобиль ППС. Еще пара машин с номерами МВД и прокуратуры припаркованы в дальнем углу. Оба въезда – через арку и со стороны набережной – перекрыты желтыми лентами, рядом с которыми мается пара молодых полицейских. Еще один человек в форме, толстый, усатый, негромко разговаривает недалеко от входа в бар с двумя оперативниками в штатском.

Какие-то хмурые люди расхаживают с мобильными телефонами. Периодически где-то хрипло включается рация. На меня никто не обращает внимания. Я поворачиваю голову влево, смотрю вниз и наконец вижу Марину.

Для того чтобы понять, что это она, мне требуется несколько секунд. Она лежит на спине, вытянувшись на грязном асфальте чуть левее двери черного хода. Одежда превратилась в комок раскромсанных заскорузлых лохмотьев. Сквозь грязь и кровь можно различить только несколько клеток на юбке из шотландки. Собственно, эта юбка и бледная кисть руки – изящная, легкая, красивая, безжизненно лежащая на асфальте, – то единственное, по чему я могу узнать Марину. На вытянутых ногах зияют рваные раны на месте вырванных из тела кусков плоти, в одной из ран сквозь обрывки ткани и почерневшей кожи белеет бедренная кость. Изодранные в клочья руки раскинуты в стороны, запястья раздроблены. Тело обнажено до пояса, но это понятно не сразу, потому что на месте груди зияет огромная багрово-черная дыра, оскалившаяся беловатыми осколками сломанных ребер. Грудная клетка словно взорвалась изнутри, вместо мешанины органов – кровавая пустота. Горло отсутствует, и сквозь красноватые и белесые жилы видны шейные позвонки.

Я перевожу взгляд на лицо. Даже сквозь сплошную бурую пленку запекшейся крови видно, что оно белое, как листок бумаги, брошенный на серый асфальт. Глаза зажмурены, словно это было единственным средством защититься от обрушившегося на нее кошмара. Губы растянуты в последнем предсмертном оскале. Темные волосы слиплись от крови в один большой колтун, нелепо торчащий в сторону.

Я делаю выдох. Похоже, я не дышал минуту-другую, и сейчас воздух все-таки вырвался из легких с сиплым, свистящим звуком. Рядом с телом я вижу брошенную сумочку, из которой раскатилась какая-то пластиковая мелочь, связку ключей и раздавленный мобильный телефон.

«Аппарат вызываемого абонента выключен или находится вне зоны действия сети».

– ...собаки, – слышу я обрывок разговора усатого участкового и двух оперативников в штатском. Я с трудом отвожу взгляд от тела и прислушиваюсь.

– Я тоже видел, этим летом. Только там другое было. – Усатый не спеша закуривает сигарету. – Меня на труп вызвали, в коммуналку. Тут недалеко. Короче, там старуха умерла, а вместе с ней в комнате жили собаки, мелкие, но штук пять. Дворняги, в общем. Два дня соседи ничего не замечали, а собаки в это время труп обгрызли почти до костей. Ну, а на третий день, когда на жаре старуха уже протухла, тогда уже стали выть, и соседи запах почувствовали. В общем, когда мы приехали, там уже все тело в опарышах... Так вот, очень было похоже на это. – Оперативник машет сигаретой в сторону тела Марины.

Я продолжаю слушать.

– Пару лет назад в питомнике два ротвейлера алкоголичку порвали, – говорит оперативник в черной кожаной куртке. У него неприятное рыхлое лицо и маленькие бегающие глаза. – Она там смотрела за ними, пьяная вошла в вольер – ну и все. Как здесь почти: руки начисто отгрызли, ноги порвали, ну и горло...

– Эксперт когда будет? – спрашивает второй.

– Десять минут, – откликается один из мужчин с телефоном. – Уже звонили, сказали, едет.

Я бросаю еще один взгляд на тело. Растерзанная и брошенная на грязный асфальт упаковка человека. Словно кто-то очень жадный, злой и нетерпеливый рвал обертку конфеты, чтобы быстрее добраться до начинки живой души.

Я возвращаюсь в бар и вижу, как Ира Орешкина выливает в пивной бокал маленькую баночку энергетика, а потом до краев доливает бокал водкой. Судя по ее неуверенным движениям, проделывает это она сегодня уже не в первый раз. Я сажусь напротив нее и закуриваю. Некоторое время она молчит и только делает несколько жадных глотков. Я не тороплю ее и ни о чем не спрашиваю. Она тоже видела тело.

Наконец Ира отрывается от бокала и начинает говорить, сбиваясь, путаясь в словах заплетающимся языком и проглатывая слезы.

Около двух, как обычно, Марина закрыла кассу. В 2:10 она послала СМС Толику с отчетом по вечерней выручке. В 2:15 позвонила и вызвала машину, знакомого таксиста Валеру, который был почти официальным водителем для сотрудников и некоторых постоянных гостей. В 2:35 Валера остановился перед входом в «Винчестер» и сидел в автомобиле. Свет в баре уже был погашен, но Марины на улице не было. Он подождал минут десять, потом позвонил ей на мобильный, но телефон оказался выключен. Валера подумал, что она уже поймала другую машину, или, скорее всего, вообще ничего не подумал, развернулся и поехал домой.

«Если бы этот недоумок оторвал свой зад от сиденья и обошел бар с другой стороны, все могло быть иначе», – думаю я, кивая и слушая Иру. Потому что именно в то время, пока он сидел в теплом салоне автомобиля, слушая блатные напевы и ленясь выйти под дождь, буквально в нескольких метрах от него умирала Марина.

Конечно, Валера ничего не слышал, и это неудивительно: в закрытой машине с включенной музыкой сквозь шум дождя он действительно мог не слышать, что происходит за домом, в глухом дворе. Судя по всему, Марина выключила свет в баре и прошла через черный ход, чтобы потом с помощью пульта опустить со стороны улицы железные жалюзи на входную дверь и окна. Девочки-бармены всегда делают именно так. Только вот на этот раз выйти из двора ей было уже не суждено.

«Проводишь меня?» Я вспоминаю улыбку и взгляд. Я мог бы задержаться на полчаса. Даже меньше. Я мог бы просто подождать ее для того, чтобы посадить в это чертово такси. Вместо этого я поехал домой и как раз покупал в круглосуточном супермаркете пиво, когда Марина умирала на грязном заднем дворе, захлебываясь болью и кровью.

Я открываю глаза, мотаю головой и стараюсь сосредоточиться на том, что говорит мне Ира.

Марину нашли примерно в семь утра, когда старуха из дома во дворе вышла по каким-то своим старушечьим делам. Она увидела издали что-то, что показалось ей порванным мешком для мусора с кухонными отходами: фаршем и обломками костей. Подумала еще, кто же это выбросил мусор прямо у задней двери бара, а потом подошла ближе... Приехавшие сотрудники полиции позвонили Толику и Андрею, те и опознали Марину. Толик срочно вызвал Иру – зачем, она не знает, да и он тоже вряд ли понимал, зачем это делает, наверное, просто чтобы кто-то был в баре, если уж двери открыты. И вот сейчас еще нет девяти, а она уже пьяная, и что теперь делать весь день, а сегодня ее смена, а ты ее видел, и что же это такое, и как это может быть, и я теперь никогда не останусь тут ночью... Ира снова начинает дрожать, слеза капает в наполовину опорожненную кружку с водкой и энергетиком. К негромким мужским голосам, доносящимся со двора, присоединяется женский. Наверное, приехал эксперт. Я молча гашу сигарету и снова иду к двери черного хода. Настало время кое-что уточнить. Боковым зрением я вижу, как Ира опять тянется к бутылке с водкой. Похоже, скоро Толику придется вызывать сюда еще одного бармена.

Рядом с телом Марины присела молодая женщина в светлом

пальто. Длинная прядь золотисто-рыжих волос упала на лицо, когда она нагнулась над кроваво-черным провалом раны на месте груди – как ангел, опоздавший прийти за душой и теперь ищущий ее в жутких глубинах мертвого тела. Пальцы в перчатках пробегали по лохмотьям плоти и окровавленной ткани.

– Часов пять точно, может быть, шесть, – сказала она стоящему рядом с ней оперативнику, тому, кто интересовался, когда приедет эксперт. Его напарник с неприятной физиономией стоял чуть поодаль и делал какие-то пометки на листе бумаги, положенном на папку.

– Алина Сергеевна, в протокол что вносим?

– Так и пишешь – от пяти до шести часов.

Я вижу, как женщина-эксперт внимательно смотрит вокруг, окидывая взглядом серый асфальт, потом снова склоняется над телом. Она прикасается пальцами к торчащим осколкам ребер и вдруг вздрагивает. Я отчетливо замечаю, как задрожали ее пальцы, напряглись плечи, замерло дыхание. Она еще ниже склоняется над раной и уже двумя руками проводит по ее рваным краям. Прядь рыжих волос почти касается мертвого тела и чуть колышется от дыхания, вырывающегося из приоткрывшихся губ.

– Увидели что-то необычное? – спрашиваю я.

# Глава 2

Самое важное в жизни часто происходит тогда, когда мы меньше всего этого ожидаем. Можно очень желать чего-то или, напротив, бояться: встречи, события, случая, можно годами жить с этим желанием и страхом, так что состояние подсознательного ожидания становится привычным, почти незаметным. Можно даже забыть обо всем вовсе – но вот те самые встреча, событие, случай наконец-то происходят и неизбежно приносят с собой шок и мгновенную растерянность. Потому что именно сейчас, в этот момент, мы готовы к ним меньше всего.

Об этом подумала Алина, когда, склонившись над мертвым телом, увидела именно то, что хотела, ждала и боялась увидеть уже несколько лет.

Начало дня совершенно не предвещало ничего необычного.

Да и какие предвестья могут быть в таком случае? Вещий сон? Визит привидения?

Раннее утро было чудесным и даже каким-то радостным, насколько вообще радостным может быть осеннее утро в Петербурге. Ливший всю ночь дождь закончился, неяркое солнце просвечивало сквозь тонкую завесу серой дымки. Прозрачный воздух замер в торжественной неподвижности и с высоты одиннадцатого этажа далеко видны были деревья на берегу Муринского ручья, и сам ручей, серой извилистой лентой уползавший вдаль, и широкий черно-зеленый ковер парка Сосновка, где на темном фоне елей и сосен яркими пятнами вспыхивали желтый, красный и оранжевый цвета.

Алина проснулась бодрой, отдохнувшей, утренний душ был горяч, утренний кофе – крепок. Она быстро собралась, взяла ключи от машины и бросила последний взгляд в большое зеркало холла. Необходимый акт самоидентификации каждого: точно ли это я сейчас выйду во внешний мир? Да, несомненно: невысокая молодая женщина, золотистое каре волос до плеч, зеленые глаза смотрят внимательно и немного строго, светлое приталенное пальто подчеркивает выразительную фигуру. Алина улыбнулась отражению и вышла из квартиры.

На улице она с удовольствием вдохнула прохладный воздух, в котором были растворены тонкие нотки осенней влаги и запаха прелых листьев. Красный «Peugeot 307», казалось, встретил ее радостным ожиданием, как веселый пес встречает хозяина, собираясь идти на прогулку. Автомобиль был подарком отца на двадцатипятилетний юбилей и сменил видавшую виды «девятку», на которой Алина ездила до этого. Вообще Алина крайне неохотно принимала от папы такие подарки, и он выбрал максимально веский повод для того, чтобы заставить дочь пересесть из вызывавшего у него ужас «ведра» в более безопасный и во всех отношениях лучший «Peugeot». Собственно, так же получилось и с квартирой: ее папа подарил Алине на двадцатилетие, и она переехала сюда из съемной «хрущевки», которую арендовала вместе с двумя подружками по Медицинской академии. Алина с восемнадцати лет жила отдельно от отца и ни разу за это время не попросила его о помощи, как бы трудно ей ни приходилось, просто потому, что это претило ее самостоятельной натуре. Сейчас, когда уже приближалось ее тридцатилетие, она даже с некоторой тревогой думала о том, что подарит ей папа на этот раз.

Алина села за руль и выехала на проспект, по которому уже

торопились машины, спеша образовать утренние пробки, проехала мимо парка, раскинувшегося вдоль Муринского ручья, свернула на улицу Руставели и уже почти подъезжала к Пискаревскому проспекту, когда подал голос ее мобильный телефон. Алина взглянула на экран и чуть поморщилась. «Иванов Эдуард», – высветилось на экране. На самом деле ее непосредственного начальника, руководителя отдела судебно-медицинских экспертиз трупов, звали Эдип. Эдип Михайлович Иванов. По вполне понятным причинам он предпочитал называться Эдуард. Алина помнила, как, узнав настоящее имя начальника, удивилась безрассудной смелости его родителей.

– Да, Эдуард, доброе утро, – сказала она в трубку.

– Алина, привет, ты где?

Рабочий день в Бюро судебно-медицинской экспертизы начинался в десять часов, но Алина была сегодня дежурным экспертом, и теоретически это означало, что уже в восемь она должна быть на месте. Сейчас было ровно восемь утра. Впрочем, практически для дежурного эксперта было достаточно просто быть на связи в это время.

– Я подъезжаю, буду где-то... – Алина бросила взгляд на уплотнявшуюся пробку перед Пискаревским проспектом, – минут через десять.

– Зря торопилась, – сказал Эдип-Эдуард. – На Петроградской труп, только что позвонили, так что... адрес можешь записать или так запомнишь?

Алина вздохнула, кое-как нацарапала в ежедневник адрес, держа одной рукой руль и прижимая плечом мобильник. Потом убрала телефон, протиснулась через пробку к проспекту, и, немного проехав вперед, повернула в сторону центра.

У криво натянутой поперек арки двора желтой ленты слонялся молодой патрульный.

– Экспертиза, – бросила на ходу Алина, нырнула под ленту и быстро вошла во двор. Каблуки звонко печатали ее шаги по асфальту.

Здесь было темнее и почему-то холоднее, чем на улице, где Алина припарковала машину. Наверное, причиной тому были сквозняки, задувавшие сюда стылый влажный воздух с реки и пронизывавшие двор насквозь через две арки. Алина осмотрелась. В каменном колодце уже собрались все обычные статисты последнего акта человеческой трагедии: два «убойщика» из РУВД, криминалист, участковый в явно тесной для него форме, следователь из Следственного комитета, фотограф с помятой недовольной физиономией и санитары в синих робах у стоящей с открытыми задними дверцами машины «Скорой помощи». Оперативники показались Алине смутно знакомыми, а вот следователя она знала достаточно хорошо для того, чтобы вспомнить его имя, когда надо было ответить на приветствие.

– Доброе утро, Алина Сергеевна!

– Было таким, Борис Аркадьевич. Что тут?

Следователь махнул рукой в сторону. Алина посмотрела: что-то растерзанное было навзничь распростерто у открытой железной двери в правой от Алины стене двора. Видимо, дверь вела не в жилые помещения: за ней виднелся тускло освещенный узкий коридор, уходящий в глубь дома.

– Девушка, бармен. Тут вот служебный вход как раз... Судя по всему, собаки поработали. Я так думаю, не криминальный труп.

«Надеешься, что не криминальный», – подумала Алина.

– Опознали? – спросила она, на ходу вытаскивая из кармашка портфеля латексные перчатки и натягивая их на руки.

– Да. Хозяева бара уже тут, опознали. Лицо сохранилось более или менее, и паспорт нашли.

Алина подошла к телу, поставила рядом рабочий портфель, запахнула полы пальто и присела на корточки у изуродованного тела. Да, похоже, что собаки: рваные беспорядочные раны, клочья разодранной плоти, отсутствующие фрагменты... Странно, как зияет грудная клетка: ребра с остатками грудины торчали вверх, словно их раздвинули изнутри. Алина заглянула внутрь багрового провала. Сердца не было, обрывками лент болтались аорты. Рана продолжалась до середины живота, нижний край ее скрывали лохмотья изорванной одежды.

– Нашли около часа назад, чуть больше, – продолжал рассказывать следователь. Два опера подошли поближе, один из них доставал из папки бланк протокола. – Сейчас ребята проводят опрос жильцов, выясняют, не местные ли собачки...

Алина кивала, пальцы в белом латексе совершали привычные быстрые манипуляции: разжали стиснутые веки, коснулись глаз, пробежались по покрытому сплошной пленкой засохшей крови лицу, задней части шеи, суставам рук.

– Вводную часть составили уже? – спросила она, приподнимая безжизненно лежащую на грязном асфальте кисть руки и чуть сгибая ее в суставе.

Один из оперативников с физиономией, похожей на кусок непропеченного теста, помахал в воздухе бланком протокола.

– Ага, описательная только осталась.

Алина отпустила руку мертвой девушки, пальцы с характерным звуком стукнулись об асфальт. «Яркий маникюр, — отметила Алина. — Свежий. Недавно делала, чтобы быть красивой...»

Она вздохнула и достала из портфеля два градусника.

— Время смерти примерно какое? — спросил один из оперативников.

— Пять, может быть, шесть часов, — ответила Алина. Огромная зияющая рана на груди несчастной девушки притягивала взгляд. Она посмотрела вокруг, на серый асфальт вокруг тела, сохранивший влагу ночного дождя, отложила в сторону градусники и снова коснулась пальцами краев сломанных ребер.

— Алина Сергеевна, в протокол что вносим?

— Так и пишешь — от пяти до шести часов.

«Тупой, что ли?» — раздраженно подумала Алина и нагнулась чуть ниже, чтобы лучше рассмотреть то, к чему прикасались ее руки.

Сердце вдруг тяжело ударило в груди и замерло. Пальцы в перчатках застыли на обломках костей. Время тоже замерло, словно соизмеряя свое течение с ударами сердца, и сейчас промежуток между секундами стал долгой тягучей паузой. Из каменной арки, ведущей во двор, дохнуло холодом. Внезапный шум в ушах растворил в себе звуки голосов. Алина затаила дыхание и нагнулась еще ниже к огромной ране, так, что золотистая прядь волос, свесившись, едва не коснулась рваных краев. Да, это оно. Почти наверняка. Конечно, не может быть стопроцентной уверенности, но очень, очень похоже на...

— Увидели что-то необычное?

Алина вздрогнула и быстро подняла голову. Реальность разом вернулась на место: сердце учащенно забилось, наверстывая пропущенные удары, с улицы доносился гул машин, оперативники разговаривали со следователем, но вопрос, который вывел Алину из подобия транса, задали не они.

В проеме двери стоял человек: высокий, худой, в черном пальто нараспашку. Под пальто — белая рубашка сомнительной свежести и черный костюм, явно дорогой, возможно, сшитый на заказ, но непохожий на ту бизнес-униформу, которую Алина видела на отце или его знакомых. Алина быстро окинула незнакомца взглядом: бледное узкое лицо, прямой нос, густые темные волосы то ли растрепаны, то ли уложены каким-то модным стилистом в живописном беспорядке. Присмотревшись, она решила, что, скорее, все же просто растрепаны: вид у мужчины был усталый, костюм помят, на лице темнела щетина, но взгляд серых глаз был внимателен и тверд.

– Простите, а вы кто? – резко спросила Алина.

– Родион Гронский, – представился мужчина и протянул Алине черную визитную карточку. Алина взяла карточку и, держа ее на вытянутой руке, прочитала: «Родион Гронский. Организация похорон». Ниже был указан номер мобильного телефона.

Понятно. Похоронный агент. Алина терпеть не могла эту публику, слетавшуюся на место любого трагического происшествия, как черные падальщики. Алина отдала карточку обратно и повернулась к следователю:

– Боря, скажи, пожалуйста, что делают посторонние на месте происшествия?

Следователь и два оперативника одновременно замолчали и повернулись к Гронскому, словно только сейчас обратили на него внимание.

– Я здесь не по роду занятий, – быстро сказал тот.

Алина холодно смотрела на него снизу вверх. Руки ее все еще касались растерзанной грудной клетки распростертого перед ней тела, и она почувствовала, как пальцы снова начинают дрожать – на этот раз уже от нетерпения.

– Тем более не вижу причин для того, чтобы вы тут находились.

Оперативник с рыхлой физиономией, подняв перед собой руки, двинулся к Гронскому.

– Мужчина, войдите обратно в помещение, не мешайте проводить следственные мероприятия...

Гронский посмотрел на него. На мгновение Алине показалось, что он сейчас ударит полицейского. Тот, видимо, тоже что-то почувствовал и остановился, все так же держа перед собой руки. Но Гронский сделал шаг назад, еще раз окинул быстрым взглядом двор, задержал взгляд на теле, а потом развернулся и скрылся за дверью. Оперативник пожал плечами и не спеша пошел за ним.

Алина снова повернулась к трупу. Теперь ее пальцы коснулись раны на горле, чуть раздвинули края, и Алина несколько секунд всматривалась в переплетение разорванных жил и сосудов. Да, это именно то.

Во двор снова подуло холодом. Светло-серый квадрат неба, обрамленный крышами домов, стал темнеть, словно у кого-то там, наверху, стремительно портилось настроение. Алина резко поднялась, срывая с рук латексные перчатки.

– Я все закончила. Тело доставить ко мне в лабораторию. Немедленно.

Следователь недоуменно взглянул на нее.

– Алина... так быстро? А протокол?..

Алина посмотрела ему в глаза.

– Боря, есть профессиональная необходимость в интересах следствия срочно доставить тело на судебно-медицинскую экспертизу. Протокол я составлю тебе позже, хорошо?

– Да что случилось?

Алина вздохнула.

– Возможно, на теле жертвы сохранились следы биологического происхождения, которые могут быть безвозвратно утеряны при промедлении, – выдала она на одном дыхании первое, что пришло в голову. – Хочешь протокол? Будет тебе протокол, прекрасный. Очень, очень подробный, хорошо? И я тебя прошу: запрос на экспертизу подготовь для меня как можно скорее, ладно? Вот прямо сейчас приедешь к себе и сразу сделай, будь другом. А я тебе в обмен на постановление сразу пришлю протокол. И заключение получишь быстро, буквально завтра. Идет?

Следователь покачал головой.

– Ну, как скажешь... мы-то свою работу уже выполнили...

«Отвечать будешь сама», – услышала Алина очевидный подтекст.

– Молодцы, просто молодцы, что выполнили. Все, я забираю тело. – Последние слова она произнесла, уже направляясь к машине «Скорой помощи». Врач и санитар при ее приближении бросили окурки, добавив их еще к десятку таких же, валяющихся у них под ногами.

– Дорогие коллеги, берем тело и везем на Екатерининский. Я еду вперед, так что когда будете на месте, позвоните мне. Я сразу заберу труп.

Врач удивленно посмотрел на Алину.

– Лист регистрации заполнять не будете?

Алина уже с трудом сдерживала растущее раздражение. Все сегодня словно сговорились медленно думать, медленно говорить и медленно действовать.

– Нет, не буду, – отрезала она. – Направление давайте сюда, подпишу. И вот еще номер моего мобильного – как приедете, сразу отзвонитесь, хорошо?

Врач только пожал плечами. Прекрасно, когда существует разделенная ответственность: Алина только что нарушила несколько норм и правил подряд, в том числе предусмотренных процессуальным кодексом, но поскольку вся вина за это ложилась только и исключительно на нее, ни следователю, ни врачу «Скорой» в общем-то не было до этого дела. И Алину сейчас это вполне устраивало. Она нацарапала свою подпись на листе бумаги, который протянул ей врач, на обратной стороне быстро написала номер телефона и вихрем вылетела из двора. Темные окна серых домов равнодушно смотрели ей вслед.

Уже захлопнув дверцу машины, она увидела, как из бара вышел тот самый высокий похоронный агент, посмотрел на нее и сел в припаркованный прямо у входа черный, видавший виды джип «Wrangler». Алина повернула на набережную, вдавила в пол педаль газа и успела увидеть в зеркало, как джип, резко развернувшись через двойную сплошную, поехал за ней. Впрочем, сейчас это ее нисколько не беспокоило.

* * *

Тело Марины, обнаженное, омытое губкой, освещенное хирургической лампой, лежало на лабораторном столе. Мертвенно-белая кожа почти сливалась с белизной металлической поверхности. Рядом, на другом столе, разложена порванная, перепачканная грязью и кровью одежда: черная футболка с белыми буквами WINCHESTER, юбка из шотландки, легкий кардиган, короткая кожаная куртка, колготки, нижнее белье. Здесь же стояли коричневые полусапожки и лежали рядом два браслета из полосок кожи и золотая цепочка с крестиком.

Внешний осмотр и описательная часть были уже завершены. Многочисленные раны: вырванные куски тела с передней поверхности бедра и рук, частичное раздробление лучезапястных костей, трещины на костях голеней обеих ног, зияющая рана на груди и шее, а также многочисленные следы клыков на конечностях, животе, груди – были сосчитаны и описаны максимально подробно. Изъятие уцелевших внутренних органов и трепанацию черепа Алина решила провести позже. Сейчас ей нужно было зафиксировать самое главное.

Алина поправила клипсу микрофона на лацкане лабораторного халата, посмотрела на свою ассистентку, светловолосую, серьезную девушку Леру, на стоящего рядом санитара, вздохнула и стала говорить:

– Помимо описанных повреждений на трупе имеются явные следы, не относящиеся к воздействию, которое могло быть оказано зубами животных. Первое. Грудинная кость имеет след ровного разреза вдоль по всей длине. Характер повреждения позволяет предположить, что оно было нанесено путем разрубания одним вертикально направленным движением сверху вниз с небольшим отклонением влево. Второе. Передняя стенка брюшной полости имеет аналогичный след вспарывания в том же направлении. Фрагменты сохранившихся внутренних органов, в частности желудка, имеют характерные надрезы, свидетельствующие о данном вспарывании. Третье. На краях раны передней части шеи, фрагментах кожных покровов и тканях имеются следы разрезания, протяженностью от правого до левого сосцевидного отростка черепа. Данный разрез также сделан одним движением, предположительно в направлении слева направо. Все указанные повреждения имеют характер прижизненных и могут быть определены как причина смерти потерпевшей. Четвертое. На левой стороне лица имеется обширная гематома с кровоизлиянием в левое глазное яблоко. Возможные переломы лицевых костей будут установлены позже в ходе исследования. Данное повреждение также носит прижизненный характер. Пятое. Отсутствие сердца, обеих почек и селезенки не может быть объяснено избирательным воздействием животных. Состояние соединительной ткани, а также вен и артерий сердечной мышцы свидетельствуют о травматическом удалении (вырывании) внутренних органов в первые минуты после наступления смерти. Шестое. Тело полностью обескровлено. Состояние тканей, подвергшихся воздействию зубов животных, свидетельствует о том, что на момент нанесения укусов ткани и сосуды были обескровлены, а повреждения зубами животных имеют посмертный характер.

Алина перевела дыхание. Сейчас, после осмотра на лабораторном столе тела несчастной девушки, у нее не оставалось сомнений в том, что открылось ей еще там, во дворе. И наговаривая в диктофон описания ран, она знала, что некоторые из них почти слово в слово повторяют текст другого медицинского заключения, сделанного много лет назад...

Резкий звук телефона, стоящего в нескольких шагах на столе, вывел ее из задумчивости. Ассистентка вопросительно посмотрела на Алину. Та недовольно нахмурилась.

– Лера, если это опять Эдуард, пошли его к черту, пожалуйста. И скажи, что это я так распорядилась.

Эдуард-Эдип звонил за последние полтора часа уже трижды. Первый раз на мобильный, с вопросом, почему она так быстро забрала тело. Второй раз, после того как Алина проигнорировала подряд несколько вызовов на сотовый, он дозвонился на местный телефон и поинтересовался, есть ли постановление о проведении экспертизы. И наконец, третий раз с просьбой немедленно прекратить исследование и зайти к нему по какому-то неотложному делу. Алина, раздраженная всем этим до крайней степени, сказала, что зайдет сразу после того, как закончит. И вот теперь снова...

– Алина Сергеевна, это не Эдуард, – сказала Лера, держа в одной руке телефонную трубку. Глаза ее округлились, а в голосе звучал испуг. – Это Даниил Ильич. И он говорит, чтобы вы шли к нему. Прямо сейчас.

Даниил Ильич Кобот. Начальник всего Бюро судебно-медицинской экспертизы. Похоже, случилось что-то действительно серьезное. Неужели Эдик нажаловался так грамотно?..

– Лера, ты сказала, что я на вскрытии?

– Да. И он ответил, что это не просьба, а приказ.

Алина вздохнула, отошла от стола и стала снимать перчатки.

Сначала она хотела идти в лабораторном халате – своего рода демарш, демонстрация того, насколько несвоевременен этот вызов к высшему руководству прямо от прозекторского стола. Но потом подумала и переоделась. Для визита к Коботу ее серый деловой костюм подходил больше. Это с Эдипом она могла позволить себе разговаривать почти в любом тоне: в конце концов, она старший судмедэксперт, кандидат наук, работает здесь далеко не первый год и ее непосредственный начальник был для нее в большей степени коллегой-администратором, чем руководителем. Иное дело начальник Бюро судебно-медицинской экспертизы Даниил Ильич Кобот, личность яркая, в чем-то даже одиозная и однозначно заслуживающая уважения. В прошлом талантливый военный хирург, участник боевых действий, доктор наук, автор нескольких монографий, а также обладатель лимонно-желтого «Range Rover», похоронного бюро «Асфодель», которым владел совместно с бывшей женой, а с начала этого года еще и руководитель какого-то частного медицинского центра... Тем более странным и тревожным казался этот внезапный вызов.

Ощущение тревоги только усилилось, когда Алина вошла в приемную. Из-за неплотно прикрытых двойных дверей кабинета доносился яростный баритон Кобота:

– А надо было уточнить, Эдик! Надо было поинтересоваться! И не было бы сейчас всего этого!

В ответ раздалось невнятное лепетание испуганного тенора, в котором Алина не без труда узнала голос Эдипа. Алину всегда удивляла и несколько даже забавляла эта способность некоторых мужчин менять в присутствии разъяренного начальства свой вполне уверенный мужской голос на какой-то детский писк. Но сейчас забавно не было.

– Именно, что не подумал! – громыхнуло из-за двери. Алина посмотрела на секретаршу Кобота, немолодую и некрасивую женщину, сидящую за столом спиной к дверям кабинета. Та опустила голову и перебирала какие-то бумаги, делая вид, что ничего не слышит.

Дверь в кабинет распахнулась. Вместе с дуновением жаркого воздуха, пропитанного тестостероном и адреналином, оттуда вылетел бледный Эдип, мельком взглянул на Алину и исчез. Секретарша подняла взгляд от бумаг.

– Алина Сергеевна, проходите, пожалуйста, – сказала она бесстрастным голосом.

Алина одернула пиджак и вошла.

Даниил Ильич Кобот расхаживал по кабинету. Он обладал внешностью стареющего плейбоя: статный, седеющие волосы аккуратно пострижены, черты лица крупные, но правильные и не лишены привлекательности, а долгие годы руководящей работы придали ощущение силы и властности, исходивших от его фигуры.

Алина поздоровалась и присела за дальний край стола для совещаний. Кобот еще походил немного вдоль сплошной стенки шкафов с медицинской литературой и какой-то дежурной сувенирной мелочью и тоже уселся в большое кожаное кресло за письменным столом. Многочисленные грамоты и дипломы на стене, веером расходящиеся у него за спиной, выглядели как ореол непогрешимости.

– Алина Сергеевна, я хотел бы видеть постановление, на основании которого вы проводите сейчас судебно-медицинское исследование, – холодно произнес Кобот.

«Вот оно что, – подумала Алина. – Ожидаемо».

– У меня его нет, – спокойно ответила она.

Кобот уставился на нее тяжелым взглядом. Алина спокойно посмотрела в ответ.

– Очень хорошо, – сказал он. – Тогда я хочу видеть запрос от следственных органов на такое исследование.

– Его тоже нет.

– Прекрасно. Прекрасно.

Кобот взял со стола массивную позолоченную ручку, открыл колпачок, повертел в руках и снова закрыл со щелчком.

– Тогда, может быть, вы объясните мне, на каком основании вы вообще проводите исследование трупа с нарушением существующих правил и до истечения положенных двенадцати часов?

– Даниил Ильич, – Алина постаралась говорить как можно спокойнее и примирительнее, – вы сами знаете, что практика нашей работы не всегда может быть строго регламентирована. Запрос обязательно будет, постановление тоже. Но в данном случае я сочла возможным приступить к исследованию как можно раньше. А учитывая результаты, думаю, что мои действия могут быть вполне оправданы.

– Какие результаты? Там нападение животных, насколько я знаю. Что еще могут быть за результаты?

Алина увидела, как по лицу Кобота словно пробежала какая-то тень.

«Он знает», – мелькнуло у нее в голове.

– Есть все основания полагать, что причина смерти потерпевшей не связана напрямую с нападением животных. Это убийство, Даниил Ильич.

Кобот мотнул головой и снова встал. Подошел к шкафу с книгами, постоял немного, вернулся к столу, взял из подарочного настольного набора золоченый нож для разрезания бумаг и принялся вертеть его между пальцами.

Алина молчала.

– И на основании чего такие выводы? – спросил Кобот.

Алина пожала плечами.

– Грудина явно разрезана или разрублена холодным оружием. Характеристики смогу сказать после окончания экспертизы. Такие же следы разреза на горле и животе. На лице с левой стороны характерная гематома: скорее всего, от первого оглушающего удара. Конечно, повреждения, которые нанесли посмертно собаки, очень сильно затрудняют постановку заключения, но тем не менее... Я, кстати, не исключаю, что при помощи животных убийца или убийцы хотели затруднить определение причин смерти.

Кобот кивал, глядя в окно, по которому стекали капли начавшегося дождя. Свет не был включен, и в кабинете постепенно сгущались мрачные сумерки.

– Ну и какие ваши действия дальше?

– Закончу экспертизу. Составлю заключение. Если в запросе от следователей будут дополнительные вопросы — а я так не думаю, — отвечу. Отправлю образцы срезов тканей с краев ран и костных фрагментов на микроскопию. Хорошо бы еще с кинологами проконсультироваться, возможно, сможем определить породу собак.

Кобот снова сел и посмотрел Алине в глаза.

— В выводах уверена?

«О как, — подумала Алина. — Мы перешли на "ты"».

— Да, — сказала она.

Кобот положил нож на место, опустил голову и стал вертеть массивный золотой перстень на пальце.

— Внутренние органы все на месте?

«Знает, знает!»

— А почему вы интересуетесь?

Кобот смотрел на Алину и молчал. Она тоже молчала, не отводя взгляд.

— Так, я еще раз повторяю: внутренние органы на месте?

— Отсутствует сердце, почки и селезенка. А еще тело практически полностью обескровлено.

Кобот откинулся на спинку кресла и стал смотреть в сторону. В кабинете повисла тишина. По оконному стеклу тихо и дробно стучал дождь.

— Кофе хочешь? — неожиданно спросил Кобот.

Алина даже растерялась на мгновение.

— Да... да, спасибо...

Кобот нажал кнопку интеркома.

— Лена, два кофе сделай. И лимон еще принеси мне.

И снова стал смотреть в сторону. Алина терпеливо ждала. Через несколько минут томительного молчания появилась Лена, сняла с подноса кофейные чашки, тарелочку с лимоном и бесшумно вышла. Алина пригубила горячий напиток и выжидательно посмотрела на Кобота.

Он положил ладони на стол, словно опираясь на него для большей уверенности, и сказал:

— Алина, с этим случаем не так все просто. Есть определенная ситуация.

Алина пила кофе и ждала.

— Ситуация заключается в том, что смерть потерпевшей наступила в результате нападения бродячих животных. Что и должно быть отражено в акте судебно-медицинского исследования.

Алина со стуком поставила чашку.

— Что, простите?..

Нельзя сказать, чтобы это стало для Алины каким-то шокирующим откровением. За годы работы она десятки раз сталкивалась с просьбами, давлением, угрозами и другими попытками повлиять на результаты экспертизы, как правило, со стороны следствия, когда нужно было или закрыть дело, или подвести под обвинение конкретного подозреваемого. Конечно, это не было нормой, но и чрезвычайным происшествием такие попытки назвать тоже было нельзя. Но заведомое сокрытие факта убийства, грубое искажение результатов экспертизы, да еще и по прямому указанию начальника Бюро – это было не просто чрезвычайным, но и невероятным происшествием. От потрясения Алина даже не заметила, что Кобот уже несколько секунд что-то говорит, и ей потребовалось некоторое усилие, чтобы начать его слушать.

– ...понимаешь, что мы работаем в сложной структуре. И мы, эксперты, только часть единой, отлаженной системы. Да, не всегда приходится делать то, с чем мы согласны, но ты сама говорила, что наша работа не может быть строго регламентирована, и я с этим полностью солидарен. Поэтому в данном случае...

– Даниил Ильич... – подала голос Алина.

– Просто Даниил! – махнул рукой Кобот.

– Даниил Ильич, вы сами понимаете, что вы сейчас говорите?

Кобот словно не услышал вопроса.

– Вот как мы поступим: Эдип подготовит заключение, тебе ничего делать не надо. А ты просто подпишешь, и все. С лаборанткой твоей, поверь, я договорюсь. И кстати о договоренностях... Я, в принципе, давно хотел тебе это предложить, просто так совпало неудачно, ну да что уж теперь. Ты знаешь, наверное, что я руковожу медицинским центром «Данко». ДАНиил КОбот, да. – Кобот нервно засмеялся, обнажив великолепные белые зубы. – Так вот, у меня есть вакантное место врача общей практики. В принципе, ничего особенного: три вечера в неделю вести прием, общаться с пациентами, работа очень, очень простая...

Кобот говорил быстро, почти захлебываясь словами. Он снова встал, и, жестикулируя, ходил по кабинету, не глядя на Алину и как будто разговаривая с самим собой. В сером полумраке и на фоне залитого дождем окна это зрелище выглядело пугающим.

– Я предлагаю: сохранение полной ставки здесь, работу в «Данко» буквально на десять – двенадцать часов в неделю и заработную плату в месяц вот в таком размере...

Кобот метнулся к столу, нацарапал на бумажке несколько цифр и сунул под нос Алине.

– Насколько я знаю, это твоя зарплата в Бюро примерно за полгода, так что…

Это было последней каплей. Алине и так уже последние несколько минут казалось, что она находится в каком-то сюрреалистическом бреду, но вот эта неуклюжая и дикая попытка подкупа после предложения фальсифицировать результаты экспертизы переполнила чашу терпения. Она вдруг почувствовала, как в голову ударила мгновенно поднявшаяся от сердца горячая волна. Алина резко встала.

– Спасибо за кофе. Мне пора.

Кобот замолчал и посмотрел на Алину непонимающим взглядом. Бумажку с шестизначной цифрой он все еще держал в руке.

– Алина, куда?..

– В прокуратуру, – бросила Алина. – Сообщить о попытке оказания давления при проведении судебно-медицинской экспертизы и о подкупе. Заодно и в своем нарушении процессуальных норм сознаюсь.

Алина развернулась и стремительно вышла из кабинета.

Кобот некоторое время еще постоял, глядя на захлопнувшуюся с треском дверь. Потом медленно скомкал бумажку, бросил ее в мусорное ведро, но промахнулся – бумажный комочек запрыгал по серому линолеуму. Кобот тяжело опустился в кресло, вздохнул и закрыл лицо ладонями.

Алина валькирией пролетела по коридорам Бюро, заскочила в кабинет, набросила пальто, взяла сумочку, ключи от машины и через минуту уже была на улице. На некрасивом бетонном крыльце под навесом печально курил Эдип. В толстых губах торчала тлеющая сигарета, редкие курчавые волосы намокли от сырости – ветер заносил сюда облака холодной дождевой пыли. Он увидел Алину и кивнул.

– Ну как, поговорили?

Алина остановилась и лучезарно улыбнулась.

– Да, все прекрасно.

– Все решили?

– Да, без проблем, – Алина тряхнула волосами. – Обо всем договорились. Слушай, Эдик, а почему он так на тебя орал?

– Потому что на эти дела я обычно сам езжу. Или Мампорию посылаю. Тебя вообще сегодня не должно было там быть, понимаешь? Ну вот он и разорался. А я откуда знал, что сегодня будет «собачий» труп? Его вообще не должно было…

Алина слушала, кивала, и какое-то холодное, неприятное чувство сковывало ей сердце.

– Эдик, ты говоришь, на «эти дела»... Это на какие?

Эдип непонимающе уставился на Алину.

– Как на какие? Ну, как сегодня... Подожди, ты же сказала, что вы договорились?..

Но Алина уже быстро шла к машине.

* * *

Кобот еще некоторое время сидел в кресле. Потом убрал руки от лица, подошел к дверям, плотно закрыл обе и запер внутреннюю дверь на ключ. Позвонил секретарше и сказал, что следующие полчаса его нет ни для кого. Пусть хоть провалится все к чертовой матери. Затем подошел к шкафу, достал оттуда початую бутылку коньяка, стакан и наполнил его наполовину. Снова сел в кресло и сделал большой глоток.

Если до разговора с Алиной еще оставалась вероятность того, что все это *действительно* несчастный случай, что просто по какому-то дурацкому совпадению непонятные собаки в самом деле загрызли кого-то во дворах центра города, то теперь все надежды рухнули. И самое неприятное в этой ситуации было даже не то, что эта упрямая маленькая девочка-эксперт случайно увидела нечто, чего видеть была не должна, а то, что именно сегодня, 15 октября, этого вообще не должно было произойти. Не должно было быть никакого тела с разрубленной грудиной, вырванным сердцем и ранами от собачьих клыков. В другие дни – да, но не сегодня. А это значило потерю контроля над ситуацией, и не только с его стороны, а и со стороны того, с кем он уже успел пообщаться сегодня сразу, как только узнал об этом происшествии. И это уже очень, очень серьезно. А тут еще эта Алина... Какого черта она не согласилась замять дело?

Кобот сделал еще один глоток, прикрыл глаза и подумал об Алине. Он несколько раз встречал ее до этого: в коридорах лаборатории, на корпоративных праздниках, и каждый раз останавливался, чтобы перекинуться парой слов и улыбнуться своей непобедимой сверкающей улыбкой. Она ему нравилась: золотисто-рыжие волосы, строгие черты лица, большие зеленые глаза, а еще этот деловой костюмчик с белой блузкой под ним... Ей бы пошли такие прямоугольные очки: готовый образ строгой учительницы, холодной и сексуальной. Алина удивительным образом не реагировала на его улыбки и подчеркнутую любезность, но Коботу нравилось и это. Он был охотником, настоящим: ходил с ружьем на крупную дичь, кабанов, даже медведей, и любил трудные мишени. А Алина была, несомненно, именно такой мишенью – трудной, но оттого еще более желанной. Когда она выходила из его кабинета, пылая праведным гневом, он поймал себя на том, что провожает взглядом ее круглую попу, туго обтянутую серой юбкой, а до этого, во время разговора, даже встал с места, чтобы удобнее было бросать взгляды в декольте. И вот теперь такое развитие событий...

Кобот помотал головой, отгоняя ненужные мысли. Сейчас нужно сосредоточиться на решении проблемы, а для этого он должен сделать еще один звонок.

Он вздохнул, залпом допил коньяк и набрал номер.

– Але, – прокаркал в динамике хриплый голос с явным грубым акцентом. – Говори уже, ну!

Кобот откашлялся.

– Абдулла, это снова я. В общем, ничего утешительного. Труп наш. Разрезы все те и органов нет на месте...

Из трубки донеслись гортанные ругательства на непонятном Коботу языке.

– А что эта твоя экспертша? – спросил хриплый голос.

– Ну... в общем, пока договориться не удалось. Она сорвалась и сейчас едет в прокуратуру.

На этот раз извергся поток брани на русском. Кобот поморщился и отставил трубку подальше от уха. Господи, как же это иногда утомляет...

Наконец ругательства сменились более информативным текстом.

– Хорошо, черт с тобой, с прокуратурой я сейчас решу, ничего она там не сделает. Если ты ничего не можешь, опять мне все придется.

Кобот встал и снова достал бутылку. Сегодня придется вызвать водителя, сам он за руль уже не сядет.

– Но ты вот что, – продолжал вещать его собеседник, – ты узнай все по этому телу. Я пока ничего выяснять не буду, но мы должны быть уже точно уверены, что это наше тело, понимаешь? Все, как резали, чем резали, чтобы уверенность была, понял? На сто пятьдесят процентов! Тогда уже будем предъявлять. Поручи это кому-то толковому из своих, а лучше сам сделай.

Кобот слушал, кивал и наливал коньяк. Пусть на этот раз будет полный стакан.

– И с девчонкой этой реши что-то. А то опять я буду решать, да?

Кобот снова вспомнил Алину. Глаза. Декольте. Попа.

– Я решу, решу, – поспешно сказал он в трубку. – Абдулла, просто для нее это тоже получилось неожиданно... Не беспокойся, я договорюсь.

– Хорошо, договорись, – послышалось еще несколько непонятных каркающих фраз, и телефон замолчал.

Кобот взял в руку стакан, развернул кресло спиной к столу и стал смотреть на дождь.

# Глава 3

Я сижу в машине напротив въезда на территорию судебного морга. Лобовое стекло покрыто каплями воды, как холодной испариной. Пока я ехал сюда, небо постепенно темнело, словно старое одеяло, набухающее грязной водой, и наконец сквозь него стал просачиваться дождь: частый, мелкий, как серый влажный туман. Окрестности здесь и в самую солнечную погоду вряд ли могли бы обрадовать чей-нибудь взгляд, а сейчас, под бесконечным моросящим дождем, тоскливой безысходностью вынули бы душу из каждого, у кого она еще есть. Екатерининский проспект – это извилистая лента асфальта, стиснутая с двух сторон железными заборами и решетчатыми оградами бесконечных парковок. Я остановился на узкой полоске мокрой земли и пожухлой травы рядом с задней металлической стеной какого-то ангара. Отсюда я вижу шлагбаум на въезде в Бюро и пузатую фигуру охранника, мыкающегося около серой будки. Впереди у поворота, среди зарослей чахлых деревьев, виднеются покосившиеся деревянные постройки.

Я приоткрываю окно и выбрасываю окурок. В пачке остается всего две сиротливо болтающиеся сигареты. В голове звенящая тишина.

Через сорок минут ожидания вчерашний алкоголь, недосыпание и душное тепло машины заставляют меня на мгновение прикрыть веки. Я вижу Марину: открываются зажмуренные глаза на покрытом багровой коркой лице, она смотрит на меня, окровавленные губы растягиваются в улыбке. «Проводишь меня?»

Я вздрагиваю и несколько секунд таращусь на капли дождя на стекле. Пытаюсь прогнать кошмарное видение, но воспоминания заставляют сердце болезненно заныть: Марина за стойкой, и желтый мягкий свет, и ее взгляд, и улыбка... «Проводишь меня?»

Свободен — это не только особое состояние души. Свободен — это слово, выкрикнутое в лицо жизнью, отправляющей тебя на обочину. Я сам это выбрал: у меня нет друзей, как нет постоянной работы, которая бы к чему-то меня обязывала, нет родных, жены, детей, долгов. Мой телефон оживает только для того, чтобы малознакомые голоса сообщили мне об очередной смерти. Сделав свою работу, я навсегда исчезаю из жизни тех, кому помогал: с похоронными агентами не дружат, их не зовут на семейные праздники, когда дело закончено. Поздравления с днем рождения приходят мне только от сотовых операторов и почтовых серверов. В пятницу, в этот Юрьев день офисных крепостных, никто не зовет меня присоединиться к веселой попойке: я сам прихожу в бар, когда захочу, и вполне удовлетворяю свою потребность в социализации созерцанием чужого пьяного веселья. У меня есть мои покой и воля. А еще до недавнего времени у меня была Марина. Так у старика, запертого в четырех стенах богадельни, есть цветок на окне или маленькое деревце во дворе, и он ждет, когда раскроется бутон или появятся первые листья. Так у забитого нелюбимого ребенка есть старая потертая кукла, которой он может рассказывать по ночам свои простые детские тайны. У каждого есть то последнее, что согревает душу и хранит ее тепло, очень личное и очень свое. Теперь этого у меня нет. Но вот только я не старик из богадельни и не обиженный ребенок, и тот, кто это сделал, даже не представляет себе, насколько злобную спящую собаку он разбудил.

То, что Марина была убита, не вызывает у меня никаких сомнений, как не вызвало бы сомнений ни у кого, кто потрудился бы внимательно посмотреть на место происшествия. Я знаю, что молодая женщина-эксперт тоже заметила это. Но кроме того, она увидела еще что-то, поразившее настолько, что она свернула осмотр и полетела сюда с такой скоростью, словно спешила спасать жизнь, а не разбираться в причинах смерти. Вряд ли ее так поразили раны, разорвавшие тело Марины: всего за год практики любой судмедэксперт насмотрится такого, что навсегда отучит пугаться и удивляться. Нет, здесь нечто другое, куда более важное, и я должен узнать, что именно.

За время ожидания я сделал пару звонков, и теперь рядом со мной на сиденье лежит раскрытая записная книжка с номером мобильного телефона: Назарова Алина Сергеевна, старший судмедэксперт, та самая молодая женщина, которую я встретил сегодня утром. И нам придется познакомиться, хочет она того или нет.

Я смотрю в сторону морга. Если Алина выедет с территории, я сразу замечу ее. А интуиция мне подсказывает, что это случится скорее рано, чем поздно: чрезвычайные события рождают чрезвычайные последствия, и я более чем уверен, что спокойного рабочего дня у Алины Сергеевны Назаровой сегодня не будет.

Я как раз собираюсь закурить одну из двух оставшихся сигарет, когда вижу, как красный «Peugeot» резко тормозит у шлагбаума. Он коротко сигналит, а потом пулей срывается с места и вылетает на проспект в сторону центра города, чуть ли не скрипя покрышками на повороте. Я разворачиваюсь и пристраиваюсь следом. Настало время пообщаться. Надеюсь, Алина не относится к тем людям, которые не отвечают на звонки от неизвестных абонентов: иначе придется ее таранить, а это вряд ли можно назвать хорошим началом дружбы.

* * *

Алина покосилась на настойчиво звонящий телефон. Номер показался ей смутно знакомым, но не был занесен в записную книжку. Она свернула на набережную, перестроилась вправо и взяла трубку.

– Я слушаю.

– Здравствуйте, Алина, – приятный мужской голос, тоже кажущийся знакомым. – Это Родион Гронский, мы уже встречались сегодня утром. У вас найдется для меня несколько минут?

Ах, вот оно что. Тот самый похоронный агент. Какого черта!

– Откуда у вас мой номер телефона?

– Это не имеет значения. Гораздо важнее то, что нам нужно поговорить. Так я могу рассчитывать на ваше внимание?

Алина разозлилась. День и так с каждой минутой все больше сползал в сторону хаоса и безумия, потемневшее небо, мелкий дождь, машины, пролетающие мимо в облаках водяной пыли, и тут еще этот бесцеремонный гробовщик. Впрочем, что от него ожидать: эта публика не отличается особой тактичностью.

– Послушайте, я уже все вам сказала: я не имею никакого отношения к вашим похоронным делам! Я спешу, мне неудобно говорить, так что прекратите меня преследовать и займитесь уже чем-нибудь более полезным!

— Но я и не собирался говорить с вами о похоронных делах, — мягко возразил Гронский, словно не замечая раздраженного тона Алины. — Я хочу поговорить об убийстве.

Алина вильнула рулем. Черный «Mercedes», яростно сигналя, пролетел слева всего в нескольких сантиметрах от ее машины. Алина чертыхнулась, выровняла автомобиль и включила сигнал поворота, готовясь въехать на Литейный мост.

— О каком убийстве?

— Об убийстве девушки, рядом с телом которой мы сегодня встретились.

— С чего вы взяли, что это убийство?

— Скажите мне, если я неправ.

Алина помолчала.

— Хорошо, — ответила она. — Но с какой стати я должна обсуждать это с вами?

— Потому что мне кажется, что в этом деле у вас найдется не много союзников, — ответил Гронский. — И ваш визит в прокуратуру мало что изменит в этой ситуации.

Алина вздрогнула. Похоже, все же стоило поговорить с этим типом — по крайней мере для того, чтобы выяснить истоки его странной осведомленности об убийстве и о том, куда она сейчас едет. Но лучше сделать это уже после того, как она пообщается с прокурором и напишет заявление о том, что произошло сегодня в Бюро.

— Давайте во второй половине дня, — предложила она. — Я сейчас действительно спешу.

— Лучше прямо сейчас, — не согласился настырный агент. — Я глубоко убежден, Алина, что вам не нужно обращаться в прокуратуру. Вряд ли это поможет делу.

— Можно я сама буду решать, что поможет делу, а что нет? — огрызнулась Алина. В этот момент слева пронесся тяжелый автофургон, обдав «Peugeot» потоком грязной воды. Густые коричневые потеки поползли по боковому стеклу.

— Да чтоб тебя!.. — в сердцах воскликнула Алина и тут же добавила в трубку: — Извините, это не вам...

— Послушайте, Алина, — все так же мягко сказал Гронский, — я прошу всего десять минут вашего времени. Если сочтете, что потратили их зря, будьте уверены, я больше вас не побеспокою, и вы спокойно продолжите заниматься тем, чем считаете нужным. Всего десять минут.

– Ладно, – сдалась Алина. Слева уже промелькнуло холодное здание Адмиралтейства, грязно-золотистый шпиль наполовину скрывался в клубящемся сером тумане. До прокуратуры оставались считаные минуты. – Когда?

– Прямо сейчас, – отозвался Гронский. – Я еду за вами. Мы можем встать в переулке и поговорить.

Алина посмотрела в зеркало заднего вида. Действительно, из-за идущей за ней «Mazda» высовывался черный «Wrangler». Дважды мигнули фары.

«О Господи, – мысленно вздохнула Алина, – он еще и следит за мной».

– Договорились, – сказала она. – Встанем в начале Почтамтского переулка. Не отставайте.

Она положила трубку, резко перестроилась влево и нажала на газ.

Узкий переулок, стиснутый невысокими рядами домов, был пуст. Ветер рывками гонял мелкий мусор и мокрый газетный лист, словно кто-то невидимый поддавал по нему ногой. Газета тяжело подскакивала вверх, как раненая птица, безуспешно пытающаяся взлететь, и снова оседала в грязные лужи. Из подворотни вышла старуха, то ли в пальто, то ли в лохматом толстом халате, с бесформенным пакетом в руках, уныло прошествовала поперек переулка и скрылась в подворотне напротив.

Гронский подъехал через две минуты после Алины, остановил машину в нескольких десятках метров и вышел. Сквозь покрытое каплями воды лобовое стекло Алина видела, как он идет к ней: высокий, худой, полы черного пальто хлопали на ветру. Он подошел и встал у передней дверцы машины. Алина посмотрела на него в боковое окно и помедлила пару секунд. Гронский терпеливо ждал, стоя под моросящим дождем. Алина нажала на кнопку, щелкнул замок, Гронский открыл дверцу и сел в машину. Вместе с ним в салон ворвался мгновенный порыв влажного холодного ветра.

– И снова здравствуйте, – сказал он.

Алина покосилась на Гронского, держа руки на руле. Вблизи его узкое лицо казалось еще более бледным, белая рубашка еще более несвежей, а взгляд серых глаз еще более холодным и твердым. Салон наполнился отчетливым запахом вчерашнего алкоголя.

«Прекрасно, – подумала Алина. – Вдобавок ко всему он пьяница».

– Итак, – сказала она. – Для начала объясните мне, почему вы решили, что это убийство?

Гронский пожал плечами.

– Вы же сами все видели. Тело было растерзано, волосы запеклись в колтун, а на асфальте вокруг нет практически ни капли крови, хотя при таких ранах там все должно быть ею залито. Вывод очевиден, мне кажется.

Алина кивнула:

– Убили в другом месте.

– Вряд ли. Зачем тогда возвращать тело туда, где было совершено нападение?

Об этом Алина подумать не успела. Она бросила быстрый взгляд на Гронского. Тот смотрел на нее спокойно и уверенно.

– Вы правы, – ответила она. – На теле действительно множество ран, причиненных зубами животных – скорее всего, собак, и скорее всего, не одной. Но кроме этого есть и другие повреждения, и именно они были смертельными.

Алина замолчала. Гронский ждал.

– Какие? – наконец спросил он.

– Длинная рубленая или резаная рана по центру грудинной кости. И на горле явные следы разреза, по краям от того места, которое потом, уже после смерти, выхватили псы. Это не считая гематомы на лице: ее, скорее всего, оглушили, прежде чем...

– Все понятно, – сказал Гронский.

Лицо его, и без того не очень подвижное, словно окаменело. Черты заострились.

– А откуда вы знали, что я еду в прокуратуру? – спросила она.

– Догадался.

– Слишком хорошо для догадки.

Гронский снова пожал плечами.

– Вы спешно сворачиваете осмотр на месте и распоряжаетесь срочно везти тело в морг. Значит, для вас принципиально важно начать исследование немедленно, к чему вы, я уверен, и приступили. Я, конечно, не специалист, но примерное время, нужное для вскрытия и составления заключения, – часа три, не меньше. А вы уже через час выскочили из лаборатории так, словно за вами гнались черти. Никто не сорвет эксперта на новое происшествие, если он занят работой. Вывод: вам кто-то помешал, причем помешал так, что вы бросились вон из морга. Вряд ли это было сделано законными средствами. А куда может поехать судебно-медицинский эксперт, если столкнулся с грубым нарушением закона и попыткой помешать своей работе? В прокуратуру. Вот и все.

Алина молчала.

— Думаю, у вас состоялся какой-то малоприятный разговор с Даниилом Ильичом Коботом.

— Вы его знаете? — быстро спросила Алина.

— Нет, лично не знаком, — покачал головой Гронский. — Но много о нем слышал.

Повисла пауза. Капли дождя тихо стучали по крыше машины.

— Хорошо, вы правы, — вздохнула Алина. — Кобот действительно пытался уговорить меня дать фальшивое заключение. Нападение собак. Дело закрывается как несчастный случай.

— Предлагал деньги, я полагаю?

— Косвенно. Предложил работу в его медицинском центре «Данко» с зарплатой, на которую можно год содержать сельскую поликлинику.

Гронский кивнул.

— Я думаю, что вам нужно согласиться, — сказал он.

Алина вскинула брови и удивленно воззрилась на Гронского.

— Это еще с какой стати?

— Потому что это в настоящий момент единственный способ закончить то, что вы начали. Я могу ошибаться, но это дело очень важно для вас: не знаю почему, но уверен, что это так. И лучший способ довести его до конца — согласиться на предложение милейшего доктора Кобота.

Алина помотала головой.

— Ерунда какая-то. Если я соглашусь, то соглашусь и подписать фальшивое заключение. И потом, с чего вы решили, что это единственный способ?..

— Алина, подумайте сами. — Гронский чуть повернулся к ней и теперь смотрел Алине прямо в глаза. — Сегодня утром начальник Бюро судебно-медицинской экспертизы предлагает вам сфабриковать фальшивое заключение по еще не открытому уголовному делу. Пытается вас подкупить. Ведь вы понимаете масштаб события? Это не эксперт, сговорившийся со следователем и немного подтасовавший результаты вскрытия, чтобы тому было удобнее посадить подозреваемого. Это руководитель городской службы, который имеет настолько веские основания скрывать правду, что идет на прямой подкуп своего эксперта. Вряд ли он действует исключительно по своей инициативе, и вряд ли у него нет способов замять это дело иначе. Вы, конечно, можете сейчас подать заявление, только я уверен, что это в итоге ничего не даст. И уж точно не раскроет мотивы такого поведения нашего общего знакомого Кобота. Это не говоря уже о том, чтобы найти убийцу.

Алина молчала, глядя перед собой, и легко барабанила пальцами по рулю.

– По каким-то причинам смерть этой девушки является событием настолько неординарным, что заставляет действовать очень серьезные силы, – продолжал Гронский. – Сомневаюсь, что лобовая атака через заявление в прокуратуру будет эффективной. Гораздо лучше, если Кобот будет думать, что обо всем с вами договорился. Да и посмотреть изнутри на его медицинский центр тоже будет полезным.

Алина вспомнила короткий разговор с Эдипом перед тем, как она покинула территорию морга. «На эти дела я обычно сам езжу». Она уже понимала, что за стремлением Кобота вынудить ее подписать нужное ему заключение стоит нечто большее, чем желание скрыть именно это конкретное убийство. Скорее, речь идет о нескольких подобных случаях. А это уже серия. И чтобы скрывать серию, нужны действительно очень серьезные основания. И серьезный административный ресурс за пределами Бюро.

– Что вы предлагаете? – спросила Алина и посмотрела на Гронского.

– Позвонить Коботу и сказать, что согласны обсудить его условия. Вернуться на работу и оговорить следующее: вы подпишете его акт экспертизы, но только в обмен на возможность провести самостоятельное исследование всех обстоятельств этого убийства и использовать все имеющиеся в распоряжении Бюро возможности.

– С чего вы взяли, что он согласится?

Гронский чуть улыбнулся. Эта улыбка не была ни веселой, ни дружелюбной и что-то неуловимо изменила в его лице так, что Алине стало не по себе.

– Просто поверьте мне, Алина. Я думаю, он согласится с радостью. Ну а если я ошибаюсь... Вы просто не будете больше иметь со мной дела. В конце концов, вы ничего не теряете.

Алина задумалась. Некоторое время они сидели молча.

– Ладно, – наконец сказала она. – Попробуем сделать так.

– Договорились, – кивнул Гронский.

– Но, – поспешно добавила Алина, – если Кобот не пойдет

на мои условия, я возвращаюсь к своему первоначальному плану. В конце концов, есть система, есть порядок и есть закон.

— Несомненно. Можете набрать Кобота прямо сейчас. Скажете ему, что у вас есть дополнительные условия — послушаем, что он ответит.

Алина покосилась на Гронского, достала из сумочки телефон и набрала номер. Кобот снял трубку почти сразу же.

— Даниил Ильич, это Алина Назарова... да... Даниил Ильич, я подумала над вашим предложением... наверное, я приму его... да, но... нет, просто у меня есть дополнительные условия...

Гронский сидел с отсутствующим видом и смотрел прямо перед собой, но Алина была уверена, что он внимательно прислушивается к разговору.

— Хорошо... хорошо... да, я сейчас приеду и все вам скажу. До встречи.

Алина опустила телефон и посмотрела на Гронского. На щеках ее проступил румянец.

— Ну и как?

— Обрадовался, — сказала Алина несколько смущенно. Кобот действительно разговаривал с ней с таким воодушевлением, словно обрел давно пропавшую блудную дочь. — Сказал, что готов обсуждать любые условия.

«Ради тебя все что угодно!» — если быть точной, сформулировано это было именно так, причем нетрезвый голос Кобота явно выдавал причину такого воодушевления.

— Ну вот и отлично. И еще один дружеский совет, если позволите. Попросите у него все материалы по аналогичным делам. Скажите, что это нужно вам для более полного исследования. Я уверен, что мы имеем дело не с единичным случаем.

— Почему?

— В самом начале сентября я хоронил девушку. На месте происшествия быть не довелось, но тело я видел. Это было очень похоже на то, что пришлось увидеть сегодня утром: такие же раны, так же разорвана грудь. Отсутствовали некоторые внутренние органы: сердце и, кажется, еще селезенка. Думаю, что вы уже увидели нечто похожее сегодня, когда исследовали тело. Родные сказали, что на девушку напали собаки, когда она возвращалась домой из ночного клуба.

Снова пауза и легкий шелест дождя по крыше.

— Мне сейчас нужно будет ехать по своим делам. Я очень прошу вас, когда закончите со вскрытием и архивом, дайте мне знать. Буду признателен, если у вас найдется время, чтобы еще раз встретиться вечером.

Гронский кивнул и взялся за ручку двери.

— Скажите, — спросила Алина, — а вам-то зачем это все нужно? Откуда такой интерес?

— Считайте, что это личное дело.

Гронский еще раз кивнул, открыл дверцу и вышел из машины. Потом обернулся и нагнулся обратно в салон.

— Хотел уточнить и забыл. Что вы увидели на месте преступления?

Алина напряглась.

— В смысле?

Гронский стоял согнувшись и смотрел прямо на нее. Холодный ветер ворошил его и без того растрепанные черные волосы.

— Во время осмотра тела что-то вас сильно потрясло. Я это очень хорошо заметил. Так что же?

Алина молчала.

— Считайте, что это личное дело, — наконец ответила она. — И закройте уже дверь. Дует.

Гронский снова слегка улыбнулся, чуть поклонился, захлопнул дверцу и пошел к машине.

* * *

Восемь часов вечера. Серый день сгустился в сизые сумерки. Желтые пятна фонарей преломляются, размываясь, в каплях воды на оконном стекле. Я сижу в полутемном зале паба, за столиком в самом дальнем углу, и жду Алину, которая должна появиться с минуты на минуту.

После встречи с ней я сделал еще пару звонков и поехал домой к Марине, вернее, в тот дом, где она жила когда-то — теперь казалось, очень и очень давно. Теперь я наконец узнал ее адрес. Теперь я познакомился с ее мамой и бабушкой. Я увидел ее комнату. Когда потеря по-настоящему огромна, а шок действительно силен, самое страшное — это детали. Именно они каким-то образом помогают понять истинный масштаб трагедии. Такой деталью для меня стала книга: я увидел ее на столике рядом с кроватью Марины. Чарльз Буковски, «Макулатура». Книжка лежала рядом с несколькими металлическими монетками, какими-то чеками, и в ней была закладка: Марина заложила сложенным листочком бумаги то место, на котором закончила читать, чтобы потом, придя домой, открыть книжку и продолжить чтение. Наверное, потом она легла бы в кровать, зажгла вот эту лампу в изголовье... Но она не придет, а книжка так и останется непрочитанной, и закладка останется в ней, пока кто-то не вытащит ее, перед тем как вернуть книгу обратно на полку. «Умирать обидно: как будто выходишь из кинотеатра, а фильм продолжается без тебя». Ничего, Мариша. Я сделаю все для того, чтобы ты была довольна концовкой этого фильма.

Каким-то образом мне удалось донести до ее мамы, которая была почти без сознания, и бабушки, державшейся на удивление мужественно, кто я и чем собираюсь им помочь. Я получил в ответ только утвердительный кивок — большего мне и не было нужно. Я не стал говорить, что в данном случае мои услуги не будут стоить им ни копейки, это было само собой разумеющимся.

Между суетой похоронных забот я успел заскочить ненадолго домой. На экране ноутбука по прежнему была открыта страница почтового ящика, и слово «МАРИНА», набранное крупным шрифтом в теле письма, приветствовало меня с порога.

Алине я сказал правду о том, что уже имел дело со смертью, которую связывали с нападением собак. Это было 30 августа, как раз через два дня после дня моего рождения, который я отметил посиделками в «Винчестере» и на который получил единственный подарок, разумеется, от Марины: подсвечник в виде странной африканской маски, глаза которой светились в темноте огненными всполохами горящей за маской свечи. Но было еще одно обстоятельство: информация о той девушке, растерзанной в Юсуповском саду по дороге домой из ночного клуба, пришла мне с того же адреса электронной почты, что и нынешнее письмо.

Dilleachta@gmail.com. Ничего не говорящее имя. Безликий ящик. Никакой подписи. Первый раз от этого адресата я получил сообщение весной — это был очень хороший заказ, насколько вообще слово «хороший» уместно в подобных случаях. Глубокая ночь, автомобильная авария, изуродованный до неузнаваемости «Aston Martin», вылетевший с Приморского шоссе и подобно снаряду протаранивший рекламный щит. Тогда я был на месте минут через десять после прибытия нарядов дорожной полиции и за восемь минут до карет «Скорой помощи». Помню, как подумал о том, что мой анонимный информатор, скорее всего, принадлежит к правоохранительным органам, а не к медицинским службам. Я не стал ломать над этим голову и просто спокойно послал причитающуюся в таких случаях долю моего гонорара на указанный электронный кошелек. Вторым сообщением была информация о несчастной девушке, погибшей августовской ночью. На этот раз письмо пришло позже, и я приехал домой по указанному адресу, в самое средоточие скорби и горя. В обоих случаях неизвестный адресат четко указывал всю необходимую информацию: место, адреса, контактную информацию. И только сейчас ограничился просто именем.

Потому что был уверен, что я пойму.

Именно эта лаконичность не давала мне покоя. Кто бы ни писал эти письма, он меня знал, причем знал слишком хорошо.

Я попробовал было проверить IP-адрес, который ожидаемо оказался австралийским. Мои способности к добыванию информации в Интернете более чем скромны, поэтому я сделал еще один звонок и попросил максимально точно установить, откуда выходил в Сеть неизвестный мне адресат. Примерно полчаса назад мне ответили. Среди тьмы непонятных терминов и неизвестных слов, которые я выслушивал в течение добрых пятнадцати минут, мне удалось уловить следующее: анонимный информатор приложил немало усилий, чтобы оставаться таковым и впредь, а его IP постоянно менялся, уводя то в Новый Свет, то в старую Европу. Впрочем, на настоящий момент я мог позволить себе на время перестать думать над этой загадкой. Убийцей мой неизвестный доброжелатель точно не был. А мне нужны были убийцы: и тот, кто рубил и кромсал тело Марины, и те, кто направлял его руку. И для этого мне нужна помощь Алины и та информация, которую ей удалось раздобыть за этот день.

Конечно, можно было поступить гораздо проще, и возможно, даже эффективнее. Искушение наведаться к Коботу и выбить из него все дерьмо вместе с ответами на вопросы посещало меня сегодня не раз. Сделать это было бы не так уж и трудно. Но я был почти уверен, что Кобот является не первым и не последним звеном в кровавой цепи минимум из двух смертей. Силовой вариант решения вопросов, конечно, имеет право на существование, но если пытаешься дойти до конца цепи, последовательно разрывая все звенья, рано или поздно попадется такое, разорвать которое ты будешь не в силах. А скорее всего, цепь в конце концов перегнется и больно ударит по голове. Это я уже проходил и знал на собственном весьма горьком опыте. Поэтому лучше немного подождать и найти сразу последнее, главное звено, на котором и держится вся конструкция заговора.

Для встречи с Алиной я выбрал «Френсис Дрейк», английский паб на Каменноостровском проспекте, выдержанный в старом и добром традиционном стиле: темное дерево массивной стойки, блестящая латунь поручней, потертая и потрескавшаяся кожа на широких и низких диванах – место респектабельное и в то же время уютное. Ехать сегодня в «Винчестер» было выше моих сил. Тем более что в «Дрейке» меня тоже знали.

Я прошел во второй зал, в котором в этот час не было ни одной живой души, и сел за столик в дальнем углу у окна. Попробовал поесть, но когда мне принесли клубный сэндвич, аппетит мгновенно пропал, и я только растерзал ножом верхнюю часть хлеба, расковырял бифштекс и разбросал по тарелке зелень и картошку. То, что напоминало вначале натюрморт, стало походить на худшие образцы судебной фотографии, и я спешно попросил унести останки сэндвича обратно. Гораздо больше, чем есть, мне хотелось выпить, но я решил не искушать судьбу и не повторять похмельный заезд сегодняшнего утра, поэтому взял большой бокал безалкогольного пива и медленно потягивал его, глядя на дождь и фонари за окном.

Алина входит в полутемный зал, отряхивая капли воды с большого ярко-розового зонта на длинной трости. Оглядывается, отыскивая меня взглядом. Золотистые волосы, светлое пальто, энергичные движения, бодрая, как будто и не было сегодняшнего непростого дня. Я машу ей рукой, она кивает, пробирается в мой угол и садится напротив. Только теперь я вижу тени вокруг усталых и печальных глаз.

Алина неодобрительно косится на стоящий рядом со мной бокал с пивом.

– Безалкогольное, – говорю я.

Она машет рукой:

– Дело ваше. Хоть упейтесь.

Алина шумно устраивается: большую сумку на стул рядом с собой, туда же портфель, который не помещается на узком сиденье и норовит соскользнуть на пол, зонтик рукояткой за спинку стула. Потом поднимается снова, чтобы снять пропитанное влагой пальто. Я встаю, чтобы помочь.

– Спасибо, не нужно, – отмахивается она и наконец усаживается, шумно вздохнув и откинув назад золотистые волосы, в которых дрожат мельчайшие капельки воды.

Алина заказывает кофе – большой, крепкий – и лосось на гриле. Я понимаю, что ей тоже вряд ли удалось сегодня поесть, но в отличие от меня она сохранила каким-то образом аппетит. Кофе приносят сразу, и некоторое время мы сидим молча, каждый со своим напитком, и смотрим в окно.

– Как прошел день? – спрашиваю я.

* * *

К восьми часам вечера Алина чувствовала себя совершенно измученной от переживаний и огромного количества информации, свалившихся на нее сегодня. Но она была вынуждена признать, что странный бледный субъект в черном пальто, с карточкой похоронного агента и запахом застарелого алкоголя, удивительным образом почти во всем оказался прав.

Кобот встретил ее как родную. О своем новом статусе человека, наделенного особыми правами и полномочиями, Алина догадалась, как только зашла в приемную: обычно надменная секретарша Лена, ревностно относящаяся к роли стража покоя своего босса, даже не посмотрела на нее, а только опустила нос к бумажкам на столе, низко нагнув пегую, стриженную под нелепый «горшок» голову, словно признавая право Алины входить без предупреждения и стука. В кабинете начальника Бюро было все так же сумрачно, только еще больше сгустилась атмосфера тревоги, изрядно сдобренная алкогольными парами. Говорила теперь по большей части Алина, а Кобот только с энтузиазмом кивал и соглашался.

– С сегодняшнего дня я занимаюсь только этим делом, – заявила Алина. – Если мне понадобится провести микроскопический или гистологический анализ, то мои заявки будут выполняться в первую очередь. Я буду использовать других сотрудников своего отдела по собственному усмотрению для помощи и ассистирования. Мне нужны все материалы исследований других таких же дел для сравнительного анализа и изучения.

На этих словах Кобот вздрогнул и посмотрел на Алину.

– Кто тебе сказал про другие дела?

– Эдик, – мстительно сказала Алина и добавила с улыбкой: – Он вообще очень разговорчивый, Даниил Ильич. И кстати, его я не хочу в ближайшее время ни слышать, ни видеть.

Кобот снова кивнул.

– А еще мне нужно разрешение на эксгумацию тел минимум двух жертв. Если вы, конечно, хотите от меня полных и исчерпывающих результатов.

Кобот покачал головой, но слабо махнул рукой в знак согласия.

Они договорились, что к работе в «Данко» Алина приступит с понедельника, а оставшиеся четыре дня будет полностью заниматься «собачьими» убийствами. С тем, что это именно убийства, никто уже не спорил.

– Ты пойми, на меня давили, – говорил Кобот, жарко дыша Алине в лицо коньяком. – Но ты меня вдохновила. Черт с ними со всеми! Давай раскрутим это дело. Только у нас на руках должны быть все исчерпывающие материалы, полное исследование, и самое главное – нужно определить, совершено сегодняшнее убийство тем же... теми же... в общем, насколько тут все совпадает. И я обещаю тебе: как только все будет готово, я сам дам делу официальный ход!

Алина кивала и не верила ни единому слову своего шефа.

– Только я прошу, – сказал Кобот напоследок, – обо всех результатах докладывать мне лично. Это очень, очень важно. И пожалуйста, никому больше ни слова о том, чем именно ты занимаешься.

Алина вышла из его кабинета в полной уверенности, что сильный, властный, харизматичный Даниил Ильич напуган и взволнован не меньше, чем была взволнована она, когда склонилась над растерзанным телом несчастной Марины сегодня утром.

Остаток дня пролетел как одна минута. Алина полностью закончила исследование, которое вынуждена была прервать утром, написала подробный акт, нимало уже не заботясь о том, будет ли запрос на экспертизу от органов следствия и какие вопросы будут в нем сформулированы. И когда она оторвалась наконец от изучения архивных материалов, то увидела, что до назначенной встречи с Гронским остается всего полчаса. Алина вздохнула и начала собираться.

Особого смысла она в этом не видела. Конечно, Гронский странным образом предугадал все: и поведение Кобота, и наличие в архивах не одного и не двух подобных дел, однако все это совершенно не было поводом посвящать его в детали исследования и делиться информацией. Но было данное обещание, а еще какое-то неуловимое, подсознательное ощущение необходимости предстоящего разговора. В конце концов Алина решила, что ничего не теряет. Встречу Гронский назначил в каком-то пабе на Каменноостровском, а это значит, что ей придется сделать всего лишь небольшой крюк по дороге домой. Будем считать, решила она, что я просто заехала туда поужинать.

Паб «Френсис Дрейк» оказался вполне уютным заведением в классическом английском стиле. Алина прошла вдоль длинной барной стойки из темного дерева, на ходу отряхивая зонт, и оказалась во втором небольшом зале. Гронский сидел в дальнем углу у окна и, увидев Алину, махнул рукой.

Только сейчас, сняв с плеча сумку, поставив на стул тяжелый рабочий портфель, повесив на спинку стула громоздкий зонтик, она поняла, насколько устала и измоталась за сегодня. Сидящий напротив Гронский тоже выглядел еще больше осунувшимся и мрачным, чем утром. На столе перед ним стояла пепельница и наполовину пустой бокал с пивом.

«Опять пьет, – подумала Алина. – Не просыхая».

– Безалкогольное, – сказал Гронский, словно услышав ее мысли.

Алина махнула рукой:

– Дело ваше. Хоть упейтесь.

Ей действительно было сейчас все равно.

Подошла официантка с меню. Алина хотела было заказать стейк, и побольше, что-нибудь типа T-bone, но посмотрела на Гронского и вдруг передумала. Ей почему-то не захотелось, чтобы он видел, как она уплетает почти полкило жареной говядины, и Алина, внутренне вздохнув, сделала более женственный, в ее понимании, заказ: лосось с овощами и большая чашка крепкого кофе.

Некоторое время они сидели молча.

– Как прошел день? – наконец спросил Гронский.

– Их восемь, – ответила Алина после недолгой паузы.

Гронский вопросительно посмотрел на нее.

– Как вы... как мы и предполагали, подобных случаев... убийств... не одно и не два. Я нашла информацию о восьми аналогичных случаях с начала года.

Алина щелкнула замком портфеля и положила на стол стопку одинаковых синих папок.

– Здесь все результаты исследований тел, протоколы осмотра мест происшествий, фотографии, – сказала она, положив ладонь на верхнюю папку. – Так что, если вам в самом деле это интересно...

Гронский кивнул. Алина раскрыла первую папку и подала ему.

– Первый случай. Седьмое марта, пятница. Девушка, 23 года. Стриптизерша. Вышла после выступления на какой-то корпоративной вечеринке – не знаю, кому пришло в голову устраивать стриптиз в честь женского праздника. Мероприятие проходило в ресторане на Большой Морской улице, а такси, которое она вызвала, почему-то остановилось на Малой: то ли водитель перепутал адрес, то ли было не проехать из-за дорожных работ. Она не стала ждать, пока он до нее доедет, и сама пошла к машине напрямую через дворы, откуда уже не вышла. Тело обнаружили около пяти утра. Предположительное время смерти – два часа ночи.

Несколько фотографий. Грязная плитка двора, кое-где – подтаявший снег. Лежащее навзничь тело в обрывках искромсанной одежды и плоти. Голова вывернута почти на 180 градусов и держится только на уцелевших шейных позвонках и лоскуте кожи. Покрытое запекшейся кровью лицо обращено вверх. На отдельном снимке – кисть правой руки, длинные накладные ногти на трех пальцах оборваны под корень. Сами ногти яркими лепестками лежат рядом с телом.

– Готова спорить на что угодно, что под ногтями оставалась целая база данных – она их сорвала в попытках защититься. К сожалению, сейчас все возможные улики потеряны или уничтожены.

Алина взяла вторую папку, раскрыла и подала Гронскому. На фотографии – мертвая женщина в обрывках белого халата, густо испачканного грязью и кровью.

– Второе убийство. Шестое апреля, воскресенье, во дворах между Прачечным и Фонарным переулками. 26 лет, медсестра, шла домой после ночной смены в больнице на улице Декабристов, там недалеко. Сорванный плащ нашли в десятке метров от тела, вероятно, она пыталась вырваться, и верхняя одежда осталась в руках убийцы. Только вырваться не получилось.

Алина перевела дыхание.

– Смерть наступила около трех часов. Как следует из материалов, она в эту ночь отпросилась со смены пораньше. Мать-одиночка. Спешила домой к ребенку. В протоколе этого не указано, но даже на фотографиях видно, что, кроме обычных для этих случаев ран, у нее сломан нос, и, я уверена, есть еще и переломы лицевых костей. Видимо, в этот раз убийце потребовалось несколько ударов, чтобы лишить ее сознания и воли к сопротивлению.

Пятое мая, понедельник. Студентка Театральной академии, 19 лет, тело обнаружено во дворах между Моховой и Гагаринской улицами. Девушка иногородняя, снимала комнату в коммуналке недалеко от академии. Шла домой после репетиции около часа ночи. Ее нашли рядом с узкой щелью между стеной и мусорным баком, возможно, она пыталась там спрятаться. Нашел дворник в половине шестого утра.

Гронский посмотрел на фотографию. Заползти в такое узкое пространство можно было только в состоянии дикого, животного ужаса: тяжелый железный мусорный контейнер почти вплотную прилегал к грязной серой стене дома. На ногах несчастной студентки, сплошь покрытых рваными ранами от собачьих клыков, – вернее, на тех немногих частях, которые избежали укусов, – темнели широкие полосы ссадин: видимо, тот, от кого она так отчаянно стремилась спастись, вытащил ее за ноги из убежища, чтобы сделать свое кошмарное дело.

– Четвертый случай. Третье июня, вторник. Молодая женщина, 25 лет, стюардесса, направлялась домой после прибытия с ночного рейса. Жила во дворах между Разъезжей улицей и Свечным переулком, поэтому вышла из такси у арки двора и пошла пешком. Не дошла до дома метров десять. На теле есть одна нехарактерная рана – длинный порез вдоль спины, вероятно, убийца нанес удар, когда она пыталась бежать. Кроме обычной женской мелочи, раскатившейся из сумочки, рядом с телом найден элетрошокер, раздавленный в пластмассовую труху. Девушка явно боролась за свою жизнь, и судя по ярости, с которой убийца растоптал ее оружие, доставила ему несколько неприятных мгновений. Труп в половине третьего ночи обнаружил муж жертвы: он забеспокоился, позвонил жене на мобильный, а когда она не ответила, пошел искать. Скорее всего, он нашел ее не больше чем через полчаса после смерти: кровь даже не успела еще толком свернуться и засохнуть. В протоколе говорится, что кто-то из жителей домов слышал крики. Но они быстро прекратились, поэтому никто даже в окно не посмотрел.

– А это что такое? – Гронский смотрел на россыпь мелких вещей на асфальте. – Вот тут... яркое что-то.

Алина взглянула.

– Я тоже сначала не поняла. Это магнитик на холодильник. Она прилетела из Эмиратов, вот и привезла домой сувенир. Чтобы на холодильник повесить. На память.

Официантка принесла Алине ее заказ, бросила взгляд на раскрытые папки и разложенные фотографии, освещенные тусклым светом небольшой настенной лампы, побледнела и быстро ушла.

– Пятое убийство. Третье июля, четверг. Тело женщины обнаружено в подъезде собственного дома, во дворе между Английским проспектом и Дровяным переулком. Домохозяйка, 28 лет. Судя по всему, убийца напал на нее, когда она открыла дверь на улицу. Она ждала мужа из командировки, он должен был прилететь рано утром, и, видимо, вышла в ночной магазин купить что-то недостающее дома. Не знаю, может быть, хлеб. Ее нашли внутри, на ступенях лестницы, у входной двери. Все повреждения характерны для серии аналогичных случаев, включая следы ран от собачьих клыков. Никого, впрочем, не смутил тот факт, что, если верить заключению экспертизы, бродячие псы рвали женщину прямо на ступенях парадного. – Криков, кстати, никто из соседей не слышал, хотя они должны были быть ужасающими. Лично я считаю, что это или странная эпидемия глухоты, или убийца оглушил жертву первым же ударом в лицо.

Первое августа, пятница, Басков переулок, дворы на участке между улицами Маяковского и Восстания. Молодая женщина-телохранитель, 27 лет. Отвезла своего шефа домой после посиделок в ночном клубе – он живет на Крестовском острове – и возвращалась домой самостоятельно. Рядом с телом найден служебный пистолет «ИЖ», в обойме оставалось всего три патрона. Пять стреляных гильз обнаружены на дистанции почти в пятьдесят метров: судя по всему, она отступала и отстреливалась от того, что ее преследовало. В итоге была убита в нескольких метрах от арки, ведущей на улицу Маяковского. Сильная девушка. Среди прочих повреждений на теле отмечены переломы обеих рук. Их неумело пытались квалифицировать как раздробление челюстями животных, но по характеру описания я уверена, что они получены в ходе рукопашной схватки. Как и в случае со стюардессой, убийца едва не был застигнут на месте преступления: кто-то из жильцов услышал выстрелы и все-таки – о чудо! – вызвал наряд полиции. Тело было еще теплым, когда его нашли. Что характерно: ни трупов собак, ни следов чужой крови на месте преступления и по ходу возможного движения жертвы найдено не было. Получается, что опытный телохранитель, бывшая сотрудница полиции, выстрелила пять раз из пистолета и промахнулась.

– Слабо верится, – заметил Гронский.

– Мне тоже. Но есть один факт: преступник, даже если он был ранен, все же догнал и убил свою жертву. И я не очень представляю себе, как бы он это сделал с несколькими пулями в теле.

Алина открыла следующую папку.

– Тридцатое августа, суббота. Девушка, 20 лет, возвращалась домой после вечеринки в клубе.

Гронский кивнул.

– Это тот случай, о котором я говорил.

– Найдена в Юсуповском саду, недалеко от местного водоема. Самое поврежденное тело из всех: массированное отсутствие мягких тканей бедер, стенок брюшины, сорвана грудь. Видимо, глухой ночью в парке у преступника и его собак было больше времени, и те обглодали жертву почти до скелета. Кроме того, в этом случае отмечена полная декапитация... то есть голова отрублена полностью и найдена в двух метрах от трупа.

Алина посмотрела на Гронского.

– Даже не представляю себе, как вы готовили тело к погребению.

– Было нелегко, – сказал Гронский.

– И последнее. Двадцать девятое сентября, понедельник. Коломенская улица, дворы между Коломенской и Марата. Девушка, 21 год, иногородняя – приехала в Петербург из Южно-Сахалинска, трудно представить себе это даже... То ли художник, то ли дизайнер. Видимо, решила приобщиться к культурной жизни Северной столицы. Судя по всему, искала хостел, он там недалеко, в полукилометре от того места, где нашли тело. Но заблудилась и нашла совсем другое... Кстати, тело до сих пор находится в морге: какие-то трудности с транспортировкой на Сахалин, да и родители не проявляют активности. Похоже, она часто уезжала из дома, путешествовала и не очень была нужна своим родным. Тут отмечено, что кроме нее в семье еще трое детей, младших... Может быть, это как-то помогает пережить потерю старшей дочери, хотя я что-то сомневаюсь.

Гронский склонился над раскрытыми папками и разложенными фотографиями. Бледное худое лицо в желтоватом тусклом свете приобрело какой-то нездоровый оттенок. На отодвинутой в сторону тарелке остывал лосось, в своей аппетитности выглядящий странно и неуместно среди этого паноптикума жутких смертей. Алина почувствовала, что уже не хочет есть.

Она никогда не считала себя впечатлительной или особенно ранимой. Еще во время учебы в Медицинской академии Алина спокойно переносила такие зрелища, от которых ее менее сильные духом сокурсницы падали в обморок. Годы работы в отделе экспертизы трупов только укрепили ее устойчивость к кошмарным картинам насильственной смерти. Но тут было что-то другое.

Первое, чему на практике учится любой судебно-медицинский эксперт, – отстраняться от осознания жертвы как человека, который жил, думал, чувствовал. Есть только тело как объект исследования, поврежденная оболочка, которую навсегда покинула жившая там личность. Но именно сейчас отстраненный взгляд Алине не удавался. Она полдня провела за изучением медицинских заключений, чтением протоколов осмотра мест происшествия, и краткие комментарии по каждому эпизоду, которые она давала Гронскому, не отражали и десятой части того, что она видела как профессионал за написанными канцелярским языком строками отчетов.

Молодая танцовщица идет через дворы. На плече сумка со сценическим костюмом, она торопится, мысли ее уже впереди — там, в другом клубе, где ее ждут на еще одном выступлении. Она не слышит, не замечает приближающейся смерти, и через несколько минут ее залитое кровью лицо уже обращено к темно-серому угрюмому небу, а пальцы с оборванными ногтями скрючены в последней попытке защититься. Вот медсестра спешит привычной дорогой домой, радуясь, что удалось пораньше уйти со смены, и входит в темные проходные дворы, торопясь к своему спящему ребенку. Вот совсем юная девушка, рыдая от ужаса, забивается в грязный угол за мусорным баком, но смерть настигает ее и там, и жесткие сильные руки убийцы рывком тащат ее наружу, и она обдирает кожу с ладоней, пытаясь схватиться за шершавые стены. Трещит разряд электрошокера, и глаза жертвы распахиваются в смертельном страхе, когда она понимает, что оружие не помогло ей спастись от смерти. Девушка с правильным, строгим лицом, гладко зачесанными и забранными в тугой хвост волосами, поднимает оружие, целится, и грохот выстрелов разрывает глухую тишину дворов. Один, другой, третий, она отступает, продолжая отстреливаться от неведомой, неизъяснимой опасности, надвигающейся на нее из темноты, но погибает всего в нескольких метрах от спасительного выхода на улицу. Молодая художница, полная творческих надежд, мыслей и планов, вдыхает влажный воздух ночного города, радуясь его жутковатому колориту, а через час ее тело уже разорванной грязной тряпкой брошено на выщербленную плитку.

Восемь жизней, прервавшихся в лабиринте тесных темных дворов. Восемь жизней, которые отняла неведомая сила, гнездящаяся среди старых отсыревших стен, караулящая любое теплое дыхание, притаившаяся в подвалах, за углами мрачных домов, среди обвалившихся лестниц и покосившихся дверей. Словно сам город забрал живых, чтобы поддержать свое распадающееся, гниющее тело, и даже кровь их впиталась без остатка в потрескавшийся влажный асфальт.

— ...общие признаки, — сказал Гронский.

Алина вздрогнула, очнувшись от тягостных мыслей, и посмотрела на него. Он сидел, откинувшись на спинку стула, серые глаза холодно поблескивали в тусклом свете.

— Простите, что вы сказали?

— Я предлагаю выделить общее, общие признаки во всех восьми случаях — точнее, уже девяти, считая сегодняшнее убийство. Давайте начнем с ран на телах жертв.

Алина кивнула.

— Они практически идентичны, насколько можно судить по актам экспертизы и фотографиям. Конечно, заключения везде липовые — нападение бродячих животных, но сами исследования проведены очень и очень подробно. Их делали два человека: мой непосредственный начальник, Эдип Иванов, и Георгий Мампория, еще один наш эксперт, кстати, очень толковый. Я помню, он просил меня весной пару раз поменяться с ним дежурствами, и теперь понимаю зачем: они оба знали, когда произойдет очередное убийство. Естественно, в их актах нет ни слова о разрубленных грудинных костях или следах разрезов на шее, но вот отсутствие внутренних органов зафиксировано абсолютно четко. Думаю, ребята страховались на тот случай, если вся эта история все же выйдет на поверхность: не заметить следы насильственной смерти — это халатность или низкая квалификация эксперта, а вот сокрытие того, что у жертв отсутствует сердце, — уже преступление.

— Насколько я понимаю, набор отсутствующих органов у всех идентичен?

— Сердце, почки и селезенка. Во всех случаях без исключения. Кроме того, по фотографиям видно, что грудина вскрыта одним и тем же способом. И горло, конечно: оно вырвано вместе с хрящами гортани у всех жертв. Кроме того, все тела обескровлены, а лица и волосы покрыты коркой засохшей крови. Думаю, что образ действия убийцы был во всех случаях одинаков: сильный удар или удары в лицо, которые оглушали жертву или лишали ее сознания. Потом разрез на горле: я думаю, он их опускал головой в какой-то сосуд... скорее всего, даже мешок из непромокаемой ткани, и ждал, когда из артерий вытечет кровь. Отсюда и кровавая корка на лицах и волосах. Потом он укладывал жертв на спину, разрубал грудину, распарывал верхнюю часть живота и извлекал внутренние органы. И уже потом появлялись повреждения, предположительно нанесенные собаками. Скорее всего, чтобы скрыть следы преступления от тех, кто не будет внимательно осматривать тело.

— Очень хорошо. — Гронский одобрительно посмотрел на Алину. — Еще что-то общее?

Алина пожала плечами.

— Все жертвы — молодые женщины в возрасте до тридцати.

Хотя возраст может быть просто совпадением: дамы более зрелых лет реже оказываются среди ночи на улице. И еще, чуть более редкая особенность: в крови жертв не обнаружено алкоголя. На момент убийства все были совершенно трезвы.

– Да, это интересно, – согласился Гронский.

Он достал из-под своего черного пальто, небрежно брошенного на соседний стул, видавшую виды кожаную сумку и извлек оттуда ноутбук и потрепанную карту города. Развернул ее на столе поверх раскрытых папок и стал делать пометки – маленькие крестики в тех местах, где были обнаружены тела.

– Ожидаете, что места преступлений сложатся в рисунок пентаграммы? – полюбопытствовала Алина.

– Неплохо бы, – пробормотал Гронский, ставя крестик в районе Баскова переулка. – Это многое бы упростило. Но я просто хочу продолжить наш список общих черт во всех этих убийствах. Например, все они совершены в центре города, причем довольно компактно.

Алина взглянула на карту.

– И не просто в центре, а только по одну сторону Невы, – добавила она. – Убийца ни разу не отметился ни на Васильевском острове, ни на Петроградской.

– До сегодняшнего дня, – уточнил Гронский. – Марину он убил недалеко отсюда.

Алина молча смотрела, как Гронский делает пометки на карте.

– Есть еще даты, – сказала Алина. – Раз в месяц. Он выходит на охоту раз в месяц, обычно в первых числах, как по часам.

– Кроме августа, – добавил Гронский. – В августе он убил дважды, в самом начале и в самом конце месяца. И в сентябре девушка тоже погибла в последних числах.

– Думаю, тут важны не числа, а просто какое-то количество дней между ними. Такое бывает при компульсивном поведении у маньяков, у них как будто биологические часы срабатывают. Предположим, каждые двадцать девять дней.

– Нет, тут что-то другое... – Гронский задумчиво посмотрел поверх головы Алины. На большом экране, висящем на стене напротив, беззвучно метались фигуры среди лихорадочных огней какого-то музыкального клипа.

– Другое, – повторил он и раскрыл ноутбук. – Можете еще раз продиктовать мне только даты?

Алина вздохнула, сгребла со стола папки и стала читать:

– Седьмое марта. Шестое апреля. Пятое мая. Третье июня. Третье июля. Первое августа.

Гронский быстро набирал что-то на клавиатуре.

– Тридцатое августа. Двадцать девятое сентября. Послушайте, это бессмыслица какая-то, говорю же, здесь просто примерно одинаковые интервалы по времени, и...

– Это новолуния.

Алина осеклась.

– Что?

– Новолуния, – повторил Гронский. – Такая фаза Луны, знаете? Все даты, которые вы назвали, это даты вступления Луны в фазу новолуния. Наш убийца, похоже, живет по лунному календарю. Точнее, жил до сегодняшнего дня: до следующего новолуния еще две недели.

Алина почувствовала, как по спине пробежал неприятный холодок, но причины этого ощущения она понять не могла.

– Алина, можете что-нибудь сказать про убийцу? Я имею в виду, вы осматривали тело, видели характер ран и повреждений – что-нибудь может помочь хотя бы примерно представить его облик или какие-то специфические черты?

– Он очень силен, – сказала Алина. – Это несомненно. Знаете, когда мы проводим аутопсию, то при Y-образном разрезе для вскрытия грудины используем такие специальные ножницы, похожие на ножницы по металлу, с длинными рукоятками. Это нелегко физически – взрезать вдоль грудинную кость. А тут грудина разрублена одним ударом, причем очень быстрым и резким, так что даже не всегда ребра ломаются, а сама кость не вдавливается в полость грудной клетки. Это почти невероятно. Так что тот вариант, что убийцей могла быть женщина, практически полностью исключается.

Гронский кивнул.

– Орудие?

– Что-то тяжелое, с изогнутым однолезвийным клинком длиной около тридцати сантиметров, широким, массивным и невероятно острым. Не топор, а скорее очень большой и увесистый кривой нож.

– А рост?..

– У меня пока было мало материалов для исследования. Точнее можно будет сказать, когда будет хотя бы еще две проведенные экспертизы: я планирую эксгумацию, и в морге есть тело этой девочки с Сахалина. Но предварительно можно сказать, что рост убийцы выше среднего, причем значительно. Угол нанесения ударов плюс физическая сила... думаю, два метра, не меньше.

– Очень хорошо, – сказал Гронский. – А теперь давайте обобщим все, что у нас есть.

Каждую ночь, когда Луна входит в фазу новолуния, во дворах центра города появляется некто. Он гигантского роста и невероятной физической силы. Ему не страшны ни пули, ни удар электрическим током. Он вооружен огромным кривым тесаком, и сопровождают его несколько псов-людоедов. В ночь своей охоты он выслеживает молодых девушек и убивает их жестоко, но методично, сливая кровь из разрезанного горла в непромокаемый мешок и вырывая им сердце, почки и селезенку. Все это он забирает с собой, а его собаки рвут на части еще теплые тела жертв. Вероятно, потом он уходит обратно, в свое убежище где-то неподалеку, и ждет следующего новолуния. Кроме того, обо всех убийствах заранее известно начальнику Бюро судебно-медицинской экспертизы, причем известно с самого первого случая. И означенный начальник прилагает все усилия, чтобы скрыть эти факты, совершая тем самым не только должностное, но и уголовное преступление. Я ничего не упустил?

Алина снова почувствовала, как по спине пробежал неприятный озноб. Сложенные Гронским воедино разрозненные факты образовали картину, от которой веяло холодной жутью и безумием.

– Нет, ничего не упустили, – сказала она. – Но я бы немного упростила, например, так: совершена серия преступлений, предположительно маньяком-убийцей, которого по неизвестной причине покрывает руководитель судебно-медицинского бюро.

На лице Гронского отразилось искреннее разочарование, как у учителя, чья лучшая ученица вдруг ляпнула что-то, недостойное даже двойки.

– Вы считаете, что версия маньяка все объясняет?

– Я считаю, что она ничему не противоречит, и... да, черт возьми, – эта версия объясняет все, кроме странного укрывательства со стороны Кобота. А вы думаете, что вот это, – Алина обвела рукой разбросанные по столу фотографии, – дело рук нормального человека?

– Я думаю, – ответил Гронский, – что это дело рук того, кто прекрасно знает, что делает. И для совершения этих действий у него есть свой, очень веский мотив.

– Тот, у кого есть мотив для того, чтобы по ночам вырезать сердца и селезенки у одиноких прохожих, и есть маньяк.

— Не упрощайте, — ответил Гронский. — Он слишком методичен для сумасшедшего или одержимого. Всегда одно и то же время — ночь наступления новолуния. Всегда одни и те же органы, совершенное хладнокровие, методичный и эффективный образ действий. И никаких признаков того, что им движет страсть или иное непреодолимое побуждение, — ведь следов сексуального насилия не обнаружено?

Алина покачала головой.

— В сегодняшнем случае — нет, все чисто. А вот про остальные мы вряд ли сможем что-то сказать: все тела, кроме одного, уже захоронены, и разложение уничтожит любые следы такого рода, даже если они там и были. Но я думаю, что их там не было.

Гронский кивнул:

— Я тоже в этом уверен. Во всех этих убийствах нет ни ярости, ни страсти: есть только холодная злая воля и точное понимание, зачем, как и когда нужно убивать. А значит, есть четко осознаваемый мотив, который...

— Сумасшествие — вот его основной и единственный мотив! — перебила Алина.

— Пусть так, — согласился Гронский. — Но оно имеет под собой совершенно конкретные основания, и это поможет его найти.

Алина прищурилась и посмотрела на Гронского.

— Вы серьезно полагаете, что можете найти в городе человека, имеющего веские основания потрошить девушек в новолуние?

— Совершенно серьезно. Более того, это гораздо легче, чем кажется.

Алина одарила Гронского еще одним скептическим взглядом.

— Подумайте сами, — продолжил он. — Чем экзотичнее мотив, тем легче найти преступника, ведь мотив — такой же идентифицирующий признак, как орудие убийства. Кого легче было бы отыскать: налетчика с пистолетом «макаров» или стрелка, использующего кремневый пистоль семнадцатого века? Так же и в нашем случае: если бы мотивом серии убийств стала кража мобильного телефона и бумажника, у нас были бы серьезные основания не строить надежд на то, что удастся быстро обнаружить преступника. Но этот убийца, я еще раз повторю вам, этот убийца знает, что он делает. И найти того, кто знает, зачем нужно убивать в новолуние, забирая кровь и внутренние органы жертв, так же легко, как стрелка со старинным пистолем.

Алина махнула рукой и стала складывать в папки фотографии и листы с материалами экспертиз.

— Вижу, я вас не убедил? — спросил Гронский.

— Посмотрим, — ответила Алина.

«Еще бы, конечно, нет», — подумала она. Впрочем, ничего страшного: она будет заниматься своими делами, экспертной работой, наблюдением за Коботом, а Гронский пусть развлекается поисками наугад маньяка, возомнившего себя новым Потрошителем. Она открыла портфель и засунула туда сложенные папки.

— Давайте собираться, — сказала Алина. — День выдался не из легких, да и завтра будет не лучше. Я хочу закончить с анализами, провести повторное исследование тела, которое хранится в морге. К тому же Кобот обещал организовать запрос на эксгумацию еще минимум одной жертвы, тут тоже много работы, и он ждет от меня результатов, просил докладывать ему лично. А в понедельник я уже должна выйти к нему в его «Данко», так что...

— Подождите, — сказал Гронский. — Есть еще один вопрос.

Алина защелкнула замок портфеля и посмотрела на него.

— Какой?

— Марина, — ответил Гронский. — Девушка из бара. Сегодняшняя жертва.

Алина продолжала вопросительно смотреть на Гронского.

— Просто сегодня отнюдь не новолуние, — пояснил он. — В этом месяце оно наступит двадцать девятого числа, только через две недели. Похоже, наш маньяк вдруг неожиданно решил сменить свой график. И забыл предупредить об этом своих друзей, из-за чего те невероятно расстроились.

«Расстроились — еще слабо сказано, — подумала Алина. — Скорее, испугались до паники».

— Возможно, это лишь доказывает, что в его действиях все же нет четкого мотива, о котором вы говорили, — заметила она.

Гронский покачал головой.

— Нет, тут что-то другое. Восемь месяцев он выходил на охоту строго в определенные дни, в определенных районах, и об этих днях прекрасно знал и Кобот, и его люди. И вдруг — другая дата, другой район, и те, кто должен прикрывать его похождения, совершенно не в курсе...

— Новолуния бывают только в начале или в конце месяца? Никогда в середине? — неожиданно спросила Алина.

— Крайне редко, — ответил Гронский. — Иногда выпадают

на вторую половину десятых чисел, но как правило – первые и двадцатые.

Алина молчала. Да, действительно. Другая дата, другой район. Но те же раны, то же оружие, та же рука...

Порыв ветра бросил в окно тяжелые капли дождя. Алина вздрогнула, невольно посмотрела на влажную тьму, жадно липнущую к окну, и передернула плечами. Стоящие плотными рядами дома как будто поджидали, когда она выйдет на улицу. Где-то там, за их фасадами, такими разными, какими могут быть только человеческие лица, скрывались темные пустоты дворов-колодцев. За эркерами, похожими на вытянутые морды, башнями, уродливыми наростами возвышающимися над крышами, за вытянутыми или приплюснутыми окнами, каменными балконами, с которых, словно с отвисших челюстей, капала слюна дождевой воды – за этим всем притаилась безымянная смерть.

Сегодня опасности нет, удар был нанесен, и очередная жертва уже распростерлась на грязном жертвеннике двора, напитывая своей кровью мокрый асфальт. Алина живет в новых районах, на далекой от центра Гражданке, но все же... От опасности можно укрыться дома, но страх последует за тобой всюду. Другая дата, другой район – но это не спасло несчастную Марину. И не спасло еще одного человека...

В полумраке паба «Френсис Дрейк» было тепло и спокойно. Гронский сидел напротив: строгое лицо, внимательный взгляд, черный костюм. Он пристально посмотрел на Алину, видимо, заметив ее минутное внутреннее смятение, и сказал:

– Ну что ж, оставим сегодняшние несовпадения в загадках. Как и мотивы поведения милейшего доктора Кобота. Будем надеяться, что этот случай так и останется единственным, и...

– Он не единственный, – выдавила Алина.

Гронский хотел что-то добавить, но промолчал.

Алина снова посмотрела в окно и перевела взгляд на своего собеседника.

– Это не единственный случай, когда подобное убийство совершается в другом районе и в другую дату.

Капли дождя сильнее застучали по стеклу. В тишине еле слышно доносилась из другого зала хриплая приглушенная музыка. Мерцали лихорадочные всполохи на экране за спиной, заставляя вздрагивать желтый полумрак. Гронский молча ждал.

– Тринадцать лет назад точно таким же образом была убита моя мать.

# Глава 4

Раннее утро было свежим и радостным, каким оно бывает только в начале мая, когда прозрачный воздух полон ароматами пробуждающейся жизни, деревья подернуты зеленой дымкой молодой листвы, и каждый вдох рождает в груди удивительное ощущение счастья, от которого хочется улыбаться – просто так, без причины. Утро было таким, каким оно бывает только тогда, когда тебе семнадцать лет, и впереди у тебя прекрасное, восхитительно яркое лето жизни, а призрак осени маячит где-то совсем, совсем далеко, на другой стороне бесконечного мира. Солнце еще не поднялось высоко в чистое небо, чуть тронутое легким туманом утреннего дыхания земли, но воздух был уже светел, и вокруг лежали веселые, золотистые отсветы рождающегося дня.

Алина шла по тихой улице вдоль пруда, мимо просыпающихся деревьев и еще спящих уютных домов. Каблучки ясно и четко стучали по асфальту. Легкое, едва заметное касание ветерка, нежного, как дыхание семнадцатилетней девушки, чуть шевелило ее золотистые длинные волосы. Справа от нее блестела гладь водоема, зеленел яркой свежей травой спуск к воде и дорожкам по берегам пруда. Слева чинно стояли, почти скрытые высокими, старыми деревьями, такие же немолодые дома, словно добрые соседи, встречающие ее по дороге. Алина чувствовала, что здесь, в нескольких минутах ходьбы от своего подъезда, она давно уже дома.

Полчаса назад она позвонила маме от подруги, у которой она и еще две подружки-одноклассницы весело проводили эту ночь, радуясь последним праздникам перед трудными выпускными и еще более трудными вступительными экзаменами. Легкий хмель шампанского уже выветрился из головы, вымытый утренним воздухом, и Алина шла, улыбаясь этому утру, этим деревьям и этой жизни.

Несмотря на ранний час, мама не спала: наверное, опять читала всю ночь, как делала всегда, когда единственная дочь отправлялась на ночные посиделки. Впрочем, это случалось не так часто. Отца дома не было – он улетел в одну из своих очень частых в последнее время командировок, так что в квартире Алину ждали только мама, бабушка, которая наверняка сейчас еще спит, и Чипс – маленький веселый терьер, любимец семьи и, несмотря на свой малый рост, гроза всех соседей по подъезду.

Алина свернула налево, перешла через узкую пустынную улицу и направилась по подъездной дорожке к своему дому – прекрасному девятиэтажному белому зданию с двумя шестиэтажными пристройками по бокам, дому, построенному по специальному проекту для членов Академии наук. По слухам, когда-то здесь жил чемпион мира по шахматам и еще множество других, менее знаменитых, но не менее заслуженных людей. Возможно, что это, а не только прекрасный район и близость главного лесопарка севера города – Сосновки – послужило причиной того, что здесь четыре года назад купил квартиру отец Алины. Уже тогда его дела в алкогольном бизнесе шли более чем удачно, и семья переехала в роскошные четырехкомнатные апартаменты на третьем этаже, с холлом и лоджией. Алина посмотрела наверх. Она уже подошла к дому и могла видеть отсюда три окна: бабушкиной комнаты, гостиной и ее собственной комнаты с небольшим эркером.

На часах было без двадцати шесть утра. Алина не знала еще, что это время, это положение золоченых стрелок на маленьком круглом циферблате запомнится ей навсегда. Она нажала кнопки на механическом кодовом замке и вошла в подъезд.

В отличие от большинства других домов здесь было всего по две квартиры на лестничной площадке. Все соседи знали друг друга, все были примерно одного социального круга, и на лестнице всегда было тихо и безукоризненно чисто. Алина, легко шагая по ступенькам, поднялась до второго этажа, когда почувствовала какой-то странный и непривычный запах, словно смешались противоположные тяжелые ароматы сырого, почти живого мяса и металлический запах мертвой меди. Тогда она еще не знала, что это такое.

Первым, что она увидела, поднявшись на лестничный пролет, ведущий к площадке третьего этажа, был Чипс. Тело маленького песика, как-то странно перекрученное, безжизненной шкуркой валялось на каменных ступенях. Глаза были плотно закрыты, а из приоткрытой пасти вытекла тонкая струйка крови. Сквозь коротко подстриженную серебристую шерсть на боках красными полосками тоже выступала кровь – в тех местах, где кожа не выдержала и лопнула, словно какая-то сила пыталась порвать пса пополам. Алина остановилась. Сердце заколотилось лихорадочно быстрыми ударами, как будто кто-то забарабанил внутри грудной клетки маленькими кулачками.

– Чипс, – позвала она, нагнулась и зачем-то потрогала нос песика. Тот был холодным и сухим, как наждак. Алина почувствовала, как дрожат ее колени, сотрясаемые нарастающей барабанной дробью сердца.

– Чипс, – снова сказала Алина, а потом посмотрела выше.

Стена лестничной площадки была покрыта густыми потеками разных оттенков красного, от ярко-алого до почти черного. Тяжелая жидкость еще не высохла и медленно стекала вниз, как густая краска, сливаясь с огромной темно-красной лужей на сером полу. Запах мяса и меди ударил в нос. Алина выпрямилась, борясь с нахлынувшим ощущением нереальности происходящего, и сделала еще два шага вверх по лестнице.

Ей потребовалось несколько секунд для того, чтобы понять, что именно она видит.

Много позже, десяток лет спустя, Алина часто будет видеть на лицах тех, кто приходил в морг для опознания своих родных, то выражение, которое она определила для себя как «кошмар узнавания». Человек на несколько секунд замирает, смотрит пристально и внимательно на ту странную восковую куклу, что лежит перед ним на столе, часто сломанную, изувеченную, и мучительно пытается совместить то, что видит, с образом близкого человека: живого, веселого, грустного. И только по прошествии этих долгих секунд говорит: да, это мой сын. Моя дочь. Моя жена. Мой муж.

Ноги полусогнуты и раскинуты в стороны в последней конвульсии. Тонкая светлая ткань веселого летнего платья натянулась на стройных бедрах. С правой ноги слетела туфелька. Рядом с левой рукой темной спиралью в густой луже на полу – свернутый собачий поводок. Когда-то светлые полы легкого плаща отяжелели, пропитались темным и раскинулись в кровавой луже, как беспомощные мертвые крылья. Вместо груди какое-то хаотическое багровое месиво, словно что-то взорвалось изнутри вулканом крови, мяса и обломков костей. Светлые волосы намокли красным, вокруг них ореолом смерти – кровавое пятно. Голова запрокинута на почти перерубленной шее, но лицо, белое, как бумага, застывшее, как воск догоревшей свечи, было обращено к Алине. Знакомые правильные черты, голубые глаза, подернутые уже белесой пеленой, как весеннее небо легкой туманной дымкой. Несколько секунд. Кошмар узнавания.

Это моя мама.

Алина плохо помнила, что происходило в последующие несколько минут, но точно могла сказать, что она не кричала. Крики, пронзительные, истошные, раздались тогда, когда в ответ на звонки Алины в двери всех соседей с первого по третий этаж какая-то женщина все же открыла дверь и вышла на лестничную площадку. После этого кругом сразу стало очень много людей, голосов, криков. Алина запомнила, как чья-то нога задела трупик Чипса, и тело пса съехало вниз на несколько ступеней. Тогда она подошла, подобрала песика на руки и положила у стены, в нескольких метрах от тела мамы. Еще кто-то непонятно зачем пытался укутать Алину то ли в покрывало, то ли в какой-то плед — наверное, потому, что она непрерывно дрожала крупной, размеренной дрожью, такой сильной, что не могла говорить.

Единственным человеком, удивительным образом сохранившим самообладание, была бабушка. Это она, увидев свою дочь распростертой в кажущейся бескрайней луже крови, не сорвалась на крик, а вызвала милицию и уже бесполезную «Скорую», в двух четких, строгих словах объяснив причину вызова. Она же увела в квартиру свою внучку, которая не то дрожала, не то билась в каких-то частых судорогах, напоила ее успокоительным и уложила в кровать, предусмотрительно открыв все двери так, чтобы видеть ее с лестницы. Это бабушка в две секунды прогнала обратно по квартирам всех лишних, оставив рядом с собой только двух соседок, которые были нужны как понятые. Она же разговаривала с сотрудниками милиции. И она звонила отцу.

События того утра и нескольких дней до похорон Алина помнила урывками и восстанавливала их потом не столько по памяти, сколько по материалам следствия, которые тщательнейшим образом изучила, как только через несколько лет у нее появилась такая возможность.

Судя по всему, после утреннего звонка Алины мама решила пойти ей навстречу и заодно прогуляться с Чипсом: утро было и в самом деле чудесным. Убийца стоял на лестнице, на несколько ступеней ниже третьего этажа, и, выходя из квартиры, она не видела то, что ждало ее за углом. Чипс, почувствовав чужого, бросился на защиту хозяйки: маленькому терьеру было не занимать отваги и боевого духа. Соседи слышали его мгновенный, яростный лай, который смолк так же внезапно, как и взорвался в тишине спящего подъезда. Впрочем, это никого не удивило: пес точно так же облаивал всех, кого встречал на лестнице, и ничего необычного в этом не было. Поэтому, когда потом раздался пронзительный женский крик, тоже мгновенно оборвавшийся, слышавшие его объяснили себе это тем, что хозяйка прикрикнула на пса.

Алина уже тогда понимала, что все это чушь и самооправдание. Много позже, читая показания свидетелей с мест происшествия, она узнала, что пробудить в людях ту степень тревоги, которая заставила бы их действовать, могут только постоянные крики и шум в течение минимум получаса. Очень трудно спутать окрик разбушевавшегося питомца с предсмертным женским воплем. Но ведь больше не кричали? Тихо? Так зачем просыпаться?

Уголовное дело, начатое очень активно, во многом благодаря статусу и деньгам отца Алины, постепенно шло все более вяло и наконец заняло свое место в архиве среди сотен и сотен других так и не раскрытых убийств. Единственной версией следствия была связь смерти жены бизнесмена с его профессиональной деятельностью, но на тот момент у Сергея Николаевича Назарова не было конфликтов, которые могли бы послужить причиной столь страшной трагедии. Сам он прекрасно держался, когда давал показания, когда бесчисленное количество раз общался со следователями и оперативниками, когда принимал соболезнования от друзей и родных, и даже на похоронах не проронил ни слезы. Но совсем иначе было дома. Он просто молча сидел на кухне: не курил, не заливал в себя алкоголь, просто смотрел перед собой, и когда свет дня сменялся вечерними сумерками, продолжал все так же сидеть за столом, в темноте, не включая свет и не ложась спать в опустевшее супружеское ложе. Только после похорон Алина заметила, что отец все-таки стал по ночам покидать кухню для того, чтобы лечь спать на диване в гостиной.

Сама Алина неделю не выходила из своей комнаты. Там, в привычных стенах, она еще держалась, словно знакомая обстановка помогала ей забыть о происшедшем, создавала иллюзию того, что все осталось по-старому, и когда она выйдет, то увидит маму, и та улыбнется ей и скажет что-нибудь смешное: она была очень веселой, ее мама. Но стоило перешагнуть порог комнаты, как горе наваливалось с такой силой, что страшные рыдания словно вымывали из Алины часть ее души — большую и лучшую часть.

Все это время их вдруг осиротевшая семья держалась на бабушке. Она не говорила слов утешения, не суетилась вокруг, но ее молчаливая поддержка, само присутствие были той благой энергией, которая помогла отцу и дочери пережить эти страшные дни. Может быть, тому причиной была удивительная сила духа пожилой женщины, пережившей блокаду, прошедшей войну, вступавшей в освобожденные, но мертвые города вместе с передовыми частями Советской армии. А может быть, таким запасом душевных сил обладали все люди ее поколения, тех сил, которых нет и никогда не будет у ныне живущих. Чего стоило все это самой бабушке, не знал никто.

Через три недели после смерти мамы Алина блестяще сдала выпускные экзамены в школе, подтвердив свое право на получение заслуженной золотой медали. А еще через месяц так же легко справилась со вступительными экзаменами в Медицинскую академию, получив оценку «отлично» по всем предметам. Больше она не плакала. Никогда.

Родители стоят между нами и вечностью. Когда они уходят, мы остаемся с вечностью один на один. И теперь Алина была к этому готова.

Через год она уехала из квартиры в академическом доме, чтобы больше туда не вернуться. Бабушка умерла четыре года спустя дома, на руках врачей бригады «Скорой помощи», прибывших слишком поздно для того, чтобы справиться с остановкой сердца. Отец Алины почти сразу продал квартиру и с тех пор жил за городом, в большом коттедже, один. Он больше не женился.

Алина не смогла бы точно сказать, что эти трагические события повлияли на ее интерес к делу судебно-медицинской экспертизы. Но как только появилась возможность, она прочитала и тщательно изучила старое экспертное заключение по исследованию тела ее матери. Каждую строчку, каждую букву в нем она знала наизусть.

Горло, разрубленное поперек хряща гортани одним ударом слева направо, протяженностью от левого до правого сосцевидного отростка черепа. Грудина, также разрубленная одним ударом, сверху вниз с незначительным отклонением влево. Предположение о возможном орудии убийства: очень тяжелое, с изогнутым однолезвийным клинком длиной около тридцати сантиметров, широким, массивным и невероятно острым. Не было ни слитой крови, ни отсутствия внутренних органов, ни следов собачьих зубов. Но когда Алина склонилась к растерзанному телу девушки, беспомощно раскинувшемуся на грязном асфальте двора-колодца, она узнала эти раны сразу и без всяких сомнений. Она знала, всегда знала, что рано или поздно снова увидит нечто подобное, и когда нагнулась над разрубленной грудной клеткой несчастной Марины, ей показалось, что она перенеслась в прошлое, на тринадцать лет назад. Что она стоит рядом со своей мамой на лестничной площадке у дверей квартиры и, обернувшись, заглядывает в черные, бездонные провалы глаз неведомого убийцы.

* * *

День рождался, как больной ребенок: только появившись на свет, он уже начал угасать. Утро было окутано темно-серым погребальным саваном сумерек, словно уже наступил вечер. Небо оседало на землю туманным моросящим дождем, слишком мелким, чтобы ради него раскрывать зонт, но достаточным для того, чтобы насквозь пропитать стылой влагой волосы, одежду и мысли.

Еще не было десяти утра, и, чтобы не толкаться в утренних пробках на проспекте, Гронский и Алина оставили машины у ворот территории Медицинской академии и пошли пешком напрямик, направляясь к моргу Бюро судебно-медицинской экспертизы. Длинная прямая аллея постепенно превращалась в узкую тропинку из треснувшего асфальта и мокрой земли и вела мимо похожих друг на друга невысоких ветшающих корпусов, покрашенных когда-то одинаковой красно-кирпичной краской, а теперь одинаково покрытых мокнущими пятнами плесени, словно все стены были поражены одной заразной болезнью. По сторонам дорожки тесно стояли пожилые высокие деревья, склонявшиеся в разные стороны под тяжестью лет и толстых ветвей. Жесткие пучки как будто обгрызенных кем-то кустов обрамляли потрескавшиеся бордюры. Осклизлые мокрые листья, покрывавшие узкую дорожку аллеи, расползались под ногами.

Алина покосилась на Гронского. Он молча шел рядом, и на каждый широкий шаг его длинных ног Алине приходилось делать два своих шажка, из-за чего получалось, что она почти бежит рядом с ним, семеня по узкой дорожке.

– Вы не могли бы идти помедленнее? – наконец сказала она, чувствуя, что еще немного – и запыхается от такой быстрой ходьбы.

– Что? – спросил Гронский, как будто отвлекшись от занимавших его мыслей, но шаг сбавил.

Алина уже почти жалела о своем вчерашнем приступе откровенности. То ли сказался тяжелый день, то ли тягостное впечатление, вызванное просмотром папок со старыми делами, то ли атмосфера паба, но она открылась Гронскому явно больше, чем сама того хотела. Да что там – больше, чем кому-либо другому за много, много лет. О трагической истории ее матери знали очень немногие, а из близких ей людей – всего двое: отец и школьная подруга, та самая, у которой Алина ночевала накануне того рокового утра. А о том, как связана та давняя смерть с нынешними преступлениями, и вовсе не знал никто. У каждого человека в душе есть свое, потаенное, скрытое от других место, где хранятся самые личные, самые интимные секреты, переживания, эмоции. В этом отношении человеческая личность подобна средневековой крепости. Вокруг стены – деревянные домишки городища: это те истории и факты из биографии, которые можно легко рассказать при первом же знакомстве. Затем идет первая стена, за ней – более личные, более важные вещи. Есть и вторая, и даже третья стены, а в центре укрепления души – неприступная цитадель, вход в которую заказан порой даже самым близким людям. И каким-то неведомым образом этот странный человек, шагающий сейчас рядом с Алиной, миновал вчера все укрепления, ворота и рвы, добрался до самой главной башни цитадели и едва ли не поднял на ней свой флаг. Алина чувствовала, что вчера, рассказав Гронскому о смерти матери, она как будто перешла некий порог, прошла через невидимые двери, после чего вернуться назад, к прежней жизни, уже невозможно, и окружающий ее мир уже никогда не будет таким, как раньше.

После таких откровений ей уже показалось неприличным отказать Гронскому в его очередной просьбе: присутствовать при экспертизе девушки, погибшей в конце сентября, чье тело до сих пор хранилось в морге Бюро.

Алина снова посмотрела на Гронского. Сегодня он выглядел явно лучше, чем вчера: исчезла темная щетина на бледных щеках, рубашка под черным костюмом сияла белизной, на ослабленный воротничок был повязан черный галстук, а сам костюм и темное пальто прекрасно сидели на высокой худощавой фигуре. Только волосы по-прежнему были слегка растрепаны в живописном беспорядке, но Алина отметила про себя, что это ему даже идет и делает по-своему красивым узкое лицо с серыми холодными глазами.

– Мне с утра уже звонил Кобот, – сказала она. – Очень беспокоился, приступила ли я к исследованию второго тела, и интересовался, как идут мои дела.

– Что? – снова, словно издалека, отозвался Гронский и посмотрел на нее рассеянным взглядом.

– О чем-то задумались? – спросила Алина.

– Да, немного, – ответил он. – О том, что если вчерашняя смерть Марины – это единичное отступление от правил, допущенное убийцей, то он снова нанесет удар в следующее новолуние. А это уже меньше чем через две недели.

– Ну что ж, – пожала плечами Алина, – тем быстрее вам нужно его найти. Вы ведь сказали, что это будет несложно, не так ли?

Гронский только молча кивнул и отвернулся.

Тропинка кончилась. Гронский и Алина вышли к футбольному полю, невесть откуда взявшемуся здесь, на задворках Медицинской академии. Все еще зеленая трава намокла и потемнела от влаги, как губка. Железные рамки футбольных ворот, лишенные сеток, походили сейчас на настоящие ворота, ведущие из ниоткуда в никуда. Вокруг поля черные силуэты деревьев застыли в летаргическом осеннем сне, и судя по судорожно искривленным ветвям, им снились кошмары.

– Вон там, справа, моя кафедра, патологоанатомии. – Алина показала рукой на маленький желтый флигель. – Там тоже есть морг. Он соединяется с моргом Бюро, и вместе они образуют самое большое хранилище мертвых тел в Европе. Оно находится внизу, вот как раз здесь, под футбольным полем.

– Даже думать не хочу, кто может играть тут безлунными ночами, – сказал Гронский.

– Ну так и не думайте, – ответила Алина и махнула рукой влево. – Нам туда, вон, видите, где стена обрушена? Это проход на территорию Бюро. Я через этот лаз еще студенткой ходила туда на практику.

* * *

Они спустились по каменным ступеням узкой лестницы навстречу все усиливающемуся ощущению холода, ароматам формалина и легкому запаху тлеющей плоти.

– Я предупредила доктора Зельца о нашем визите, – сказала Алина. Она уже переоделась в рабочий лабораторный комбинезон, и Гронский тоже накинул белый халат поверх черного пальто. – Это заведующий моргом, непосредственно той его части, которая предназначена для хранения, а не исследования тел. Я с ним не работала, так, видела пару раз, но мне говорили, что он со странностями, хотя дело свое знает. Так что имейте в виду, если что.

Гронский кивнул.

– Я вообще настроен на встречу со странностями.

Они прошли в деревянную белую двустворчатую дверь и оказались в небольшом квадратном помещении с серыми стенами и низким потолком. В противоположной стене была другая дверь – железная, с небольшим окошком в верхней части, забранным толстым ребристым стеклом. По правую руку тянулся ряд железных шкафчиков, как в раздевалках спортивных клубов, только обшарпанных и помятых. Слева тоже стояли шкафы – деревянные, а также имелся облезлый письменный стол, из тех, что можно увидеть в учительских небогатых школ, и тумбочка с электрическим чайником, который недавно кто-то включил: из носика поднимался пар, а сам чайник подрагивал от закипающей в нем воды. Рядом лежал смятый пакет с какими-то неаппетитными крошками внутри. На столе громоздился огромный старинный монитор. Стул с ободранной спинкой был пуст.

– Странно, он должен был нас ждать, – проговорила Алина, оглядываясь вокруг.

Чайник вдруг затрясся, как в конвульсиях, подпрыгнул, выпустив из носика мощную струю пара, громко щелкнул и затих, словно испустив вместе с паром последнее дыхание.

Алина вздрогнула.

– Добрый день, – вдруг громко сказал Гронский.

Алина проследила за его взглядом, и увидела, как в углу между двух деревянных шкафов что-то закопошилось.

– Здравствуйте, здравствуйте, – забормотал пришепетывающий голос, и из угла выбрался человек, сидевший там до этого неподвижно на низком табурете. – Чем могу служить?

Доктор Зельц был крупным, одутловатым и неопрятным. Его можно было бы назвать полным, но не той полнотой, которая выпячивает живот и округляет бедра; он был рыхлым, как будто тело его стремилось расползтись в разные стороны и удерживалось только стягивающей его одеждой. Лицо его было бледным, как манная каша, и таким же бесформенным, большую голову облепляли длинные патлы сальных волос, заправленных под воротник когда-то белого халата.

Гронский, приподняв бровь, с легким недоумением смотрел на это возникшее перед ним явление. Алина вздохнула: ей уже приходилось видеть раньше и доктора Зельца, и вот такое выражение на лицах тех, кто удостаивался этого удовольствия впервые.

– Здравствуйте, я – Алина Назарова, – сказала она, обращаясь к Зельцу. – Я вам звонила по поводу тела, помните?

– Ах да, да, да, – протянул Зельц. – Что же, я весь к вашим услугам.

Он прищурился и посмотрел на Гронского.

– А ваш спутник, простите?..

Гронский молчал и тоже смотрел на Зельца.

– Это мой коллега, – сказала Алина, почувствовав, что пауза затягивается, и бросила на Гронского недовольный взгляд. – Из ФСБ.

Зельц расплылся в жутковатой слащавой улыбке.

– Премного, премного рад знакомству. – И чуть протянул вперед пухлую маленькую ладонь. – Доктор Федот Зельц.

Гронский подумал, но все же ответил на приветствие:

– Родион Гронский, – и слегка пожал бледную влажную руку доктора.

– Ну что ж! – воскликнул тот с преувеличенным энтузиазмом. – Теперь, когда с церемониями покончено, приступим к делу! Напомните, вас интересует?..

– Анна Левчук, – напомнила Алина. – Поступила двадцать девятого сентября.

Доктор Зельц поднял вверх палец:

– Обратимся к гроссбуху! – и как-то странно, боком, засеменил к железным шкафам, открыл дверцу одного из них и, что-то бормоча, стал рыться среди плотных рядов толстых прошитых регистрационных журналов. Гронский и Алина терпеливо ждали.

Наконец Зельц нашел нужный журнал, отнес его на стол, раскрыл и стал водить маленьким толстым пальцем по разлинованным страницам.

– Аня Левчук, Аня Левчук, где же ты, где, Аня Левчук, – то ли бормотал, то ли напевал он. – Ах, вот! Нашел! Пойдемте за мной!

Он открыл железную дверь с маленьким окошком вверху, и Гронский с Алиной вошли вслед за своим странным провожатым в помещение морга, представляющего собой длинные анфилады больших холодных залов, с прозекторскими столами посередине и бесконечными рядами морозильных шкафов вдоль стен, чьи квадратные дверцы были похожи на могильные плиты колумбария. Доктор Зельц, немного подпрыгивая, семенил впереди и наконец нашел нужный холодильник в ряду таких же других. Гронский и Алина встали по обе стороны от него, и доктор, отперев замок, взялся за ручку.

– А вот и наша Анечка! – сказал он бодро и выкатил носилки из холодильной камеры.

Носилки были пусты.

Несколько секунд все трое молчали, глядя туда, где должно было быть мертвое тело.

Доктор Зельц побледнел еще больше, так, что его рыхлая физиономия стала бледно-зеленой, и мелко затрясся всеми своими пухлыми телесами.

– Здесь ничего нет, – холодным, как воздух морга, голосом резюмировал Гронский очевидный факт.

– Это... какая-то вздорная нелепица... ошибка... – забормотал Зельц, мелко перебирая пальцами дрожащих рук.

– Где тело, доктор?

– Я сейчас! Одно мгновение! – почти выкрикнул Зельц и с неожиданной прытью помчался назад, бесшумно перебирая ногами в стоптанных бесформенных башмаках. – Я мигом!

Гронский и Алина молча проводили его взглядами. Хлопнула железная дверь морга и воцарилась тишина, только монотонно гудели лампы дневного света, заливая помещение неживым ярким светом.

Доктор Зельц вернулся через минуту, неся в руках регистрационный журнал. На лице его сияла неуместно широкая улыбка.

– Я же говорил, – запыхавшись, сказал он, – чистая нелепица! Ошибочка вышла! Небольшая путаница – я виноват, каюсь. Перепутал Анну Левицкую с вашей Анечкой Левчук.

Он смущенно захихикал.

– Тут должно было быть другое тело, а Левчук... Левчук... – Зельц сделал несколько быстрых шагов вдоль холодильников. – Вот здесь!

Он распахнул еще одну дверцу, выкатил носилки и театральным жестом откинул пластиковую простыню.

– Вуаля!

На металлических носилках лежало обнаженное тело худенькой темноволосой девушки. Черты лица заострила смерть, между маленьких грудей с торчащими сосками зияла на совершенно белом теле огромная страшная рана, кое-как прихваченная крупными стежками черной суровой нитки. Еще один разрез, тоже наспех заштопанный, протянулся поперек горла под подбородком. Руки, ноги, бока были покрытыми другими ранами – рваными и глубокими.

– Она? – спросил Зельц.

– Да, – сказала Алина. – Это она.

– Ну вот видите, как все чудесным образом разрешилось! – воскликнул Зельц. – Вам помочь довезти каталочку до стола?

Алина кивнула, и доктор Зельц засуетился, вытягивая носилки из холодильника и устанавливая их на колеса каталки.

– А где в таком случае тело Левицкой, доктор? – подал голос Гронский.

– Что? – обернулся Зельц. Его лицо снова стало наливаться нездоровым зеленоватым цветом.

– Если в пустом холодильнике должно было быть тело, как вы сказали, девушки по имени Анна Левицкая, то где оно? Камера ведь пуста.

– Ну... – Зельц опять затрясся и суетливо принялся возиться с каталкой. – Наверное, уже забрали... родственники... или на экспертизу.

– Вы позволите? – Гронский протянул руку, указывая на журнал, который Зельц сжимал под мышкой. – Он все равно вам сейчас мешает.

Зельц вороватo обернулся и бросил на Гронского быстрый взгляд. Алина тоже посмотрела: тот возвышался над доктором в своем монохромном одеянии, белой рубашке, черном галстуке и смотрел на него в упор холодным взглядом серых глаз.

– Извольте. – Зельц, поколебавшись секунду, все же протянул журнал. Гронский взял его, отошел в сторону и стал читать записи. Тем временем Алина с помощью доктора Зельца уже перенесла тело девушки на стол. Гулко щелкнул выключатель, над столом вспыхнули мощные хирургические лампы. Зельц отбежал за угол и скоро вернулся, катя перед собой дребезжащий столик с инструментами.

– Вам санитар и ассистент понадобятся?

Алина не успела ответить.

– Тут указано, – снова заговорил Гронский, – что Левицкая Анна Юрьевна, двадцати лет, была доставлена в морг восемь дней назад с диагнозом «острое отравление лекарственными препаратами седативного действия, повлекшими смерть». Самоубийство. Кроме того, отмечено, что родственников у покойной нет, как отсутствует и запрос на погребение тела силами государственных служб. Никаких отметок о передаче тела куда-либо тут тоже нет.

Зельц стоял молча, глядя на Гронского, как кролик на удава, и мелко трясся. Потом затравленно оглянулся на Алину, но та тоже смотрела на него – внимательно и молча, ожидая ответа.

– Слушайте, – суетливо забормотал Зельц, – ну что такое? Ну ведь нашли мы вашу девушку, так? И эта найдется, не тут, так где-нибудь. Ну вот что вы к ней прицепились? Дело-то житейское, тут вот их сколько, сотни и сотни, ну, записали что-то не так...

Если уж вы так настаиваете, ну дайте мне свой телефон рабочий, я все выясню и вам позвоню, хорошо? А сейчас позвольте журнальчик обратно, с вашего разрешения...

Зельц боком осторожно подобрался к Гронскому и протянул руку. Гронский некоторое время молча смотрел на него.

– Сообщите мне о результатах ваших поисков через Алину Сергеевну. – Гронский кивнул в сторону удивленно посмотревшей на него Алины. Зельц тем временем уже ухватился за краешек регистрационного журнала и тихонько тянул его на себя. Гронский придержал в руке толстую картонную обложку и, глядя в глаза Зельцу, негромко и веско сказал:

– Мы в ФСБ очень интересуемся случаями смерти одиноких молодых девушек, чьи тела поступили на хранение в морг с минимальными повреждениями. Так что ищите тщательнее.

Зельц все-таки выдернул журнал у него из рук и молча засеменил к выходу.

– Санитара я сейчас пришлю! – крикнул он от самого выхода и поспешно скрылся за лязгнувшей дверью.

Некоторое время Алина и Гронский молчали.

– Ну и тип, – сказал он.

– Я же говорила, со странностями, – ответила Алина и показала в сторону столика с инструментами. – Тут есть еще комплекты перчаток, воспользуйтесь, если хотите участвовать во вскрытии. И снимите пальто, наденьте халат как следует.

Гронский покачал головой и склонился над телом.

– Нет, это лишнее.

– А что так? – прищурилась Алина. – Вы же должны были привыкнуть к виду покойников, при вашей-то работе.

Гронский снова покачал головой, продолжая внимательно и как-то скорбно изучать раны на вытянутом вдоль холодной поверхности прозекторского стола худеньком девичьем теле.

– Дело не в этом. Мне было важно взглянуть, посмотреть своими глазами. Одно дело – фотографии и ваши объяснения, пусть даже очень подробные, и совсем другое – увидеть все вот так...

Он снова провел взглядом – от разрубленного горла до изувеченных тоненьких ног.

– И что? – поинтересовалась Алина. – Теперь вам станет еще проще найти убийцу?

– Нет, – ответил Гронский. – Боюсь, что теперь все станет только сложнее.

* * *

*«Колдовство и святость – вот две единственные реальности. Каждая представляет собой экстаз, уход от обычной жизни. Духовный мир нельзя свести лишь к высшему добру, но в нем обязательно представлены и носители высшего зла. У обычного человека не больше шансов стать величайшим грешником, чем величайшим святым. В большинстве своем мы всего лишь равнодушные, посредственные, смешанные создания, и следовательно, наши пороки и наши добродетели одинаково посредственны и не важны. И вот что я вам скажу: наши высшие чувства так притупились, мы так погрязли в материализме, что, столкнись мы с подлинным злом, мы, вероятно, вряд ли сумели бы его распознать».*

Я отрываю взгляд от книги и потягиваюсь, с хрустом разминая затекшие плечи и спину. Небольшой уютный читальный зал редких книг Большой академической библиотеки похож на помещение кафедры университета: простые рабочие столы, несколько застекленных витрин с выставкой тех самых редких изданий, картотечные шкафчики, спокойный желтоватый свет ламп под потолком, тяжелые шторы на высоких окнах. За окном, с высоты пятого этажа, видны мокрые железные крыши, темнеющее небо и дождь.

Я вздыхаю, опускаю голову и дочитываю страницу: «*Так как очень трудно стать святым, остается стать сатанистом. Это одна из двух крайностей. Можно гордиться тем, что тебя ценят за преступления так же, как святого ценят за добродетели. Чтобы отождествиться с любым из этих направлений, требуется колоссальная концентрация и железная воля. Такие люди, выбравшие худший путь, и становятся вампирами*».

Я провел здесь весь вчерашний день, после того как оставил Алину в морге с телом очередной несчастной жертвы, и три часа сегодня, с самого открытия читального зала. В кои-то веки пригодилась моя кандидатская степень по филологии, а направление для исследований от имени несуществующего университета я изобразил сам за полчаса, придумав и название, и герб, и рисунок печати. Передо мной на столе лежит высокая стопка книг, разной толщины, но с одинаково состарившимися переплетами, покрытыми патиной времени, и толстый блокнот, который я исписал заметками уже до половины, нисколько, впрочем, не приблизившись к разгадке личности того или тех, кто может стоять за кровавыми преступлениями последних месяцев и убийством Марины.

Начиная свои поиски, я исходил из того, что убийца, кем

бы он ни был, прекрасно знал, что и зачем делает. Даже если принять версию Алины о том, что во всех случаях действовал безумец, сумасшествие его было упорядоченным, поведение – не импульсивным, а значит, должна быть четкая основа для того, что он совершал. И вот эту основу я и намеревался найти. Мне нужно было понять, кто он по образу мыслей, кем является или кем себя возомнил. За исходные точки я принял кровь, слитую им у своих жертв, вырванные сердца, и отдельно – другие изъятые органы, и новолуние, как время совершения убийств. Проще всего было начать с крови и сердца: их потребление практиковалось с древнейших времен во множестве культов и культур, и первыми прочитанными мной книгами стали те, которые были посвящены вопросам вампиризма и красной магии крови.

Голова у меня слегка гудит от огромного объема информации. Ночью мне с трудом удалось заснуть: тревожные и неприятные сновидения приходили одно за одним и настойчиво будили меня, словно изгоняя из царства сна, которое было их законной территорией. Только под утро, в тот час, когда голоса утренних птиц обычно заставляют нечисть вернуться в свою тайную обитель, мне удалось забыться тяжелым, похожим на оцепенение, сном.

Уже второй день я словно являюсь зрителем какого-то бесконечного «данс макабр», танца мертвых, с участием безумных потрошителей, древних жрецов, выходцев из могил и членов тайных мистических орденов. Как будто огромный пласт реальности, которому отказали в праве на существование в современном, духовно оскопленном мире, открылся моему взгляду. Эти знания, учения, факты были кем-то заживо погребены и объявлены мертвыми, и я ходил по этому огромному кладбищу, склоняясь к могилам и читая то краткие, то пространные эпитафии на могильных плитах, стараясь угадать, что скрыто там, под толщей холодной земли. Но это кладбище древних традиций и знаний только со стороны казалось заброшенным и поросшим сорной травой забвения. На самом деле было заметно, что за всеми могилами ухаживают чьи-то умелые руки, а я как будто чувствовал на себе внимательные и недобрые взгляды, провожавшие меня, чужака, зашедшего туда, где не рады гостям. И чем больше времени я проводил, погружаясь в чтение написанных столетия назад книг, чем дольше бродил по ментальному кладбищу оккультных знаний, тем больше крепло ощущение, что сами его обитатели объявили себя мертвыми, чтобы успокоить живых. Они прикинулись легендами и сказками, которые не нужно воспринимать всерьез — ведь тогда никто всерьез не воспримет и их тайны, а значит, сами эти тайны будут в безопасности. Они сами себя депортировали из реальности, лишь иногда возвращаясь обратно в ночной тиши и прячась за карикатурными муляжами и выдумками, которые заняли их место в сознании людей. Они бы и смерть объявили ложью, если бы она не напоминала о себе так настойчиво. Я просматриваю некоторые из своих заметок:

*Древнеримский писатель Плиний Старший: «Страдающие падучей болезнью пьют даже кровь гладиаторов непосредственно из ран, точно из живых кубков».*

*Гален, живший во втором веке после Рождества Христова, пишет о своем коллеге, враче Ксенократе: «Он описал с большой смелостью, ссылаясь на собственный опыт, какие болезни могут быть излечены употреблением человеческого мозга, мяса, печени и костей черепа... наконец, употреблением крови».*

*Маршал Жиль де Ре. XV век. Один из ближайших сподвижников Жанны д'Арк. Исторические факты.*

*«Жиль де Ре привык купаться в крови, разрезая свои жертвы и ложась между ними. Иногда он опускался на колени перед горящими телами и смотрел в лица, освещенные лижущими их языками пламени; он любил созерцать головы, которые были засолены в сундуках, "самые красивые, чтобы сохранить их подольше" и целовать их в губы».*

*Он же: «Имя первой жертвы Жиля де Ре неизвестно. Говорили, это был мальчик, которого однажды вечером заманили в замок, и когда в потайной комнате де Ре удовлетворил свою противоестественную страсть, они с Прелати задушили несчастного ребенка, вырвали сердце из его еще теплого тела, принеся его, содрогавшееся и трепетавшее в агонии, в жертву демону, которого они вызвали с помощью магических заклинаний».*

*И еще: «Согласно поздним описаниям его преступлений, сам Жиль описывал ритуалы, которые ждали его жертв: сначала их раздевали, затыкали рот кляпом. Жиль ощупывал их, осматривал, удовлетворял свою похоть, а потом наносил удары кинжалом, расчленяя тела на части. Иногда он вскрывал живот, принюхивался к внутренностям, руками расширял рану и садился в неё. Купаясь в тёплой кашице, он поглядывал через плечо, стараясь не пропустить последний спазм своей жертвы. Он заявил позже, что "ничто не доставляло такой радости, как человеческие муки, слезы, страх и кровь"».*

*Примечание: разместить на форуме любителей фильма «Сумерки».*

*Эржебет Батори. XVI век. Венгерская «Салтычиха». Ванны из крови молодых девушек для омоложения. Из протокола следствия:*

*«...было видно, что они все черны как уголь, потому что кровь запеклась на их телах. Всегда было четыре или пять обнаженных девушек, и слуги, вязавшие хворост во дворе, видели, в каком они состоянии. Эржебет обычно обжигала девушкам щеки, грудь и другие части тела, наобум тыча раскаленной кочергой. Время от времени собственными руками открывала им рот так резко, что его углы разрывались. Графиня вгоняла им под ногти иголки, приговаривая: «Маленькая сучка, если ей больно, она сама может их вытащить!» Пол ее спальни приходилось посыпать золой, иначе графиня не могла пройти через широкие потоки крови к своей постели».*

*Катрин Ла Вуазьен. XVII век, Париж. Производила подпольные аборты (в ее саду в Сен-Жермене было найдено 2500 закопанных детских трупиков и неразвившихся эмбрионов), торговала любовными эликсирами и ядами. Ее сообщник (наставник?) аббат Гибур поклонялся дьяволу, целых два десятилетия практиковал черные мессы, используя для этого заброшенную церковь Сен-Марсель. Во время черных месс Гибур неоднократно убивал детей, которых покупал у обитателей нищенских кварталов Парижа за 5–6 ливров. Алтарем для мессы служил живот обнаженной женщины. Аббат Гибур добавлял младенческую кровь в облатки для совершения сатанинской мессы. Согласно рецептам черномагических инкунабул, ее использовали и для омоложения богатых клиентов. Гибур брал с них по сто тысяч ливров.*

*Монтегю Саммерс, исследователь феномена вампиризма. XIX век.*

*В особую категорию вампиров Саммерс включил 14-летнюю девочку из Франции, которая любила пить кровь из свежих ран, а также итальянского бандита Гаэтано Мамоне, у которого имелась «прекрасная привычка припадать губами к ранам своих несчастных пленников», и бесчисленных каннибалов всех времен и народов. Сюда же он относил и тех, кто питал аналогичное пристрастие к трупам, а не к живым людям. «Вампиризм представляется в более ярком свете, это вообще какое-либо осквернение трупов, и нет преступления более ужасного и отталкивающего».*

*Герметическое Братство Луксора.*

*«Эти маги также используют кровь (чей запах привлекает психических сущностей), желчь (будучи сожженной, она вызывает галлюцинации), кости (кремация и использование пепла), а также жидкости, выделяющиеся из трупов в первые часы после смерти. Это – избыточная физико-сексуально-химическая субстанция, которую душа не успела потратить во время жизни».*

*Орден Рубиновой Розы и Золотого Креста Самуэля Мазерса, основанный в 1898 году, в ритуалах которого использовались знания, почерпнутые в «Книге священной магии Абра Мелина», 1458 года издания. Мазерс был осужден в 1911 году за убийство, а точнее, за то что «совершил акт вампиризма с целью продления жизни». Вампиризм Мазерса и его последователей основывался на каббалистических представлениях: жизнь как бы растворена в крови, которая обладает многими магическими свойствами.*

*Цепи Мириам, Джулиано Кремерц. Кровавые ритуалы с целью сознательного контакта с нечеловеческими сущностями, снабжающими адептов экстраординарными возможностями – в том числе и бессмертием в подлунном мире.*

И еще сотни страниц: снова тайные общества, античные мистерии, упыри, поднимающиеся из могил в глухих деревнях, каббалистические знания, кровавые безумцы викторианской эпохи, пьющие кровь и разрывающие плоть своих жертв среди железа и смога наступающего нового времени. Но ни следа системы, которая оправдала бы изъятие из тела жертвы еще и почек с селезенкой. Ни одной зацепки, которая могла бы указать на то, что неизвестный потрошитель из петербургских дворов следовал какой-то определенной методике, а не был и в самом деле просто безумцем, чей разум не выдержал вот таких же прогулок по кладбищу древних знаний.

Кроме большого блокнота Moleskin, куда я записываю свои заметки о прочитанном, у меня есть еще один, маленький, с логотипом односолодового виски – подарок Марины. Туда я выписываю все имена с библиотечных карточек взятых мною книг: даже если мне не удастся найти оккультные мотивы, которыми руководствовался убийца, то по крайней мере у меня будут данные всех тех, кто предметно интересовался вампиризмом и кровавыми мистериями прошлого и настоящего. Мне пришлось применить все свое обаяние, чтобы убедить милейшую заведующую читальным залом редких книг в том, что мне просто необходимо знать своих коллег, работающих по той же теме, – конечно, исключительно для консультаций и обмена опытом. Теперь маленький блокнот тоже заполнен до половины, и позже я составлю список тех фамилий, которые встречаются чаще всего. Впрочем, я сомневаюсь, что кто-то из этих людей окажется двухметровым гигантом с кривым тесаком в руках.

Я смотрю на лежащую передо мной стопку книг. Иоганн

Цопфеус, «Рассуждение о вампирах подчиненных», прекрасное издание Галле 1733 года. Хорст, «Сочинения и гипотезы по поводу вампиров». Филипп Рор и его объемный «De Masticatione Mortuorum» 1679 года. Иоганн Харенберг, Джузеппе Даванцатти, Огюстен Кальме – все книги изданы не позже XVIII века. Отдельно лежат несколько страниц «Некрофилии»

Брауна – доклад, сделанный в 1874 году на ежеквартальном собрании медико-психологической ассоциации в Глазго, и книга Михеля Ранффта с романтическим названием «Трактат о мертвецах, жующих снедь в своих могилах», изданная в Лейпциге в 1734 году. Все это уже пора вернуть, но вот что читать дальше?

Я вздыхаю, собираю книги и иду к столу заведующей читальным залом.

– Как ваши успехи? Нашли то, что искали? – Татьяна Ивановна, кандидат искусствоведения, интеллигентнейшая пожилая дама, смотрит на меня через отсвечивающие синевой стекла очков в тонкой золотой оправе.

– Увы, – отвечаю я. – Сегодня тоже безуспешно. Прискорбно это признавать, но, возможно, я исходил из ложных предпосылок еще в самом начале своей работы.

– Какая жалость, – говорит Татьяна Ивановна, покачивая седыми кудряшками. – А напомните мне, Родион Александрович, какая тема статьи?

– «Символика и метафизическое значение органов человеческого тела в контексте оккультных традиций и эзотерических культов», – без запинки произношу я. – Для университетского сборника.

Татьяна Ивановна принимает у меня книги, делает пометки в формулярах, но я вижу, что она задумалась и терпеливо стою рядом, ожидая, когда она снова со мной заговорит. Я понимаю, что она грамотный, сильный специалист, опытный библиограф, и как профессионалу ей самой интересно, чтобы мои поиски завершились хоть каким-то положительным результатом.

– А знаете, что, – Татьяна Ивановна поднимает на меня взгляд своих голубых глаз, – возьмите-ка «Проблемы мистицизма и мистической символики» Зильберера. У нас есть его неплохое венское издание 1914 года. Если уж вы упомянули про символику, то Зильберер – самое то. А там, может быть, и еще какой-то кончик покажется, за который сможете потянуть. Принести вам?..

Впереди замаячила если не надежда, то во всяком случае возможность для продолжения поисков.

– Спасибо огромное, – сказал я искренне. – Конечно, я возьму.

«Кончик», о котором говорила Татьяна Ивановна, показался уже через полчаса быстрого чтения. Я чуть не застонал от очевидности открывшегося направления дальнейших изысканий, тут же мысленно отругав себя за ограниченность и узость мышления. Впрочем, это просто сказалось долгое отсутствие практики аналитической работы. Подобных интеллектуальных нагрузок я не давал себе уже года три, а о научных или литературных опытах и вовсе забыл лет на пятнадцать. И вот теперь отвыкший от такой деятельности мозг работал, как заржавленный механизм, и, конечно, был просто не в состоянии быстро открыть доступ к забытым знаниям, когда-то сваленным в дальних пыльных углах памяти. Прекрасный Герберт Зильберер со своей «Мистической символикой» осветил эти углы ярким светом и стряхнул пыль.

Усталость и гул в голове отступили. Я встал и снова направился к столу.

– Ну и как? – с любопытством спросила Татьяна Ивановна.

– Вы были правы, – улыбаюсь я. – Но боюсь, что теперь мне снова придется вас побеспокоить большим перечнем литературы.

– Я готова, – Татьяна Ивановна явно включилась в азарт поисков следов знаний, едва заметных в тонком прахе времен. Она не знает, что на самом деле мы с ней сейчас идем по другому следу – кровавому и грязному, отпечатавшемуся вполне отчетливо на мокром асфальте дворов-колодцев.

– Мне нужен Альберт Великий и Роджер Бэкон, – говорю я. – Что-нибудь базовое. К ним давайте добавим что-то по герменевтике и еще по алхимии: на ваш выбор, но обязательно с акцентом на прикладном значении алхимической символики. Сможете подобрать?..

– Разумеется. – И с улыбкой победителя Татьяна Ивановна исчезает за дверью хранилища.

Через некоторое время она возвращается, снова выходит и опять возвращается, каждый раз неся в руках высокие стопки книг. Она выкладывает их передо мной, называя каждую с гордостью королевы, представляющей цвет и гордость своей гвардии.

– Итак, принимайте. Сначала классика: Альберт Великий, «Чудесные тайны натуральной магии», лионское издание 1786 года, и Роджер Бэкон, «Опус тертиум», сравнительно новое издание, но все равно замечательное – Лондон, 1859 год. Дальше: Джамбаттиста делла Порта, три книги: «О небесной физиогномии», «О человеческой физиогномии» и «Натуральная магия», 1616, 1650 и 1651 годы соответственно. Так, вот еще Корнелий Агриппа фон Неттесгейм, «Оккультная философия в трех книгах». Арнальдо де Виланова, «Зеркало алхимии», Блез де Виженер, «Трактат об огне и соли» и Освальд Кроллий, «Королевская химия». К этому еще Раймонд Луллий, «О тайнах природы, или Квинтэссенция», очень редкое венецианское издание 1542 года, и классика: Парацельс, «Трактат о трех первоэлементах». И то, что вы просили по герменевтике: «Герметический музей», Лейпциг, 1749 год, Никола Ленгле-Дюфренуа, «История герметической философии», и Генрих Кунрат – автор небесспорный, но все же будет полезно посмотреть вот это: «Амфитеатр вечной мудрости». Ну и вот вам в дополнение работы Яна Баптиста ван Гельмонта и Роберта Фладда.

Татьяна Ивановна снова улыбнулась.

– Думаю, тут вам удастся кое-то найти. Только вот мы закрываемся через три часа, но я, конечно же, могу отложить все книги на завтра.

Я изображаю самую обаятельную из всех своих улыбок, понижаю голос и говорю:

– Татьяна Ивановна, а вы не очень торопитесь сегодня домой?..

Через пять часов мой блокнот уже полностью закончился и слегка распух от исписанных желтоватых страниц. Голова отказывалась работать и напоминала фильтр, через который сегодня сначала пропустили черные кровавые потоки информации о вампиризме, а потом – целые декалитры алхимических эликсиров, алкагеста, щелочи, соли и серы. В этом фильтре застряли обрывки понятий, магических символов и терминов пополам с богословскими выкладками, теургическими постулатами и мелкими зеленоватыми камешками из «Изумрудной скрижали» Гермеса Трисмегиста. Долгое отсутствие языковой практики тоже сказывалось не лучшим образом: если тексты на английском, немецком и французском давались сравнительно легко, то итальянский язык уже вызывал затруднения, а сквозь латынь и вовсе приходилось продираться с большим трудом, и в результате я улавливал только общий смысл написанного, не вдаваясь в детали. Татьяна Ивановна терпеливо сидела с книжкой за своим столом и время от времени с интересом посматривала на меня. Желтоватый свет двух наших настольных ламп рассеивал полумрак опустевшего читального зала и не пускал сюда внешнюю влажную тьму, навалившуюся на оконные стекла.

Наконец я отложил в сторону последнюю книгу с ощущением, что если прочитаю еще несколько строк, то просто сойду с ума. Впрочем, в дальнейшем чтении уже не было необходимости. Теперь я точно знал, откуда почерпнул свои убеждения кошмарный ночной потрошитель. Я еще раз пробежал глазами свои последние записи, с многочисленными подчеркиваниями и окруженные множеством восклицательных знаков:

*Корнелий Агриппа фон Неттесгейм:*

*«Следуя словам своего первого учителя, Гермеса Трижды Величайшего, они (алхимики) во всех своих изысканиях опирались на его слова о том, что "то, что внизу, подобно тому, что вверху, а то, что вверху, подобно тому, что внизу. И всё это только для того, чтобы свершить чудо одного-единственного". Еще дальше пошел неизвестный нам адепт алхимического делания, уподобивший в своем "Rubeus vinculum" некоторые человеческие органы основным мировым стихиям: сердце – огню, почки – воде и воздуху и селезенку – земле».*

*Джамбаттиста делла Порта:*

*«И чтобы не упрекнули меня в безосновательности моих умозаключений, сошлюсь на мнение тех, кто безусловно в больше степени, нежели я, преуспел в изучении тайн связи видимого и незримого миров, устанавливая эти связи через постижение символического значения органов человеческого тела. Так, в известном многим трактате "Rubeus vinculum" указано на то, что стихии материальной природы, каковы суть огонь, вода, воздух и земля, воплощаются в человеческом сердце, почках и селезенке».*

*Освальд Кроллий:*

*«Связи эти, между анатомиями макрокосма и микрокосма, которые мы именуем большим и меньшим миром, давно установлены, как и то, что в полноте своей меньший мир воплотился в человеческом теле. В "Rubeus vinculum" убедительно показано, что как огонь, вода, воздух и земля отражены в сере, ртути и соли меньшего мира, так дух, душа и тело отражены в сердце, почках и селезенке человека. И так каждый элемент триады соответствует другому в иной триаде: сера – дух – огонь – сердце, ртуть – душа – вода и воздух – почки, соль – тело – земля – селезенка. И в этом балансе все первоэлементы, стихии и органы связаны и гармоничны».*

*Блез де Виженер:*

*«Некоторые же, например автор небезызвестного «Rubeus vinculum», полагали, что следует разделять неживую и живую приро-*

*ду, используя соль, серу и ртуть для трансмутации металлов, а сердце, почки и селезенку человека для получения иного, но столь же совершенного эликсира для преображения человеческого существа. Обе же эти трансмутации суть одно, и эликсир, полученный из человеческих органов, столь же является по духовной своей сути философским камнем, как и тот, что получен при помощи первоэлементов, но первый из них именуется, во избежание путаницы, ассиратумом».*

*Парацельс:*

*«Иные безответственные и самоуверенные выскочки и вовсе говорят, что можно разделять природу одушевленную и неодушевленную, а значит, разделять и природу трансмутации. Доходит до того даже, что в печально известном "Rubeus vinculum" безвестный автор рекомендует использовать органы человека – сердце, почки и селезенку – для приготовления эликсира, да еще и делать это в новолуние, уподобляясь язычникам, приносящим жертвы своим нечестивым богам и рабски зависящим от фаз небесного светила. От язычников переняли и название получающегося снадобья – ассиратум, которое было принято в языческом Риме для названия напитка из вина и жертвенной крови, а теперь предлагается ищущим, как имя для эликсира».*

*Ян Баптист ван Гельмонт:*

*«Этот эликсир, именуемый ассиратум, благословеннейший и наисовершеннейший изо всех; тайна его изготовления превосходит человеческое разумение, и один лишь Бог может открыть ее избранному. Употребление его исцеляет всякий без исключения недуг и возводит тело человеческое к такому совершенству, что оно вовсе перестает испытывать болезни и открывает пред собой двери бессмертия, словно пронизанное благодатью Божественных энергий».*

Я закрываю блокнот и кладу руку на стопку книг.

– Спасибо, джентльмены, – шепотом говорю я. – Мы славно поработали сегодня.

Мне чертовски хочется выпить, и сегодня вечером я, пожалуй, уступлю этому желанию. Я ловлю себе на мысли, что неплохо бы было выпить в компании, в которой я провел последние два дня, и пригласить с собой Корнелия Неттесгейма, делла Порту, Освальда Кроллия, де Виженера, ван Гельмонта и даже старого брюзгу Парацельса. Кажется, что я не просто читал книги, на страницах которых остались их мысли, мнения, и раздумья, а прожил с ними вместе как минимум полгода, наполненных совместными трудами, – и вот теперь эти труды мы успешно завершили. Конечно, нужно выпить. Всем вместе.

Я встаю со стула, чувствуя, что меня немного покачивает от усталости, и собираю тяжелые старые тома. Татьяна Ивановна заметила мое движение, отложила в сторону свою книжку и смотрит на меня выжидающе, незаметно кинув взгляд на наручные часы. Но у меня остался еще один вопрос.

«Rubeus vinculum». В переводе с латыни «Красные цепи». Книга, в которой, судя по всему, объяснены причины, дающие основания к тому, чтобы вырезать у людей сердца, почки и селезенки, сливать кровь и делать это непременно в новолуние. Книга, хранящая тайну приготовления ассиратума – философского камня, панацеи, эликсира алхимиков, созданного не из соли и серы, а из крови и плоти.

Я отдаю книги, одну за одной, рассыпаюсь в благодарностях за помощь, а Татьяна Ивановна принимает их с тем, чтобы снова отправить в хранилище, туда, где их еще очень, очень долго никто не потревожит, словно ветеранов давно забытых войн, которых вдруг собрали вместе, чтобы послушать рассказы о былых подвигах, а потом вновь отправляют в сонное существование стариковских приютов.

– Победа? – спрашивает Татьяна Ивановна. – Нашли все, что искали?

– Практически да, – отвечаю я. – Осталась еще только одна книга...

Заметив испуганное выражение, промелькнувшее у нее на лице, я быстро добавляю:

– Нет-нет, не сегодня, конечно. Просто скажите, есть ли она у вас, а я уже завтра приду. Буквально одна книга. «Rubeus vinculum». «Красные цепи».

Татьяна Ивановна качает головой, как мне кажется, несколько разочарованно.

– Увы, тут я не смогу вам помочь. В нашем зале ее точно нет.

Заведующая залом редких книг не может мне помочь. Перед моим мысленным взором мгновенно возникает образ древнего, пыльного рукописного фолианта, хранящегося в единственном экземпляре в недрах какой-нибудь ватиканской библиотеки, в которую мне не помогут попасть ни навыки коммуникации, ни поддельные документы.

– А где она есть? – выдавливаю я. Вся усталость прошедших двух дней как будто вновь разом навалилась на меня.

Татьяна Ивановна пожала плечами.

– Видите ли, «Красные цепи» не являются библиографическим раритетом. Книжка, конечно, не самая известная и распространенная, но, если мне не изменяет память, последний раз она издавалась на русском языке примерно в начале девяностых, то есть лет двадцать назад. Думаю, что вы без труда найдете ее в общем читальном зале.

Татьяна Ивановна погасила лампу, взяла ключи и посмотрела на меня:

– Удивительно. Столько труда, и... Из всех книг, которые вы запрашивали за последние дни, только «Красные цепи» не является редкой. И насколько я могу судить, не представляет никакой ценности.

# Глава 5

Алина сидела в кабинете медицинского центра «Данко» и откровенно скучала. Точнее было бы сказать – «в своем кабинете», но она пока не могла привыкнуть к тому, что это роскошно обставленное огромное помещение, так не похожее на скромное рабочее место в Бюро, теперь является ее кабинетом. Плавные металлические обводы письменного стола со столешницей из толстого матового стекла. Роскошное кожаное кресло с несколькими режимами раскачивания – видимо, для того, чтобы было чем заняться в долгие часы вынужденного безделья. Черные стулья для посетителей на блестящих стальных рамах. Пустые шкафы, сверкающие хромом и стеклом множества полок, только на одной из которых стояли пять канцелярских папок, лишь подчеркивающих пустоту незанятого пространства. Белоснежная смотровая кушетка, которая вполне могла бы стать стильным предметом домашней мебели. При этом в кабинете еще оставалось достаточно места, чтобы здесь мог разместиться танцпол небольшого клуба. На все это великолепие Алина любовалась уже добрых полтора часа, не зная, чем занять себя в ожидании приезда Кобота, который звонил ей пару часов назад и обещал прибыть с минуты на минуту. Дошло до того, что она даже принялась раскладывать пасьянс на рабочем компьютере, внутренне презирая себя за это занятие, достойное разве что секретарш и офисных бездельников.

Ничегонеделание было особенно тяжелым по контрасту с предельно насыщенными последними днями. В четверг она закончила повторное исследование тела последней жертвы, и потом, не в силах оставаться без всякого занятия, еще немного занялась текущей работой: автомобильная авария, самоубийство, утопление. В пятницу утром она ездила на кладбище: Кобот сдержал обещание и в немыслимо короткие сроки получил запрос на эксгумацию трупа девушки-телохранителя, и весь день ушел на то, чтобы провести вскрытие уже изрядно тронутого разложением тела и составить заключение. Алина решила не затягивать с докладом Коботу о результатах своих изысканий, к тому же ей хотелось побыстрее выйти на работу в «Данко» хотя бы для того, чтобы принять дела и посмотреть на этот знаменитый медицинский центр. Поэтому в пятницу вечером она позвонила Коботу, получила от него гордые заверения в том, что «Данко» работает «семь дней в неделю двадцать четыре часа в сутки», и договорилась на встречу в субботу. Дисциплинированная Алина была на месте уже в десять утра, полагая, что ей понадобится достаточно много времени, чтобы разобраться со своими новыми служебными обязанностями, и встретила здесь Эдипа. Он поджидал ее у входа как дорогую гостью и сказал, что Кобот поручил ему «все показать и все рассказать». Было заметно, что он отнюдь не лучился счастьем от перспективы именно так провести субботний день, но Алина отметила, что Эдип-Эдуард свое недовольство тщательно скрывает, демонстрирует радушие и вообще ведет себя с ней несколько заискивающе.

Работа, о сути которой рассказал ей Эдип, оказалась более чем странной – как, собственно, и сам центр.

«Данко» расположился в огромном четырехэтажном здании бывшей текстильной мануфактуры – невероятная роскошь по меркам тесного городского центра, где дома так плотно прижаты друг к другу, что уже слиплись от времени, плесени, болотной сырости и туманов. Стены были сложены из красного необработанного кирпича в духе промышленного конструктивизма начала прошлого века. Большие квадратные окна забраны частыми переплетами рам. Одна сторона здания с огромными двустворчатыми дверьми главного входа выходила на набережную канала и храм, расположенный напротив, две других – на узкие боковые переулки. К четвертой стене приклеился старый пустой дом, обнесенный высоким забором с колючей проволокой и с намертво заколоченными листовым железом дверьми и окнами первого этажа. Видимо, дом был расселен и теперь покорно ждал начала капитального ремонта, щурясь в серое небо пустыми глазами окон, слезящимися разбитыми стеклами.

Над парадным входом красовалась помпезная золоченая вывеска с названием, логотипом – поднятые вверх ладони со стилизованным изображением сердца, – и слоганом «Сердце – людям!». За входными дверями был небольшой пустой холл и широкая лестница, ведущая к внутренним дверям. У подножия лестницы застыли позолоченные статуи лежащих львов, видимо, доставшиеся по наследству от сгинувших в забвении первых хозяев здания. Справа от лестницы был пост охраны: массивная железная будка с пуленепробиваемыми стеклами и двумя мрачными вооруженными стражами, внешностью и габаритами более подходящими для охраны офиса какого-нибудь «авторитетного бизнесмена», а не частной клиники. Проходя мимо, Алина заметила в углу караульного помещения прислоненный к стене дробовик.

За второй дверью, которую Эдип открыл электронным ключом-картой, среди античных колонн, огромных аквариумов и навязчиво золотого декора располагались гардероб, вестибюль и длинная стойка регистратуры. За ней Алина увидела пару смертельно скучающих девиц, судя по виду, имевших отношение скорее к конкурсам красоты и модельным показам, чем к медицине. На втором этаже были лаборатории, кабинет компьютерной томографии и прочие диагностические отделения, на третьем – несколько кабинетов врачей, в том числе и новое рабочее место Алины, а весь четвертый этаж занимали рабочие апартаменты самого Кобота.

– Ну, туда мы пока не пойдем, – замявшись, сказал Эдип. – Даниил Ильич не любит, когда ходят по четвертому этажу в его отсутствие. Да и потом, туда дверь открывается только его картой, а у меня нет доступа, пришлось бы охрану просить... Лучше уж подождем.

Алина отметила некоторую странность в планировке внутренних помещений: на каждом этаже коридор, ведущий в сторону заброшенного дома, был гораздо короче, чем его противоположная часть. Коридоры заканчивались глухой стеной. На взгляд Алины, за этими стенами могла скрываться добрая треть общей площади здания.

Когда после короткой экскурсии по медицинскому центру они пришли в ее кабинет и Эдип приступил к объяснениям должностных обязанностей, Алина удивилась уже по-настоящему. Конечно, она ожидала, что ее работа в «Данко» будет носить в известной степени символический характер, но чем дальше она слушала пояснения Эдипа, тем больше становилось ее удивление.

– Все, что тебе нужно делать, – вести прием. Это занимает максимум два дня в неделю. Пациентов тут все равно немного: у меня их восемь, например, у Мампории – семь. Для тебя вот подобрали пятерых. Так что спокойно можешь приходить сюда пару раз в неделю на несколько часов, и все.

Эдип достал из шкафа стоящие там папки и положил на стол перед Алиной.

– Так вот, – продолжал он. – Приходит к тебе пациент, ты вежливо с ним общаешься и направляешь на полную диагностику: анализ крови, КТ, флюорография, короче, вообще все. В некоторых случаях даже не на полную диагностику, а только на некоторые виды исследований. Потом получаешь результаты, убеждаешься, что клиент совершенно здоров, сообщаешь ему об этом по телефону – и все. Дело сделано. Подшила результаты в папку и ждешь следующего месяца, когда пациент снова придет.

– И все?

– Все.

Алина посмотрела на Эдипа. Он сидел напротив и совершенно спокойно смотрел на нее.

– А если пациент не совершенно здоров? Эдик, ты же врач, ты не хуже меня знаешь, что такого почти не бывает, чтобы полная диагностика чего-нибудь не выявила. Что тогда?

Эдип ухмыльнулся.

– Ну, а вот здесь такое бывает. Точнее, тут всегда так. Пришел, обследовался, здоров – всего хорошего, приходите через месяц.

Алина помотала головой.

– Мы работаем с отрядом космонавтов?

Эдип коротко хохотнул, обнажив крупные желтые зубы.

– Нет, не космонавты. Хотя в каком-то смысле можно и так сказать. Да ты посмотри сама, – он кивнул на лежащие перед Алиной папки.

Алина открыла первую.

– Ого! – сказала она и открыла вторую. – Ого!

И тут же откинула обложку третьей папки.

– Ничего себе!

Эдип с улыбкой наблюдал за ней.

– А ты как думала, – сказал он. – Тут все клиенты такие... непростые.

– Знаешь, – медленно произнесла Алина, листая вложенные в папки страницы. – Я могу представить, как совершенно здоровой может оказаться молодая жена иностранного футболиста. Но я не могу понять младенческого здоровья пожилого эстрадного певца, двух уже немолодых бизнесменов и, что уж совершенно невероятно, генерал-полковника из Министерства обороны.

Она подняла взгляд на Эдипа.

– Это нормально, по-твоему?

Тот как-то искоса посмотрел на нее.

– Ну... здесь нормально. И вообще, привыкай не удивляться. – Эдик показал на раскрытые папки. – Это еще что! У меня, между прочим, кроме бизнесменов, два члена городского правительства – и тоже богатырского здоровья. А еще, – он понизил голос, – начальник ГУВД и Галачьянц.

– Да что ты говоришь, – протянула Алина. – Начальник полиции города? Надо же... А Галачьянц – тот самый?

– Ну да, – сказал Эдип. – Тот самый. «Алеф Групп» и прочее. Миллиардер.

Алина посмотрела на Эдипа чистым взглядом зеленых глаз.

– Слушай, Эдик, – сказала она – а ты завтракал сегодня? Я вот как-то не успела. Пойдем, перекусим куда-нибудь? Посидим, поболтаем. А Коботу я расскажу, как ты все чудесно и замечательно мне объяснил.

Эдик поморгал и кивнул.

Перекусить они направились в расположенную недалеко японскую забегаловку, из того огромного множества сетевых заведений, которые так легко спутать друг с другом. Алина выбрала дальний столик в углу зала для курящих, чтобы Эдип чувствовал себя комфортно. Долговязый прыщавый юноша принес им перепачканное чем-то липким меню, которое они оба тут же отложили в сторону и попросили принести им бизнес-ланч. В ожидании заказа Эдип курил, пуская в воздух густые клубы дыма, и говорил, периодически понижая голос и наклоняясь к Алине через стол.

– Бабла вложено немеряно, – сообщил он, обдавая Алину запахами табака и нечистых зубов. – Все это здание, в котором сейчас «Данко», было куплено за деньги, представляешь? Четыре этажа таких площадей коммерческой недвижимости в центре! Плюс оборудование – все самое современное, закупали за границей, вообще не торгуясь. А ремонт? Здание купили в декабре, а уже в марте начали принимать людей. Три месяца!

Там бригады работали круглые сутки. Вообще, Ильич, конечно, красавец, такое сделал!

Эдик выдохнул, и Алина чуть поморщилась от окутавшего ее дыма.

– Это же фонд какой-то швейцарский деньги вложил, да? – спросила она.

Эдип махнул рукой с сигаретой, серый столбик пепла упал на несвежую скатерть.

– Да какой фонд! Все деньги отсюда, так только, для приличия прогнали через зарубежные конторы, чтобы вопросов не было.

«Язык твой – враг твой, Эдик, – подумала Алина. – Язык, а еще любопытство».

Прыщавый отрок принес на подносе миски с чуть теплым супом, салаты из каких-то растений и по длинной тарелке с суши и роллами. Эдип потушил сигарету и с жадностью принялся за еду. Алина тоже аккуратно взяла ложку и попробовала суп, бульон для которого, кажется, варили на чистой соли.

– Слушай, ты вот говорил про здание, – сказала она, – а что там за стеной? Ну, я имею в виду, есть же какое-то пространство за стенами, с той стороны, где пустой дом? Там что?

Эдип быстро посмотрел на нее и пожал плечами.

– Я не знаю. Может, склад какой-то: Кобот ведь не только диагностическое оборудование закупал, а еще и лечебное, и исследовательское. Я сам видел, как привозили хирургические столы, например, но они же не используются. Значит, должны где-то храниться. И много еще чего купили и спрятали куда-то.

Он звучно отхлебнул суп из ложки.

– Туда проход есть, с четвертого этажа – на одной стороне коридора кабинет шефа, а на другой – железная дверь. Только я там не был никогда. Она всегда закрыта, доступ имеет только шеф, к тому же там еще дополнительный механический замок есть. И ключ Ильич у себя в кабинете держит.

– Да, так странно. – Алина покачала головой. – Надо же, лечебное оборудование закупили и закрыли. И никого не лечат, все и так здоровы...

Она бросила взгляд на Эдипа. Тот сосредоточенно ел с видом человека, которому страшно хочется что-то сказать и он изо всех сил сдерживается, заталкивая себе в рот пищу, как кляп.

– Удивительно, – продолжала рассуждать вслух Алина. –

Такие люди, все приходят здоровые – и просто наблюдаются. И ведь непонятно, откуда узнают про клинику: рекламы никакой нет. Ну ведь не просто так, мимо проезжали и зашли убедиться, что здоровы?

Эдип со стуком положил ложку.

– Ну конечно, не просто так! – Он снова нагнулся к Алине. – Вообще, я думаю, что всех приводит Кобот, по знакомым там или еще как-то. Происходит так: приезжает новый клиент. Сразу идет на четвертый этаж. Сидит там с шефом час, иногда больше – я не знаю, что они там делают. Может, договор подписывают, может, деньги считают, может, водку пьют.

«А может, гуляют туда-сюда через запертую дверь в закрытую часть здания», – подумала Алина.

– Потом клиент уходит, а ровно через месяц возвращается для диагностики. И все – потом просто раз в месяц, день в день, приезжает, проверяется. Ну, в виде исключения, к некоторым я сам езжу. Например, к Галачьянцу. Он, правда, не сам у нас наблюдается, а его дочь, Маша. У нее просто нужно кровь брать на полный лабораторный анализ, так что ничего, мне не сложно раз в месяц поработать медбратом на дому. И то же самое: анализ сделали, все в порядке, отзвонились, доложились.

Эдип взял палочками кусочек сырой рыбы на слипшемся холодном комке риса и бросил в рот.

– Раньше, когда только начинали, клиентов мало было, человека три, – сказал он, жуя. Несколько зернышек риса вылетели изо рта на стол. – Маша Галачьянц была с самого начала и еще два пациента, их Мампория сейчас ведет. А один раз был случай – клиента привезли ночью. Мне один наш охранник рассказал, Гоша, мы с ним курить ходим. Так вот, ночью, часа в два, сначала Кобот примчался, а минут через десять привозят человека: пожилой мужик, почти без сознания, еле дышит. Его двое на носилках занесли прямо на четвертый этаж. А потом через час где-то этот же мужик спускается сам вниз, жмет Коботу руку, благодарит и уезжает. Вот так. И знаешь, кто это был?

Эдип нагнулся почти к самому лицу Алины, и она чуть отстранилась на случай, если изо рта ее собеседника снова полетят фрагменты пищи. И в самом деле: Эдип прошипел имя загадочного ночного пациента таким свистящим шепотом, что рис обильно посыпался ему на подбородок.

– Вор в законе, – прокомментировал Эдик названное имя, вытираясь салфеткой, – Смотрящий по Питеру.

Алина слушала и кивала. Настало время для последнего, очень деликатного вопроса.

– Эдик, вот ты все знаешь, – начала она.

Тот откинулся на спинку стула и важно кивнул, ковыряя в зубах.

– Я все думала... В декабре Кобот приобретает здание в центре, потом покупает оборудование, делает ремонт, нанимает врачей на диагностику и лабораторные анализы. А начиная с марта, когда центр начинает работу, одновременно начинаются и эти... происшествия. Убийства.

Эдип замер и напряженно смотрел на Алину. Зубочистка неподвижно торчала у него во рту.

– И происходят они каждый месяц. И клиентов в «Данко» становится все больше, и они тоже приходят каждый месяц, здоровые, как на подбор. А еще эти закрытые помещения за стеной... Ты не думал, как все это связано?

Зубочистка сломалась со слабым треском. Эдип бросил обломки в пепельницу, снова закурил и серьезно посмотрел на Алину.

– Не думал, – тихо сказал он. – И тебе вот на эту тему думать не советую. Мы делаем свое дело и получаем свои деньги. Сколько он тебе дал в месяц, триста?

Алина промолчала.

– Ну триста, триста. Я знаю, он и нам с Мампорией столько же дал. И за десятку баксов в месяц, работая пару дней в неделю, я готов не думать о том, о чем не следует. А писать как раз то, что следует.

Эдип сделал большой глоток зеленого чая и шумно прополоскал рот.

– Может быть, он кого-то прикрывает. Может, это чей-то сын, или брат, или сват резвится по ночам с ножом. Я не знаю и знать не хочу, правда. И пока мне платят триста тысяч в месяц за работу медбрата на четверть ставки, я правила игры буду соблюдать.

Повисла неловкая пауза. Эдип молчал и курил, глядя в окно. Внезапно зазвонивший телефон Алины заставил его вздрогнуть и повернуться в ее сторону. Алина посмотрела на экран.

– Это Даниил Ильич, – улыбнулась она. – Наверное, звонит сказать, что скоро будет.

Эдик криво ухмыльнулся в ответ, выловил пробегавшего мимо долговязого официанта и попросил счет.

* * *

Кобот потянулся и шумно втянул ноздрями жаркий воздух. Алина вышла от него минут десять назад, но тонкий волнующий аромат духов еще витал в кабинете. Даниил Ильич еще раз глубоко вздохнул, печально покачал головой и склонился над папкой с отчетом об эксгумации, который оставила ему Алина.

Конечно, ему бы следовало поговорить с ней гораздо раньше. Теперь это стало совершенно очевидно, и Кобот не мог понять, почему в свое время он привлек к своим делам только Иванова и Мампорию, но не решился предложить сотрудничество Алине. Отчасти это заслуга Эдипа-Эдуарда: он был так убедителен, говоря о принципиальности Алины, что Кобот ему поверил и решил поосторожничать и не посвящать ее в некоторые деликатные детали работы Бюро. К тому же у них уже был второй эксперт, Георгий Мампория, который согласился на предложенные ему условия, а двое – это уже много для того, чтобы тайна оставалась тайной. Отчасти сказалось и то, какой сам Кобот видел Алину: всегда строгая, профессионально сдержанная, в образе маленькой неприступной Снежной Королевы с золотисто-рыжими волосами. Кобот даже не представлял, как вот так запросто пригласит ее в кабинет и предложит каждый месяц давать фальсифицированные заключения по исследованиям явно криминальных трупов в обмен на материальное вознаграждение. Подсознательно он ожидал от нее именно той реакции, которая последовала три дня назад, когда между ними состоялся первый разговор на эту тему: резкий отказ и заявление в прокуратуру со всеми вытекающими последствиями, не смертельными, конечно, но малоприятными.

Но выходит, что он зря опасался. Алина в итоге согласилась на его предложение так же, как и остальные. Все-таки деньги есть деньги, и убитые девушки, что ни говори, чужие, а вот триста тысяч в месяц – свои. Но Коботу хотелось думать, что Алина дала согласие на сотрудничество не только из-за денег. Наверное, значительную роль во всем этом все же сыграли его мужское обаяние и харизма, в которых он не сомневался.

Кобот снова покачал головой и улыбнулся. Да, нужно было предложить Алине сотрудничество раньше, и сейчас он не имел бы тех чисто организационных проблем, которые возникли из-за этого неожиданного трупа девицы-бармена и не менее неожиданного появления Алины на месте преступления. Да и сама она уже побывала бы здесь, в «Данко», в его кабинете на четвертом этаже, и прониклась бы еще большим уважением к его силе и статусу. А ведь сила и статус мужчины – это то, что очень, очень важно для любой женщины. И личные апартаменты Кобота в медицинском центре подчеркивали эти качества со всей возможной полнотой.

В отличие от минималистичного хай-тека, в котором были выдержаны кабинеты врачей, четвертый этаж должен был поражать торжественным и пышным имперским стилем. Широкий коридор, стенные панели из благородных пород дерева, толстые ковры, сотканные вручную. Огромная комната для переговоров, которую уместнее было назвать залом, с длинным столом и двумя десятками стульев, стилизованных под антикварную мебель девятнадцатого века. Обширная приемная, которой заканчивался коридор, с кожаными креслами, диванами, и гигантским столом, за которым восседала секретарша – и не какая-нибудь унылая поношенная кляча, как в Бюро, а самая настоящая мисс Краса России то ли прошлого, то ли позапрошлого года: высокая, холеная, блондинистая и дорогая, как мебельный гарнитур в приемной. Апофеозом всего этого великолепия был сам кабинет. К его обустройству Кобот подошел с особым тщанием: если кабинет в Бюро был рабочим местом функционера, пусть даже высокопоставленного, и хранил в своей обстановке и атмосфере память обо всех тех унылых патологоанатомах, которые занимали его раньше, то кабинету в «Данко» Кобот стремился придать черты своей собственной яркой индивидуальности. Кроме дорогой тяжеловесной мебели – мореный дуб, кожа, ткань ручной работы, – расположившейся на широких просторах букового паркета и персидского ковра, тут были написанные маслом картины на стенах, книги в кожаных переплетах, слипшиеся на полках шкафов в декоративные ряды, блестящие стеклом рамки с дипломами и сертификатами и даже охотничьи трофеи. Голова кабана с двумя устрашающе торчащими из пасти клыками укреплена над длинным кожаным диваном, а напротив нее, глаза в глаза – голова оленя, украшенная ветвистыми рогами.

Кобот был уверен, что кабинет произвел на Алину сильное впечатление. В конце концов, так и задумано: тут все должно подчеркивать стиль, вкус и статус хозяина. Он видел, как внимательно посматривала она по сторонам, когда рассказывала о результатах эксгумации. Надо придумать предлог и как-нибудь попросить ее задержаться в «Данко» допоздна. Тогда он отпустит свою декоративную секретаршу и пригласит Алину к себе: хороший коньяк или коллекционное вино, вечер, дождь за окном, негромкая проникновенная беседа… кто знает, как долго сможет сопротивляться всему этому кажущееся бесстрастным сердце маленькой Снежной Королевы.

Кобот помотал головой и постарался все-таки сосредоточиться на чтении. Так уж несправедливо устроена жизнь: успехи и достижения обязательно должны быть отравлены какой-нибудь неприятной, досаждающей пакостью, преподнесенной тебе судьбой неожиданно и словно бы с издевательской усмешкой. Вся роскошь его апартаментов вряд ли могла сильно впечатлить клиентов «Данко», да они и не особо рассматривали столь тщательно подобранные детали интерьера: быстро проходили прямо в кабинет, проводили там ровно столько времени, сколько было нужно, и быстро уходили, получив желаемое. Огромный зал для переговоров пустовал, и самым частым его посетителем являлась уборщица, стиравшая пыль со стола и антикварных стульев: совещания проводить было не с кем и незачем, многочисленным делегациям деловых партнеров тоже было взяться неоткуда, а с теми партнерами, которые действительно имели решающее значение для бизнеса Кобота, приходилось встречаться в других, гораздо менее приятных местах. Для своих пациентов он не стал ни другом, ни даже знакомым: никто не спешил приглашать Кобота на праздники или клубные вечеринки, и он с досадой думал о том, что остается для всех просто патологоанатомом, пусть и ставшим по ряду причин незаменимым, но от этого нисколько не более уважаемым. Временами он чувствовал себя человеком, который прошел без приглашения на светский прием, и все знают, что приглашения у него нет, и смотрят на него с легким презрением. А теперь даже женщина, которая так ему нравилась и о которой он думал все чаще, явилась к нему в кабинет только затем, чтобы сообщить не самые лучшие новости. Да что уж там, прямо скажем: тревожные и неприятные новости.

Кобот еще раз пробежал глазами строки акта исследования эксгумированного тела, вздохнул, взял в руки телефон и набрал номер.

– Абдулла, привет. Это я.

– Да, привет, ну, что у нас? – прокаркал в трубке знакомый голос. На заднем фоне был слышен звук включенного сигнала поворота и чей-то невнятный бубнеж: видимо, Абдулла куда-то ехал со своим водителем и многочисленными охранниками, на которых Кобот не мог смотреть без дрожи.

– Мой эксперт закончил все исследования, мы даже выкопали одно тело. Ну что, все подтвердилось. Последний инцидент – это наш случай. Вот.

– Точно знаешь?

Кобот помедлил.

– Да, – наконец сказал он. – Я уверен, и мой эксперт тоже. Оружие и способ...

– Давай по телефону меньше слов, да? – перебил его Абдулла. – Понятно все. Значит, кинуть меня захотели... – И он добавил несколько хриплых ругательств на незнакомом языке.

Пауза. Кобот ждал. В трубке по-прежнему слышались голоса: то ли брань, то ли просто разговор – он никогда не мог разобраться в интонациях земляков Абдуллы.

– Слушай меня, – заговорил тот. – Я сегодня в Москву лечу по делам, а им встречу назначу на следующей неделе, когда буду готов, разберусь раз и навсегда, чтобы непоняток таких у нас больше не было. Встречаться у тебя будем, где и раньше. Ты тоже придешь, понял?

– Понял. – Кобот проглотил неприятный комок в горле.

– Хорошо. Ну а ты давай там, нажимай по своей главной работе. У нас теперь другого не дано, все от тебя будет зависеть, как ты сработаешь. Я когда вернусь, тебе еще материал привезу, много, так что старайся, если все так сложилось, времени совсем немного у нас. Понял меня?

– Да.

– И что там эта твоя экспертша? Точно нормально все с ней?

Кобот снова вздохнул.

– Все совершенно нормально, Абдулла. Она уже на работу ко мне вышла, все исследования сделала, как надо. Нет проблем.

– Ну хорошо. Смотри, под твою личную ответственность, ясно?

Кобот с тоской посмотрел в окно и кивнул.

– Ясно.

– Все тогда. Позвоню тебе, когда встреча будет. – И, прокаркав, по обыкновению, несколько непонятных слов, Абдулла отключился.

Кобот положил трубку на стол и вытер со лба мелкие капельки пота: проклятые нервы, проклятая жара в кабинете, с которой ничего нельзя поделать. Иногда цена, которую ему лично приходилось платить за этот кабинет, за огромные деньги, которые он здесь зарабатывал, за лимонно-желтый «Range Rover», за всю свою теперешнюю жизнь, казалась ему несправедливо большой.

Он еще некоторое время посидел в кресле, потом открыл ящик стола, вытащил оттуда стальной ключ, встал и направился к дверям. Абдулла был прав: у него есть гораздо более важная работа, чем выполнять представительские функции хозяина «Данко», и в работе этой надо было «нажимать», и чем сильнее, тем лучше. К тому же в ее результатах он был заинтересован лично – и даже больше, чем мог себе представить Абдулла.

Кобот вышел из кабинета и не спеша пошел по широкому коридору в сторону массивной железной двери в дальнем его конце.

* * *

В воскресенье Алина хотела отдохнуть и спокойно подумать. Ей нужно было снова почувствовать стремительно забытое ощущение нормальной жизни: начать день с пробежки в парке, позвонить папе и наконец-таки приехать к нему в гости, что она собиралась сделать уже пару месяцев. Сейчас ей очень этого хотелось: провести с ним время, поговорить, может быть, даже съездить на стрельбище – отец увлекался стендовой стрельбой, и Алина несколько раз присоединялась к нему, азартно пытаясь попасть по летящим тарелочкам из тяжелого ружья. Потом можно вместе поужинать в тихом, приличном месте: что-нибудь итальянское идеально подойдет для такого случая. А вечером она будет сидеть дома с книжкой и бокалом вина под уютное бормотание телевизора, и вот тогда, когда мысли ее, взбудораженные лихорадкой событий последних дней, успокоятся, она сможет здраво и отстраненно подумать обо всем, проанализировать происходящее и решить, как действовать дальше.

Но не тут-то было.

Гронский позвонил в субботу поздно вечером, когда Алина уже готовилась ко сну, полная приятного предвкушения завтрашнего, так чудесно распланированного дня. Признаться, она и не вспоминала о нем последнее время, и вот под вечер он снова замаячил на ее горизонте в своем черном одеянии, неся в себе скрытую угрозу всему, что Алина привыкла называть нормальным, как темная полоска туч несет угрозу ясному солнечному дню. Однако Гронский был и оставался единственным человеком, не только посвященным в ее семейную тайну, но и тем, с кем она обсуждала загадочные и пугающие события последней недели. Поэтому Алина только вздохнула и согласилась встретиться с ним завтра, в полдень, в баре «Винчестер», том самом, где работала убитая Марина и во дворе которого состоялось их знакомство.

Они вошли в бар через расшатанную деревянную дверь, и тусклое звяканье колокольчика возвестило об их прибытии. При свете серого дня «Винчестер» показался Алине похожим на лавку сумасшедшего старьевщика, в которую стащили содержимое пары древних коммуналок и бабушкиных дач: разномастные хромые столы, колченогие скрипучие стулья, какие-то немыслимые шкафы и буфеты, один из которых стоял справа от входа и отгораживал входную дверь от того, что в более приличном месте называлось бы залом. Затоптанный ковер, вросший в пол перед барной стойкой, казалось, лежал тут с самой постройки дома и был так грязен, что с трудом можно было различить рисунок. Сам пол, темный, дощатый, был испещрен черными пятнышками растоптанных жевательных резинок, следами окурков и засохшими пятнами разлитого пива. К потолку были приклеены старые пластинки, прибиты посеревшие от грязи майки футбольных клубов, а рядом с перекошенной железной люстрой угрожающе покачивалась на двух тонких шнурах дырявая байдарка. Над барной стойкой печально свисали многочисленные бюстгальтеры, всех цветов и размеров, похожие на вымпелы корабля, попавшего в штиль. В баре царила пыльная душная тишина.

– Это место мне кажется необитаемым, – заявила Алина, скептически оглядываясь вокруг. – Не удивлюсь, если увижу в углу скелет последнего посетителя, обнимающий пивную кружку. Сюда вообще кто-нибудь ходит?

– Днем и в будни почти никто, только свои, – ответил Гронский. – Но в пятницу и субботу сюда не войти, а столики заказывают за несколько дней.

И в подтверждение своих слов он показал на зеркало напротив входа, на котором красовалась надпись: «В пятницу и субботу – АД!»

– Я вижу, – скептически отозвалась Алина. – По-моему, тут уже ад. Банька с пауками в углах, как у Достоевского.

Гронский улыбнулся и прошел направо, лавируя между беспорядочно стоящих столов и стульев. Алина последовала за ним, опасливо придерживая полы своего светлого пальто. Они сели за столик, сооруженный из старого пивного бочонка и верхней части большой деревянной катушки для кабеля, при этом Гронский уселся на бесформенный грязно-синий диван, который выпустил из себя облако пыли, а Алина, старательно отгоняющая мысли о клещах, клопах и прочих паразитах, живущих в этих мягких недрах, осторожно присела на ветхий деревянный стул.

– Похоже, вчера вечеринка удалась, – произнес Гронский, стягивая пальто и оглядывая бар. – Девочки даже прибраться не смогли.

И действительно: на барной стойке и некоторых столах стояли полупустые пивные бокалы, пепельницы, похожие на ежей, ощетинившихся окурками вместо иголок, и тарелки с присохшими объедками.

– А где сами девочки? – спросила Алина.

– Сейчас найдем. – Гронский поднялся. – Заодно и закажу что-нибудь. Будете кушать?

– Вы, верно, шутите, – ответила Алина. – Мне только минеральную воду. Желательно в закрытой бутылке.

Гронский снова улыбнулся и направился мимо стойки во второй зал, в котором располагалась грубо сколоченная маленькая дощатая сцена. Там же обнаружились и девочки: одна спала крепким сном, свернувшись калачиком, на диване, являвшемся, по-видимому, младшим братом того, на котором до этого сидел Гронский. Другая расположилась в гамаке, подвешенном в оконном проеме, и выставила босые ноги навстречу белесому свету дня.

– Привет, Снежана, – сказал Гронский. – Как прошла ночь?

Девушка в гамаке зашевелилась и повернула голову на звук его голоса.

– Привет, Родион, – слабо отозвалась она. – И не спрашивай. Слушай, сделаешь себе сам кофе или покушать? У меня сил нет.

– Снежа, я бы с радостью, но я не один. Кстати, а кто сегодня на кухне?

– Рома. Но он тоже спит.

– Я буду очень признателен, если ты его разбудишь и попросишь сделать для меня яичницу, он знает, как я люблю. И еще нам два кофе и минералку.

Снежана со стонами принялась выбираться из гамака, а Гронский вернулся к ожидавшей его Алине.

– Ну вот, все прекрасно, – возвестил он. – Я разбудил девочек, и сейчас нам сделают кофе и яичницу. Кстати, очень рекомендую, если все же передумаете насчет второго завтрака. Это блюдо удается местному повару на удивление хорошо. Правда, это вообще единственное, что ему удается.

Алина покачала головой.

– Нет уж, увольте. Я собиралась сегодня поужинать с отцом в итальянском ресторане, не хочу перебивать аппетит. Если, конечно, разговор, ради которого вы меня привели в это чудесное место, не затянется до вечера.

За барной стойкой надрывно загудел кофейный аппарат. Гронский откинулся на спинку дивана, закурил и посмотрел на Алину.

– Я нашел мотив, которым руководствуется убийца. Точнее, источник этого мотива. Думаю, это существенно сузит круг наших поисков.

Гронский как мог коротко рассказал Алине о том, как провел последние дни: про библиотеку, про логику своих исследований и про то, как постепенно все нити его изысканий сошлись к одной книге – «Красные цепи», в которой говорилось о возможности создания эликсира, ассиратума, из органов человеческого тела и крови. К тому времени, когда он закончил свой рассказ, у Алины уже кончились кофе и терпение.

– То есть вы полагаете, что убийца читал вот эту книгу, «Красные цепи»? – спросила она.

– Я в этом не сомневаюсь, – кивнул Гронский.

– И на основании изложенного в ней он совершает свои преступления каждое новолуние?

– Именно так.

– Что ж, это только подтверждает мою версию о том, что мы имеем дело с сумасшедшим.

– Почему? – искренне удивился Гронский.

– Да потому что только психически нездоровый человек в состоянии всерьез полагать, что может почерпнуть знания о создании какого-то снадобья...

– Ассиратума, – подсказал Гронский.

– Да неважно! О создании какого-то чудодейственного лекарства из книги по алхимии, да еще и начать действовать в соответствии с тем, что вычитал. Говорю же, это сумасшедший.

Гронский вздохнул и посмотрел на Алину с сожалением.

– Что вы знаете об алхимии? – спросил он.

Алина вдруг почувствовала, что растерялась.

– Ну... это что-то связанное с получением золота из свинца, так?

Гронский покачал головой.

– Беда современного человека, – сказал он, – в уверенности, что он знает все и обо всем, а на самом деле может только читать ярлыки, кем-то навешенные на предметы и явления, да к тому же еще и подписанные с ошибками. Что такое алхимия? А, это получение золота из свинца – все, знаю, бежим дальше. Что такое астрология? Это гороскопы на последней странице журнала и предсказание будущего по звездам. Все, и это тоже знаю, дальше.

Алхимия, астрология и теургия – то, что упрощенно называется магией, – три составляющих герметизма, древней науки об основных законах природы и мироздания. Истоки герметизма лежат в египетских мистериях, а название он получил от своего легендарного основателя, Гермеса Трисмегиста, в египетской традиции носившего имя бога Тота. По сути это именно наука, имеющая сформулированные космологические принципы аналогии и подобия, теоретическую и практическую часть. Герметизм начал проникать в Европу в раннем Средневековье, вместе с рыцарями, священниками, монахами, которые возвращались из крестовых походов и несли с собой кроме золота гораздо более ценную, но и опасную добычу – древние эзотерические знания. Эта оккультная наука вобрала в себя элементы разных религий и философий: платонизма, христианства, суфизма, каббалы, и явилась основой всего западноевропейского мистицизма, сформировав целый пласт культуры, символы и элементы которой живы и сейчас. Алхимия является практической частью герметизма и изучает свойства веществ и возможность их влияния на материальный и духовный мир. Иногда алхимию подразделяют на внешнюю и внутреннюю, но я не думаю, что это верно: просто в разное время разные адепты этой науки ставили перед собой различные задачи. Но основной целью всегда было одно: получение абсолютного вещества, которое в алхимической традиции называется философским камнем или эликсиром, имеющего свойство делать совершенным любое несовершенное вещество. Для тех, кто практиковал внутреннюю алхимию, философский камень был средством исправления внутренней человеческой природы, достижения божественного состояния духа, в различных религиях называемого святостью или просветлением. Это вполне сочеталось с христианской аскетикой, во всяком случае, в декларируемой алхимиками цели, но, конечно, не в используемых методах. Для внешней алхимии было важнее изучение мистической природы материальных веществ, а также достижение абсолютного состояния человеческого тела: искомый эликсир должен был освободить человека от болезней и страданий, худшим из которых считалась смерть. Это преображение называлось трансмутацией, и то самое превращение свинца в золото, о котором чаще всего вспоминают в связи с алхимической наукой, в большей степени тест, символический эксперимент на состоятельность полученного вещества: истинный эликсир должен был превратить несовершенный земной свинец в подлинное, сияющее небесное золото. Кстати, Парацельс, знаменитый врач, о котором вы должны были слышать на лекциях по истории медицины, тоже был алхимиком и выделял ту часть алхимической науки, целью изучения которой был человек, его здоровье и бессмертие, в отдельное направление – ятрохимию. В своих изысканиях и опытах алхимики опирались на принципиально важный для герметизма закон подобия, изложенный в «Изумрудной скрижали» Трисмегиста: «Все, что есть вверху, подобно тому, что есть внизу». Мир – это овеществленная эманация Духа, и все предметы и явления зримого материального мира есть только знаки, символическое отображение того, что существует в ином, высшем, невидимом мире. Следовательно, каждая манипуляция с материальными веществами и предметами может запустить иные, космические процессы, которые приведут к получению нужного результата. Собственно, на символике основаны все религиозные обряды, мистические ритуалы и магические действия в разных культурах. Алхимики тоже активно экспериментировали с магией – в конце концов, это тоже практическая часть герметической науки и важный способ установления взаимосвязей и законов окружающего мира, который отнюдь не исчерпывается только зримой нами частью реальности. Альберт Великий ставил магические опыты и при всем своем рационализме ни разу не усомнился, что магия может творить чудеса. Роджер Бэкон писал, что отличить черную магию от науки не так просто – гениальное наблюдение, на мой взгляд! – и признавал так называемую натуральную магию, приемы которой применяются во благо. Аббат Тритемий имел еще при жизни репутацию черного мага, после смерти почти все его труды были запрещены к изданию, а рукопись его знаменитой «Стеганографии» была сожжена по приказу Филиппа II, который нашел ее в отцовской библиотеке и пришел в ужас от прочитанного. Алхимики экспериментировали не только с веществами, они занимались и лингвистикой, и математикой, были одновременно и богословами, и ремесленниками, и учеными, и магами. Основные из изученных ими взаимосвязей были установлены и прописаны: так, духу, душе и телу человека соответствовали сера, ртуть и соль, основные вещества алхимии, с ними же были связаны четыре стихии мира – огонь, вода, воздух и земля. В человеческом теле с ними соотносились сердце, почки и селезенка. Все вместе это образовывало общий гармонический баланс стихий, веществ, внешней и внутренней природы человека.

– Значит, к идее кровавых убийств привели духовные поиски, правильно я понимаю? – спросила Алина.

Гронский кивнул.

– Да, и в этом нет ничего удивительного. Уберите из слова «духовность» его современное положительное эмоциональное значение, и вы увидите, что она может быть различной: от вершин святости до самых темных бездн падения. В этих, как вы их назвали, духовных поисках очень важен вектор направления, а у алхимии он был изначально несколько сомнительный.

Тайные науки недаром являются тайными. Считалось, что герметические знания были получены еще на заре времен от неких ангелов или иных высших существ – и я думаю, что это вряд ли были посланцы доброй воли, а скорее, представители той публики, которую изгнали с небес на землю, как в ссылку. Герметизм – это тот самый запретный плод с древа познания, и человечество очередной раз с наслаждением запустило в него свои молочные зубы так, что сок потек по подбородку.

Само по себе знание не является достоинством, а ум не является нравственной категорией. Можно быть умным и начитанным негодяем. Алхимия, как и весь герметизм в целом, является не религией, а наукой, которая полагает, что знания и есть путь к Божеству. В ней отсутствуют нравственные ценности и ориентиры – им просто неоткуда взяться. Есть знание, и это знание должно служить определенной высшей цели – в случае алхимии достижению вполне понятных материальных результатов совершенства тела, здоровья и бессмертия. Методы могут быть мистическими по своей природе, но результат – всегда нагляден и зрим. В этом причина того что Церковь осуждала как алхимию, так герметизм и магию вообще: вместо того, чтобы войти в трансцендентное через открытые церковные двери, мистики пытались пробраться через черный ход. Оккультизм – это хакерская атака на закрытую информацию об устройстве мира, подкоп под целый склад плодов с древа познания с целью использовать их в личных целях. И в этом алхимия, как это ни парадоксально для учения, в котором есть место и христианской мистике, идеологически смыкается с черной, по сути, вампирской магией: обретение бессмертия здесь, в тварном мире, при помощи материальных элементов этого самого мира, в чем есть и богословская ересь, и узость человеческой мысли. Какие бы высокие цели ни ставили перед собой алхимики, как бы ни декларировали божественный характер своих изысканий, их союз с вампиризмом и черной магией был лишь вопросом времени и решимости достичь желаемой цели.

— Так тут еще и вампиры замешаны? — не без иронии спросила Алина.

— А что вы знаете о вампиризме? — мгновенно отозвался Гронский.

Алина поостереглась отвечать.

— Ну, смелее. Вы же кино про вампиров смотрели, наверное. Какое их основное свойство?

— Они пьют кровь и живут вечно, — нехотя ответила Алина.

— Вы в церковь ходите? — неожиданно спросил Гронский.

— Что? — Алина почувствовала, что уже окончательно сбилась с толку.

— Ну хорошо, хотя бы Евангелие читали? Для общего развития? Просто чтобы не ляпнуть что-нибудь вроде того, что в Библии написано о том, что земля на трех китах стоит?

— Я такого не говорила, — огрызнулась Алина.

Гронский чуть улыбнулся и продолжил:

— Я спросил потому, что любому, кто хотя бы пару раз был на церковной службе или читал Евангелие, должны быть знакомы слова: «Ядущий Мою Плоть и пиющий Мою Кровь имеет жизнь вечную». Это слова Христа, сказанные на Тайной вечере, они же произносятся на литургии в священный момент преображения даров. Это основа Церкви, главное, ради чего совершается служба: претворение хлеба и вина в плоть и кровь Христа и причащение ими, чтобы иметь жизнь вечную и за пределами этой земной жизни. Это символическое действие, и цель его — сделать бессмертной душу.

Черная магия — это извращение христианской мистики. Черная месса — пародия на Божественную литургию. А вампиризм — искажение таинства причащения Святых Даров, когда вместо символического потребления Плоти и Крови Богочеловека для вечной жизни духа вампир буквально, физически пьет человеческую кровь для обретения бесконечно долгой жизни своего тела, согласно тому же принципу подобия. Это продление мнимой жизни через уничтожение жизни истинной. Все известные истории случаи вампиризма были связаны с занятиями алхимией или черной магией со всеми ее атрибутами. Пресловутый маршал Жиль де Ре активно практиковал алхимию в свободное от потрошения детей время. Его наставник в этих занятиях, некий Франческо Прелати, проводил для него черные мессы и вызывал дьявольских духов, которым приносились человеческие жертвы. Знаменитая Эржберет Батори была окружена колдуньями и знахарями, которые, кстати, и посоветовали ей принимать кровавые ванны. Майкл Скотт, алхимик и маг, живший на рубеже XII и XIII веков, писал о заклинателях, которые смешивают человеческую кровь с водой, используют в своих практиках части человеческого тела и куски плоти, принося их в жертву демонам, и добавляют стихи из Библии в тексты черной мессы. Я не говорю сейчас о феномене вампиризма в том виде, в каком он присутствует в народном фольклоре, хотя даже там вампир, встающий из своей могилы, это чаще всего умерший колдун. Я говорю о той точке пересечения, которая объединяет черную магию, вампиризм и алхимию. Оккультные манипуляции с веществами материального мира, стремление к вечной жизни физического тела, понимание значения человеческой крови как источника жизненной силы, в котором растворена человеческая душа. Алхимия дала знания, магия – методологию. И наиболее полно они сошлись вот здесь.

Гронский полез в сумку и достал оттуда небольшую книжку в картонном переплете с лохматящимися уголками, потрепанную так, как бывает потрепана только библиотечная книга. На сизой обложке стилизованным готическим шрифтом было выведено: «Красные цепи».

– Инструкция по потрошению девушек в новолуние?

– Скорее его теоретическое обоснование.

Между страницами книги торчало несколько ярко-желтых листочков-закладок. Гронский стал открывать заложенные страницы:

– Взял в районной библиотеке. Ничего особенно таинственного и сакрального. Автор неизвестен. По форме это напоминает диссертацию на тему «Некоторые аспекты герметической алхимии и их связь с магическими практиками: поиск и создание совершенного эликсира». Книга была последний раз издана в Петербурге, в 1991 году, когда такие труды пользовались большой популярностью, как, впрочем, и все остальное, до чего дорвались читатели, изголодавшиеся на скудном советском духовном пайке. Я помню это время: на книжных лотках могли соседствовать с одинаковым успехом стихи поэтов Серебряного века и «Практическая магия» Папюса, молитвословы и детективы Чейза, «Молот ведьм» и «Доктор Живаго». В этой книге восемь глав: первые семь посвящены практическим комментариям к семи принципам герметизма, а восьмая — обобщение и теоретическая основа получения ассиратума. Вот тут, например, приводится то самое указание на органы человеческого тела, символически связанные с ключевыми элементами и первостихиями: сердце, почки, селезенка. Затем излагается мнение автора о том, что нужно разделять живую и неживую природу, и для создания эликсира, могущего сделать совершенной человеческую природу, нужно использовать органы человеческого тела и кровь, которая *«есть то же, что эфир в мировом пространстве, то есть оживляющая, проникающая и одушевляющая квинтэссенция»*. Дальше еще интереснее: *«женщина – это дух плодоносящий, питающий и рождающий, дающий жизненную силу всему, что от нее исходит. Луна же есть воплощение женского начала в мироздании, ибо светит лишь тем светом, что получает от солнца, она вместилище света, сосуд и материнское чрево. Фазы Луны, когда она только зачинает новую форму, и когда рождает ее во всей полноте, есть движение от зачатия до рождения. А значит, и в создании эликсира мы не можем пренебречь очевидностью того, что использовать для него нужно лишь женские органы, а приготовление его совершать в новолуние»*.

— Иногда я думаю, что строгая цензура — это благо. Странно, что никто не решил воспользоваться этими выводами раньше.

Гронский кивнул.

— Да, странно. Почему-то для этого потребовалось почти два десятка лет. Может быть, это связано с тем, что в книге полностью отсутствует описание методики приготовления эликсира, она словно обрывается на том месте, где автор должен был бы приступить к прикладной части. Есть отсылки к некромантии, черной магии и очень любопытная сентенция: *«Потому мы считаем, что крайне невежественно разделять магию белую и черную, натуральную и запретную, ибо магия лишь инструмент, зависящий от воли его применяющего, и с благими намерениями будет оправдано даже вызвать духов ада, если они послужат доброму делу»*. Последнее практическое замечание относится к тому, что еще одним ингредиентом для эликсира должно быть вино — собственно, потому автор и дает ему название ассиратум: так в Древнем Риме назывался напиток из вина и крови.

Гронский закрыл книгу и постучал пальцем по обложке.

— Тут все. Мотив, время, метод. Осталось только найти, кто осуществил все это на практике: учитывая некоторую экзотичность подобного рода занятий и сравнительную редкость книги, сделать это будет не так сложно.

Алина промолчала. Пришла официантка Снежана, поставила перед Гронским большую сковородку с яичницей, бросила на Алину быстрый любопытный взгляд и ушла, покачивая бедрами. Гронский принялся за еду: четыре яйца, которыми были залиты обжаренные до черноты сосиски и помидоры, плавающие в коричневом масле, являли собой настоящий фестиваль холестерина. Гронский жадно ел, как человек, толком не питавшийся уже несколько дней, и поглядывал на Алину.

– Послушайте, – сказала она. – Вы серьезно вот во все это верите? В алхимию, магию, вампиров?

– Верят в Бога, – отозвался Гронский. – А я знаю.

Алина внимательно посмотрела на Гронского, с невозмутимым видом продолжавшего поедать сомнительное творение местного повара.

– Что именно вы знаете? – осторожно осведомилась она.

– Я знаю, что все рассказанное мной сегодня есть объективная реальность. Что абсолютное большинство описанных в этой книге методов и принципов действуют и работают – здесь и сейчас, и то долгое время, пока они пребывали в забвении у большей части человечества, никак не сказалось ни на их истинности, ни на действенности.

– Это невозможно знать, – твердо сказала Алина.

– Скорее для вас это невозможно принять, – спокойно ответил Гронский. – Как, впрочем, и для абсолютного большинства современных людей. Человек привык быть господствующим звеном пищевой цепочки и хочет видеть себя таковым и в цепочке духовной, да, впрочем, и видит с начала эпохи Возрождения. Невозможно «съесть» то, что по определению выше тебя, поэтому легче просто отрицать само существование этого высшего. А все свидетельства, всю информацию о необъяснимом, сверхъестественном и потустороннем воспринимать в лучшем случае как фокусы, со знаком плюс или со знаком минус: фокус как обман с целью наживы или фокус как веселый трюк, про который можно рассказать друзьям. Но ни в коем случае не пустить ни сам фокус, ни тем более того, кто его показывает, на истоптанный пятачок собственной жизни. Легче отвергнуть все, что находится за пределами этого пятачка, ради собственного спокойствия. А то признаешь существование потусторонних сил, а там и до веры в Бога недалеко, со всеми вытекающими выводами о собственной личности. Взгляд человека опущен вниз, он даже по сторонам старается особо не смотреть, не говоря уже о том, чтобы взглянуть на то, что находится выше его лысеющей макушки.

Алина покачала головой.

– Но есть же объективная реальность, – возразила она. – И я не вижу, как с современными знаниями о мире согласуются ваши вампиры и алхимики.

– А на основании чего вы получаете знания о том, что называете реальностью? Явно не только из личного опыта, верно? Ну вот, к примеру... Вы знаете о существовании Антарктиды?

– Да что за вопрос такой? – удивилась Алина. – Да, знаю.

– Откуда? Вы там были? Или там был кто-то из ваших знакомых?

– Нет, но... о Господи, ну есть книги, научные и исторические факты, фильмы, свидетельства тех, кто там был, в конце концов.

Гронский слушал Алину, жевал почти полностью кремированную поваром сосиску и кивал.

– Ну да. Все то же самое я говорил вам сегодня и о герметизме: есть книги, есть исторические факты. И есть даже многочисленные свидетельства об истинности и действенности оккультных практик. Не вижу разницы.

– Это софистика какая-то, – Алина начала злиться. – Я говорю о современных, научно установленных данных, а вы мне рассказываете какие-то старинные легенды.

– А по-вашему, слово «современный» означает истинный?

– Оно означает «более образованный» или «более осведомленный».

– Это еще почему? – удивился Гронский. – Вы полагаете, что современный человек образованнее или осведомленнее о мире только потому, что водит машину, пользуется мобильным телефоном или знает, как скачивать видео в Интернете? Исаак Ньютон был богословом и изучал алхимию, не имел водительских прав, но при этом открыл закон всемирного тяготения. Никола Тесла понятия не имел об Интернете, но во многом благодаря ему современный мир имеет электрическую энергию, на которой работают все бесчисленные сервера мировой информационной паутины, давая нашим невероятно образованным и умным современникам возможность пустословить в Сети. Кстати, сам термин «электричество» был введен Уильямом Гилбертом в 1600 году, в работе, посвященной электрическим явлениям и магнетизму. Аббат Тритемий, уже упоминавшийся мною сегодня, проводил опыты по передаче информации на расстояние, а также по воздействию слов на сознание и поведение человека, за много веков до возникновения радио или теории НЛП. Письма любого, самого недалекого, современника Пушкина, написанные пером при свечах, выглядят литературными шедеврами по сравнению с, извините, постами в социальных сетях. Вы отказываете алхимии и другим оккультным знаниям в праве называться наукой, а знаете, как звучит, к примеру, третий принцип герметизма?

Гронский открыл лежащую перед ним книгу на заложенной странице и прочел:

— *«Принцип вибрации, согласно которому все проявленное и что ни существует – материя или энергия – все является лишь различными вибрациями и видоизменениями единого первоначала»*. Покажите это современным физикам, работающим над теорией струн или квантовой теорией, и они прокомментируют данное высказывание на более привычном для вас, но не более понятном оттого языке современной науки. Разница только в понятийном аппарате. На истинное знание о законах этого мира не влияет источник, из которого они получены, и то, к чему только приходит современная экспериментальная наука, возводящая огромные коллайдеры, давно было известно древним оккультистам.

— Ну хорошо, — сдалась Алина. — Пусть так, это наука. Но магия?..

— А что магия? Это точно такое же практическое знание о законах природы, как и все остальные, только магия использует эти законы, не объясняя их. Вы и сами каждый день совершаете магические действия, хотя не осознаете этого.

— Это какие же?

— Да самые простые. Например: если щелкнуть пластмассовой клавишей в стене, то под потолком засветится стеклянная лампа. Это магия.

— Это техника! — возмутилась Алина.

— Нет, это магия, — спокойно ответил Гронский. — Потому что вы не знаете, почему лампочка начала светить. Вам неизвестна природа электричества — как неизвестна, кстати, никому. Вы просто знаете, что нужно сделать, чтобы получить определенный результат. Разумеется, вы не думаете, что свет загорелся от щелчка пластмассовой кнопки, но и маг не думает, что человек, на которого он, к примеру, навел порчу, заболел из-за протыкания иголкой восковой фигурки. Но он точно знает, что определенные действия освобождают силы, которые влияют на реальность заданным образом. Так же как и вы, включая лампочку, говоря по телефону, работая на компьютере, совершаете действия, вызывая к жизни силы, которых не понимаете.

Алина сидела молча, обдумывая услышанное и пытаясь разобраться в хаосе мыслей и слов, спутавшихся в голове, как провода старой елочной гирлянды.

– Не нужно думать, что современный человек в чем-то умнее или образованнсс своих прсдков. Нажимать на кнопки можст и обезьяна. А вот мыслить, видеть мир во всем его многообразии, выходить за рамки обыденной реальности – все эти умения напрочь отбивают те самые бесчисленные гаджеты, которые вы почему-то принимаете за реальные достижения цивилизации. Сейчас можно в любой момент поговорить с любым человеком на любом конце мира – но говорить, как правило, не о чем. Можно прочитать практически любую книгу в виртуальной библиотеке – но это мало кому нужно. Можно через несколько часов оказаться в любой стране – но только для того, чтобы заснять себя на фоне моря или древних храмов, а потом выложить все это на всеобщее обозрение в Сеть. Очень много средств – но почти нет целей, кроме самых очевидных и материальных. А потом однажды ночью у вас в комнате вдруг сдвинется с места стул – просто так, без всякой причины. Или начнет зажигаться свет в коридоре. Или дверь в комнату вдруг откроется сама по себе и захлопнется с грохотом. И вы не будете знать, что делать, в отличие от ваших невежественных, по вашему убеждению, предков, которые прекрасно знали, как поступать в подобных случаях, вне зависимости от того, к какой конфессии они принадлежали или вовсе были дремучими язычниками. Потому что эти явления не выходили за рамки их картины мира, а вы останетесь один на один со смертельным ужасом, который испытывает современный человек, не выдерживающий прикосновения иррационального.

– Если все так, как вы говорите, совершенно непонятно, почему оккультные науки не преподают в школе. И не изучают на государственной основе.

– Ну, насчет того, что не изучают – я бы не торопился с выводами. В нацистской Германии, например, был особый отдел СС, «Аненербе», который как раз и занимался изучением подобного рода предметов. Экспедиции на Тибет в поисках Шамбалы были организованы именно ими. В советском более чем прагматичном КГБ был оккультный отдел. Не думаю, что сейчас ситуация принципиально изменилась. Но вы правы насчет школ и официального признания истинности мистических знаний – этого нет и никогда не будет, просто потому, что эти знания тайные и всегда были такими – не забывайте об этом. Поэтому в современном информационном пространстве так много суррогатов, формирующих именно то пренебрежительное отношение к сверхъестественному, которое вы сегодня так успешно демонстрируете. Особенно не повезло в этом отношении вампиризму.

– Как раз таки повезло, по-моему. Популярность просто необычайная.

Гронский улыбнулся.

– Как спрятать дерево, если его невозможно срубить? Нужно насадить вокруг него лес – ну или натыкать искусственных деревьев. Как лучше всего скрыть правду? Нужно нагромоздить вокруг нее столько неприличного вранья, чтобы среди него ни один вменяемый человек эту правду даже не вздумал искать. Первые серьезные исследования на тему вампиризма относятся к XIX столетию, ими занимался сэр Монтегю Саммерс. Его работы не были ни особенно известны, ни популярны, но их заметили – и тут же мир получил художественное произведение Брэма Стокера, положившее начало вампирской мифологии. Кстати, сам Стокер был членом мистического ордена «Голден доун» и наверняка хорошо разбирался во многих вопросах оккультизма, но зачем-то взял и наградил званием вампира румынского правителя Влада Цепеша. Тот, конечно, далеко не был ангелом, но с тем же успехом на роль главного упыря всех времен и народов можно было назначить Ивана Грозного. С тех пор мы видим нарастание того самого леса, среди которого тщательно скрывается дерево правды. Какие-то старики в жабо, томные красавцы в кружевах, романтические подростки со светящейся кожей, мутанты, взрывающиеся от солнечного света так, как будто они питались не кровью, а нитроглицерином. Все это ни один здравый человек не будет воспринимать всерьез, но именно эти образы возникают в мозгу, как первая ассоциация со словом «вампир». И в этом паноптикуме фальшивых страшилищ скрываются очень реальные и очень осведомленные адепты древних знаний, потрошащие детей ради продления своего существования, и другие, нечеловеческие и совсем уж чуждые жизни существа.

Лучший способ спрятаться – сделать вид, что тебя нет. Ты – вымысел. Ты порождение невежественной фантазии – о том, что в этом случае на протяжении тысяч лет миллионы людей только и делали, что фантазировали, никто не задумается. Есть ярлыки, а на них надписи: «Алхимия – получение золота из свинца. Ерунда». «Вампир – сказочный персонаж». «Черная магия – миф». Все, можно спокойно жить, ездить на кредитных машинах, радоваться новым возможностям своего смартфона и полагать, что прочно уселся располневшим от квартальных бонусов задом на верхушку мира. Но прячется не только тот, кто слаб, – прячется еще и хищник перед нападением. Быстрым, бесшумным и безжалостным. И когда во дворах каждый месяц начинают находить истерзанные девичьи тела с вырванными внутренностями, можно подумать про что угодно, но только не про то, что смерть этих девушек напрямую связана с тем, чему мы отказали в существовании.

Гронский посмотрел на молчащую Алину.

– Легенды опасно забывать. Они напоминают о себе – и, как правило, страхом. Так доходчивее.

Он замолчал. В тишине бара слышались далекие звуки хрипловатой музыки и негромкий звон посуды из кухни: проснувшийся повар Рома заступал на свою нелегкую похмельную вахту. Из второго зала донеслись кашель и бормотание: вторая официантка, подруга Снежаны, вытаскивала себя из сонного оцепенения, и сознание ее, вернувшись в тело, еще хранило краткую память о местах за пределами этого мира. За окнами призрачными силуэтами проплывали в сером тумане моросящего дождя фигуры людей – они сейчас казались Алине странно нереальными, словно она смотрела на них откуда-то из другого измерения, а может быть, из другого мира. Даже пыльный и тесный зал «Винчестера» стал другим, будто все предметы чуть сдвинулись с мест и немного приоткрыли свою истинную природу. Казалось, еще немного, и они заговорят друг с другом, как кухонная утварь в сказках Андерсена. Гронский сидел напротив молча, глядя Алине в глаза, и своим бледным лицом и черным одеянием был похож на персонажа собственных рассказов.

– Я ни в чем не хочу вас убеждать, – устало сказал Гронский. – К тому же это совершенно бессмысленно: человек не меняет своих взглядов на мир, пока сам не столкнется с тем, что эти взгляды изменит в корне. Я лишь хочу сказать, что мир не делится на разум без остатка. И когда мы с этим остатком столкнемся, лучше, чтобы вы были готовы и информированы. Вот и все.

– Да, – сказала Алина. – Я поняла.

И неожиданно для себя добавила:

– Спасибо.

– Ну хорошо. – Гронский отодвинул опустевшую сковороду и выпрямился. – А что нового вам удалось узнать про медицинский центр нашего общего друга Кобота?

Алина коротко рассказала Гронскому о результатах своего

дня в «Данко»: про огромные инвестиции неизвестного происхождения, полученные почти год назад; про странную работу; совершенно здоровых пациентов, каждый месяц приходящих для бессмысленных обследований: про закрытую часть здания, кабинет Кобота, в котором было так жарко, словно хозяин страдал старческим ревматизмом, и про результаты проведенной эксгумации. Гронский внимательно слушал, кивал, рассеянно вертя длинными бледными пальцами пустую кофейную чашку.

– Давайте подведем итоги, – предложил он, когда Алина закончила свое повествование. – Итак, вы согласны с тем, что мотив убийств напрямую связан с этой книгой?

Он постучал пальцем по сизой обложке.

Алина подумала и нехотя согласилась.

– Да. Это очевидно.

– И вы согласны, что кто-то в городе занимается изготовлением ассиратума?

– Или думает, что занимается его изготовлением, – отозвалась Алина и поспешно добавила: – Поймите, я не могу вот так принять...

– Хорошо, – согласился Гронский. – Вам не кажется, что именно ассиратум является причиной странного состояния здоровья клиентов «Данко»? Согласитесь, это логичная гипотеза.

– Родион, – сказала она, – еще раз повторю вам: я не могу согласиться с тем, что кто-то поит городскую элиту смесью из крови, внутренностей и вина и тем самым исцеляет их от всех мыслимых болезней. Не могу себе этого представить ни как врач, ни как человек, понимаете? А вы и в самом деле полагаете, что Кобот – доктор наук, между прочим! – занимается алхимическими практиками и торгует полученными снадобьями у себя в клинике, как какой-то знахарь в палатке на средневековом базаре?

– Нет, я так не думаю, – ответил Гронский. – Мне кажется, что он только одно из звеньев цепи, в которой есть весьма примечательный исполнитель, есть финансист, организатор и тот, кто действительно делает эликсир. И вряд ли это сам Кобот. Во всяком случае, наличие такой структуры объясняет все странности этого дела. А у вас есть другая версия?

Алина пожала плечами.

– Это могут быть две вообще не связанные напрямую истории. Да, кто-то, начитавшийся этой вашей книжки, и будучи достаточно... назовем это неуравновешенным, чтобы принять на веру все в ней написанное, совершает убийства в попытках создать мифический ассиратум. Кобот покрывает преступления, а взамен получает средства, которые использует для собственного бизнеса. Что же до результатов диагностики и здоровых пациентов... это может быть просто какой-то блеф, я не знаю, жульничество с целью убедить их в результативности проводимого лечения. Иванов и Мампория подделывали результаты судебно-медицинских экспертиз, а уж написать фальшивые выводы по итогам общей диагностики вообще проще простого.

Гронский покачал головой.

– Очень сложно. Очень дорого. Маловероятно. Моя версия проще и правдоподобнее. Пока что вы пытаетесь выстроить рисунок мозаики, вынув из нее главную деталь, а в результате получаете нестыковки и более чем натянутые допущения, еще более невероятные, чем то, что кто-то все-таки смог получить ассиратум.

– И где вы видите нестыковки и допущения, например?

– Например: инвестиции для строительства «Данко» были получены в декабре, а убийства начались в марте. Мало похоже на взятку за сокрытие преступлений, если только кто-то не знал заранее, что они будут происходить, и не внес, так сказать, средства на депозит. Это раз. Далее, вы говорите про блеф и жульничество. Мне представляется крайне сомнительным, чтобы те клиенты Кобота, имена которых вы назвали, позволили дурачить себя, как жертвы цыганок на пригородном вокзале. Ведь у Кобота лечатся люди, более чем преуспевшие в бизнесе и политике, я правильно понимаю?

– Да, – подтвердила Алина. – Кстати, среди пациентов есть даже Галачьянц, ну, тот самый...

– Кто?

Кофейная чашка, резко звякнув, ударилась о блюдце. Гронский подался вперёд и напряженно замер, нависая над столом. Алина даже вздрогнула от неожиданности.

– Ну да, – неуверенно сказала она. – Галачьянц, Герман Андреевич. Хозяин «Алеф Групп», какое-то там место в русском Forbes, миллиардер и прочее... Вы его знаете, что ли?

– Он лечится сам? – быстро спросил Гронский.

– Нет, его дочь...

– Маша, – утвердительно сказал Гронский. – Маша Галачьянц.

Он снова откинулся на спинку дивана и посмотрел перед собой.

– Вы сказали, что ее наблюдает этот ваш Эдип?

– Да.

– И какие виды диагностики она проходит?

– Только полный клинический анализ крови, – ответила Алина, – но я не знаю, что...

– У меня к вам просьба, – перебил Гронский. – Вы не могли бы один раз взять у нее кровь самостоятельно?

– Это еще зачем? – удивилась Алина.

– Взять кровь, – Гронский словно не слышал ее вопроса, – а потом лично сделать анализ? Вы ведь это можете?

– Могу, но...

– Вот и отлично! И еще одно: я бы очень хотел присоединиться к вам, когда вы поедете к Галачьянцу. И было бы совсем здорово, если бы мы могли не откладывать это мероприятие в долгий ящик.

– Послушайте, – решительно сказала Алина. – Я не отказываюсь от совместной работы, если уж у нас так сложилось...

«Если я была такой дурой, что наговорила лишнего в первый день знакомства», – подумала она.

– Но мне было бы гораздо легче делать то, о чем вы меня просите, если бы я понимала смысл этих просьб. Зачем вам понадобилось ехать к Галачьянцу?

Гронский нагнулся к Алине, посмотрел ей в глаза, и она даже на мгновение подумала, что он сейчас коснется ее руки.

– Алина, – мягко сказал он, – я даю вам слово, что расскажу об этом, как только мы получим результаты клинических анализов крови Маши Галачьянц. Обещаю. Пока у меня есть только предположение, слишком неопределенное, чтобы его озвучивать, но поверьте: если оно окажется верным, вы получите исчерпывающие доказательства многого из того, о чем мы сегодня говорили.

Алина молчала. Гронский продолжал смотреть на нее спокойным взглядом своих серых глаз.

– Ладно, – нехотя проговорила она. – Не обещаю, но попробую.

– Спасибо огромное. – Гронский улыбнулся так открыто и искренне, что Алине ничего не оставалось, как тоже выдавить в ответ улыбку. – Я буду ждать вашего звонка в любое время. Ну а теперь, коль скоро мы все обсудили, не могу более нарушать ваших планов на сегодняшний день и злоупотреблять вашим терпением.

Алина посмотрела на часы. Похоже, что планы на сегодняшний день уже ничто не спасет: у нее напрочь исчезло настроение ехать в гости или ужинать в ресторане. Впереди маячил серый долгий вечер с собственноручно приготовленным салатом из рукколы, бокалом вина и телевизором. На душе было как-то тревожно, в голове мелькали смутные, но малоприятные образы.

Гронский убрал со стола книгу и стал натягивать пальто.

– Послушайте, – сказала Алина. – А вы сами что собираетесь делать дальше? Я имею в виду, у вас ведь есть какие-то планы по продолжению расследования?

Гронский, поднявшийся было с дивана, снова сел.

– Когда я изучал книги по вампиризму, магии и алхимии, я выписывал имена всех, кто интересовался этими же изданиями за последние два года. Книги редкие, общий список имен получился не слишком пространным, и я легко выделил десяток фамилий, которые встречались мне во всех библиотечных карточках. После того как я вышел на «Красные цепи», мне показалось разумным предположить, что некто, столь же тщательно, как и я, изучавший первоисточники, скорее всего, воспользовался для чтения этой книги той же академической библиотекой, пусть и другим читальным залом. Я переписал все фамилии с формуляров всех трех имевшихся там экземпляров «Красных цепей», а потом сравнил с первым списком.

Гронский сделал паузу.

– И? – не выдержала Алина. – Давайте уже без драматических эффектов.

Гронский улыбнулся.

– В последний год этой книгой не интересовался вообще никто. Но за два года до этого на протяжении почти семи месяцев ее почти каждый день брал один и тот же человек. И его же имя встречается почти на всех формулярах редких книг, с которыми он работал примерно в тот же период.

Алина практически уже готова была услышать фамилию «Кобот», как бы это ни противоречило ее собственному мнению.

– Это некто Михаил Борисович Мейлах, – сказал Гронский. – Доцент, преподаватель кафедры зарубежной литературы университета – насколько я успел узнать, бывший преподаватель. Только он примерно полтора-два года назад предметно интересовался источниками по алхимии, а потом в течение семи месяцев изучал «Красные цепи», которые можно прочесть за день.

– Думаете, это он?..

Гронский с сомнением покачал головой.

– Преподаватель кафедры зарубежной литературы менее всего представляется мне в образе двухметрового гиганта с кривым тесаком. Но он может быть связан с другими звеньями этой цепи – а может быть, и сам является одним из них. Я планирую завтра навести о нем справки на кафедре, а потом созвониться и договориться о встрече. Пока это единственный практический след, который дали нам «Красные цепи».

– Ну что ж, – задумчиво сказала Алина. – Это разумно. Если учесть, что убийца наверняка читал книгу.

– Есть еще одна вероятность, – сказал Гронский. – Он ее написал.

# Глава 6

Говорят, что глаза никогда не лгут. Что достаточно взглянуть человеку в глаза, чтобы распознать ложь. Это не совсем верно: единственное, что действительно лжет, – это сам человек, его сознательная часть. Все остальное – глаза, тело, мимические мышцы, голос – он может только с большим или меньшим успехом контролировать, чтобы скрыть правду. Особенно голос.

Я умею различать в человеческой речи полутона, четверти и даже, наверное, одну восьмую тона. Умею слышать в голосе тончайшие ноты лжи, неуверенности, сомнений, скрытой враждебности. Но сейчас эти навыки мне не нужны: страх в голосе моего собеседника слышен так отчетливо, что его различил бы и самый тугоухий представитель человеческого рода.

– Кто вы? – спрашивает он меня уже в третий раз, и его голос в телефонной трубке явно дрожит.

– Я – ваш коллега, работаю в Университете штата Иллинойс, занимаюсь культурологией Западной Европы средневекового периода, – еще раз терпеливо объясняю я. – Сейчас работаю над большой статьей для университетского ежегодника «Феноменологические аспекты европейской алхимии», и меня чрезвычайно заинтересовали ваши исследования в этой области.

Он мне не верит. И не потому, что моя легенда недостаточно убедительна, просто он боится верить кому бы то ни было.

– Откуда вы про меня узнали? – спрашивает он.

– Ваш телефон мне дали на кафедре в университете, – говорю я, и это чистая правда. – Михаил Борисович, я был бы очень признателен вам за возможность встретиться и поговорить о вашей работе. Поверьте, я сделаю все для того, чтобы вы не пожалели о потраченном времени.

Я понимал, что этот разговор может быть непростым, и в принципе был готов к любой неадекватной реакции, но такого ярко выраженного страха встретить не ожидал.

С получением сведений о Михаиле Борисовиче Мейлахе на кафедре зарубежной литературы у меня не возникло проблем. Люди вообще очень легкомысленно относятся к информации, которой владеют, и если их правильно попросить, выкладывают ее с удивительной готовностью. И с особым удовольствием говорят о чужих несчастьях: тут самый косноязычный собеседник превращается в умелого рассказчика и с плохо скрываемым наслаждением повествует о бедах ближнего, словно радуясь, что его самого они обошли стороной. Интеллигентного вида дама, преподаватель античной литературы, даже порозовела и как будто бы ожила, когда рассказывала мне о судьбе своего несчастного коллеги, так что через тридцать минут я уже знал все нужные и ненужные мне подробности последних лет жизни Мейлаха.

По ее словам, два года назад он увлекся разработкой чрезвычайно странной для него темы, связанной с изучением средневековых алхимических трактатов. До этого Мейлах считался лучшим специалистом в стране, а может быть, и в мире, по малым прозаическим формам художественной литературы Средних веков, и его неожиданное увлечение поначалу воспринимали как причуду. Затем его интерес переключился на «весьма сомнительную», по словам моей собеседницы, книжку «Красные цепи». «Вы же понимаете, – доверительно говорила мне она, – видный ученый, доцент, доктор наук, автор множества работ – и вдруг такое. С тем же успехом он мог бы начать изучать «Практическую магию» Папюса: ну кто, скажите на милость, может всерьез относиться к таким вещам?» Мейлах сделал несколько сообщений на научном совете кафедры, что-то о связи «Красных цепей» с какими-то произведениями ранней средневековой литературы, но все это показалось неубедительным и не представляющим научной ценности. Ему пытались сначала намеками, а затем и прямо дать понять, что лучше бы переключить свои силы и внимание на более достойные предметы, но Мейлах стал словно одержим этой работой. Чем дальше, тем ситуация становилась все печальнее: он попытался опубликовать в университетском сборнике статью, но ее содержание показалось редакционному совету настолько диким, что в публикации было отказано. Мейлах принялся рассказывать о своих идеях на всех лекциях, в ущерб, конечно же, изучению основного материала, и в итоге объем его преподавательской работы сократился до одного спецсеминара, на который записались только те студенты, которых больше интересовала возможность легкого получения зачета, чем знаний. Но на этом злоключения несчастного доцента только начинались: полтора года назад от внезапно развившегося рака груди у него умерла жена, а почти год назад Мейлах потерял сына. «Там вообще была странная история, – с удовольствием поделилась со мной античная дама, – вроде бы он ушел из дома, пропал, а потом через два дня нашли труп где-то на чердаке. И ведь был такой приличный молодой человек, работал в фирме, и вот такое случилось. Кошмар!»

Мейлах начал пить. Сначала, из сочувствия к личной трагедии и ради прежних заслуг, его терпели, но потом просто вынуждены были уволить после безобразного пьяного дебоша с дракой, учиненного в помещении университета. Говорят, он после этого даже лечился в психиатрической клинике. Во всяком случае, на кафедре он больше не появлялся.

Услышав, что я представляю Университет штата Иллинойс и крайне заинтересован в работах Мейлаха, связанных как раз с темой средневековой алхимии, дама несколько расстроилась и даже подпустила в голос немного холодных ноток. Интерес зарубежного научного учреждения к работе бывшего коллеги означал, что жизнь у того может наладиться, а это куда как менее интересно, чем очередное обрушившееся несчастье. Думаю, если бы я представился агентом по сбору долгов или судебным приставом, то номера мобильного и домашнего телефона Мейлаха мне дали бы с куда большим удовольствием. Уже уходя, я не удержался и добавил, что мой университет хочет предложить уважаемому Михаилу Борисовичу возглавить кафедру литературы Средних веков и выдать грант на продолжение его исследований. Жаль, что это не было правдой.

Мобильный телефон Мейлаха был давно и безнадежно отключен за неуплату, а по домашнему никто не отвечал так долго, что я уже собирался было поехать по имеющемуся у меня адресу. Дозвониться получилось только поздно вечером, уже практически ночью. Я опасался, что Мейлах пьян, но оказалось, что сильно напуган. Он пропустил мимо ушей мои слова о грантах и кафедре и как будто взвешивал другие причины, который могли побудить его согласиться или отказаться от встречи со мной.

– Скажите, – спросил он после затянувшейся паузы. – Вы лично занимаетесь исследованиями по алхимии?

– Да, конечно, – осторожно ответил я.

– И вам известно, что основным предметом моей работы была книга «Rubeus vinculum»?

– Совершенно верно.

– И вы читали эту книгу? Вы знаете, что в ней написано?

– Разумеется, – ответил я, – именно поэтому мне крайне интересно...

– Тогда вот что, – перебил меня Мейлах и откашлялся. Я ждал. – Тогда вот что. Я готов с вами встретиться. Более того, я передам вам все свои наработки по этой теме, все, что смог найти. Вы будете знать все, что знаю я. Но только с одним условием.

– Михаил Борисович, каким бы оно ни было, уверен, что смогу его выполнить, – заверил я.

– Не спешите! Сперва выслушайте. Я хочу, чтобы вы продолжили мою работу. Понимаете? Чтобы вы занялись этой книгой так, как занимался ею я. Чтобы все то, что я передам вам, вы использовали и довели до конца. Вы согласны?

– Да. Я согласен.

Мейлах вздохнул, и я услышал в этом вздохе странное облегчение.

– Хорошо. Тогда завтра вечером. Назначайте место.

– Бар «Винчестер», – сказал я. – Знаете, где это?

* * *

Алина терпеть не могла врать, а еще больше она не любила выполнять чужие просьбы, смысла которых не понимала. Но за последнюю неделю она поставила свой личный рекорд и в первом, и во втором, причем почти исключительно благодаря Гронскому. Алина и сама не понимала, как это у него получается, и только удивлялась себе, пока набирала телефон Эдипа и думала над тем, как уговорить того устроить ей внеплановый визит к Галачьянцу и его дочери Маше. Прежде еще нужно было убедить себя в необходимости этого мероприятия, и Алина в конце концов решила, что это нужно для пользы дела, и у Гронского наверняка есть какая-то очень важная для них обоих информация, а путь к ее получению лежал через поездку для взятия анализа крови Маши Галачьянц.

Эдип, выслушав сбивчиво высказанную просьбу Алины, из словоохотливого болтуна вдруг сделался угрюмым, скользким и неуступчивым типом. Согласиться сразу по понятным причинам он не мог, а отказаться ему мешало любопытство: ведь зачем-то Алине это понадобилось? Вот этот самый вопрос «зачем?» он и задавал раз за разом, а Алина мялась и уходила как могла от ответа, которого и сама не знала.

– Ну ты же понимаешь, – нудел в трубку Эдип, – это вообще против правил. Галачьянц наш ключевой клиент, самый первый, с ним Кобот сам иногда общается напрямую, а мне лично поручил вести Машу, это большая ответственность, ну что я скажу, если он узнает? А зачем тебе?

Алина понимала, что для ее бывшего начальника единственно убедительным мотивом является личная корыстная заинтересованность. Поэтому в конце концов она выдавила:

– Эдик, я скажу, только ты никому, ладно? Ну, в общем, ты же знаешь, что у меня папа бизнесом занимается?

– Ну вроде. Вином торгует, да?

– Точно. Короче, у него пара кредитов зависла в банках Галачьянца, и никакими путями о реструктуризации долга ему договориться не удалось. Их надо гасить до конца года, а ему деньги из оборотки не вытащить, потому что тогда торговать будет нечем. И личного выхода на Галачьянца у него нет. Ну вот я и подумала: если я сама смогу с ним познакомиться, в качестве врача дочери... сам знаешь, другая степень доверия, отношений... вдруг удастся на его уровне договориться. Понимаешь?

Эдип некоторое время переваривал услышанное.

– Понимаю, – сказал он.

– Ну вот такая история. Буду очень благодарна тебе за помощь. А Коботу совершенно необязательно что-то говорить: я просто съезжу один раз, познакомлюсь, и все, а дальше ты уже снова по графику будешь работать, Ильич ничего и не узнает. В конце концов, он же не знает, что ты мне рассказывал про то, как деньги на «Данко» из России пришли, а не из Швейцарии, и про то, как у него вор в законе лечился, – добавила Алина к вранью еще и мягкий шантаж.

– Черт с тобой, – буркнул Эдип. – Жди, перезвоню через минуту.

Он перезвонил через четверть часа, когда Алина уже начала немного беспокоиться.

– Значит, так, – сказал он. – Я договорился. Завтра тебя ждут.

Возьми с собой документы обязательно, у него там пропускная система как на режимном предприятии. Записывай его личный телефон, телефон секретаря и адрес...

Алина быстро записала все, что недовольным голосом надиктовал ей Эдип, и рассыпалась в благодарностях.

— Не за что, — мрачно сказал тот. — Будешь должна.

И повесил трубку.

* * *

Известно, что Петербург построен на болоте. Хотя сказать «построен» было бы неверно: плоскую каменную плиту города просто уронили в болотную грязь, поверх подземных проток, черных ручьев и молчаливых трясин в устье холодной северной реки. Камень постепенно погружался в топь, растворялся среди ядовитых туманов и вечного дождя, но город рос быстрее, чем болото успевало утягивать его в свои недра. Плита становилась все толще, шире, сдавливая под собой вековое болото, заброшенные капища, дремучие легенды и мелкую нечистую силу. Реки и речки стиснулись холодным камнем набережных, многочисленные острова и островки соединились паутиной мостов, и древние обитатели этих мест, задыхающиеся под тяжелым могильником города, напоминали о себе лишь наводящим тоску дыханием туманов, кошмарными снами да архитектурой домов, которые рано или поздно приобретали их унылые образы и подобия.

Если по берегам большой Невы, до того, как они сотряслись под поступью Медного Всадника, селились какие-то местные жители, то в самом сердце речной дельты, среди множества заболоченных островков, теряющихся в переплетении проток и речек, можно было встретить разве что мелких зверушек, да еще, может быть, отшельника-чародея, коротающего земную жизнь в покосившейся избушке на краю черной трясины. В XVIII веке болота островов были частично осушены, частично засыпаны землей, немногие оставшиеся от густых лесов деревья составили основу для парков. На протяжении последующих столетий острова стали местом удаленных от суеты дач, уединенных особняков, и даже бесцеремонное новое время входило сюда бочком, деликатно воздвигая свои невысокие новостройки лишь по периметру берегов. Сами острова остались заповедником старинных парков, правительственных резиденций и местом обитания тех, кто обладал не только деньгами, но и достаточным влиянием для того, чтобы поселиться здесь.

На островах жил и Герман Андреевич Галачьянц.

Гронский и Алина почти одновременно свернули с шумного Каменноостровского проспекта, оставили машины на парковке у небольшой круглой площади и пошли по аллее вглубь острова, в старую парковую зону, туда, где среди почтенных деревьев затерялись редкие дома.

Серое небо, низко склонившись, дышало влажным туманом и мелким дождем. Гронский и Алина шли молча, оставив за спиной монотонный гул города, постепенно погружаясь в медитативную тишину парка, нарушаемую лишь шорохом толстого покрывала из опавших листьев под ногами. Влажный воздух был насыщен тяжелым, густым запахом прелой листвы и мокрой земли, распахнутой для осенних жертвоприношений природы. Торжественный аромат смерти и тлена. Погребальные благовония жизни.

Вместо прежнего огненно-золотого великолепия на ветках деревьев повисли клочки рыжих лохмотьев, словно осень, уходя через парк, оставила здесь часть своих одежд. Сами деревья, эти суровые, закаленные исполины, принимали свое очередное осеннее умирание с достоинством и твердой верой в грядущее воскрешение, пусть ничто вокруг и не внушало такой надежды. Ветер опасался входить в этот растительный склеп, и только капли дождя отчетливо стучали по опавшим листьям, отбивая гипнотический похоронный марш. Где-то вдалеке покрышками по мокрой листве осторожно прошумела машина.

– Как ваш Мейлах? – нарушила молчание Алина. – Удалось назначить встречу?

Гронский задумчиво кивнул.

– Да, сегодня вечером. Хотя у меня остался крайне неприятный осадок после разговора с ним. Знаете, мне очень редко бывает стыдно, а тут... неловко как-то за то, что пришлось вызывать его на встречу обманом. Он – несчастный, загнанный в угол и смертельно напуганный человек, вся жизнь которого начала рушиться с того момента, как он взялся за исследование «Красных цепей». Смерть жены, сына, потеря любимой работы. Не представляю даже, как и на что он сейчас существует. Но меня несколько успокаивает одно: он согласился встретиться не из-за обещанных липовых грантов или работы в Америке. Ему принципиально важно было, чтобы кто-то взял на себя тот труд, который он сам оказался не в силах довести до конца. Мне кажется, если бы я представился ему сантехником, но пообещал выучиться на филолога и закончить его исследование, он не раздумывая согласился бы отдать мне все свои наработки.

— У нас остается все меньше времени, — заметила Алина. — Если, конечно, мы хотим предотвратить следующее убийство. Пока я что-то не замечаю, чтобы количество полученной информации перешло в качество.

— А что вы предлагаете? — спросил Гронский.

Алина пожала плечами.

— У нас есть Кобот — во всяком случае, на сто процентов известно, что он по уши замешан во всей этой истории. Если удалить его из этой, как вы называете, цепочки, то она развалится. Скорее всего, тогда и само убийство станет бессмысленным, если вместо своего кожаного кресла в «Данко» он окажется на тюремных нарах.

— Не очень-то согласуется с вашей версией о том, что преступления совершает маньяк.

Алина прикусила язык. Действительно, как бы она ни спорила с Гронским о реальности алхимических практик, подсознательно она понимала если уж не правоту своего странного напарника, то во всяком случае четкую взаимосвязь между убийствами, «Красными цепями» и деятельностью Кобота.

— Предположим, мы приняли вашу версию как рабочую, — сказала она. — Тогда тем более нужно убрать Кобота из общей схемы. Другого пока не дано, а мне, честное слово, очень не хочется видеть перед собой еще одно тело со вскрытой грудиной и писать еще одно фальшивое заключение.

— Если уберете Кобота, то организаторы уползут в одну сторону, а исполнитель в другую. — Гронский перешагнул лужу, замаскированную тонкой желтой пленкой листьев, и посмотрел на Алину. — Ваш Кобот при этом вряд ли доживет даже до предварительного следствия, не то что до суда, а через некоторое время все снова повторится, по-другому, может быть, но повторится. Обязательно. К тому же мы так и не узнаем ни причин, ни виновника смерти вашей мамы.

«И вашей Марины», — подумала Алина.

— И потом, — продолжал Гронский. — Как это вы собирались его убрать?

— Законным путем, — твердо ответила Алина. — Доделать то, что собиралась, когда вы меня остановили. У Кобота есть серьезные связи в полиции, в правительстве города, но я ничего пока не слышала о прокуратуре. Он за два дня организовал по моему требованию запрос на эксгумацию трупа той девушки, телохранителя, а значит, уголовное дело снова возбуждено. И повторно нарисовать заключение о том, что это просто нападение бешеных собак, я ему не дам. Вообще, у меня более чем достаточно материала, чтобы закрыть Кобота, и посмотрим тогда, как поступят его подельники.

Алина помолчала.

– А еще я хочу посмотреть, что находится в закрытой зоне «Данко», – сказала она. – Нужно только придумать, как получить мастер-ключ и попасть туда ночью. Очень удивлюсь, если не найду там нечто такое, что вообще снимет все вопросы – и для нас, и для официального следствия.

Гронский покачал головой.

– Как я уже сказал, Кобот в этом случае, скорее всего, не доживет даже до первого допроса. Но еще печальнее будет, если до его первого допроса и до начала следствия не доживете вы, Алина. А при реализации ваших планов это более чем вероятно.

Алина поежилась, как будто кто-то очень неприятный вдруг коснулся затылка влажными холодными пальцами, и взглянула на Гронского. Тот смотрел на нее серьезно и как-то скорбно. Алина отвела взгляд, замолчала и огляделась вокруг.

То тут, то там среди деревьев виднелись витые позеленевшие от времени решетки оград, покосившиеся арки и причудливые старинные особняки. Это были постройки конца позапрошлого столетия, хранящие в своем облике черты неповторимых личностей своих создателей: чопорных или эксцентричных, педантичных или порывистых. На всем лежала печать восхитительной небрежности и очаровательной обветшалости: стены, покрытые патиной времени, местами потрескались, барельефы и декоративная плитка осыпались, на покрытых осенними листьями крышах зеленели пятна мха и плесени, а в трещинах балюстрад просевших балконов местами проросли трава и тоненькие деревца. Было что-то удивительно аристократическое в этом небрежении памятниками архитектуры: так обедневший дворянин может годами делать пометки прямо на крышке антикварного бюро или ставить кружку с горячим чаем на антикварный столик, нимало не заботясь о его сохранности. Старинные особняки несли свое обветшание с достоинством, как носят потертый фрак, сквозь прорехи в лоснящейся ткани которого виднеется тронутая тлением плоть.

Чуть дальше, в направлении левого берега острова, сбились в небольшие группы новые коттеджи, подобно нуворишам на аристократическом приеме, купившим возможность находиться там, куда другие вхожи по праву рождения, и потому чувствующим себя неловко. Они сторонились одиноких старинных особняков и нарушали дремотную чинную гармонию острова яркими красками новеньких стен, совсем как их человеческие собратья нарушают великосветские европейские собрания крикливой роскошью брендовых смокингов и громким смехом.

Гронский и Алина подошли к узкой речке. Пологие берега поросли пожухлой травой, беспорядочными зарослями кустарника и небольшими деревьями, низко склонявшимися к темной густой воде, текущей медленно и неохотно, как остывающая кровь в жилах старика. Через речку был перекинут небольшой деревянный мостик, противоположный край которого упирался прямо в переплетение стволов и ветвей. Алина обратила внимание, что из воды вдоль берега вертикально торчат редкие обломки почерневших от времени и влаги досок, похожие на остатки какого-то древнего забора.

– Все, что осталось от старой пристани, – пояснил Гронский, заметив ее взгляд. – Они тут часто встречаются, и внутри острова, и на внешних берегах. Когда-то давно к этим доскам швартовали свои лодки рыбаки. Кстати, мы уже почти пришли. Вон, видите башню?..

Дом Германа Андреевича Галачьянца не походил ни на старинные особняки, ни на яркие новые коттеджи. Это было впечатляющее архитектурное сооружение в стиле Гауди, так что создавалось впечатление, будто огромный темно-серый особняк не построили, а вырастили прямо из влажной болотистой почвы. Из каменного хаоса причудливых фасадов, флигелей, пристроек, мансард, окон различной формы и размера и закругленных крыш росла высокая башня, похожая на ножку диковинного ядовитого гриба, увенчанная узким конусом красноватой крыши. Башня была продолжением переднего фасада дома, в очертаниях которого заметны были мотивы неоготики, а в ее основании располагались тяжелые двустворчатые входные двери под длинным козырьком массивного крыльца. Особняк стоял на обширном участке парка, обнесенном железной решеткой, к которой с внутренней стороны вплотную прилегал полупрозрачный пластиковый забор высотой метра в три, так что вся придомовая территория была надежно скрыта от посторонних глаз.

Гронский и Алина подошли к воротам, заключенным в мощную каменную арку. Рядом, стиснутая двумя толстыми опорами, находилась узкая калитка, пройти в которую одновременно мог только один человек. Прямо перед ними недружелюбно поблескивало темное зеркальное стекло помещения охраны. Угнездившиеся на арке видеокамеры нацелились сверху, как вороны на добычу.

Алина нажала кнопку звонка рядом с калиткой. В динамике переговорного устройства раздался тихий щелчок, и мужской голос произнес:

– Добрый день, чем могу помочь?

– Здравствуйте, я Алина Назарова, медицинский центр «Данко». Мы договаривались о встрече с Германом Андреевичем, – громко сказала Алина.

Одна из камер наверху чуть дрогнула.

– Этот мужчина с вами? – спросил голос из динамика.

– Да, это мой коллега, – ответила Алина, покосившись на Гронского, который с невозмутимым видом стоял рядом.

Звонко щелкнул электронный замок, и калитка открылась. Гронский и Алина вошли на территорию дома. Рядом с открытой дверью сторожевого помещения их ждал охранник в легком бронежилете и с кобурой на поясе, из которой торчала черная пластиковая рукоятка. Второй охранник, тоже в бронежилете, стоял между ними и домом. Одну руку он держал на висящем на шее небольшом автомате.

– Ваши документы, пожалуйста, – попросил охранник с пистолетом.

Гронский и Алина отдали ему водительские права, и он на пару минут удалился с ними в будку охраны. Алина переминалась с ноги на ногу, не очень уютно чувствуя себя под пристальным взглядом автоматчика. Гронский спокойно ждал. Наконец охранник вернулся, отдал им документы и махнул рукой в сторону дома:

– Проходите, вас ждут. Только никуда не сворачивайте с пешеходной дорожки.

Подъездная аллея отходила от ворот и тянулась чуть левее, к площадке парковки и дальше, к низким строениям позади дома, вероятно, гаражам. Тропинка для пешеходов, выложенная аккуратной плиткой, вела прямо к дому, через покрытые багрово-желтым слоем листьев газоны, мимо старых парковых деревьев и декоративных кустов. До высоких входных дверей, похожих на ворота замка, было метров сто. Алина пошла по дорожке, ощущая неприятное присутствие за спиной оставшегося у ворот человека с автоматом.

– Вот так физически материализуется двадцать пятое место

в русском списке Forbes, – негромко произнес Гронский, когда они отошли от ворот шагов на двадцать.

– Я ожидала чего-то более жизнерадостного, – призналась Алина.

– Большие деньги – серьезные опасности, – прокомментировал Гронский, взглянул вправо и сказал:

– Посмотрите-ка, это там, случайно, не наша пациентка?

В нескольких метрах от дорожки на садовой скамейке сидела девушка. Воротник черного полупальто был чуть приподнят, большой темно-красный шарф закутывал шею до подбородка. Рядом с девушкой лежала раскрытая книга, а сама девушка замерла неподвижно, не сводя глаз с чего-то маленького и черного на своей правой ладони.

– Надо поздороваться, – сказал Гронский и зашагал к скамейке.

– Нам нельзя сворачивать с дорожки! – воскликнула Алина, но Гронский уже шел к девушке, и мертвые листья шуршали у него под ногами, как праздничное конфетти на печальном осеннем торжестве. Алина увидела, как охранник с автоматом быстро поднес руку ко рту и заговорил в портативную рацию, не сводя глаз с Гронского, а его оружие переместилось так, что короткий ствол уставился в их сторону. Алина ругнулась вполголоса и поспешила за Гронским.

– Добрый день, – поздоровался он. – Вы, наверное, Маша?

Девушке можно было дать на вид не больше шестнадцати лет. Огромные, черные, блестящие глаза ярко выделялись на бледном лице, как будто талантливый художник нарисовал их пастельным карандашом на белом листе бумаги. Мелкие капельки небесной влаги блестели в коротко подстриженных, слегка вьющихся черных волосах.

– Здравствуйте, – сказала девушка. – Да, я Маша. А вы из больницы?

– Да, меня зовут Родион, а это моя коллега, Алина Сергеевна. Очень приятно познакомиться, Маша.

– Мне тоже, – ответила Маша и посмотрела сначала на Гронского, а потом на Алину. Взгляд ее глубоких глаз показался Алине удивительно взрослым, в нем была та печальная зрелость, которая формируется не столько прожитыми годами, сколько пережитыми событиями и чувствами. Алина взглянула на ладонь девушки: там неподвижно сидела большая бабочка с бархатисто-черными крыльями, обрамленными желтой каймой.

– Это траурница, – объяснила Маша. – Очень редкая бабочка. Она уже не летает. Я недавно нашла ее в саду и решила взять в дом: хочу, чтобы у нее был шанс выжить зимой. Иногда я беру ее погулять. Вот как сейчас.

— Она очень красивая, — сказал Гронский, внимательно глядя на Машу. — Но бабочки не умирают, а только засыпают на зиму.

Маша покачала головой.

— Мне кажется, что эта умрет.

Алина заметила, как двери дома приоткрылись и оттуда вышли два человека в одинаковых черных костюмах и быстро зашагали в их сторону. Она дернула Гронского за рукав и сказала:

— Маша, думаю, нам с коллегой лучше поторопиться. Мы приехали для... процедуры, и...

— Взять у меня кровь, — кивнула Маша. — Да, папа мне говорил. Я скоро подойду.

Алина с тревогой наблюдала за приближающимися охранниками. Один из них поднял руку и помахал, указывая на дорожку. Она сделала шаг в сторону и еще раз дернула Гронского за рукав. Тот стоял, не шелохнувшись.

— Читаете Эдгара По? — спросил он, кивнув на лежащую книгу.

— Да, — ответила Маша. — Мне очень нравятся его стихи. А вам?

— Мне тоже, — улыбнулся Гронский. Алина оставила попытки сдвинуть его с места и пошла навстречу охранникам в черных костюмах, пытаясь изобразить руками какие-то одновременно успокаивающие и извиняющиеся жесты.

— Тогда, возможно, когда-нибудь нам будет о чем поговорить, — чуть улыбнулась Маша.

Гронский посмотрел на Алину, вступившую в диалог с охраной, и произнес:

— Когда-нибудь обязательно. — Он чуть поклонился. — Сейчас нам действительно пора, нужно все подготовить к процедуре. До скорой встречи.

Охранники были спокойны и профессионально вежливы. Они проводили Гронского и Алину до крыльца, открыли массивные двери и впустили внутрь, в небольшой квадратный вестибюль. Справа располагался гардероб, напротив — двери, ведущие в жилые помещения дома, а из неприметной двери слева вышли еще двое охранников: невысокая строгая женщина со спортивной стрижкой и мужчина, держащий на коротких цепях двух доберманов. Все они, включая псов, показались Алине странно похожими на Гронского: бесстрастные, подтянутые, одетые в черное и источающие отчетливое ощущение внутренней силы, похожее на едва заметный запах оружейной смазки.

— Будьте добры, снимите верхнюю одежду и подойдите сюда, — ровным голосом то ли попросил, то приказал один из охранников.

Алина, чувствуя себя крайне скованно под взглядами нескольких пар внимательных человеческих и собачьих глаз, с помощью Гронского сняла пальто в гардеробе и с рабочим чемоданчиком в руках вернулась обратно. Конечно, после проверки документов на проходной она была готова к чему-то подобному, но все равно вздрогнула, когда ее коснулись быстрые, бесстрастные руки женщины-телохранителя, ощупавшие ее всю от лодыжек до воротника пиджака. Рядом другой охранник так же обыскивал Гронского. Два добермана обнюхали гостей с несколько брезгливым и надменным видом и отступили в сторону, давая понять, что со своей стороны претензий не имеют.

— Спасибо за понимание, — сказал старший охранник и открыл внутреннюю дверь. — Пожалуйста, проходите.

Потолок огромного холла терялся в полумраке. Вдоль стен тянулись тяжелые книжные полки, поблескивало стекло шкафов, маслянисто отсвечивали картины в резных рамах. Слева находился внушительных размеров камин, в котором ровным, сильным пламенем горели дрова, и языки огня сквозь узорную каминную решетку отбрасывали причудливые багровые сполохи. Широкая пологая лестница плавным полукругом уходила на верхние этажи. Справа расположились массивный кожаный диван и пара кресел, на небольшом столике между ними уютным желтоватым светом горела настольная лампа. Большие готические окна, наполовину закрытые тяжело свисающими портьерами, тускло светились серым дневным полусветом, который даже не пытался соперничать ни со здешним сумраком, пропитанным запахами кожи, дерева и сигар, ни с ярким пламенем камина. Тишину холла нарушало только потрескивание дров да громкое, размеренное тиканье напольных часов, напоминающих башню Биг-Бена, выполненную едва ли не в натуральную величину из темного резного дерева.

Из глубокого кресла с высокой спинкой, стоящего у камина, поднялась высокая фигура.

— Здравствуйте, господа, — раздался глубокий, низкий голос. — Как добрались?

Хозяин настолько органично вписывался в интерьеры своего дома, что казался их естественным продолжением: очень высокий, и потому заметно сутулившийся, с широкоплечей костистой фигурой, в темном домашнем костюме, с крупными, резкими чертами лица, складки которого говорили о том, что оно чаще отражало гнев и нелегкие раздумья, чем веселье и беззаботность. Черные, как и у дочери, глаза непроницаемо смотрели из-под темных нависших бровей. Даже на расстоянии от фигуры Германа Андреевича Галачьянца отчетливо веяло силой, деньгами и дорогим парфюмом.

– Я – Герман, – представился он и по очереди протянул Гронскому и Алине свою большую широкую ладонь. – Эдип сказал мне, что это внеплановый визит. Что-то случилось?

Алина ощутила на себе внимательный взгляд Галачьянца и порадовалась тому, что ответ на этот вопрос был заготовлен заранее.

– Нет, ничего серьезного. Небольшая накладка: новая девушка-лаборант случайно удалила результаты предыдущих анализов. Мне очень жаль, но пришлось побеспокоить вас и вашу дочь для повторного забора крови. Конечно, это совершенное исключение из правил, и мы могли бы дождаться срока очередных анализов, но вы же знаете, как внимательно в нашей клинике относятся к пациентам, и тем более к вам, так что...

– О да, – произнес Галачьянц со странным выражением, – я знаю, как вы относитесь к пациентам.

Он посмотрел на Гронского и констатировал:

– Вы приехали не одна.

– Да, это мой коллега. Он недавно приступил к работе в «Данко», и Даниил Ильич попросил его всюду меня сопровождать, что-то вроде введения в курс дела на практике.

Алина попыталась располагающе улыбнуться, но почувствовала, что улыбка вышла какой-то жалкой. Галачьянц пристально посмотрел на Гронского. Тот встретил его взгляд все с тем же спокойным и непроницаемым выражением на лице.

– Хорошо, – сказал наконец Галачьянц. – Вы можете расположиться здесь.

Он показал рукой на диван и столик с лампой.

– Если нужно будет добавить света, скажите. Маша сейчас подойдет... а вот, кстати, и она.

Видимо, в холле была и другая дверь: Маша появилась откуда-то сбоку, порхнула через холл с легкой грацией девушки-подростка и подошла к отцу.

– Как погуляла, дочка?

Маша приподнялась на цыпочки, чуть не подпрыгнув для

того, чтобы чмокнуть отца в щеку, и Алина заметила, с какой неожиданной нежностью большая рука Галачьянца коснулась темных кудрей дочери.

– Отлично, папа. Я книжку читала. На улице немного моросит, но тепло.

– Ну и славно. Сейчас доктора возьмут у тебя кровь, а потом мы пообедаем.

Маша села в кресло рядом с Алиной, уже разложившей на столике инструменты, и привычным жестом закатала правый рукав темного шерстяного платья. Алина отметила тонкие и почти незаметные вены на худенькой руке девочки.

– Поработайте немножко кулачком, – попросила она и на всякий случай добавила. – Не бойтесь, будет совсем не больно.

– Я знаю, – улыбнулась Маша. – Я уже привыкла.

Алина дождалась, когда вена станет чуть более заметной, аккуратно ввела иглу и, ощущая странное волнение, стала наблюдать, как густая темная кровь медленно, словно нехотя, наполняет первую пробирку.

«Бледность, медленный ток крови, холодные руки, – мысленно отметила она. – Нарушение кровообращения?»

Она повернулась к Гронскому и увидела, что он стоит рядом и широко раскрытыми глазами не отрываясь смотрит в сторону лестницы.

– Добрый день, – услышала Алина мелодичный женский голос и тоже посмотрела.

Она спускалась с лестницы, чуть касаясь перил кончиками пальцев. Тяжелая волна густых черных волос ниспадала на плечи и спину, контрастируя с ослепительно-белым платьем, плотно обтягивающим округлые бедра и длинные стройные ноги. Женщина сошла с последней ступеньки, и казалось, что она не идет, а движется, сочетая в этом движении томную пластику большой кошки и опасную грацию змеи. Ее высокая фигура была гибкой и сильной, как стальной хлыст, капля жаркой крови Востока была растворена в смуглой коже, точеной линии прямого носа, миндалевидных глазах с густыми темными ресницами, и все это составляло ту пьянящую смесь изящества, страсти и шарма, которая называется женственностью. Ее глаза были как темные бархатные омуты, в глубинах которых искорками вспыхивала таинственная потусторонняя жизнь, и, встретив их взгляд, Гронский уже не мог оторваться, чувствуя себя пойманным, как олень на ночном шоссе, цепенеющий в свете автомобильных фар.

Такие женщины среди знойных пустынь и древних храмов

из желтого песчаника сводили с ума самых стойких рыцарей из самых строгих монашеских орденов.

– Знакомьтесь, это Кристина, – сказал Галачьянц.

Кристина подошла к Гронскому и протянула ему руку. Он легко пожал ее длинные пальцы совершенной формы, с чуть удлиненными ногтями, покрытыми светлым лаком.

– Я Кристина, мне очень приятно познакомиться, – сказала она и начала улыбаться. Это была не просто улыбка, когда улыбаются губы, глаза, лицо, но как будто какая-то светлая энергия прорывалась изнутри, и улыбка была самым естественным ее проявлением. Гронский сдержанно улыбнулся в ответ, но под взглядом сияющих глаз Кристины почувствовал, как почти против воли губы его расползаются все шире и шире, растягиваясь в какую-то глупую гримасу, и он оставил попытки сохранить серьезность и улыбнулся по-настоящему, искренне и от души.

– Родион, рад знакомству, – выговорил он чуть севшим голосом. Тонкие пальцы Кристины все еще были в его руке.

– Алина Назарова, врач медицинского центра «Данко», – донеслось откуда-то снизу.

– Привет, – бросила Кристина, продолжая смотреть на Гронского.

– Родион Александрович, – какой-то сварливый настырный голос настойчиво пытался вывести Гронского из гипнотического ступора, – вы не могли бы отвлечься и помочь мне?

Гронский наконец выпустил руку Кристины, и они оба посмотрели вниз. Алина недружелюбно поглядывала на них из-под упавшей на глаза золотистой пряди волос.

– Да, конечно, – Гронский мотнул головой, словно прогоняя наваждение, и откашлялся. – Что нужно сделать?

– Для начала сесть рядом, – резко сказала Алина. – И подайте мне вторую пробирку и вот ту стеклянную трубку, если вас не затруднит.

Кристина еще раз одарила Гронского улыбкой и пошла к дверям.

– Герман, я в город по делам, – небрежно сказала она на ходу, – вернусь вечером, если что, ужинай без меня.

Кристина взялась за дверную ручку и обернулась.

– Всего хорошего, Родион. До встречи, – и вышла.

Алина сосредоточенно молчала, набирая неохотно покидающую тело кровь Маши во вторую пробирку.

– Какая красивая у вас мама, – заметила она, косясь на Гронского. – Кулачком еще поработайте, пожалуйста.

Маша слабо улыбнулась.

– Кристина мне совсем не мама. Наверное, она бы называлась мачехой, но они с папой даже не женаты. К тому же она слишком молодая и для мамы, и для мачехи.

Маша помолчала.

– А моя мама умерла, – добавила она.

У Алины ёкнуло сердце.

– Прости, пожалуйста, – сказала она с чувством. – Я не знала. Потерпи немножко, мы скоро уже закончим.

На этот раз от дверей дома и до ворот усадьбы Гронского и Алину провожал охранник, видимо, чтобы недисциплинированные посетители не вздумали опять отклоняться от разрешенного им маршрута. Они вышли за ограду и некоторое время шли молча. За то время, которое они провели у Галачьянца, недолгий день начал лениво превращаться в вечер и в воздухе запахло сумерками. Парк как-то вдруг растерял все свое аутентичное очарование: мокрая земля под ногами стала грязью, деревья и особняки из поношенных аристократов превратились в потрепанных унылых бродяг, из неопрятных зарослей то и дело выглядывали неряшливые строения за дощатыми заборами, вдоль которых бродили вялые субъекты в оранжевых спецовках. Дождь усилился, старательно застучал частыми крупными каплями по слипшимся сырым листьям, и Алина с досадой подумала о том, что до машины придется идти пешком. Если их путь к Галачьянцу был неторопливой прогулкой, то обратная дорога стала поспешной и суетливой ходьбой под дождем.

– Ну и зачем вам это было нужно? – спросила Алина.

– Я должен был посмотреть, – неопределенно ответил Гронский. Мысли его сейчас были явно где-то не здесь.

– И на кого же, боюсь спросить? – язвительно осведомилась Алина. – Если на девушку Галачьянца, то это вам удалось в полной мере. Преуспели, можно сказать.

Гронский, казалось, не заметил сарказма и продолжал широко шагать по лужам и мокрому гравию.

– Мне нужно было посмотреть на Машу, – сказал он. – Кстати, что вы о ней скажете? Как врач?

Алина пожала плечами.

– Пока у меня нет результатов клинических анализов, я мало что могу сказать. Разве только что у девочки слабый ток крови и, возможно, какие-то сосудистые нарушения, но патология это или нет, вот так сразу определить нельзя.

Гронский молча кивнул.

— Может, все-таки расскажете мне, что не так с Машей? — спросила Алина. — Вы ведь что-то знаете, правда?

— Правда, — ответил Гронский. — И я обязательно все вам расскажу, как только у вас будут результаты сегодняшних анализов, как и обещал. Просто я не хочу, чтобы мои слова каким-то образом повлияли на вашу объективность и непредвзятость, поймите меня правильно. А сейчас нам лучше немного поторопиться: сегодня у меня еще встреча с Мейлахом, а что-то подсказывает мне, что он не будет дожидаться, если я вдруг опоздаю.

* * *

Мягкий желтый свет десятками мерцающих огоньков рассыпается в стекле бутылок, и они сверкают, как праздничные игрушки на рождественской елке. Сумрак окутывает тесное пространство бара, и я почти ощущаю, как он прикасается к моим плечам, словно старое одеяло. Из двух колонок негромко и хрипло поет Армстронг: что-то про зеленые деревья и прекрасную жизнь. Я поднимаю стакан, вдыхаю аромат виски и делаю глоток. Жидкое торфяное пламя пробегает через гортань и согревает меня изнутри.

— Пожалуй, я выпью еще, — тихо говорю я, — плесни мне еще на два пальца, Мариша.

Ее улыбка расцветает мне навстречу, и глаза весело смотрят на меня из-под черной челки. Я дома. Я снова дома.

— Твое здоровье, Марина. — И я чуть приподнимаю бокал.

— Что ты сказал, Родион? Еще налить? — спрашивает меня Снежана.

Я отвожу взгляд от Марины. Фотография в черной траурной рамке стоит между бутылками с текилой и водкой. Марина и после смерти по-прежнему здесь, в баре, и встречает меня своей знаменитой улыбкой.

— Нет, Снежа, спасибо, — отвечаю я. — Это я так просто, сам с собой разговариваю.

Она внимательно смотрит на меня: большие глаза с влажной поволокой, блестящие полные губы, в глубоком декольте залегли теплые мягкие тени.

— Если что, только попроси, — говорит Снежана и выходит из-за стойки к столику в дальнем углу. Там, где в памятный вечер неделю назад сидели молчаливые серые пьяницы, сегодня сдержанно веселится компания полузнакомых мне гостей. Когда к ним подходит Снежана, голоса становятся громче и оживленнее, а резкие взрывы смеха чаще.

Колокольчик звякает над дверью ровно в то время, которое Мейлах назначил для встречи. Я оборачиваюсь. Вошедший вместе с порывом холодного воздуха человек более уместно выглядел бы на пороге лесной таверны лет триста назад, чем в дверях бара в центре современного города. Дождь намочил его длинные волосы, и они прилипли к черепу, как водоросли. Изможденное лицо заросло седеющей щетиной, худое тело укутано в длинный черный плащ, похожий на армейский плащ-палатку, а на ремне через плечо висит старая потертая кожаная сумка, туго чем-то набитая и перехваченная веревкой. Человек затравленно оглядывается, словно забежал сюда в поисках спасения от неведомой опасности, но при этом не вполне уверен, что еще горшая беда не подстерегает его здесь.

Я делаю ему приветственный знак рукой, и он, еще раз оглянувшись по сторонам, подходит к стойке.

— Это вы мне звонили? — спрашивает он.

— Да, — говорю я и протягиваю ему руку. — Приятно познакомиться лично, Михаил Борисович.

Мейлах тоже протягивает руку, его глаза беспокойно бегают по сторонам, и когда я пожимаю его холодную мокрую ладонь, он быстро отдергивает ее назад.

— Выпьете что-нибудь? — предлагаю я.

Его взгляд наконец останавливается. Я вижу, как заблестели его глаза.

— Да... наверное. Может быть, водки, — говорит он неуверенно.

— Вы можете выбрать, — подсказываю я.

— Тогда «Мартель», — говорит он уже тверже. — Сто грамм.

Снежана, с опаской поглядывающая на моего гостя, наливает ему коньяк и еще раз наполняет мой бокал виски. Мейлах одним глотком выпивает половину и сидит, глядя перед собой. Я молча жду. Не нужно давить: время, тепло и алкоголь сейчас гораздо важнее для установления контакта, чем слова и ненужные вопросы.

— Итак, вы ученый, — то ли спрашивает, то ли констатирует Мейлах.

— Мне больше нравится слово «исследователь», — отвечаю я.

— И вас интересуют мои работы, связанные с «Rubeus vinculum», — с той же интонацией произносит он.

— Именно так.

Он кивает, откашливается и делает еще один глоток.

— А что вы знаете об этой книге?

Я коротко рассказываю ему о своих изысканиях, умалчивая, разумеется, только об их причине. Он слушает, кивает, иногда задает уточняющие вопросы. Я чувствую себя как на каком-то странном экзамене, и оценка за него находится сейчас в распухшей старой сумке, перевязанной веревкой, что лежит на барной стойке перед Мейлахом. Пока я говорю, он допивает свой коньяк, и я взглядом прошу Снежану налить ему еще. Когда я рассказываю о связи между алхимией и вампиризмом, Мейлах чуть приподнимает брови и смотрит на меня с одобрительным интересом. Я вижу, что он уже немного расслабился, успокоился, согрелся, а разговоры на близкую профессиональную тему помогают ему почувствовать себя увереннее. Наконец я умолкаю.

— Неплохо, неплохо, — говорит Мейлах.

Он снова пьет и некоторое время сидит молча, потом проводит рукой по голове, убирая со лба намокшие редкие пряди, поворачивается ко мне и смотрит строго и серьезно.

— Мне очень приятно, что кто-то еще адекватно воспринимает те вещи, которые неразумному и слепому большинству кажутся небылицами. Удивительно, насколько люди не в состоянии отличить реальность от вымысла. Хотя чему удивляться — мы уже давно живем в ситуации культурного хосписа.

Он покачал головой.

— Вы неплохо изучили вопрос: несколько поверхностно, конечно, но самые главные вещи понимаете лучше, чем многие из моих коллег, по недоразумению называющиеся учеными. Тем не менее вы еще не знаете очень многого из того, что касается «Rubeus vinculum» и что находится вот здесь. — Он похлопал ладонью по потертой коже сумки.

Глаза Мейлаха блеснули.

— Когда прочтете это, то будете знать почти все. Вы узнаете, когда была написана эта книга, кем, при каких обстоятельствах, и многое другое. Но прежде чем передать вам эти материалы, я должен рассказать историю моей работы. Я хочу, чтобы вы четко осознавали, на что идете, взявшись продолжить мои труды.

Я молчу и жду, надеясь только, что Мейлах расскажет мне свою историю раньше, чем коньяк, согревший его и подаривший дар речи, лишит его возможности этим даром пользоваться.

— Все началось чуть больше двух лет назад. Как вы, наверное, знаете, я специализировался на изучении средневековой прозы: рыцарские романы, городская литература, отчасти фаблио. В современном литературоведении, особенно западноевропейском, очень сложно сделать какое-либо серьезное открытие. Это как в географии: эпоха великих путешествий давно прошла, мир изучен, нанесен на карты, и приходится довольствоваться либо топтанием по давно уже известным территориям, либо находить маленькие пятачки неисследованных земель, на которые в свое время никто не обратил внимание. Я решил написать работу по малоизвестной повести начала XIV века, относящейся к своду английской средневековой литературы, хотя автор ее и заявлял себя ирландцем. Повесть называется «Хроники Брана», и это название явно более позднее, а сам автор, скорее всего, никак не озаглавил свой труд. Небольшое такое произведение, которое не удостаивалось пристального внимания литературоведов и даже не переводилось на русский язык, но довольно любопытное. Оно написано от первого лица, что является редкостью для того периода и подчеркивает достоверность описываемых событий, а по жанру напоминает отрывок из рыцарского романа, с элементами того, что принято называть фантастическим, а я называю «редко встречающимся в повседневной жизни». Собственно, именно из-за элементов такой фантастики «Хроники Брана» удостоились только нескольких статей, в которых были оценены как незначительные по своим художественным достоинствам, сомнительные по достоверности и написанные неизвестным автором, подражавшим более известным образцам литературы своего времени. Я не буду пересказывать содержание: вы все прочтете сами. Я сделал перевод – осмелюсь предположить, что очень неплохой перевод! – и обратил внимание на одну важную деталь: в повести упоминается некая книга, судя по всему, алхимический трактат, в котором изложены достаточно оригинальные взгляды на совершенный эликсир и методологию его создания, связанную не только с герметическими практиками, но и с черной магией. Упоминалось там и понятие «ассиратум». Мне показалось интересным попробовать найти этот трактат: ведь если он окажется реально существующей книгой, это поможет совершенно иначе взглянуть на достоверность описываемых событий в «Хрониках», а это уже открытие. Маленькое, но тем не менее.

Мейлах перевел дыхание, посмотрел на вновь наполнившийся коньяком бокал и, немного поколебавшись, сделал глоток.

– Я принялся за изучение источников. Вначале я шел от даты создания: события в «Хрониках Брана» были датированы

1309 годом, и я сразу отмел все, что было написано много позже этого времени. Тем не менее оставалось еще достаточно работ по алхимии, созданных ранее, и я погрузился в изучение материала. Вы очень полно перечислили мне те работы, с которыми познакомились в процессе своих исследований. Можно сказать, что вы шли по тому же пути, что и я. Но увы: ни в одном тексте XIII века и ранее я не нашел упоминаний об идеях, которые должны были содержаться в таинственной книге, описанной в «Хрониках». Казалось бы, моя теория потерпела крах и книгу можно было считать вымыслом. Однако к тому времени я уже настолько разобрался в герметизме и алхимии, а сама работа настолько меня увлекла, что я решил не ограничивать себя в поисках временными рамками и принялся последовательно изучать все труды, датированные и более поздним временем. Так я нашел «Rubeus vinculum». Думаю, что вас, как и меня когда-то, немало удивил тот факт, что книжка даже издавалась на русском языке. Я прочел ее в этом убогом издании 1991 года и сразу понял: передо мной именно та загадочная книга, история которой рассказывается в «Хрониках». Но как же быть с датой? И я стал изучать все, что так или иначе относилось к истории «Красных цепей». Я читал и перечитывал саму книгу, я жил ее судьбой и отыскал все, что было известно о ее происхождении. В России она издавалась трижды: в 1991-м, до этого – в 1922 году издательством «Луч» и в 1915-м «Серапионовыми братьями». Годы издания очень характерные: переломные моменты в истории страны, когда духовные поиски мятущихся людей неизбежно пробуждают живой интерес к эзотерике и оккультизму. В 1888 году книга была издана в Лондоне под названием «Red bonds». Она разошлась совсем небольшим количеством экземпляров до того, как на складе типографии вспыхнул пожар, уничтоживший весь тираж и разоривший издательство. Не знаю, считать ли совпадением то, что именно в 1888 году в Лондоне появился, а потом загадочно исчез знаменитый Джек Потрошитель... хотя я в такие совпадения верить не склонен. До 1888 года «Красные цепи» не издавались более двухсот лет, с того момента, когда в 1644 году были отпечатаны в Амстердаме типографией Эльзевиров. Кстати, один из комментаторов и исследователей трудов по алхимии XVII века так высказался о «Rubeus vinculum»: «Умоляю всех, кто ее знает, не издавать». С 1644 года и ранее все издания книги были на латыни – языке, на котором она, судя по всему, и была написана, универсальном средстве общения ученых того времени. Самое ранее из известных изданий относится к 1480 году, когда инкунабула «Rubeus vinculum» увидела свет в лондонской типографии Уильяма Кекстона. Собственно, поэтому ее никогда и не датировали ранее, чем XV веком. Но я пошел дальше. Не буду погружать вас в подробности моих поисков, но мне удалось найти упоминания о том, что ранее эта книга имела хождение в виде манускриптов, которые восходили к самому первому, так называемому венецианскому списку: первому появлению книги на свет. А значит, «Красные цепи» были именно тем таинственным трактатом, о котором говорится в «Хрониках Брана», и созданы они были не в XV, как считалось ранее, а в самом начале XIV века, а сами «Хроники» в таком случае из фантастического произведения становились важным культурно-историческим документом. Вы понимаете? Два в одном! Это уже не мелкое открытие, не материал для статьи – это уже хорошие основания для серьезной работы! Я был окрылен успехом. Наверное, тогда я был даже счастлив. Наверное.

Мейлах снова молчит и рассеянно вертит пальцами бокал. За дальним столиком звучит взрыв пьяного смеха. Мейлах вздрагивает и испуганно смотрит на меня, словно проснулся от короткого сна и не может понять, где он и как здесь оказался.

– И что было дальше? – спрашиваю я.

– А дальше меня остановили. Вы верите в приметы? Я говорю не о разбитых зеркалах или черных кошках, а о тех знаках, которые судьба предусмотрительно выставляет на обочинах нашего жизненного пути, совсем как знаки на дороге: крутой поворот, сбавьте скорость, обгон запрещен. Вы умеете видеть такие знаки? А если видите, придаете им значение? Я эти знаки видел. Но как неразумный водитель, летел вперед, полностью игнорируя все предупреждения. Сначала это были просто ощущения. Знаете, такие неприятные. Например, чувство, когда ты находишься в пустом помещении, но знаешь, что ты не один. Просто ощущаешь чье-то присутствие, даже какие-то тени мелькают на периферии зрения – а повернешь голову, и никого. Или у себя в квартире вдруг точно понимаешь, что в кухне кто-то есть. Сидит там в темноте, неподвижно, и ждет... И чувство это такое сильное, что идешь, включаешь свет – а он такой тусклый, серый, и кажется, что в свете этом кто-то спрятался. Чепуха, да? Я тоже так думал. Полагал, что слишком много читал про вампиров, про черную магию, про кровавые ритуалы. Или просто переутомился. Это все было правдой, конечно, только правду еще нужно уметь правильно понимать. Как там у Ницше? Если долго вглядываться в бездну, она станет вглядываться в тебя? Вот и в меня, видимо, начали вглядываться. Мне стало трудно вести лекции. Трудно общаться с людьми. Знаете, я вообще-то человек мирный, спокойный, но тут стал срываться все чаще и чаще: и на жену, и на коллег, на сына, когда он приезжал к нам в гости. А потом у моей жены нашли рак. Это было как раз тогда, когда я узнал о существовании ранних венецианских списков «Rubeus vinculum». Я разрывался между больницей, университетом и своей работой и очень, очень раздражался, что мне приходится проводить время у постели умирающей супруги, вместо того, чтобы посвящать это время труду. А по ночам я лежал в кровати без сна, в темной квартире, и знал, что на кухне кто-то сидит. И ждет.

Потом жена умерла. К тому времени я сделал уже несколько сообщений о своих исследованиях на кафедре, но вместо интереса встретил только скепсис и непонимание. Ну и черт с ними, подумал я, и продолжал работу. Я уже серьезно погрузился в тему вампиризма, и ничто другое меня не интересовало. А еще через полгода погиб мой сын. Ему было всего тридцать лет, он мало интересовался тем, чем я занимаюсь, да и мне его работа была неинтересна: логистика, кажется. Да, директор по логистике в какой-то компании. И вот однажды ночью он мне позвонил. Голос такой странный. И говорит: «Папа, я пропал». Я подумал, что у него какие-то проблемы на работе, но он еще раз повторил: «Я пропал, папа. Город забрал меня». И все, отключился. А через два дня его нашли на чердаке какого-то заброшенного дома. Врачи сказали, сердечный приступ. Это у тридцатилетнего мужчины, который зачем-то забрался умирать в городские трущобы. И я сорвался. Однажды я пришел на свой семинар немного... ну, немного нетрезвым... хотя какого черта — пьяным я пришел. Совершенно пьяным. Начал рассказывать про алхимию, про «Красные цепи», и один студент позволил себе резкое критическое замечание, какую-то возмутительную невежественную банальность про научный подход. Ну я и бросил в него стулом. Была драка... в общем, безобразная сцена, конечно. И университет мне пришлось покинуть. Потом больница. И все. Больше к своей работе я не возвращался. Остановился на этапе лингвистического анализа текста: ранний латинский вариант показался мне в чем-то немного необычным, но заканчивать исследование я не стал. Точка.

Он залпом допивает коньяк. Я вижу, что ему уже хватит. Голова его покачивается, длинные волосы снова падают на лицо. Он охватывает голову руками, трет ладонями щетину на щеках. Потом берет сумку и тяжелым шлепком кладет ее передо мной.

– Вот. Забирайте. Теперь вы знаете все. Предупрежден – вооружен, как говорится. С себя я это снимаю.

Я касаюсь старой потертой кожи. Ну что ж, по крайней мере, будет что почитать перед сном.

– Начните сразу с «Хроник Брана», – говорит Мейлах. – Это самое важное для понимания того, что из себя представляют «Красные цепи» и с чем вам придется иметь дело. И опасайтесь черной собаки.

– Что?

– Черной собаки. – Его язык уже немного заплетается. – Или волка. Я не знаю. Думаю, что это оборотень. Знаете, в мифологической феноменологии вампиризм связан не только с черной магией. Есть же еще природные вампиры, так сказать... вурдалаки там. Ламии. И еще оборотни: они тоже живут за счет крови и плоти своих жертв. Имейте в виду.

– Так что с черной собакой? – осторожно интересуюсь я. Похоже, что коньяк все-таки сделал свое коварное дело.

– За мной следили, – отвечает Мейлах. – Огромный черный пес. Мелькал постоянно: то у дома, то рядом с университетом. А иногда человек – огромный человек, очень высокий. Но я знаю, что он и есть тот самый пес. Или волк.

Он смотрит мне в глаза, качает головой и горько усмехается.

– Ну вот, и вы мне не верите. Думаете, белая горячка, да?

Неожиданно он с силой хлопает ладонью по стойке. Снежана испуганно поворачивается в нашу сторону. За дальним столиком резко смолкают разговоры и смех. Как бы стулья в ход не пошли, думаю я.

– Не дай Бог вам его увидеть, – говорит Мейлах. – Но если увидите, то передайте, что Михаил Мейлах свои труды закончил.

Он сидит и горестно качает головой, глядя перед собой, и в его помутневших глазах яркими точечками отражаются огоньки, пляшущие на бутылках. Я беру его тяжелую сумку и поднимаюсь с места. Нужно идти.

– Михаил Борисович, – говорю я. – Если я могу что-то еще сделать для вас, скажите. Чем я могу помочь?

– Что-то сделать? – Он смотрит на меня сквозь длинные спутанные волосы. – Да, пожалуй, можете. Возьмите мне еще коньяку.

* * *

Дома я раскладываю на письменном столе бумаги Мейлаха. Получаются три неровные стопки: тексты статей и черновики так и не написанной работы, преимущественно рукописные. Машинописные листы с переводом «Хроник Брана», испещренные пометками и подчеркиваниями. И еще целый ворох заметок: библиографические справки, отрывки черновиков, какие-то вовсе нечитаемые каракули, нацарапанные на всем, что попадало под руку несчастному ученому в порыве очередного губительного вдохновения — вырванные тетрадные листы в клетку, желтые стикеры, салфетки и даже пустая пачка из-под сигарет и длинный чек из супермаркета.

Я отложил статьи и заметки в сторону и взял в руки небольшую пачку машинописных страниц. На первой из них наверху красовалось заглавие, набранное крупным шрифтом: «ХРОНИКИ БРАНА». И чуть ниже, шрифтом помельче: «Перевод М. Мейлаха». Я ставлю рядом с собой бокал с виски, пепельницу, кладу пачку сигарет, откидываюсь на спинку кресла и начинаю читать.

# Хроники Брана

## *Часть первая*

## ЖЕЛЕЗНЫЙ РЫЦАРЬ

Я, Вильям Бран, сын Джонатана Брана, родом из Кинсейла, что в Мунстере, будучи свидетелем и участником событий, которые по самому скромному определению можно назвать лишь невероятными, считаю своим долгом записать эту историю, которую никто не расскажет столь подробно и обстоятельно, как это с Божьей помощью надеюсь сделать я.

В год от Рождества Христова 1309 я служил капитаном гарнизона замка моего доброго господина, лорда Валентайна. Замок этот, а также все прилегающие к нему земли, были дарованы королем Генрихом Вторым прадеду лорда, прибывшему в Ирландию из Англии, и с тех пор это место было родовым имением его семьи. В 1270 году, всего двадцати лет от роду, лорд Валентайн покинул семейное гнездо, чтобы присоединиться к королю Эдуарду Длинноногому в крестовом походе на Святую землю.

В Ирландии оставались его отец и мать, а также возлюбленная, леди Изабелл, урожденная О'Донован, принадлежавшая к знаменитому септу Донованов из графства Корк. Леди Изабелл в ту пору сравнялось всего двенадцать лет, но несмотря на юные годы, она поклялась дождаться возвращения молодого лорда, и, забегая вперед, скажем, что она сохранила верность этой детской клятве, как и подобает истинной леди.

Вместе с королем Эдуардом лорд Валентайн, преодолев многие удивительные и опасные превратности пути на море и на суше, побывал в Тунисе и Египте, добравшись впоследствии до самой столицы государства крестоносцев Акко, и принял участие во многих сражениях по обороне этого богохранимого города от нападений мамлюков. Король Эдуард, раненный наемным убийцей-ассасином, вскоре покинул Акко, лорд же Валентайн оставался там еще долгое время, увлеченный тайными учениями Востока. За многие годы лорд Валентайн весьма преуспел в изучении алхимии, медицины, каббалы и многих других наук, сами названия которых ведомы лишь посвященным. Когда же город Акко пал под ударами полчищ мамлюков, лорду Валентайну вместе с немногими счастливцами удалось спастись через подземные тоннели замка тамплиеров и морем добраться вначале до Кипра, а позднее, в 1292 году, и до берегов родной Ирландии. Он привез с собой многие сокровища из дальних земель, но гораздо важнее, чем золото и драгоценные камни, были его знания и полные сокровенных тайн книги из древних библиотек. Родители лорда Валентайна к тому времени уже умерли, но имение и замок содержались в порядке надежным управляющим, впоследствии щедро вознагражденным за свою рачительность и честность. Но еще большая награда ожидала леди Изабелл, более двадцати лет хранившую верность данному обету и дождавшуюся своего возлюбленного, вопреки мрачным пророчествам злоязыких людей, которые уверяли в смерти ее жениха и склоняли к замужеству с тем или иным местным бароном. Но Бог поругаем не бывает, как не бывают посрамлены надежда, верность и истинная любовь, и в том же 1292 году лорд Валентайн и леди Изабелл сочетались браком. Несмотря на их зрелые годы, в 1293 году Господь даровал им ребенка, девочку, которую назвали Вивиен, в честь матери лорда Валентайна.

После своего возвращения лорд Валентайн продолжил ученые занятия и посвятил себя благородному искусству алхимии, так что много времени проводил в лаборатории, которая располагалась в главной башне замка. Впрочем, его изыскания не мешали ему быть и внимательным отцом, и добрым господином для своих слуг, и хорошим другом для многих окрестных лордов. Замок лорда Валентайна, стоящий на маленьком каменистом островке в полумиле от берега, был гостеприимным домом не только для знатных господ, но и для тех, кто приходил сюда в поисках помощи или убежища.

Двенадцать лет назад, когда мне только лишь исполнилось четырнадцать, наша семья осиротела: мой отец Джонатан погиб в море во время шторма, и бедная мать осталась одна с тремя детьми, потому что кроме меня на ее попечении находился еще мой младший брат Томас и сестра Мэри, которой было всего несколько месяцев от роду. Узнав о нашем несчастье, лорд Валентайн, со свойственным ему великодушием, взял меня в услужение и положил жалование, достаточное для того, чтобы моя матушка и брат с сестрой не испытывали горькой нужды в самом необходимом. Вначале я работал на конюшне, со временем стал выезжать вместе с лордом и его людьми на охоту, а когда мне исполнилось шестнадцать, лорд Валентайн распорядился научить меня воинскому искусству, так что вскоре я уже вполне сносно владел копьем, мечом и луком. Кроме того, испытывая ко мне расположение и будучи по природе своей человеком внимательным и заботящимся не только о телесном, но и о духовном пропитании своих людей, лорд Валентайн выучил меня чтению и письму, так что сейчас я записываю эти строки, отдавая ему своего рода долг за это обучение. Он разрешал мне в часы досуга пользоваться весьма обширной библиотекой замка, и бывало, что, склоняясь над рыцарским романом или записями песен о древних героях, я видел там юную леди Вивиен, которая с детства отличалась как удивительной красотой, так и редкой для своего возраста рассудительностью. Иногда мне позволялось сопровождать леди в ее прогулках верхом, но эти редкие и непродолжительные поездки всегда проходили в молчании, ибо леди ехала чуть впереди, сопровождаемая опытным всадником из числа рыцарей, я же, как и подобает человеку моего звания и происхождения, следовал позади.

В восемнадцать лет я был принят в число воинов лорда, составлявших гарнизон замка, и случилось так, что за последующие годы мне несколько раз посчастливилось отличиться в стычках с баронами западных областей Ирландии, а один раз даже получил рану, когда стрела, выпущенная из засады и предназначавшаяся моему господину, угодила мне в бок. Лорд Валентайн тогда лично следил за ходом лечения и подарил мне меч, который привез из своих странствий: клинок чуть более короткий и чуть более широкий, чем обычно, а навершие рукояти украшено изображением головы терьера, сделанным с удивительным искусством. Этот меч и сейчас при мне.

Два года назад, когда бывший тогда капитаном замковой охраны старый и доблестный воин Джеймс О'Коннор не смог более по возрасту и здоровью нести на себе бремя этой должности, лорд Валентайн неожиданно удостоил меня чести занять его место, чем немало не только обрадовал, но и удивил меня. Когда же я осторожно выразил ему свои сомнения, указав и на свой еще молодой возраст, и на то, что мне не приходилось доселе бывать в настоящих сражениях, лорд Валентайн сказал, что выбор его связан не с моим опытом или воинским искусством, но с тем доверием, которое он ко мне испытывает. Я же горячо поклялся в том, что буду защищать своего господина и его семью любыми средствами и любой ценой, хоть бы и собственной жизни, и принял командование над гарнизоном из тридцати копейщиков и двух десятков стрелков.

И тогда же, два года тому назад, произошло событие, послужившее началом той цепи неисчислимых несчастий и бед, которые и стали причинами, побудившими меня взяться за перо.

Однажды в замок явился гость, не похожий на всех тех, кто был здесь ранее. Некий лорд Марвер прибыл к лорду Валентайну, сказав, что слухи о его ученых опытах достигли самых отдаленных уголков не только Ирландии, но и Англии, и даже Шотландских гор, и он, лорд Марвер, предлагает свою помощь и поддержку в поисках истинного эликсира, которыми, как известно, занимается мой господин. И с той поры лорд Валентайн и лорд Марвер трудились вместе и подолгу уединялись в лаборатории в башне замка.

Это опечалило и встревожило многих из тех, кто хорошо знал и любил лорда Валентайна. Лорд Марвер имел репутацию черного колдуна, а некоторые шепотом поговаривали о дьявольских мессах и о том, что силой черной магии лорд Марвер исказил собственную природу, сделался вампиром и обрел бессмертие, которое поддерживал при помощи человеческой крови. Говорили также, что он владеет темным искусством некромантии и может поднимать мертвецов, вселяя в их тела духов, призываемых из адских бездн, а также заклинать и заставлять служить себе оборотней и других существ, коих не хочется упоминать даже и на словах. Лорд Марвер иногда по нескольку дней кряду проводил в замке, и когда он был здесь, то казалось, что все лучшее и светлое покидает это место, словно не силах выносить его соседства. И хотя сам он всегда был любезен со всеми, кто встречался ему во дворе или в коридорах, люди, как могли, избегали этих случайных встреч, потому что мало кто без трепета мог встретить его взгляд. Ко всему прочему, из окрестных деревень стали доходить тревожные слухи о пропавших людях, преимущественно молодых девушках, и даже моя матушка, когда я приезжал ее навестить, говорила о том, что отцы и братья не отпускают своих дочерей и сестер в одиночестве ни по какому делу. Тоска и холодный страх поселились в замке лорда Валентайна и расползались отсюда по округе, как болотный туман, к вящему моему прискорбию – и всех, кто здесь жил.

Изменился и сам лорд. Он стал все больше отдаляться от семьи и друзей, редко покидал замок, переложив обязанности по управлению своими землями на доверенных лиц. Щеки его окрашивал лихорадочный румянец, а год назад начало и вовсе казаться, что лорд помолодел, но так, как если бы восковое лицо глубокого старика раскрасили яркими балаганными красками. Глядя на все это, душа моя наполнялась страданием, вдвойне горьким от того, что я ничего не мог поделать и хоть как-то помочь моему доброму господину, так что я старался с особым тщанием нести свою службу и опекать всеми силами леди Изабелл и юную леди Вивиен. Они тоже по-видимому скорбели о переменах к худшему, наставших в их муже и отце, а леди Вивиен и вовсе в последние полгода побледнела и осунулась так, что я уже начинал опасаться, не является ли это грозным признаком начинающейся болезни. Она более не выезжала на конные прогулки и целые дни проводила в замке, а прислуга рассказывала, что она часто пропадает в башне вместе со своим отцом и лордом Марвером.

Начало событий, которые я взял на себя смелость описать, относится ко дню 1 октября 1309 года, когда леди Вивиен исполнилось 16 лет. На этот праздник лорд Валентайн пригласил не только лорда Марвера, членов своей семьи и приближенных, как было в последние годы, но и всех старых друзей, благородных рыцарей из разных областей Ирландии и Англии. В последние дни перед торжеством лорд словно воспрял духом и стал походить на того доброго сэра Валентайна, которого так любили многие, и видя своего господина в воодушевленном настроении, я радовался тому, что ему, похоже, удалось преодолеть тяготевшее над ним темное наваждение.

В день праздника в замок прибыли пятнадцать знатных

лордов, многие из которых приехали со своими супругами, домочадцами и вассалами, так что в самом пиршественном зале собралось до пятидесяти рыцарей, и еще не менее четырех десятков знатных дам и фрейлин. Был тут и лорд Марвер, и с ним двое рыцарей, столь бледных и угрюмых, что вид их наводил на мысли об обитателях склепов, и еще четверо оруженосцев в темных одеждах, чьи лица были укутаны до самых глаз черными шарфами. Кроме того, вместе со знатными гостями в замок прибыла и их свита, общим числом до сотни стрелков и ратников, и для них были накрыты столы в зале челяди, который располагался в левом крыле замка и широкие двери которого выходили на передний двор. Вместе с ними пировали и некоторые из воинов моего гарнизона, а также мой брат Томас, которому только недавно исполнилось восемнадцать лет и которого я, с разрешения лорда и уступая настойчивым просьбам самого Томаса, принял в число лучников. Ворота замка были заперты, мост поднят, однако, несмотря на праздник, я все же оставил полтора десятка копейщиков в караульном помещении под главным крыльцом и выставил по одному лучнику дозорными на каждой из четырех башен. И хотя я до сих пор корю себя за свою беспечность, проявленную в тот роковой день, все же скажу, что никакая предусмотрительность не может противостоять подлости и вероломству.

Итак, вечером 1 октября гости лорда Валентайна собрались в парадном зале, пышно украшенном по случаю праздника, пехотинцы и ратники веселились внизу, я же обходил замок, помня о том, что мне вверена безопасность собравшихся, и от этой службы меня никто не освобождал ни днем, ни ночью. И вот, проходя мимо зала и услышав звуки музыки, я заглянул туда и увидел, как леди Вивиен, одетая в белое платье, поет и играет на арфе. Я стоял в дверях и смотрел на это зрелище, завороженный и ее голосом, и ее красотой, и видит Бог, если бы и сами ангелы Господни предстали мне в этот миг во всем своем великолепии, то и они не показались бы мне столь прекрасными, как юная леди Вивиен. Более такой спокойной и умиротворенной, такой радостной и светлой мне не суждено было увидеть ее уже никогда.

Я дождался, когда леди закончит петь и ей на смену придут музыканты со своими волынками и литаврами, барабанами и флейтами, и вышел во двор замка, чтобы проверить посты.

Погода стояла ненастная, темное небо было затянуто клубящимися тучами, посылавшими на землю потоки холодного дождя, так что в сумерках я не сразу увидел, что у подножия двух башен лежат окровавленные тела обоих дозорных. А потом ворота, глухо гремя, стали медленно открываться, поворачиваясь в тугих петлях.

Уже потом я вспомнил, что, увлеченный пением леди Вивиен, не обратил внимания на то, что четверо закутанных в черное воинов лорда Марвера отсутствовали в зале. В тот миг, видя открывающиеся ворота, я протрубил сигнал тревоги, и когда из караульного помещения один за одним выбежали мои копейщики, выстроил их в цепь перед воротами, готовясь отразить нападение. Я успел протрубить еще раз, надеясь, что сигнал услышат и в большом зале, но вспомнил о музыкантах с их литаврами и барабанами, и понял, что время для нападения было выбрано обдуманно и остается только противостоять противнику, сколько хватит сил.

Ворота раскрылись, и из черноты проема ударили тяжелые арбалетные стрелы. Один из моих солдат был убит на месте, еще двое ранены, причем одному из них стрела, пробив щит, пригвоздила к нему руку. А в следующее мгновение во двор черной грохочущей лавой хлынули воины лорда Марвера.

Их было несколько сотен, черные доспехи из грубых листов железа лязгали и скрежетали, шлемы закрывали до половины уродливые лица, а в руках они сжимали мечи с крючковатыми навершиями, палицы и боевые молоты. Эта черная железная волна обрушилась на строй моих копейщиков, и не прошло и минуты, как пятеро из них уже лежали замертво, а остальные были отброшены к самому крыльцу. Двор заполнил рев и грохот железа, а еще цепенящий страх неизбежной смерти, который, случается, испытывает человек перед лицом стихии. Я, как мог, сдерживал натиск нападавших, и славный меч, подаренный лордом Валентайном, помог мне разбить немало вражьих доспехов, так что через минуту все лезвие его было уже темно-багровым от крови. Я отвел уцелевших солдат на высокое крыльцо для обороны дверей замка, надеясь на то, что несколько узких лестничных маршей и высокая балюстрада послужат нам хотя бы временным укреплением. Нападавшие разделились: одни из них с воем и рычанием лезли на нас по лестницам, а другие, числом до двух сотен, устремились к залу для челяди, где пировали безоружные ратники и оруженосцы. Я видел, как закованной в доспехи лавиной ворвались они в зал, и со страхом подумал о своем младшем брате. Тем временем арбалетчики врага изготовились для еще одного залпа и заставили нас прижаться к каменной ограде лестницы, чтобы избежать попадания смертоносных стрел, а пехота продолжала карабкаться вперед, спотыкаясь о распростертые на ступенях тела своих сраженных собратьев. Я был в отчаянии. Господь пока хранил меня от серьезных ран, но вместе со мной лестницу обороняли только десяток бойцов, силы же противника казались неисчерпаемыми. В этот момент я увидел, как ворвавшаяся было в нижний зал черная пехота с воплями выкатывается обратно, словно некая сила выдавливает ее оттуда, и многие, выйдя, падают тут же на булыжники двора ранеными или умирающими. Сердце мое возликовало, когда я увидел, как следом за ними, преследуя и добивая, появляются ратники лордов и наши лучники во главе с моим братом. Воистину, у смельчаков и слуги бывают смельчаками: без шлемов и доспехов они дрались так, что выбили из зала вооруженного врага и преследовали его, поднимая оружие павших. Я закричал, чтобы они присоединялись к нам, и вот уже во дворе загремела настоящая битва, в которой смешались свои и чужие воины без всякого строя и порядка, сражаясь с редким ожесточением, а я, воспользовавшись моментом, отбил атаку на лестницу, погнав врагов вниз прямо по трупам. Мой брат Томас добрался до меня через схватку, он был весь залит своей и чужой кровью, и, хотя мы по прежнему уступали противнику в численности, я намеревался организовать атаку и выбить врага из замка. Дух наш был не сломлен, противник же, напротив, утратив преимущество предательского внезапного нападения, отступал, ибо ярость и злоба никогда не заменят доблести и чести. И я уверен, что, с Божьей помощью, мы бы отстояли замок, если бы в воротах не появился всадник.

Это был Мороандер, гигантского роста, закованный в черные латы воин, сквозь прорези закрытого шлема которого сверкали красным огнем глаза. Он ехал верхом на коне, один вид которого вселял ужас в самые доблестные сердца, и в руке его была огромная палица на длинном древке. Его появление словно добавило одержимости нашим врагам, и они набросились на нас с удвоенной яростью, а Мороандер одним ударом своего страшного оружия сбивал с ног двоих, а то и троих воинов, и тела их разлетались в стороны, словно щепки из-под топора.

Мы снова отступили к крыльцу, держа оборону на лестничных пролетах и верхней площадке, но Мороандер приближался, а когда копыта его коня встали на первые ступени лестницы, стало ясно, что крыльцо нам не удержать.

И тогда я сказал своему брату, что он должен взять с собой

нескольких копейщиков и бежать в пиршественный зал, чтобы предупредить лорда Валентайна о нападении и вероломстве лорда Марвера. Но Томас ответил мне, что будет держать оборону здесь, сколько сможет, и не уйдет с крыльца иначе, как победив или умерев, и чтобы я сам отправился к лорду Валентайну с вестью, ибо только мне лично поручено заботиться о нем и его семье. И поскольку было не время и не место для споров, я согласился, оставив с Томасом старого О'Рурка, лучше которого никто не владел топором, а сам отправился в замок, взяв с собой молодого копейщика Престона и еще двух ратников из тех, что прибыли с лордами. Больше я никогда не видел моего брата.

Как я и думал, за толстыми стенами замка, шумом проливного дождя и громом музыки звуков сражения слышно не было. Я и трое моих спутников, изрубленные и покрытые кровью, вошли в зал, и первым, кто заметил наше появление, был проклятый лорд Марвер, сидевший по правую руку от лорда. И когда я крикнул, сколько хватило моих сил: «Тревога!», он вскочил с места и выхватил длинный меч. Прежде, чем кто-либо успел что-то сделать, лорд Марвер обрушил страшный удар клинка на леди Изабелл, одним ударом отрубив ей голову, так, что кровь густой волной плеснулась на белое платье леди Вивиен. В тот же миг смолкла музыка, и несколько мгновений все сидели как громом пораженные, но следом за лордом Марвером вскочили и его воины, и в зале воцарился хаос. Несколько рыцарей и дам были убиты на местах, даже не успев встать из-за стола. Лорд Валентайн, бледный и грозный, как сама смерть, бросился на Марвера, но двое черных рыцарей, встретившие его ударами мечей, остановили лорда и заставили отступить. Я рванулся вперед, надеясь прорваться на помощь моему господину, но в этот момент в зал ворвались черные пехотинцы. Все смешалось: крики страха и боли, хрипы и стоны умирающих, звон оружия, и трудно было понять, что делать и куда двигаться. Мне почти удалось пробиться к лорду Валентайну, рядом с которым сражались еще трое лордов, когда я увидел, что леди Вивиен по прежнему сидит за столом среди хаоса боя, словно бы в оцепенении, а к ней приближается один из убийц в черном. Он успел взмахнуть своим кривым клинком, но в этот момент я подставил щит, а в следующее мгновение раскроил ему голову до самого рта, и никогда я еще не видел ни у одного живого существа крови столь черной, как та, что хлынула на мой клинок. Я поднял леди Вивиен из-за стола и, прикрывая и поддерживая ее рукой со щитом, а другой прокладывая себе дорогу, стал пробиваться к лорду Валентайну, вокруг которого собирались уцелевшие и верные ему рыцари. И пока мы шли, прорубаясь сквозь битву, платье леди Вивиен из белого стало полностью красным от залившей его чужой крови. Лорд Валентайн скомандовал отступать в башню и сам повел нас вперед, через коридоры замка, а за нами по пятам катилась черная воющая волна врагов. И они неминуемо настигли бы нас, но на повороте узкого коридора один из рыцарей лорда, а с ним еще двое ратников и юный Престон остались, чтобы прикрыть наш отход, и ценой собственной жизни дали нам спасительное время, чтобы добраться до укрытия.

В башне замка была только одна тяжелая дверь, расположенная на середине ее высоты. К этой двери вел узкий каменный мост, соединяя башню с остальным замком, и вот по этому мосту мы и устремились к последнему спасительному убежищу. Я и лорд Валентайн входили последними, и когда двери уже готовы были закрыться за нами, я увидел, что на мосту, подобно грозовой туче, появился Мороандер. Он был пешим и тяжело шагал вперед, сжимая в одной руке свою страшную булаву, а в другой меч с широким клинком и длинной рукоятью.

Лорд Валентайн тоже увидел его и сказал мне:

– Зайди в башню, Вильям. Этого врага я встречу сам.

И тут я впервые ослушался своего господина и только с силой захлопнул створки дверей, крикнув, чтобы наложили засовы, а лорд Валентайн посмотрел на меня, молча кивнул, и мы вдвоем пошли по мосту навстречу приближающемуся Мороандеру. И когда мы шли, я посмотрел на лорда, на его гордую, высокую фигуру, развевающиеся седые волосы, и никогда в жизни я не видел и не увижу воина более величественного и достойного, чем был лорд Валентайн в эти минуты.

Мы сошлись на середине моста. Мороандер взмахнул палицей, целя в голову лорду, но тот успел уклониться, и тяжелая булава пронеслась мимо. Тогда враг ударил мечом, но этот удар я успел отразить своим клинком. Некоторое время мы уклонялись и отбивали его атаки, пока мне не удалось, прикрывшись щитом, нырнуть под очередной замах меча и ударить что было сил клинком по колену, затянутому в черную кольчугу. Разрубленные металлические кольца зазвенели, рассыпаясь по каменным плитам моста. Мороандер выпустил из руки палицу и тяжело опустился на раненое колено, одновременно вздымая меч для нового удара. Но в этот миг лорд Валентайн подхватил выпавшую из рук Мороандера булаву, тяжело размахнулся и ударил. Огромное оружие, описав широкую дугу, обрушилось сбоку на стальной закрытый шлем. Раздался громкий треск, и голова Мороандера покосилась на правое плечо, как вывороченный из земли пень, а из широкой щели между шлемом и панцирем вылетело облако черной пыли. Он поднялся на ноги, сделал шаг, ткнул мечом в воздух, как слепой, пытающийся нащупать дорогу, но в этот момент палица с низким гудением еще раз рассекла воздух и врезалась в черный металл панциря, оставив на нем глубокую вмятину. Мороандер навалился на перила моста, они не выдержали тяжести, и он безмолвно полетел вниз, на камни двора, скрытого от глаз ненастной тьмой.

Несколько мгновений на мосту царила полная тишина, но потом из дверного проема замка раздался многоголосый вой, и я услышал, как заскрипели взводимые тетивы арбалетов.

Мы развернулись и бросились бежать к башне, но тут обрушился первый залп, и стрелы застучали по мосту, как смертоносный дождь. Лорд Валентайн упал, и я увидел, что из правого плеча у него торчит короткий арбалетный болт. Я помог моему господину подняться, спрашивая, тяжела ли рана, но он только сказал мне:

– Ничего, Вильям. Я поскользнулся.

До башни оставалось еще добрых тридцать ярдов, и когда я посмотрел наверх, то увидел, что в ее стрельчатых окнах появились лучники и вылетели первые стрелы: воины пытались прикрыть наше отступление. Я закинул за спину щит и, поддерживая обеими руками своего лорда, как мог быстро устремился ко входу в башню, но тут снова ударили стрелы. Две из них попали в щит у меня на спине, пробили и его, и кольчугу и легко поранили спину. Лорд Валентайн неожиданно обмяк у меня в руках, и я с ужасом увидел, что еще одна стрела засела у него между лопаток. Когда до башни оставалось уже несколько шагов, снова раздался вой, а затем лязг железа и топот ног черной пехоты, устремившейся на мост. Я собрал последние силы, и ввалился вместе с моим обессилевшим господином внутрь башни за несколько мгновений до того, как на ее захлопнувшиеся двери обрушились тяжелые удары подоспевших врагов.

В башне оставалось с десяток рыцарей, двое лучников, пришедших сюда с дальних сторожевых постов, и трое уцелевших в резне у крыльца бойцов, в том числе и старина О’Рурк, чей топор был изрядно зазубрен, а кольчуга пробита в нескольких местах и покрыта кровью. И он сказал мне, что мой брат погиб на ступенях крыльца под ударом палицы Мороандера, и в этот миг я пожалел, что не могу вернуться и убить это чудовище еще раз.

Двери башни содрогались от ударов, из верхних бойниц лучники и рыцари пускали стрелы по нападавшим, а лорд Валентайн, превозмогая боль, призвал на помощь двух рыцарей, сэра Гордона Мэлори и сэра Томаса Далквиста, чтобы они помогли ему подняться по узкой лестнице в его лабораторию вместе с леди Вивиен. Когда же через несколько долгих минут они вернулись, на плече у леди была большая кожаная сумка, а на спине в ножнах висел меч-фальшион. И лорд Валентайн подозвал меня и попросил, чтобы я проводил его дочь через подземный ход к берегу, на котором была пристань и небольшая парусная лодка. Он сказал мне:

– Помнишь, Вильям, я говорил, что выбираю тебя защитником моего замка и моей семьи не ради твоего опыта или умения, а ради доверия, которое к тебе испытываю? Не подведи меня сейчас, когда я доверяю тебе самое ценное, что у меня есть.

Потом лорд Валентайн несколько минут о чем-то говорил с леди Вивиен, и когда отец и дочь заключили друг друга в последние прощальные объятия, я отвернулся, не в силах выносить этого зрелища и опасаясь той душевной слабости, в которую оно может меня повергнуть.

И вот мы с леди начали спускаться по крутым ступеням, ведущим в подземный ход, а я бросил последний взгляд на картину, навсегда запечатлевшуюся у меня в душе: содрогающаяся от ударов дверь, несколько израненных рыцарей, готовых к последнему бою за своего друга и господина, старый О'Рурк, опирающийся на секиру, и лорд Валентайн, с двумя стрелами в плече и спине, тяжело привалившийся к стене, но не выпускающий из рук меч.

Мы долго шли по тесным и узким подземным тоннелям, спасаясь из гибнущего замка так же, как в свое время сам лорд Валентайн спасался из объятого пламенем Акко. Шум битвы, кипящей наверху, становился все тише. Факел в моей руке тускло освещал сырую кирпичную кладку стен, затянутые паутиной арки и леди Вивиен в залитом кровью и ставшем багровом платье, и я удивился тому, как прямо она держится, какое строгое у нее лицо и насколько она владеет собой, не давая воли чувствам и страху. Тоннель вывел нас к каменистому пологому берегу, и в сотне ярдов от выхода мы увидели деревянные мостки и лодку с мачтой и парусом, пришвартованную у пристани.

Мы почти добежали до лодки, когда отряд врагов из пары дюжин солдат, неожиданно появившись из-за стены замка, бросился за нами в погоню. Я перерубил мечом канаты и мы едва успели отплыть на относительно безопасное расстояние, так что стрелы арбалетов уже на излете били в борта лодки и с плеском падали в воду. В этот миг загорелась кровля башни замка, и через минуту она стала похожа на чудовищный маяк, сполохи дымного пламени которого отражались в темной бурной воде. А потом на берегу среди мельтешащих теней возникла черная фигура. Это был лорд Марвер. Он видел наше бегство и вот поднял вверх обе руки и вдруг издал долгий и тоскливый, леденящий душу вопль, прокатившийся над черными морскими волнами. Так, верно, голосит худшая из нежити, упустившая добычу, в этом вопле даже можно было различить какие-то слова, настолько страшные и чуждые всему живому, что лучше бы лишиться слуха, нежели еще раз услышать что-то подобное. Но не успел я подумать, что ничего ужаснее мне еще не приходилось слышать в своей жизни, как леди Вивиен вдруг поднялась в лодке во весь рост. Черты ее бледного лица заострились, глаза стали подобны бездонным провалам, темные волосы развевались на ветру и отливали медью в отсветах пламени, пожиравшего башню. Она устремила взгляд на черную фигуру на берегу и ответила на вопль лорда Марвера таким яростным, пронзительным криком, что сердце в моей груди застыло, как кусок темного льда. И словно в ответ на эту жуткую перекличку буря обрушилась на наше утлое суденышко: ветер злобно трепал парус на мачте, волны перекатывались через борт, дождь заливал лодку сверху, и море несло нас куда-то, повинуясь своей злобной прихоти. Словно исчерпав последние силы в крике, леди Вивиен упала на узкую деревянную скамью, закрыв глаза и только прижимая к груди обеими руками сумку, которую дал ей лорд Валентайн. Мне же пришлось вспомнить все, чему учил меня отец во времена моего детства и отрочества, когда порой брал с собой в недолгие плавания по морю. И то ли помогли эти немногие навыки, то ли родовая память, передающаяся от отца к сыну, то ли горячие молитвы, которые я возносил к небу, но в конце концов мне удалось обуздать нашу лодку и направить ее на восток, к берегам Англии.

Там мы и высадились ранним утром следующего дня: в Уэльсе, недалеко от замка Пемброк, на песчаном берегу залива Кармартен. Я поднял леди Вивиен на руки, перенес ее через мелководье и положил на песок, а потом рухнул сам, не в силах более сопротивляться усталости.

# Глава 7

Ветер злобно гоняет по небу обрывки туч, расшвыривая серые густые клочья, которые беспорядочно мечутся, подгоняемые ураганными порывами, а потом снова собираются в сплошной плотный слой. Иногда сквозь прорехи в темно-сером покрове мелькает черное беззвездное небо и тускло блестит месяц, совсем тонкий, едва заметный, как дыхание умирающего. Скоро он исчезнет, и наступит ночь новолуния — а вместе с месяцем исчезнет, закатившись за горизонт этого мира, и чья-то жизнь.

Мне не спится. Всю ночь сознание балансирует на призрачной границе между сном и бодрствованием, а когда все-таки впадает в сонное оцепенение, тут же пестрым тревожным потоком обрушиваются видения: бурное море, горящий замок, лязг оружия, запах железа и крови. Они настолько реальны, что пару раз мне кажется, будто я ощущаю нагретую кожу рукояти меча в ладони или чувствую щекой холодный морской песок. В итоге я оставляю всякие попытки уснуть, завариваю кружку крепкого черного чая и снова сажусь за бумаги Мейлаха.

В груде разрозненных записок не нашлось ничего интересного, зато на последней странице черновика его объемной неоконченной работы обнаружился список консультантов, который я не заметил раньше. Он совсем короткий: то ли никто не воспринимал исследования Мейлаха всерьез, то ли он сам не хотел посвящать в свои изыскания слишком много людей, ограничившись лишь необходимыми специалистами. Таких было всего трое. Историк А. Р. Каль, коллега Мейлаха по университету, автор нескольких монографий по истории средневековой Ирландии и последним крестовым походам. Библиограф Я. С. Роговер, рядом с именем которого было написано рукой Мейлаха: *«Редкие издания!!!»* И некий эксперт в области оккультных наук по фамилии Пагад, инициалы которого, как и любая дополнительная информация, отсутствовали, зато в скобках имелось примечание: *«(масон?)»*. Последний представляется мне наиболее перспективным.

Я смотрю на часы. Время настолько позднее — или уже раннее? — что звонить без крайней на то необходимости любому нормальному человеку было бы более чем неуместно. Впрочем, среди моих очень немногочисленных знакомых мало тех, кого обычно называют нормальными.

На мой вызов отвечают почти сразу же. Я диктую имена всех троих консультантов Мейлаха, заранее благодарю и жду. Ответный звонок следует через полчаса. К сожалению, самый перспективный оккультист Пагад перестал быть таковым: полгода назад он переселился в лучший мир – ну, или туда, куда переселяются после окончания жизненного пути все его коллеги. Зато историк Каль и библиограф Роговер пребывали в добром здравии, и я записываю их телефоны и адреса.

После некоторых раздумий я решаю нанести визит Роговеру. Это мой шанс получить от «Rubeus vinculum» ответы на вопросы о таинственном убийце и тех, кто может быть с ним связан. Если и специалист по редким книгам не сможет мне помочь, то не останется ничего иного, как в самом деле нажать на Кобота, что и предлагала Алина. Только делать это придется мне, и методами, несколько отличными от тех, о которых говорила моя напарница. Вряд ли после этого я смогу снова вернуться к той жизни, которую вел в последнее время и неприкосновенность которой так тщательно оберегал, но возможно, что другого выхода просто не будет. Я по-прежнему уверен, что Кобот – только верхушка того ядовитого сорняка, который угнездился в гнилой болотистой почве города, и, потянув за нее, я вряд ли доберусь до корней, но время уходит, и через три дня, в новолуние, где-то в лабиринтах дворов под ударами ножа погибнет еще одна девушка.

Дом, в котором обитал библиограф Яков Самуилович Роговер, имел номер по набережной канала Грибоедова и находился в самом средоточии мрачноватых трущобных лабиринтов старого города. Впрочем, номера на нем как раз не было: в лучших традициях петербургского центра, его нужно было угадывать, опираясь на сомнительную логику нумерации других домов набережной, на некоторых из которых имелись цифры, иногда вписанные в старые круглые таблички, а иногда просто грубо нарисованные краской.

Я думаю о том, что в этом городе ничего не меняется. Его центр остается таким же, каким был сто, сто пятьдесят, двести лет назад: серые сырые стены, лабиринты дворов, несвежее влажное дыхание каналов, дома, сбившиеся в тесные группы кварталов. Сиюминутная мишура в виде вывесок и огней иллюминации, машин и экипажей, товаров на витринах лавок или магазинов, меняется, облетая под порывами ветра времен, но унылый и чопорный дух старого города остается прежним: дух мертвеца, надменно взирающего на суету мира живых. Кажется, что даже обитатели домов остаются теми же, что и сто лет назад: люди, похожие на призраков, и призраки, похожие на людей. Гигантское болото, погребенное под тяжелой могильной плитой города, выдыхает туман, просачивающийся сквозь сырые камни к мглистому небу, и его гнилостные испарения пропитывают разум, души и тела живущих.

Фасад дома Роговера выходит на набережную, нависая тяжелыми эркерами над водой, как пьяница, которого от падения в грязную лужу удерживают только цепкие, хотя и нетвердые руки прилепившихся по бокам собутыльников. Я вхожу в арку, над которой подслеповатым глазом торчит крошечное мутное окошко бывшей дворницкой, и иду по длинному, плавно поворачивающему вправо проходу, стараясь держаться ближе к стене, чтобы не наступить в огромную лужу, маслянисто поблескивающую в полумраке. Полукруглые низкие своды арки просели под грузной тяжестью дома. В коротком телефонном разговоре я не стал уточнять у Роговера, как именно найти его квартиру, и теперь мысленно выговариваю себе за непредусмотрительность. Во двор выходят три приоткрытые, покосившиеся двери подъездов и еще две арки, ведущие дальше, в тесные глубины дворов. Глухая, ватная тишина, только откуда-то сверху доносится звук работающего радио. Воздух застоявшийся и теплый. Серая штукатурка стен, снизу поросшая мхом, а выше покрытая пятнами плесени, похожа на бугристую шкуру нездорового животного и местами отслаивается, обнажая мокнущие красноватые язвы кирпичной кладки. Окна, похоже, не открывались десятилетиями, они местами разбиты, местами заколочены фанерой, темные, пыльные и пустые. Ржавые подвальные двери, иногда открытые, а в большинстве своем вросшие в землю до половины человеческого роста, покосившиеся пристройки из листового железа и досок, темные углы. Из арки справа тянет гнилью и тушеной капустой.

Я начинаю обходить двор, пытаясь различить номера квартир на темных табличках. Этому занятию можно предаваться очень долго: цифры чередуются, повинуясь загадочной нелинейной логике в типично питерской манере. Первый этаж: 1, 13, 24. Второй – 5, 6, 25. Третий – 7, 8, 14. И так далее. Нужная мне квартира под номером 22 в первом дворе не обнаружилась.

Я выбираю арку справа и иду на запах гнили, повинуясь исключительно чутью коренного жителя этого города. В темной трубе арки прямо в стене еще одна дверь, с крупной цифрой 2 и каким-то символом, похожим на рисунки из книг древних каббалистов. Рядом с дверью пыльное оконце, в которое никогда не заглядывал солнечный свет, и я успеваю разглядеть чье-то бледное лицо с рыбьими глазами, мгновенно скрывшееся во тьме за стеклом.

Во втором дворе всего одна дверь подъезда, и рядом с ней тоже нет нужного мне номера квартиры. Я уже собираюсь повернуть назад, но замечаю за дверью тусклый дневной свет — подъезд можно пройти насквозь. Я пробираюсь мимо обгоревших почтовых ящиков, заплесневелой детской коляски и пары поломанных стульев и оказываюсь в еще одном дворе, маленьком и глухом. Небо наверху похоже на квадратный кусок серого картона. В грязно-желтой стене напротив еще одна дверь. Я с надеждой читаю цифры: первый этаж — прочерк. Второй — 3, 4, 12. Третий — 9, 10, 21. Четвертый — 16, 17, 26. Пятый — 22, 23. Нашел.

Я захожу в подъезд. Покосившаяся неширокая лестница уходит в полумрак. Душный воздух пропитан запахами плесени, подвальной сырости и пыли. Свет едва проникает сквозь грязные треснувшие стекла редких окон. Я поднимаюсь на второй этаж мимо облупившихся стен и покрытых испариной труб, похожих на вены живого существа, протянувшиеся под серым потолком.

На втором этаже узкая площадка перед тремя квартирами, двери которых распухли от старости, а обветшавшие косяки увешаны гроздьями дверных звонков. Лестница неожиданно становится шире и раздваивается, ее пролеты уходят в противоположные части дома. Я выбираю ту, которая ведет в сторону канала, оставшегося за пределами каменного лабиринта, и поднимаюсь выше.

На четвертом этаже у одной из дверей стоит серая неподвижная фигура. В полумраке я не могу различить ни пола, ни возраста — только темный силуэт.

— Здравствуйте! — говорю я громко.

Человек молча открывает дверь квартиры и входит внутрь. Когда я прохожу мимо, то слышу за дверью осторожный шорох: кто-то явно стоит там и ждет. А потом, наверное, выйдет на лестницу и снова будет стоять у дверей неподвижно.

Чувство направления меня не подвело. На потрескавшейся клеенчатой обивке большой двустворчатой двери я вижу тронутые зеленью медные цифры 22, кнопку механического звонка и маленькие таблички вокруг. Три из них бумажные, пожелтевшие от времени, с надписями химическим карандашом и чернилами: «Каин — 2 звонка», «Зельц — 3 звонка», «Вила — 4 звонка», а рядом еще одна, из потемневшей меди, с гравировкой: «Роговер – 1 звонок». На белесой пластиковой табличке, расположенной ниже всех, была надпись: «Шестолап – 5 звонков». Рядом с ней на обрывке серой оберточной бумаги кто-то крупно написал черным жирным карандашом: «НЕ ЗВОНИТЕ – ПОВЕСИЛСЯ!»

Я внимательно смотрю на таблички и один раз нажимаю на звонок. Где-то в потусторонней глубине квартиры раздается отчетливое раздраженное дребезжание. Тишина. Я жду, а потом нажимаю на звонок дважды. Снова дребезжание – и тишина. Далеко в холодных недрах дома глухо ударила оконная рама. Я пожимаю плечами и звоню трижды. Тот же эффект. Четыре раза – и через томительно долгую минуту за дверью слышатся шаркающие старческие шаги.

Дверь открывает старуха в древнем засаленном халате и потрепанном темно-красном шерстяном платке, тугим узлом завязанном под подбородком. Она молча смотрит на меня маленькими глазками, лишенными всякого выражения, и я тоже смотрю на нее. Крючковатый нос, из дряблой кожи на подбородке торчит несколько длинных жестких волос.

– Здравствуйте, – говорю я. – Яков Самуилович дома?

Старуха молча машет рукой в сторону длинного коридора, поворачивается и ни говоря ни слова идет вперед, шаркая ногами в стоптанных огромных тапках. Я смотрю ей вслед и вижу, что сквозь прореху в платке на затылке на меня уставился бледно-голубой водянистый глаз, подернутый пленкой катаракты.

Я вхожу в квартиру. Покрытый жирным воском вековой грязи паркетный пол коридора, лохмотья отслаивающихся обоев, высокие потолки, теряющиеся в пыльном сумраке, тусклая желтая лампочка на мохнатом от налипшей грязи шнуре. Под самым потолком полки антресолей, прогибающиеся под грузом покрытых толстыми слоями пыли древних чемоданов, которые последний раз открывались, вероятно, столетия назад. На стене висит большой черный телефон с диском, рядом с ним болтается огрызок карандаша, привязанный к свисающей с гвоздя длинной веревке. Обрывки обоев рядом с телефоном исписаны номерами, некоторые из них состоят всего из пяти цифр и содержат буквы. Около одной из дверей висит большое жестяное корыто.

Коридор под прямым углом делает поворот налево, за которым и скрывается открывшая мне дверь старуха. В тот момент, когда я уже думаю, что придется стучать во все комнаты в поисках старого библиографа, дверь одной из них открывается и низкий звучный голос произносит:

— Добрый день, молодой человек! Вы, вероятно, ко мне?

Яков Самуилович Роговер оказался крепким, кряжистым стариком, с длинными сивыми волосами, стянутыми в косицу, с острым внимательным взглядом и профилем, который когда-то можно было назвать орлиным, но теперь, когда над ним поработало время, называть не хотелось никак. Он одет в длиннополый старинный лапсердак серо-зеленого цвета, тяжелые короткие сапоги, и во всем его облике есть нечто торжественно-церемонное и старомодное.

Он приглашает меня в комнату. Я вхожу и чуть не упираюсь головой в настил из толстых широких досок: хозяин комнаты, использовав высоту потолков, соорудил себе второй ярус. В полумраке, рассеиваемом тусклым светом настольной лампы, видна огромная кровать со столбиками, которые служат дополнительной опорой импровизированному дощатому потолку. Кровать застелена вытертым до тканевой основы темно-красным бархатным покрывалом. Такие же протертые до дыр, сквозь которые лезет наружу конский волос, кресла стоят вокруг низкого столика, заваленного бумагами. Вдоль стен сплошной стеной тянутся стеллажи с огромным количеством книг, какими-то почерневшими от времени осколками, статуэтками, рядами небольших склянок темного стекла. Одно окно занавешено плотной черной тканью, второе, такое пыльное и грязное, что не нуждается в занавеске, смотрит прямо на серую стену соседнего дома. Рядом с занавешенным окном стоит высокий пюпитр для чтения с раскрытой толстой книгой. У ступеней лестницы, ведущей на второй ярус, топится печка-буржуйка, труба которой прилажена к дымоходу старинного камина, расположенного между окон. Жаркий душный воздух пахнет пылью, канцелярским клеем и старостью.

— Простите за темноту, — говорит Роговер. — У меня очень много редких книг, которые не терпят яркого света и сырости — приходится закрывать окна и топить печь. Но я уже привык: знаете, полумрак полезен для глаз, а тепло для старческих костей.

Я смотрю на Роговера. На вид ему лет семьдесят, но немощным он не выглядит, скорее напротив: в крепкой стариковской фигуре чувствуется скрытая сила, так что он вполне мог бы побороться на поясах со многими моими ровесниками.

— К вам трудно попасть, — замечаю я. — Пришлось звонить несколько раз, пока не откликнулась... э-э-э-э... пожилая леди.

— Это баба Вила, — говорит Роговер с улыбкой, обнажая крепкие желтые зубы. — Милая старушка. Некоторые иногда пугаются ее глаза на затылке, но это врожденная аномалия: знаете, такое бывает, что-то связанное с близнецами в утробе матери, когда один из них, чтобы выжить, поглощает другого, но не до конца. И потом всю жизнь носит на себе память об убитом: третья рука, двойной череп... так что третий глаз на затылке еще не самый худший вариант, вы не находите?

Я соглашаюсь. Действительно, третий глаз — это не самое худшее из того, чем может наградить человека судьба.

Роговер выставляет на столик две треснувшие фарфоровые чашки с блюдцами и идет на кухню за чайником. Я остаюсь один в глухой тишине комнаты, нарушаемой только потрескиванием дров в буржуйке, и подхожу к пюпитру. Книга, лежащая на нем, не просто старинная: это настоящий манускрипт, и желтые пергаментные страницы покрыты густой вязью причудливо переплетенных букв, в которых с трудом угадывается латиница, а язык, на котором написан текст, хоть и явно европейский, но не принадлежит ни к одному из известных мне. Фолиант раскрыт на последних страницах, и я осторожно переворачиваю тяжелую обложку, чтобы взглянуть на заглавие. На темной коже видны почти полностью стертые следы выдавленных букв: DEARG CEANGAL. В этот момент за дверью раздаются тяжелые шаги, и я едва успеваю вернуть книгу в прежнее положение.

— Заинтересовались гримуаром? — спрашивает Роговер, бросая на меня быстрый пронзительный взгляд. В руках у него большой металлический чайник, из изогнутого носика которого вырывается пар. — Будьте осторожнее с этой книгой.

— О, не беспокойтесь, я очень аккуратен, — отвечаю я. — Все в целости и сохранности.

— Я про другое, — говорит библиограф и жестом приглашает меня присесть. — Это, как я и сказал, гримуар, а он требует особого к себе отношения. Сахар будете?

Я осторожно присаживаюсь на вздувшееся старыми пружинами кресло и кладу себе в чашку два обломка кускового сахара.

— А что это такое?

— Гримуар? Книга заклинаний, если говорить просто. Гримуарами назывались своего рода рабочие тетради практикующих магов, куда они записывали результаты своих опытов. И каждая такая книга имеет свой характер, и чаще всего весьма непростой. Знаете, даже некоторые современные эксперты по домашним интерьерам не рекомендуют хранить в квартире большое количество книг с негативным содержанием: романы ужасов, например. Собираясь вместе, они влияют на тонкий мир вокруг нас, и то, что в них написано, так или иначе проникает наружу, как запах, воздействуя на настроение, сон, внутреннее состояние. И это, заметьте, произведения нынешних авторов, мало что понимающих в том, о чем пишут. Что уж говорить о старинных книгах, которые были собственноручно исполнены людьми, весьма сведущими в магии. Такая книга может читать вас с не меньшим успехом, чем вы ее. А прочитав, сделать свои выводы.

– И как же вы живете со всем вот этим? – Я киваю на сплошные ряды полок.

– О, поверьте, я умею находить общий язык с любой книгой, – улыбается Роговер. – Каждая из них – мой старинный знакомый, с которым вместе прожито много лет. Конечно, нрав у них в большинстве непростой, но и я ведь не подарок. Уживаемся как-то по-стариковски. Я занимаюсь библиографией практически всю жизнь, так что опыт, опыт и еще раз опыт. У меня в коллекции есть удивительные экземпляры, возможно, некоторые сохранились лишь в единственном числе – вот как та книга на пюпитре, которую вы разглядывали.

– Кстати, я не смог разобрать – на каком она языке?

– На мертвом. – Роговер пожал плечами. – Как правило, те, кто занимался оккультными науками, пользовались шифром или языками, которые были забыты еще в давние времена. Кажется, Роджер Бэкон сказал, что «тот, кто пишет о тайнах языком, доступным каждому, – опасный безумец». Вот и эта книга написана шифром, в котором я и сам еще до конца не разобрался.

Он размешивает сахар в чашке и осторожно пробует горячий чай из серебряной ложечки.

– Итак, юноша, что же привело вас к старику? Признаюсь, у меня бывает очень мало гостей. Сейчас мало кто интересуется старинными книгами.

Я рассказываю ему о Мейлахе, его исследованиях «Rubeus vinculum», умалчивая лишь о печальной судьбе несчастного ученого, и представляюсь его коллегой-филологом, продолжающим ту работу, которую он не смог завершить по состоянию здоровья. Это почти правда.

Роговер задумчиво кивает:

– Да, я помню этого молодого человека. Миша Мейлах, так его звали. Он приходил ко мне, кажется, года полтора назад.

Назвав Мейлаха «молодым человеком», Роговер сразу добавляет себе лет десять – пятнадцать возраста. Сколько же ему на самом деле?

– Это, кстати, я ему рассказал о том, что книга намного старше, чем принято считать. От меня он узнал о венецианском списке, первых нескольких манускриптах. Но ведь тогда я сказал про все, что знал, – чего же вы еще от меня хотите?

– Яков Самуилович, – медленно говорю я, – скажите, кроме Мейлаха кто-нибудь спрашивал у вас об этой книге? Может быть, еще раньше: пять, десять, пятнадцать лет назад? Возможно, кто-то консультировался по телефону? Мне интересны любые контакты. Исследование моего коллеги осталось незаконченным, и если кто-то работает или работал в том же направлении, мне очень важно знать, кто именно. Чтобы объединить усилия.

Роговер задумчиво покачал головой.

– Нет, не припоминаю. Я вообще давно уже не давал никому никаких консультаций. Видите ли, времена моей активной деятельности в библиографии уже давно минули, я был крайне удивлен, как Миша меня нашел, не говоря уже о ком-то другом. Я просто старый пенсионер, который вынужден подрабатывать в котельной этого дома, чтобы как-то свести концы с концами. Конечно, я мог бы продать что-то из коллекции, но ведь друзей не продают, не так ли? Что же до этой книжки, «Красные цепи», про нее и вовсе никто не спрашивал никогда: есть ее новые переводы, издания... Для меня в высшей степени необычно, что вы ею заинтересовались. Так что нет, никто не спрашивал.

Над головой ничего не подозревающего Кобота явно сгущались тучи. Он даже не догадывался, насколько его дальнейшая жизнь сейчас зависит от слов старика, обитающего в коммунальной квартире среди городских трущоб.

– Может быть, вы знаете что-то другое, связанное с этой книгой? Меня интересует все, что могло происходить вокруг нее в последние годы. Неожиданные пропажи редких экземпляров, что угодно...

Роговер внимательно посмотрел на меня из-под кустистых бровей.

– Не совсем научный интерес, – заметил он.

Я смотрю ему в глаза. В тусклом полумраке они отсвечивают желтизной.

– У меня есть предположение, что кто-то очень серьезно воспринял все написанное в этой книге, – говорю я. – Настолько серьезно, что предпринял определенные попытки реализовать теорию на практике. Я понимаю, что вы вряд ли поможете мне в ответе на такие вопросы, но сейчас мне пригодились бы любые идеи.

Роговер некоторое время шевелит ложечкой у себя в чашке.

В наступившей тишине с громким треском отрывисто стреляет полено в печке.

– Я уже говорил вам про гримуары, – говорит он. – И про характер книг. Вы предполагаете, что чтение такой книги, как «Rubeus vinculum», могло повлиять на кого-то настолько, что он стал практиковать некоторый специфический род алхимии, и спрашиваете, кто это может быть. Так я вам отвечу. Это может быть кто угодно. Чей угодно недостаточно подготовленный разум мог поддаться влиянию слов, написанных людьми, которые были сильнее и умнее любого из ныне живущих. Меня всегда пугало массовое издание подобного рода текстов – именно по причине непредсказуемости последствий. И кстати, Мишу я тоже в свое время настойчиво предупреждал, чтобы он не сильно увлекался этой темой... Вы говорили, что у него проблемы со здоровьем? Какого рода?

– Да, – отвечаю я. – У него... нервное расстройство.

Роговер скорбно покачал головой.

– Вот видите. И вам я тоже скажу: не увлекайтесь. Оставьте в покое то, что не нужно тревожить. Остановитесь. Кто знает, какие последствия могут наступить для вас лично.

Я киваю. Будущее Кобота медленно заволакивалось густым туманом. Впрочем, и мое тоже.

– Что ж, спасибо за чай и беседу. – Я встаю и тут вспоминаю одну деталь, на которую обратил внимание у входа в квартиру. – Еще один вопрос, если можно: здесь живет некий Зельц... он, случайно, не врач?

Лицо Роговера складывается в презрительную гримасу, и он фыркает так, как будто хочет чихнуть и плюнуть одновременно.

– Врач! Ну, если хранителя трупов можно так назвать – то да, врач. Работает в морге. Пренеприятнейший тип, доложу я вам. Смеет возмущаться тем, что я пользуюсь печкой. Ему, видите ли, не нравится жара! А я могу вам сказать, почему она ему не нравится. Потому что жара очень плохо действует на мертвые тела, вот почему.

Перед моим взглядом мгновенно возникает образ пустого холодильника в морге.

– Какие тела? – осторожно интересуюсь я.

– Какие! Тех несчастных мертвых девушек, которых он таскает к себе в комнату, вот какие! Он думает, наверное, что мы ничего не знаем, но и я, и наш сосед Каин, художник, в курсе всех этих безобразий. Уверяю вас, он с ними совокупляется! – провозглашает Роговер с брезгливой торжественностью, как инквизитор, объявляющий приговор ведьме, обвиняемой в противоестественных сношениях с дьяволом. – По пять раз в день. Я считал. Видите ли, перегородки в квартире не такие уж и старые и далеко не капитальные, их большевики ставили, когда в двадцатых годах делили комнаты. Так вот любые звуки громче икания слышны тут от входных дверей до кухни. А уж тем более слышно его ритмичное хрюканье, как будто боров бегает по дому. Поэтому уверяю вас – совокупляется!

Старик поднимает вверх узловатый палец.

– И что самое омерзительное, они тоже иногда издают звуки. Стонут. И так жалобно, так тоскливо...

– Подскажите, – спрашиваю я, – а где его комната?

Дверь комнаты доктора Федота Зельца сразу направо от входа в квартиру. Оттуда доносится приглушенный звук работающего телевизора: взрывы нездорового смеха, перемежаемые чьими-то бодрыми речевками. Я поднимаю руку и стучу. Телевизор замолкает, и за дверью наступает тревожная тишина, в которой чуть слышен осторожный шорох босых ног: кто-то подкрадывается к двери и останавливается рядом, отделенный от меня только тонким слоем дерева и фанеры. Я стучу в дверь кулаком и для убедительности поддаю ее ногой.

– Кто там? – раздается слабый голос.

– Полиция нравов! – рычу я и еще раз пинаю дверь.

Дверь приоткрывается. Зельц стоит передо мной в засаленном домашнем халате, наброшенном на голое рыхлое тело. Под халатом виднеются большие застиранные сатиновые трусы неопределенного цвета. Одутловатая оплывшая физиономия кажется еще более бледной и похожей на манную кашу, чем когда я видел его в морге. Длинные сальные волосы разметались в беспорядке.

– Чем обязан? – церемонно спрашивает он. Его голос заметно дрожит.

Я открываю дверь пошире и заглядываю доктору через плечо. За его спиной видна комната, освещаемая сполохами экрана беззвучно работающего телевизора. На разложенном диване ворохом лежит груда несвежего белья, под которым угадывается неподвижная человеческая фигура. Из-под края простыни торчит синевато-бледная женская нога с ярким педикюром. В нос бьет резкий запах формалина и воска.

– Кажется, вы нашли пропавшую девушку, доктор Зельц? – спрашиваю я. – Анна Левицкая, если не ошибаюсь?

Он молчит, и только щеки его мелко и часто трясутся.

– Ваша гостья засиделась, – говорю я. – Настоятельно рекомендую отправить ее обратно, и как можно скорее. Можете вызвать ей такси.

Отсветы телевизионного экрана освещают ногу покойницы и падают на лицо Зельца, делая его самого похожим на труп.

– Завтра приеду и проверю. Если хоть одного тела будет недоставать, займете его место в холодильнике.

Я не шучу. И он это видит. Некоторое время мы стоим молча, потом я с силой захлопываю дверь у него перед носом и еще раз пинаю ее ногой напоследок. Пора покидать квартиру 22. И да хранят боги Даниила Ильича Кобота.

Неожиданно открывается дверь комнаты напротив, и оттуда выглядывает заросшее бородой узкое лицо. Мужчина окидывает меня внимательным взглядом черных глаз и спрашивает:

– Вы из полиции?

– Нет, – отвечаю я. – А что, настолько плохо выгляжу?

Он открывает дверь шире и становится на пороге.

– Жаль, – говорит он. – Я надеялся, что за ним все-таки пришли. Смерть требует к себе уважения, а это… ну ни в какие рамки не лезет.

– Я тут по собственной инициативе. И совершенно согласен с тем, что смерть требует уважения. Родион Гронский, похоронный агент.

– Иван Каин. – Он величественно кивает мне головой, поросшей буйной шевелюрой. – Некрореалист. Художник смерти. Ее летописец, можно сказать.

Каин широким жестом обводит комнату у себя за спиной. Она большая, почти пустая и по сравнению с обиталищем Роговера выглядит светлой. Единственное окно выходит на набережную, и комнату заливает тусклый свет меркнущего дня. В ближнем углу на полу лежит матрас со скомканными простынями и солдатским одеялом, у стены – стол и пара табуретов, на столе – старый электрический чайник. Единственный шкаф лишен дверец и похож на открытый гроб, в котором свисают с вешалок какие-то серые балахоны, наподобие того, в который облачен сейчас Каин. В центре комнаты огромный мольберт, прикрытый белой легкой тканью. И повсюду у стен – картины в подрамниках, закрытые мешковиной, завернутые в пленку или просто обмотанные тряпьем. Две или три из них открыты. Я смотрю на то, что на них изображено, и перевожу взгляд на художника.

– Можно полюбопытствовать?

На всех картинах нарисованы мертвецы. Каин снимает ткань и пленку, и я вижу все новые и новые мертвые тела: раздутый и полуразложившийся утопленник, тело на столе морга с настежь распахнутой грудной клеткой, почерневший труп, выступающий из-под снега.

– Какая интересная тема для творчества, – замечаю я.

– Единственно достойная, – ответствует Каин, распаковывая очередное полотно. – Многие рисуют жизнь в разных ее проявлениях, растрачивая себя на временное и преходящее. Но если вы хотите прикоснуться к вечности – обратитесь к смерти, ибо только она есть доступная нам форма осознания бренности бытия и реальности потустороннего. Красота увянет, деревья падут и истлеют, горы рухнут, даже звезды погаснут или взорвутся – но вечность смерти неизменна. Знаете ли вы, что в XIX и в начале XX столетия были популярны фотографии с мертвыми? Люди фотографировали своих умерших родственников: одевали их, как при жизни, умерших детей брали на руки, сажали на деревянных лошадок и давали в руки игрушки. И потом бережно хранили эти дагерротипы, как самое дорогое напоминание не только об ушедших, но и о том, как хрупко то, что мы называем жизнью. И конечно, как память о смерти, и эта память всегда была залогом стремления к совершенству и святости. Мы не можем нарисовать саму смерть, потому что она незрима. Но я фиксирую ее свидетельства, следы ее прикосновения к земному тлену – и нахожу их прекрасными.

– О да, – отвечаю я, рассматривая обгоревшее до неузнаваемости тело. – Выставляетесь?

– Мое искусство не для продажи, если вы об этом, – гордо говорит он. – Но у меня есть ученики, есть последователи и, конечно, почитатели темы смерти. Не все еще настолько погрязли в обожествлении повседневной погони за земными благами, чтобы забыть о том, что ждет каждого из нас.

– С натуры рисуете? – интересуюсь я.

– Ни в коем случае. – Каин помотал шевелюрой, окутав себя облаком пыли и перхоти. – Я вижу. Природа творчества не в копировании и не в вымысле. Творчество – это прежде всего видение. Это интуитивный способ познания мира, при котором художник подобен приемнику, подключенному к единому информационному полю Вселенной. Он не может ничего придумать, его задача лишь принять сигнал, воспринять высшее знание и адекватно передать его художественным языком. Настоящий творческий акт – это транс, мой друг. Бессознательный акт творения, в котором нам открывается истина. Так что нет, я не рисую с натуры. Просто наступает момент, в который я вижу – и переношу увиденное на холст. Вот, кстати, еще, взгляните.

Я взглянул. Сердце ударилось в груди с такой силой, что кровь от мощного толчка зашумела в ушах.

– Что это?

Мой собственный голос доносится до меня словно издалека.

– Это? А, это я называю «Петербургский цикл». Начал почти год назад. Нравится? Картины несколько однотипны по содержанию, но в конце концов, кто я такой, чтобы оценивать смыслы? Я лишь передаю их, и все.

Тело девушки распято на сером асфальте двора. Очертания окружающих предметов теряются в игре угловатых теней, но отчетливо виден багровый провал на месте груди и искаженное лицо, покрытое коркой запекшейся крови. Мисс Май. Студентка Театральной академии.

– Можно посмотреть на дату?

– Конечно. – Каин разворачивает картину и смотрит на тыльную сторону подрамника. – Так... сейчас... первое мая. А что?

За четыре дня до убийства.

– Вы говорите, что у вас цикл таких работ?

– Да... всего пять или шесть. Хотите взглянуть?

– Непременно.

Видимо, подключение к информационному полю, как называл его Каин, случилось с ним в мае: на картинах отсутствовали мартовская и апрельская жертвы. На последнем холсте мелькнула короткая юбка в красную клетку, черные волосы, рука, четко выделяющаяся белизной на сером, – и я отвернулся.

Каин, явно польщенный моим вниманием, принял это за знак восхищения.

Я смотрю на холст, установленный на мольберте и покрытый белой тканью.

– А что это?

– Это совсем недавняя работа, закончил вчера. – Каин взялся за краешек ткани. – Не поверите – не помню, как написал. Очнулся в половине шестого утра, в руках кисти, а на полотне – вот это.

И он сдернул покров.

К сожалению, по картинам летописца смерти нельзя определить место действия: видимо, об этом информационное поле умалчивает. Но лица всегда были видны очень четко. И сейчас я смотрел на лицо, которое не было мне знакомо: миловидные черты, искаженные смертью, зажмуренные глаза, и всё та же засохшая корка крови на лице. В судорожно сжатом кулачке стиснута связка ключей.

Каин стоит рядом с видом победителя. Видимо, его не так часто балует вниманием кто-то, кроме немногих сумасшедших ценителей его работ.

– Это потрясающе, – искренне говорю я. – Действительно потрясающе.

И когда он расцветает в улыбке, спрашиваю:

– Вот эта последняя работа... можно ее сфотографировать?

Я выхожу из квартиры 22, унося с собой в кармане черную визитку Каина и фотографию его последней картины в мобильном телефоне. Кобот, похоже, родился под счастливой звездой. Я не получил ответы на вопросы, с которыми пришел к Роговеру. Но теперь есть реальная возможность застигнуть убийцу на месте преступления и не дать его совершить. Я выхожу из дворов на набережную и набираю номер.

– Алина, приветствую. Вам удобно говорить? Нам нужно срочно встретиться. Когда вы можете приехать в «Винчестер»?

# Глава 8

Гронский позвонил как раз тогда, когда Алина решала, набрать его прямо сейчас или уже поговорить из машины. Она закрывала дверь кабинета; ее рабочий день в «Данко» был окончен, и сегодня, воспользовавшись временем, которого было предостаточно, а также прекрасно оборудованной лабораторией, она сделала полный клинический анализ крови Маши Галачьянц. Где-то в глубине души Алина надеялась, что странный визит к Галачьянцу, инициированный Гронским, и последующие исследования не будут напрасной тратой времени, но действительность подтвердила только самые скептические предположения.

Никаких патологий в образцах крови выявлено не было. Немного снижен гемоглобин, эритроциты и показатель СОЭ, но ничего выходящего хоть сколько-нибудь за пределы нормы Алина не обнаружила. У нее мелькнула было мысль посмотреть всю историю наблюдений, но материалы хранились в кабинете

Эдипа, его самого сегодня в «Данко» не было, а рисковать и пытаться проникнуть на его рабочее место только для того, чтобы опять увидеть отчеты о совершеннейшем здоровье Маши, Алина сочла бессмысленным. Собственно, об этом она и собиралась сообщить Гронскому, заодно поинтересовавшись причинами его странного интереса к семье Галачьянц, но он опередил ее своим звонком. Алина взяла трубку.

– Добрый вечер, Родион.

– Алина, приветствую. Вам удобно говорить?

– Не очень, – сказала Алина, спускаясь по лестнице. – Я бы перезвонила вам минут через пять, если можно. А что-то случилось?

– Нам нужно срочно встретиться. – Голос Гронского напряжен и кажется странно возбужденным. – Когда вы сможете приехать в «Винчестер»?

Алина вздохнула.

– Послушайте, а это не может подождать? Я и сама собиралась с вами поговорить по поводу анализов крови Маши Галачьянц, и...

– Я знаю, кто будет следующей жертвой.

Алина остановилась на ступенях. Охранник внизу выглянул из своей будки и смотрел на нее выжидающе.

– Что?

– Я знаю, кто будет следующей жертвой, – повторил Гронский. – Девушка, которую убьют через два дня. Я знаю, кто она.

– Откуда?..

– Алина, просто приезжайте, и мы все обсудим. Учитывая, сколько у нас остается времени, это дело не терпит отлагательств.

– Ладно, – решилась Алина. – Выезжаю из «Данко», буду минут через двадцать.

– Жду, – сказал Гронский и отключился.

Алина вышла на улицу, села в машину и еще раз достала телефон.

– Папа, прости, пожалуйста. Да, я не смогу сегодня приехать, папа. Меня срочно вызвали по работе. Прости. Я перезвоню.

Она снова вздохнула и завела двигатель.

До «Винчестера» Алина доехала ровно за двадцать минут, каким-то чудом проскочив мимо вечерних пробок, которые подобно тромбам уже начали закупоривать транспортные артерии города, и всю дорогу боролась с ощущением предстоящей встречи с чем-то несуразным.

Уже второй раз за день это ощущение ее не подвело.

Гронский ждал за угловым столиком во втором зале, и Алина быстро прошла к нему под пристальными взглядами двух мрачноватых субъектов, сидевших за барной стойкой и синхронно повернувшихся к ней, едва она вошла в дверь. Алина с шумом пристроила зонт, портфель и сумку и уселась напротив.

— Рассказывайте.

Гронский молча протянул ей свой телефон. Алина взглянула на светящийся экран: на нем было изображение лица молодой девушки. Она присмотрелась внимательнее и вздрогнула: чуть прикрытые глаза, смазанные кровавые потеки, страшная отверстая рана на горле. Это явно была не фотография — скорее, портрет, выполненный резкими, стремительными мазками кисти.

— Что это? — Алина вопросительно посмотрела на Гронского.

— Это следующая жертва.

— Ничего не понимаю... Какой-то рисунок?

Гронский кивнул.

— Да, можно сказать и так. Картина. И именно эта девушка, на портрет которой вы сейчас смотрите, будет убита в наступающее новолуние.

Неприятное ощущение, которое не оставляло Алину по дороге сюда, резко усилилось.

— И откуда такая уверенность?

— Это не имеет значения.

— Опять тайны? — прищурилась Алина.

— Нет, экономлю время на объяснениях, которые все равно ни в чем вас не убедят. Просто примите это как данность: у нас есть портрет будущей жертвы, которая сейчас еще жива. Меня тоже не очень легко заставить поверить во что-то без достаточных на то оснований, но сейчас я абсолютно уверен. Я знаю.

— Так, может быть, все-таки поделитесь источником знаний?

Гронский отрицательно покачал головой. Алина резко поднялась со стула. Два типа у стойки, почувствовав движение, одновременно повернулись и уставились на нее.

— Знаете, Родион, всему есть свои пределы. Сначала вы говорите мне, чтобы я не обращалась в прокуратуру, а приняла условия Кобота и устроилась на работу в «Данко». Я вас послушала. Результата, на мой взгляд, ноль. Потом просите организовать встречу с Галачьянцем и провести анализ крови его дочери, причем не считаете нужным сообщить зачем. Спешу сообщить: результат также нулевой, потому что никаких признаков патологий у Маши Галачьянц анализ крови не выявил. Теперь вы опять срываете меня с места, зовете сюда, показываете какой-то рисунок, якобы с портретом жертвы, которой еще только предстоит стать таковой, и опять молчите в ответ на мои вопросы. Не много ли одолжений с моей стороны, как вы считаете?

Гронский спокойно посмотрел снизу вверх на разгневанную Алину.

– Но я сейчас не прошу вас ни о каком одолжении. Я просто делюсь информацией, исключительно из чувства партнерской солидарности. Вы можете поступать как вам угодно, но я намерен действовать, с вами или без вас. Я знаю, кто попадет под следующий удар убийцы, и намерен этому помешать. Можете присоединиться ко мне в этом или нет – дело ваше.

Алина молчала.

– И сядьте уже, – продолжал Гронский, – пока два этих джентльмена у стойки не решили, что мы ссоримся, и не стали приглашать вас с ними выпить.

Алина покосилась в сторону барной стойки и села.

– И как вы собираетесь действовать? – спросила она.

Гронский положил телефон на середину стола. Рисунок тускло светился на экране, как жутковатое привидение, явившееся из еще не наступившего будущего.

– Во-первых, установить личность девушки. До этого нам было известно только время совершения убийств, но сейчас у нас есть информация о жертве – пусть даже только портрет, – и мы можем попробовать узнать имя, телефон, адрес, вообще все, что получится, вплоть до распорядка дня на день предполагаемого убийства. Во-вторых, взять ее под наблюдение. Скорее всего, эта девушка, как и все предыдущие жертвы, живет в центре города, во дворах, где на нее и нападут. Я буду ждать ее рядом с подъездом и постараюсь захватить убийцу до того, как он успеет сделать свое дело. Если согласитесь мне помочь, то можете проводить нашу подопечную от места работы или учебы до входа во дворы. Я сделаю все остальное.

– Собираетесь использовать эту девушку как приманку? – спросила Алина.

– Я искренне надеюсь, что мне удастся предотвратить фатальный исход.

Алина покачала головой.

– Если вы так уверены в своей... информации, назовем это так, – почему просто не предупредить ее о грозящей опасности?

– Можно предупредить, – кивнул Гронский. – Можно сделать так, чтобы она никуда вообще не вышла из дома в этот вечер:

сломала ногу, например. Или руку. Но новолуние все равно наступит. А значит, убийца неизбежно нанесет свой удар – только уже там, где мы не сможем ему помешать. Жертв все равно не избежать, Алина, вы же это понимаете. Но у нас появился шанс не только спасти одну жизнь, но и взять убийцу на месте преступления. А это вам не Кобот, это охотник, который добывает кровь и внутренние органы непосредственно в ночь новолуния и, я уверен, сразу относит своему хозяину. Мы можем одновременно взять исполнителя и организатора всей этой истории. Риск стоит того.

– А обязательно вот это все делать самостоятельно? Может быть, все же обратиться в полицию?

– И что вы им скажете?

– Ну вот если бы вы не скрытничали по поводу своих источников информации, мы могли бы как-то обосновать...

– Алина, – сказал Гронский мягко, – я не говорю об источнике информации не потому, что скрытничаю, как вы выразились. Я просто не хочу очередной раз пытаться уверить вас в том, во что поверить вы пока не готовы. Только и всего. И у меня нет такой аргументации, которая подвигла бы полицию обеспечивать прикрытие неизвестной девушке, возвращающейся домой поздним вечером. Понимаете?

– Я могла бы позвонить кому-то из своих знакомых, – неуверенно произнесла Алина, – у меня неплохие отношения с некоторыми оперативниками, да и со следователями...

– Настолько неплохие, что можете попросить их организовать спецоперацию в центре города, ночью, безо всяких на то оснований исключительно ради оказания дружеской услуги?

– Нет, – призналась Алина.

– Об этом и речь, – сказал Гронский. – И еще одно: несколько оперативных сотрудников во дворах обязательно спугнут убийцу. У него звериное чутье и чувство опасности, он ни разу не попался, даже в том случае, когда его жертва открыла стрельбу. К тому же мы знаем, насколько высокие связи есть у Кобота в руководстве полиции города. Так что нельзя ручаться за то, что, даже захваченный на месте преступления, убийца не окажется вдруг на свободе.

Гронский посмотрел Алине в глаза.

– Нам придется сделать это самим. И надеяться на то, что все пройдет как надо.

Повисла пауза. Алина решительно тряхнула головой и твердо сказала:

– Хорошо. Пусть будет по-вашему. Но у меня есть два вопроса.

– Задавайте.

– Вы хорошо помните описание убийцы? Вы еще спросили у меня, как он может выглядеть, а я сказала: высокого роста, необычайной физической силы. Еще он вооружен тридцатисантиметровым ножом, а на поводке водит двух-трех собак крупных пород. В связи с этим очень интересуюсь: как вы намерены ему помешать?

– Это моя проблема, – сказал Гронский.

Алина скептически окинула взглядом его худую фигуру.

– Никого не хочу обидеть, – заметила она, – но как бы это и в самом деле не стало проблемой.

– Я решу этот вопрос, – твердо ответил Гронский.

Алина пожала плечами.

– Дело ваше. И еще: насколько я понимаю, вот этот рисунок не лучшего качества – все, что нам известно о будущей жертве?

Гронский кивнул.

– Увы, да.

– У нас осталось два дня и три ночи. Этого слишком мало, даже если объявить ее в официальный розыск, потому что, скорее всего, эта девушка не уголовница, не привлекалась к суду, не служила в армии, и в базе полиции или других ведомств ее нет. Как вы намерены ее найти?

Гронский чуть улыбнулся.

– На этот счет не беспокойтесь. У меня есть информационный ресурс.

– Который может установить личность человека за два дня по нечеткому изображению?

– Да, – ответил он. – Это чертовски хороший ресурс.

* * *

– Изображение дрянь, – говорит мне мой чертовски хороший ресурс тонким девичьим голосом. – Я почищу, конечно, как смогу, но степень достоверности через графический поиск будет очень сомнительной. Или вообще ничего не выдаст, или фотографий под полмиллиона. Откуда вообще взялся этот кошмар?

– Из галереи современного искусства, – отвечаю я.

– Вот почему я всегда предпочитала работы старых голландских мастеров. И когда тебе нужна информация?

— Не позднее завтрашнего дня. Имя, телефон, место учебы или работы и адрес обязательно.

— Издеваешься? — уточняет девичий голосок.

— Нет, — улыбаюсь я. — Просто верю в твою гениальность, Селена.

— Льстец, — констатирует она. — Ладно, жди. Придумаю что-нибудь.

И вешает трубку.

Наверное, я единственный в мире человек, который знает, что хакер под ником Селена и хрупкая девушка азиатской внешности, работающая программистом в крупной производственной компании, — один и тот же человек. Когда-то давно, почти три года назад, когда я еще не занимался похоронным бизнесом, мне довелось оказать Селене некую дружескую услугу, значение которой она оценила столь высоко, что с тех пор я мог прибегать к ее помощи, если мне требовалась информация, которую нелегко или просто невозможно найти в открытых источниках. Впрочем, еще никогда мне не приходилось ее просить об этом так часто, как в последние две недели. Узнать контактные данные по имени человека для Селены, конечно, не составляло никакого труда, но теперь задача была посложнее, а цена вопроса неизмеримо выше.

Селена перезванивает мне днем. На заднем плане я слышу эхо голосов и звон столовой посуды: наверное, в ее компании сейчас обеденный перерыв.

— Половинку борща и люля-кебаб с пюре, — говорит она. — Прости, Родион, это я не тебе.

— Приятного аппетита, — отвечаю я.

— Ага, спасибо. Готов записывать?

— Селена, ты чудо!

— Да, я в курсе. Пиши, мне говорить не очень удобно.

Я записываю имя, фамилию, дату рождения, номер мобильного телефона, адрес и даже место работы.

— Надеюсь, я устроила твою личную жизнь, — язвительно говорит Селена. — Девушка хорошенькая.

— Сэл, ты же знаешь, мое сердце принадлежит только тебе, — отвечаю я в тон. — Но вот ей жизнь ты помогла устроить, это точно. Как ты это сделала, если не секрет?

Селена вздыхает.

— Ну, конечно, мне очень хочется наговорить тебе кучу терминов и рассказать об особом мастерстве использования Tin Eye и GazoPa, а то вдруг ты решишь, что моя помощь тебе больше не понадобится. Но все проще. Обработала фотографию так, чтобы убрать следы этого твоего современного искусства, и раскидала в социальной сети по группам и друзьям с просьбой о перепосте. Ну знаешь, такие традиционные мессаги: СРОЧНО! ШОК! РАССКАЖИТЕ ВСЕМ! Написала всякой гадости, что эта девушка замешана в воровстве грудных детей из колясок в разных районах города, бойтесь ее и тому подобное. Люди с удовольствием пересылают такое друг другу: напиши я, что ее ищут, чтобы вручить грамоту за отвагу на пожаре, так никто бы и не пошевелился. В общем, два часа назад она сама уже прислала мне возмущенное сообщение, требовала прекратить клевету и угрожала судом.

Селена хихикает.

– Я тебе сейчас ссылку на ее страничку сброшу. Собственно, все, кроме домашнего адреса, там есть, но его я и так узнала. Мне пришлось своей страницей пожертвовать, кстати, ну да ладно: у меня есть еще десяток разных. Надеюсь, что помогла тебе.

– Очень помогла. Я твой должник.

– Брось. Ничего ты мне не должен и сам это знаешь. Все, мне пора! Звони, если что.

Я смотрю на листок бумаги передо мной.

Алиса Пожарская, 23 года, менеджер проектов в рекламном агентстве DNC. В качестве адреса указана одна из улиц на Петроградской стороне, и я готов ручаться, что квартира расположена в подъезде, выходящем во двор.

– Привет, Алиса, – тихо говорю я. – Надеюсь, скоро мы увидимся.

Со страницы в социальной сети на меня смотрит милая светловолосая девушка в оранжевой курточке, позирующая на фоне осеннего парка и весело улыбающаяся в объектив. Сходство с картиной, на которой я впервые увидел это лицо, очевидное. Каину удалось удивительно точно передать ее черты, вот только запечатлены они были совсем другими: глаза прикрыты и как будто полны слез, лицо залито потеками свежей крови, рот открыт в последнем выдохе. Страничка Алисы Пожарской старательно заполнена, и я некоторое время читаю обычные фальшиво-восторженные комментарии под фотографиями и глубокомысленные девичьи цитаты о превратностях гендерных отношений. Но самое важное написано в статусе: «Завтра проводим презентацию на премьерном показе «Вампирской саги» в «Венеции»! Начало в 20.00, приходите, будет весело!»

* * *

Фойе кинотеатра «Венеция» сияет огнями – золотыми, серебряными, пурпурными. Их свет отражается в полированной стали и стекле, преломляется в зеркалах, сливается в лихорадочно мечущиеся узоры на драпировке. Огромные итальянские маски на стенах, украшенные настоящими страусовыми перьями, подсвечены багровым искусственным пламенем, словно существа из потустороннего мира явили этим вечером свои лики, чтобы посмотреть на мир живых. Воздух гудит голосами, пульсирует от диджейских миксов и настолько пропитан ароматами дорогой косметики, премиальных брендов и больших денег, что каждый вздох бодрит, как кокаин.

Алиса Пожарская оглядывается вокруг, глубоко вдыхает, втягивая в себя неповторимую и такую знакомую наркотическую атмосферу вечеринки, и удовлетворенно улыбается. Сейчас почти девять вечера, до начала фильма остается еще чуть больше часа. Начало мероприятия было назначено на восемь, но она здесь уже с шести часов: контроль, организация и еще раз контроль.

Все пока шло без серьезных накладок. К моменту ее появления в «Венеции» декораторы уже почти закончили работу, и ей оставалось только проверить освещение. Диджей появился за час до начала, проблем с подключением аппаратуры не возникло, и сейчас он крутил свои диски, сводя композиции на музыкальные темы из фильма. Аниматоры тоже прибыли вовремя, еще раз быстро получили от Алисы инструкции и ходили среди гостей: эффектные девушки в костюмчиках школьниц, бледные юноши с накладными клыками и стриптизеры с накачанными голыми торсами, блестящие маслом и одетые в обтягивающие кожаные шорты. На полчаса опоздали промоутеры от алкогольного спонсора мероприятия, и к тому же вместо заявленных четырех девиц модельной внешности явилось шесть, так что пришлось занимать в баре два лишних подноса, на которых они сейчас и носили в толпе бесплатную водку и шампанское. Оба фотографа агентства были на месте и работали; вместе с ними целились длинными объективами в гостей, старательно делающих вид, что не замечают камер, трое или четверо фотокорреспондентов светской хроники. Предоставленные прокатчиком постеры были на местах, логотипы международных партнеров фильма скромно и с достоинством размещены в соответствии с договором, бутылки с алкоголем от петербургского спонсора гордо сверкали золотом этикеток по всей длине стеклянных полок в баре, а его же лайтбоксы и баннеры были расставлены и развешаны согласно настойчивым рекомендациям прибывшего в числе первых директора по маркетингу. Представители прокатчика и даже два человека из российского офиса кинокомпании-производителя сидели за VIP-столиком и оживленно беседовали с хозяйкой агентства DNC, изящнейшей и обворожительной женщиной, которая, не прерывая разговора, то и дело находила глазами Пожарскую, а та кивала в ответ: все хорошо, никаких проблем. Телефон в руке постоянно звонил: подъезжали все новые и новые гости, требовавшие к себе особого отношения, и Алиса раз за разом выходила, улыбалась, встречала, провожала за столики и снова выходила к парковке, все больше походившей на европейский автосалон. Снова раздался мелодичный сигнал телефона: на этот раз звонили подруги, и их тоже нужно было встретить – теперь уже на правах гостеприимной хозяйки вечеринки.

– Ой, простите! – воскликнула Алиса, резко повернувшись и налетев на невысокую женщину с золотистыми волосами и в сером деловом костюме.

– Ничего, ничего, – сказала та, ответила на улыбку Алисы и отошла в сторону.

Алиса на мгновение задумалась о том, что уже не раз видела эту женщину поблизости и ловила на себе внимательный взгляд ее зеленых глаз, но тут же забыла об этом, увидев трех своих подруг, весело машущих ей руками из-за широких черных спин охраны.

Алина стряхнула с пиджака несколько капель сока, поставила стакан на стойку и тут почувствовала, как завибрировал в кармане телефон. Она отошла в сторону гардероба, где музыка звучала не так оглушающее громко, прикрыла одно ухо рукой и ответила.

– Да, я слушаю!

– Как там ваши дела? – голос Гронского звучал на фоне приглушенного шума улицы.

– У меня все просто великолепно. Провожу время в изысканном обществе, жду начала фильма.

– Как наша девочка?

– Наша девочка тоже прекрасно. Только что налетела на меня – она тут бегает как заведенная.

Алина посмотрела в сторону входа.

– Вот, вижу ее сейчас с тремя другими девушками, видимо, подружками. Не волнуйтесь, пока все в порядке. Что у вас?

– Я уже на месте. Изучаю ландшафт.

– Фильм закончится только через три часа, – заметила Алина. – Смотрите, не замерзните там.

– Постараюсь, – ответил Гронский. – Контрольный звонок по окончании сеанса. Удачи.

* * *

Я говорю с Алиной по телефону меньше минуты, но даже за это время рука успевает замерзнуть на холодном, промозглом ветру, и я торопливо прячу ее в карман вместе с телефоном.

Узкие, тесные улочки Петроградской стороны переплелись, как сцепленные пальцы. Так же причудливо переплетаются названия: Подрезова, Плуталова, Подковырова, Попадалова, Бармалеева – словно чье-то неразборчивое зловещее бормотание. Нужный мне адрес я нахожу без особого труда. Похоже, все будет не так сложно: парадная, где расположена квартира Алисы Пожарской, находится в первом же дворе, в который из небольшого темного переулка ведет длинная полукруглая арка. Кроме ее подъезда сюда выходит еще одна дверь и чернеет проход во второй двор. Всего в тесном маленьком квартале из четырех домов есть три двора, соединенных между собой и выходящих на четыре узкие улицы. Все те же ржавые двери подвалов, к которым ведут осыпающиеся ступени, мусорные баки, а еще прикрепленный неизвестно зачем к стене невысокий железный навес на двух деревянных подпорках. Там будет мой наблюдательный пункт: я смогу одновременно видеть оба входа во двор, дверь подъезда, а сам буду скрыт почти непроницаемой черной тьмой под низкой железной крышей.

За час я успел несколько раз обойти квартал и сейчас курю у входа во двор, сжимаясь под порывами злобного холодного ветра. Кто-то там наверху, скрывающийся среди косматых серых туч, никак не может определиться с выбором режима дождя, и ледяная влага то летит облаками стылой мороси, то стучит крупными частыми каплями по дырявому железу навеса и мусорным бакам, то монотонно шелестит по мокрому асфальту. Во дворе тихо. Лишь доносится далекий гул машин с проспекта да журчит вода, выплескивающаяся из прохудившихся водосточных труб и сочащаяся из ржавых швов мусорного бака. Редкие окна угрюмо светятся в сыром полумраке.

Я думаю про Алину, которая сейчас совсем недалеко проводит время на вечеринке, среди тепла и яркого света. Она должна мне позвонить, как только выйдет из кинотеатра. «Венеция» расположена всего в пятнадцати минутах ходьбы отсюда, но вряд ли Пожарская в такую погоду и в такое время суток пойдет пешком. Вероятнее всего, она возьмет такси, и Алина должна будет проследить за ней до того момента, когда ее подопечная выйдет из машины у входа во двор. Тогда Алина позвонит мне еще раз. Видимо, последний раз перед тем, как я увижу убийцу, если, конечно, не встречу его здесь раньше.

Я забираюсь под навес и морщусь от застарелых запахов человеческой и кошачьей мочи. Телефон переведен в беззвучный режим. Курение тоже отменяется – огонек сигареты будет виден в темноте. Я чувствую легкую дрожь, то ли от холода, то ли от начавшего поступать в кровь адреналина. Скоро все закончится. Я знаю, что сейчас, где-то там, среди мрака безлунной ненастной ночи, под холодным дождем начал свое движение ночной охотник.

– Я узнаю тебя, – шепчу я. – Надеюсь, ты не из тех, кто опаздывает на свидания.

* * *

В ночь охоты он всегда покидал свое логово в одно и то же время. Когда земная тень лишала бледную поверхность Луны последних отблесков солнечных лучей, сон его всегда был особенно чуток. Каких только томных эпитетов не удостаивалось ночное светило от недалеких людей, полагавших ее назначение в том, чтобы освещать по ночам их жалкий быт, но, называя ее Царицей Ночи, они не понимали, что вернее было бы назвать ее Царицей Нежити. Ибо точно так же, как обитателям скрытой, темной стороны этого мира нужна чужая жизнь, чтобы продлить собственное призрачное существование, так же и Луне для своего холодного мертвенного свечения нужен настоящий, живой и теплый свет Солнца. Многие тысячелетия подряд из уважения к такому подобию самые мрачные, самые кровавые обряды соотносились с периодами бесконечной цепи лунных смертей и рождений, и вот сегодня вновь настало время для совершения одного из таких ритуалов.

Его берлога находилась в заброшенной квартире на первом этаже наполовину разрушенного дома, скрытого среди своих серых собратьев в самом центре запутанных дворов старого города. Несколько лет назад два верхних этажа этого дома полностью выгорели, крыша провалилась, а все остальные этажи до самого подвала были залиты водой и пеной из пожарных брандспойтов. Потом над почерневшими обломками стен наверху кое-как соорудили временную кровлю и благополучно забыли про этот дом, в котором среди затхлых, покрытых плесенью стен и лестниц, камень которых крошился от разрушительного грибка, продолжали жить люди. Те, кому было куда уехать, давно покинули это место, и многие квартиры стояли пустыми, а двери их были грубо забиты досками и железными листами. Вот в одной из таких квартир он и соорудил себе нору: заколоченные окна поднимались над землей едва ли на метр, а сырой воздух, пропитанный тяжелыми гнилостными испарениями, только усиливал сходство с другим, давним его логовом.

В деревнях, затерянных среди карельских лесов, и по сей день можно услышать легенды об огромном черном волке, сожравшем так много людей, что в конце концов он смог принимать человеческий облик. По таким вот легендам два с половиной века назад его и нашел Мастер. Произнесенное тогда заклятье навсегда сковало Вервольфа красной цепью, держащей в повиновении лучше любой стали и строгих ошейников, и грозный хозяин дремучих гиблых лесов стал жителем других, каменных дебрей. Мастеру был нужен помощник, и он обрел его — такого, о котором можно было только мечтать. Вервольф не жалел об утраченной свободе и принял новую судьбу и даже это новое имя с благодарностью: служить такому господину было честью для него, а с каждым годом к тому же это было все более выгодно и безопасно. Мир становился слишком тесным, крикливым и любопытным, и вырывать жертв из огромного гомонящего людского стада было делом все более и более хлопотным. Это в бытность свою лесным зверем, чьему рычанию повиновались все волки окрестных земель, он мог совершать набеги на деревни, проходя по ним смертью в человеческом или волчьем обличье, мог охотиться на запоздалых всадников или нападать на обозы, неосторожно въезжавшие в лес среди ночи. Но сейчас он ни за что не смог бы, сохраняя в тайне свое существование, постоянно поддерживать себя свежей плотью и кровью, и, возможно, даже не выжил, если бы не Мастер и его ассиратум. Эликсир являлся словно бы законсервированной жизнью, и его хватало очень, очень надолго, так что охота перестала быть для Вервольфа необходимостью, оставаясь удовольствием, которому можно предаваться изредка. Так оно и было до недавнего времени: Мастер делал ассиратум дважды в год, в первое новолуние после весеннего и осеннего равноденствия; они тщательно выбирали жертву, подготавливали охоту, неспешно потрошили труп, а потом Вервольф имел возможность полностью сожрать еще теплое тело, с наслаждением сгрызая мясо с хрящей и позвонков. Потом он уносил подальше и зарывал кости, лишь иногда возвращаясь к месту захоронения, чтобы откопать их и снова погрызть. Остальное время он был предоставлен самому себе: мог рыскать в Сосновке или Удельном парке, охотясь на бродяг и пьяниц, а иногда убегать за город в родном обличье черного волка и наведываться в небольшие дачные поселки; мог отсыпаться днем, а мог и работать – его с радостью принимали в качестве рубщика мяса в тех местах, где не задают лишних вопросов, но ценят уникальное умение раскроить свиную или говяжью тушу одним ударом, а еще уважают молчаливость и отсутствие любопытства.

Но сейчас все изменилось. После того, как *это* началось, Мастеру стали нужны жертвы каждый месяц, и вот, едва Луна скрывается в тень, Вервольф снова выходит на свою охоту. Потрошить жертву приходится теперь второпях прямо на месте, и вместо того, чтобы несколько часов с наслаждением поедать труп, разгрызая суставы и череп, можно только выхватить кусок-другой дымящейся парной плоти. Впрочем, он не был так уж недоволен. Охота есть охота, и азарт постепенно наполнял его, разливался в конечностях, как бодрящая кровь. Вервольф выпрямился во весь свой исполинский человеческий рост, с сопением втянул носом воздух, поплотнее закутался в плащ, накинул на голову капюшон и широкими неслышными шагами, словно стелющийся над землей черный сгусток тумана, отправился в путь. До полуночи остается час, а до утра и того больше, и у него есть время и на ночную прогулку, и на то, чтобы найти жертву. В последнем он не сомневался. Он всегда их находил.

* * *

По экрану поползли финальные титры, и Алина с облегчением вздохнула. Двухчасовая приторно-карамельная эпопея о любви человеческой девочки и вампирского мальчика наконец завершилась. Алина с тоской созерцала экранное действо и думала о том, что снимать романтическую мелодраму на тему вампиризма – это все равно что поставить сентиментальную комедию про черную мессу. Но вот добрые вампиры победили злых, пубертатные гормоны взяли верх над здравым смыслом, и темнота в зрительном зале стала уступать место постепенно загорающемуся мягкому свету.

Алина сидела выше и левее Пожарской и ее подруги, маленькой блондинки в черном. Со своего места ей были хорошо видны две светловолосые девичьи головы, постоянно склонявшиеся друг к другу во время фильма, и Алина радовалась тому, как удобно было наблюдать за девушкой. Но сейчас, когда весь зрительный зал поднялся и публика, толпясь и теснясь, стала пробираться к выходу, она поняла, что нужно было постараться сесть не выше, а ниже Пожарской. Девушки продвигались к дверям гораздо быстрее нее, и Алине пришлось все активнее протискиваться сквозь спины, закрывающие ей обзор, между которыми она все реже видела прямые светлые волосы Алисы.

Неожиданно что-то большое и упругое сильно толкнуло ее сзади. Она с трудом удержала равновесие на ступеньках, инстинктивно ухватившись за плечо шедшей впереди молодой женщины, и с негодованием обернулась.

– Извините, – буркнул ей огромный мужчина, чей внушительный живот, затянутый в белый свитер, угрожающе маячил перед Алиной.

Алина открыла было рот, но не нашлась что сказать, и снова повернулась вперед, отыскивая взглядом Алису и ее подругу.

Тех нигде не было. Алина с удвоенной энергией принялась пробиваться вперед, бормоча извинения, толкаясь и немилосердно наступая на чужие ноги своими острыми каблуками, но толпа была плотной и как на подбор состоящей из людей вдвое тяжелее Алины и выше ее на две головы. Она отчаянно пробивалась вперед, безуспешно пытаясь найти взглядом свою подопечную, пока наконец, задыхающаяся и помятая, не вылетела из дверей зрительного зала в коридор.

Пожарской нигде не было видно. Алина быстро прошла вдоль коридора, вглядываясь в длинную очередь в гардероб, – безрезультатно. Пронеслась вдоль другой, стремительно растущей очереди в женский туалет – ни Алисы, ни ее подруги. Не обращая внимания на возмущенный клекот за спиной, проскочила мимо очереди в саму уборную – ничего. Стараясь не поддаваться отчетливо нарастающему паническому чувству, Алина почти бегом сделала круг по фойе мимо суетящихся официанток, убирающих пустые бокалы со столов, едва не столкнулась с диджеем, тащившим два тяжеленных футляра с аппаратурой, пролетела мимо опустевшей VIP-зоны и выскочила на улицу. Промозглый ветер и сырость злорадно полезли ей под пиджак бесцеремонными холодными пальцами, в глаза ударил свет многочисленных фар и габаритных огней с парковки, среди которых мелькали несколько разноцветных эмблем такси. Между спешащих к машинам темных силуэтов вдруг мелькнула знакомая фигура – та самая маленькая блондинка в черном, подруга Алисы.

– Девушка! Одну минуту! Девушка!

Сразу несколько человек обернулись на возглас Алины. Блондинка в черном остановилась и вопросительно смотрела на подбегающую к ней женщину в развевающемся на ветру пиджаке и со встрепанными рыжими волосами.

– Это вы мне?

– Да, – Алина перевела дыхание. – Простите. Вы не знаете, где Алиса? Она мне очень нужна, а я никак не могу ее найти.

Девушка смотрела на Алину круглыми голубыми глазами.

– Алиса?

– Да, да, Алиса. Где я могу ее найти?

– Какая Алиса? Пожарская?

Алина с трудом подавила желание ускорить мыслительный процесс собеседницы прицельным ударом в челюсть.

– Да. Алиса Пожарская. Она мне очень нужна. Вы можете сказать, где она?

– Ах, Алиса, – девушка просияла улыбкой. – Так она уже уехала.

Алина почувствовала, как заныло сердце.

– Как уехала?

– Ну, на такси. А она вам зачем?

Алина молча развернулась и помчалась туда, где еще виднелись несколько светящихся желтых колпаков. Такси одно за одним отъезжали с парковки, и Алина бегом пронеслась вдоль улицы, пытаясь заглянуть в окна машин. Когда последний автомобиль, мигнув красными глазами габаритных огней и набирая скорость, скрылся в темноте пустынных улиц, Алина остановилась, повернула обратно и достала из кармана мобильный телефон.

– Слушаю, – негромко отозвался Гронский.

– Родион, – сказала Алина, – Родион, я ее потеряла.

* * *

В наушнике коротко пискнул сигнал вызова. Я смотрю на часы – пять минут первого.

– Слушаю, – говорю я тихо, поднося микрофон гарнитуры к губам.

– Родион, – голос Алины дрожит, – Родион, я ее потеряла.

В принципе, этого можно было ожидать.

– Как давно?

– Минут десять назад, – вместе с голосом Алины я слышу шум улицы и сигналы машин. – Но в пути она не больше трех минут, мне сказали, она села в такси, я не успела просто, и теперь...

– Ничего страшного, – отвечаю я. – Езжайте сюда, если вдруг увидите ее случайно по дороге – звоните. Только ни в коем случае не входите во двор.

– Хорошо.

Три минуты. Еще пять, максимум семь минут – и Пожарская будет здесь.

Во дворе сгустилась тишина напряженного ожидания. Ни одна тень не шевельнулась в темной арке или в скрытых сумраком углах двора. Ничьи шаги не прозвучали в тиши. И я даже не чувствую чьего-либо присутствия, находясь один на один с темнотой, дождем и молчаливыми домами.

Я переступаю с ноги на ногу, немного меняя положение уставшего тела, и снова замираю. Время нехотя перетекает в будущее длинными, тягучими каплями.

Где же ты? Может быть, стоишь так же, как и я, в арке, ведущей в соседний двор, скрытый от меня непроницаемой чернотой? Или войдешь сюда вместе с жертвой? Или каким-то непостижимым образом почувствовал мое присутствие и ушел охотиться в другое место?

В этот момент до моего слуха доносится пока далекий, но быстро приближающийся ритмичный звук. Я прислушиваюсь. Ошибки быть не может: это поспешно стучат по асфальту женские каблучки.

* * *

Вервольф любил менять места охоты – так было интереснее. Конечно, существовали и определенные ограничения, носившие чисто практический характер, но и с их учетом в его распоряжении оставался огромный участок каменного леса, лабиринты которого он изучил не хуже, чем в свое время знал чащи родных карельских лесов. У него были тут любимые опушки и темные просеки, тайные, скрытые от людских глаз тропы, о которых знал только он, а еще подземелья и подвальные норы, которые он, как истинный волк, несомненно предпочитал чердакам и крышам. Он знал обитателей этого леса – ночных, таинственных, старых, скрытых от глаз людей, и они тоже знали и уважали его.

Он немного покружил по окрестностям, скользя вдоль стен призрачной исполинской тенью в своем плаще с капюшоном, принюхиваясь, приглядываясь, а еще полагаясь на то чутье, которое выходило за рамки привычных чувств, нужных лишь для грубого, зримого мира, и которое лучше других подсказывало ему близость жертвы. Жертвы, которая так же неизбежно и безошибочно встречает охотника, как и охотник находит ее. Где-то за пределами этого мира незримые нити судьбы уже связали их воедино, и теперь нужно только дождаться, когда рок приведет их друг к другу.

Вервольф постепенно сужал круги, пока наконец не остановился в центре неприметного, тесного двора. С шумом потянул носом воздух: сырость и плесень, все как обычно. Издалека доносится приглушенное гудение машин, одинокое громыхание запоздалого трамвая, стук тяжелых капель, срывающихся с крыши дома на железную прогнившую кровлю ветхого сарая, притулившегося у стены в темном углу. Где-то на самой границе ощущений он чувствует присутствие людей, но чутье охотника подсказывает, что это еще не та жертва, ради которой он затаился во мраке.

Но вот он насторожился, приподняв к черному небу большое белое неподвижное лицо, похожее на человеческую маску, неловко натянутую на морду зверя. И тут же до его слуха донеслось далекое постукивание каблучков по асфальту. Вервольф коротко фыркнул и пошел навстречу звуку торопливых шагов. Время встречи настало.

* * *

Алина старалась ехать медленно, посматривая в боковые окна на тускло освещенные тротуары и пару раз попытавшись заглянуть в салоны проезжавших такси. Время от времени она путалась в плотном переплетении узких улочек, многие из которых имели только одностороннее движение, и приходилось искать объезд, и снова плутать среди теней, фонарей и перекрестков.

Путь до дома, адрес которого дал ей Гронский, занял пятнадцать минут. Алина остановилась напротив чернеющей полукруглой арки и заглушила двигатель. Дождь сразу покрыл лобовое стекло холодной испариной капель. Алина некоторое время сидела в тишине, барабаня пальцами по рулю и посматривая в сторону входа во двор.

«Ни в коем случае не входите» — так сказал Гронский. Ни в коем случае.

Из двора не доносилось ни звука. Впрочем, дождь и далекий гул проспекта заглушили бы что угодно, кроме разве что криков и выстрелов.

Ни криков, ни выстрелов.

Алина не сводила глаз с темной арки, словно ожидая, что оттуда сейчас выскочит чья-нибудь окровавленная, отчаянно вопящая фигура.

Никто не появлялся из темноты.

Алина отчетливо представила себе, что сидит вот так полчаса, час, а когда наконец заходит во двор, то видит на земле два распростертых тела, страшно искромсанных и с одинаково окровавленными лицами.

«Ни в коем случае не входите».

Да какого черта?!

Она решительно вышла из машины, захлопнула дверцу и поплотнее застегнула пиджак — пальто было оставлено в осажденном очередью гардеробе «Венеции». Она подняла воротник и быстрыми шагами направилась к входу во двор.

Алина прошла через мгновенно поглотившую ее темноту длинной арки и вышла на середину небольшого квадратного двора, щурясь и оглядываясь по сторонам. Так, вот, кажется, нужная дверь...

Высокая фигура в черном возникла рядом с ней мгновенно, как будто метнулась стремительная тень от качнувшегося под порывом ветра фонаря. Алина только почувствовала легкое дуновение и чуть отшатнулась, инстинктивно выставив руку и не успев даже вскрикнуть.

* * *

Пожарская вышла из такси с улыбкой на лице. Вечер удался. Вот за это она и любила свою работу: яркие события, красивые люди, море позитивных впечатлений и в итоге — радостное ощущение очередного успеха. Все прошло замечательно, и к тому же она хвалила себя за предусмотрительность: во-первых, рассчиталась с диджеем и аниматорами сразу перед началом сеанса, а во-вторых, пристроила свою и подружкину одежду в кабинете администратора, так что им не пришлось терять время в бесконечной очереди в общий гардероб. Такси тоже нашлось быстро, и это было очень кстати: час уже поздний, а завтрашнее начало рабочего дня в десять утра никто не отменял, независимо от того, во сколько закончилось бы мероприятие. Но теперь она уже почти дома: осталось только пройти метров пятьдесят по улице, войти во двор — а там уже подъезд, лестница, квартира и заслуженный отдых. Вполне можно позволить себе еще полчаса посидеть в Интернете, поделиться впечатлениями в социальной сети.

Алиса поежилась под холодным противным дождем, пожалев, что не взяла зонтик, и быстрым шагом пошла по пустынному тротуару, стараясь держаться поближе к стенам домов, освещенных тусклыми пятнами уличных фонарей. Провалы проходных дворов разверзались по обе стороны улицы, как беззубые, но хищные пасти.

Она стала переходить улицу и уже начала на ходу вытаскивать из сумочки ключи, как взгляд ее упал на арку входа во двор, и Алиса, едва не споткнувшись на ходу, замерла на середине дороги.

Освещенная подслеповатым фонарем, в арке застыла темная фигура: очень высокий и очень широкоплечий человек в длинном плаще и накинутом на голову капюшоне возвышался черной тенью, и в его неподвижности было что-то настолько зловещее, что Алиса отступила обратно, растерянно оглядываясь по сторонам.

Улица была совершенно пустынна. Алиса вдруг осознала, что среди этого холодного неуютного пространства она стоит один на один с закутанным в плащ незнакомцем, которого отделяет от нее всего два десятка шагов.

Алиса почувствовала мгновенную неприятную слабость в коленях, сердце тяжело забилось, прогоняя по венам густую волну внезапного страха. Она развернулась, быстрым шагом прошла вперед метров тридцать и резко свернула в другую арку: за те несколько лет, что она здесь жила, Алиса неплохо изучила все входы и выходы. Ничего, придется сделать небольшой крюк и направиться в обход. Пройти мимо неподвижной черной фигуры она не заставила бы себя ни за что на свете.

Девушка вошла во двор, опасливо озираясь. Ничего, только пустые темные окна уставились на нее с трех сторон, словно дома спали с открытыми глазами и видели недобрые сны. Алиса мысленно отругала себя за малодушие и быстрой, нервной походкой пошла вперед, прикидывая на ходу, как теперь лучше добраться до дома. Она пересекла двор и рефлекторно обернулась.

Волосы на голове будто стянуло тугой резинкой, и ей даже показалось, что они поднимаются вверх. Сердце один раз сильно и болезненно ударилось в груди и замерло, словно тоже увидело это: огромную фигуру, стоящую в арке и освещенную со спины тусклым уличным светом.

Алиса едва сдержала крик и почти бегом бросилась вперед. Она промчалась через темный плавно закругляющийся проход, не обращая внимания на промозглую сырость, пробежала прямо через глубокую лужу под ногами и вылетела во второй двор, остановившись, чтобы перевести дыхание. Отсюда, дальше, вглубь каменных темных лабиринтов, вели еще две арки, и когда Алиса выскочила на середину двора, то прямо перед собой в одной из них снова с ужасом увидела устрашающе высокую фигуру в плаще. Каким-то непостижимым образом зловещий незнакомец, которого она оставила позади, вдруг оказался здесь, всего в нескольких шагах впереди нее.

Алиса смотрела на него, оцепенев от страха и не в силах отвести взгляд. Черная фигура сделала широкий шаг вперед, руки поднялись и медленно откинули капюшон. Огромная угловатая голова качнулась вперед в зловещем приветствии.

Девушка издала слабый писк, вырвавшийся из ее горла вместо крика, и бросилась бежать. Частый дробный стук каблучков звучал теперь, как с бешеной скоростью повторяющийся сигнал SOS.

Вервольф бесшумно скользнул следом за ней стелющимся широким шагом. Время для решающего, смертельного удара еще не наступило, и он погнал девушку вперед, направляя ее через закручивающуюся причудливой спиралью анфиладу дворов в самое сердце каменной трясины, слышал ее прерывистое всхлипывающее дыхание, а когда она оборачивалась, видел глаза, огромные, карие, влажные от слез глаза испуганного олененка.

* * *

– Я же просил вас не входить во двор, – спокойно сказал Гронский.

Он вышел из тени, и его бледное лицо тускло осветилось мрачноватым светом ближайшего окна.

– Черт, – выдохнула Алина. – О, Господи.

– Вы уж определитесь, – заметил Гронский.

– Черт, – снова сказала Алина, с трудом переводя дыхание. – Вы видели кого-нибудь?

– Ни Пожарской, ни убийцы. А вы?

– Нет. На улицах вокруг точно никого.

Гронский покачал головой и нахмурился, окидывая взглядом двор.

– Этот ваш источник, – спросила Алина, – не мог что-нибудь напутать?

Гронский несколько секунд стоял неподвижно, а потом крепко взял Алину под руку, увлекая ее через арку обратно на улицу. Алина семенила рядом, с трудом поспевая за его широкими шагами. Гронский почти волоком дотащил ее до своей машины и открыл дверцу:

– Сядьте, не мерзните. Я быстро.

Алина сидела на переднем сиденье и наблюдала через лобовое стекло, как Гронский расхаживает взад и вперед под дождем, с кем-то разговаривая по телефону, потом убирает трубку, снова ходит, меряя узкую улицу шагами, и опять входит во двор. Алина терпеливо ждала.

Гронский выскочил из арки минут через пять, бегом устремился к машине и прыгнул на водительское сиденье.

– Что случилось? – спросила Алина, встревоженно глядя на него. Глаза похоронного агента холодно блестели, черты худого лица резко заострились.

– Не тот адрес. Здесь она прописана, вместе с родителями. А живет совсем в другом месте, уже два года. Это моя ошибка. Не уточнил, когда спрашивал, что нужны все возможные адреса по всем базам. Пожарская снимает квартиру.

– Где?

– В центре, разумеется. В самом центре. Между Фонтанкой и Моховой.

Гронский рывком вытянул ремень безопасности и завел двигатель.

– И что теперь делать?

– Пристегнуться, – произнес он сквозь зубы, и маленький джип, взревев, рванул с места так, что Алину вжало в сиденье.

* * *

Алиса неслась через дворы, петляя, сворачивая в первые попавшиеся арки, не разбирая дороги, и холодные капли дождя на ее лице смешивались с текущими из глаз слезами. Пару раз она пыталась открыть двери подъездов, но те только дергались, лязгая замками, и отказывались впускать внутрь. Она уже полностью потеряла чувство направления и просто бежала, оглядываясь на каждом повороте, и каждый раз видела одно и то же: высокую фигуру в черном плаще, бесшумно появляющуюся из-за угла. Незнакомец в жуткой маске – а Алиса была уверена, что это именно маска, потому что поверить не могла, что у человеческого существа может быть такое кошмарное, звериное лицо – преследовал ее, передвигаясь длинными шагами, одним движением покрывая расстояние, которое она преодолевала мучительным бегом. Стены домов обступали ее, как уродливая толпа, и ей казалось, что они загоняют ее в угол, помогая зловещему преследователю. Дома теснились вокруг, иногда дотрагиваясь до нее холодными прикосновениями стен, слепые и угрюмо светящиеся глаза окон таращились со всех сторон, и она словно даже слышала их приглушенный и зловещий многоголосый шепот.

Каблук на одной туфле с треском сломался. Алиса всхлипнула, сбросила обувь и побежала босиком, не чувствуя стылого камня и холодных луж под ногами. Выскочив из очередной арки, она заметила, что в углу, между неплотно сомкнувшихся домов, тускло светится узкая щель. Алиса бросилась туда, протискиваясь меж неровных каменных стен, наступая босыми ногами на слежавшийся гнилой мусор, какие-то острые обломки и наконец, оборвав две пуговицы на куртке, вывалилась во двор, смежный с тем, куда выходили двери ее подъезда. Оставалось только сделать последний рывок к низкой арке с большой лужей посередине, но в этот момент она услышала плеск воды: ее преследователь широкими шагами шел через эту арку прямо к ней. Другого выхода из этого двора не было. Ее загнали в тупик.

Алиса в панике огляделась. К стене дома рядом с ней прилепилось какое-то приземистое строение: деревянная дощатая дверь, железная крыша, раскрошившийся кирпич низких стен – то ли подсобка дворника, то ли огражденный вход в подвал. Она с силой дернула дверь, и та с легким скрипом отворилась, впуская Алису в кромешную удушливую тьму.

* * *

Лихорадочно яркие огни улиц слились за окнами машины в сверкающие полосы. Джип мчался по прямому, как стрела, Каменноостровскому проспекту, полностью игнорируя сигналы добросовестных светофоров, старательно отрабатывающих ночную смену.

– Алина, посмотрите точное расположение дома на карте, сможете?

Алина, рефлекторно вцепившаяся рукой в поручень, только кивнула, достала смартфон и быстро набрала адрес, который продиктовал Гронский. Карта стала медленно загружаться. В этот момент они очередной раз проскочили на красный свет, и с обочины позади них сорвался с места автомобиль дорожной полиции. Проблесковые маячки разноцветными огнями вспыхнули в зеркалах заднего вида. Алина обернулась назад, потом посмотрела на Гронского. Тот с сосредоточенным непроницаемым лицом сидел за рулем, глядя вперед, на мчащуюся под колеса темную ленту асфальта.

– Что будем делать?

– Ничего, – ответил Гронский ровным голосом. – Приведем с собой помощь. Вы же хотели привлечь к делу полицию?

Сзади взвыла сирена и неразборчиво, но угрожающе забубнил громкоговоритель.

– А если будут стрелять?

– Не успеют, – процедил Гронский. – Ради Бога, займитесь картой.

Когда они домчались до моста, огни и сирены остались далеко позади, но справа по набережной уже летела наперехват еще одна машина ДПС. Гронский вжал педаль в пол, и маленький джип перелетел через реку за несколько секунд, едва касаясь колесами моста. Карта наконец загрузилась.

– Ее дом у самого входа с Моховой, – сказала Алина. – Но вокруг целый квартал из проходных дворов.

Она взглянула на Гронского.

– Если ее нет у подъезда, нам придется искать ее в настоящем лабиринте.

* * *

Темнота в низком тесном сарае сгустилась от невероятного зловония до состояния воска. Каждый вдох давался с трудом и омерзением. Алиса стояла в маленькой луже чего-то холодного и липкого у самой двери, а сзади и правее нее огромная невнятная куча гниющего мусора поднималась вдоль стен до самой железной крыши: куски плесневелого размокшего картона, ржавые банки, тряпки, какие-то слипшиеся комья. Когда глаза более или менее привыкли к темноте, она разглядела в глубине сарая приоткрытую низкую дверь в половину человеческого роста, а за ней – уходящие в темноту стертые ступени. О том, чтобы бесшумно пробраться туда через залежи прелого хлама, не могло быть и речи, и Алиса замерла и затаила дыхание, отчасти от страха, а отчасти от невыносимой кислой вони. Сквозь щели в двери она видела, как ее преследователь вошел во двор, его белое лицо с черными провалами глаз медленно поворачивалось из стороны в сторону, отыскивая пропавшую жертву. Он несколько раз с шумом втянул носом воздух, и Алиса сжалась в своем убежище, не позволяя даже сердцу лишний раз дрогнуть в груди.

Вервольф помотал большой головой и принюхался. Он чувствовал, что его добыча где-то рядом, но теперь к обычным запахам сырости примешивались такие оглушительные гнилостные миазмы, что он совершенно не ощущал острого возбуждающего аромата своей жертвы. Оборотень внимательно осмотрел двор: три подъезда, одна запертая ржавая дверь в подвал, покосившаяся пристройка, из которой как раз и несло тяжелым помоечным смрадом, и та самая щель между стенами, куда так неожиданно юркнула бежавшая девушка. Вервольф еще раз медленно повернулся вокруг себя и нерешительно двинулся в сторону подвальной двери.

Алиса наблюдала за ним через щели между грязными досками. Сейчас он находился как раз между ней и спасительным выходом из двора, за которым всего в десятке метров был ее дом. Алиса покрепче сжала в кулаке связку ключей. Если ее преследователь выйдет из двора через арку, она останется в этом вонючем сарае и просидит тут хоть всю ночь: перспектива отравиться насмерть испарениями гниющих отходов не слишком пугала по сравнению с возможностью еще раз увидеть у себя за спиной огромную фигуру в плаще. Ну а если он подойдет к двери ее убежища, то она заползет через груды мусора в низкий подземный лаз в надежде, что никто не сможет протиснуться за ней следом.

Незнакомец подошел к ржавой подвальной двери. Алиса видела, как он постоял секунду, потом несильно пнул дверь сапогом, дернул на себя, убедился в том, что висячий замок крепко держится в погнутых петлях, и двинулся налево, обходя двор против часовой стрелки. Теперь дверь одного из подъездов: несильный пинок, рывок, клацанье язычка замка – и снова тяжелые шаги, хриплое дыхание, похожее на низкий рык, и отрывистое сопение. Алиса поняла, что ее преследователь намерен методично проверить все возможные укрытия в этом дворе, и в отчаянии глянула в сторону жуткой низкой двери в основании стены, больше похожей на черную осклизлую нору. Она больше не видела кошмарного незнакомца, а только слышала его: вот трясется дверь еще одного подъезда, рычание, шаги и долгое сопение, которое он издал, поравнявшись со щелью в стене. Теперь их разделяло расстояние не более трех метров, груда мусора и покосившаяся стена из крошащегося кирпича. Алиса чувствовала, как болезненно ноет сжавшееся в тугой комок сердце. Снова раздалось громкое сопение, перемежающееся короткими сиплыми вдохами, затем Алиса услышала протяжный шорох ткани о камень, и наступила тишина.

Ее кошмарный преследователь исчез. Он вернулся обратно, в другой двор, протиснувшись в тот лаз, через который попала сюда она. Девушка замерла и едва дышала. Тишина вокруг была пустой и неподвижной, только дождь скребся по ветхой железной крыше. Алиса посмотрела в щель: впереди в полутора десятках шагов чернел низкий проход, ведущий в ее двор. Она стиснула в ладони ключи, набрала полные легкие густого, вонючего воздуха и стремительно выскочила из сарая.

* * *

– Вот здесь! Здесь! Следующий дом! – закричала Алина.

Гронский резко затормозил, и джип, проскользив несколько метров по мокрому асфальту и немного развернувшись, замер у черного провала полукруглой арки. Они выскочили из машины. Алина оглянулась: метрах в двухстах позади них из-за поворота, скрипя тормозами и сверкая проблесковыми маяками, вылетел автомобиль ДПС.

– Не стойте! – крикнул Гронский. – Они присоединятся, будьте уверены!

Полицейская машина сердито рявкнула сиреной и стала стремительно приближаться, но Гронский и Алина уже вбегали во двор.

– Вот ее подъезд!

Во дворе было пусто. Дождь хлестал упругими струями, и пленка темной воды на асфальте вздувалась множеством пузырей.

– Куда теперь?

Гронский молча устремился в один из проходов, ведущих

вглубь дворов. Алина побежала следом, но уже через пару секунд отстала настолько, что успевала только заметить, как мелькает впереди черный силуэт ее напарника, рыскающего в каменном лабиринте. Откуда-то сзади слышались громкие голоса и топот тяжелых шагов.

Алина выскочила из очередной арки и едва не уткнулась в спину Гронского, который замер у входа во двор, словно прислушиваясь к чему-то.

– Что... – начала было Алина, но Гронский сделал резкий жест рукой, и она замолчала. Несколько секунд они стояли неподвижно. Слышен был только обволакивающий шум дождя, да позади нарастали звуки полицейской погони. Вдруг откуда-то справа донесся едва слышный, но отчетливый крик. Алина вздрогнула. Гронский повернулся на звук. Крик повторился: пронзительный, отчаянный, и внезапно резко оборвался.

– Туда! – Гронский бросился к низкому темному проходу, и Алина побежала за ним, надеясь только на то, что еще не слишком поздно для спешки.

* * *

Алиса выскочила из сарая, но тут же как будто споткнулась обо что-то и с криком упала на мокрый грязный асфальт, обдирая выставленные вперед ладони. Она не успела ничего понять и попыталась встать, но в этот миг огромная рука схватила ее за волосы и рывком подняла на ноги. Выступившие от резкой боли слезы мгновенно застлали глаза, но и сквозь дрожащую влажную пелену она увидела перед собой то, от чего так отчаянно пыталась спастись: большое неестественно белое лицо, человеческую маску на морде зверя с черными провалами глаз.

Вервольфу приходилось и больше времени проводить в засаде, ожидая, когда уверившаяся в собственной безопасности добыча выскользнет, испуганно озираясь, из спасительного убежища. Насмерть перепуганная девушка, просидевшая в вонючем сарае всего три минуты после того, как он неподвижно застыл рядом с дверью, была просто не в силах вытерпеть больше. Он поддел ее ноги своим большим сапогом, а когда она упала, позаячьи заголосив, поднял перед собой.

Алиса успела снова пронзительно закричать. Вервольф, продолжая держать ее за волосы, взмахнул рукой и наотмашь ударил Алису по лицу. Чудовищный удар сотряс мир вокруг, голова откинулась назад, а асфальт, вдруг коварно поднявшись, жестко и сильно припечатался к лицу. Алиса осознала, что лежит ничком на земле. Она всхлипнула и почти бессознательно попыталась ползти в сторону арки, но оборотень сделал шаг и с силой наступил ей тяжелым сапогом между лопаток, припечатав к земле так, что хрустнули позвонки. Алиса беспомощно заскребла по асфальту руками, из судорожно открытого рта безуспешно пытался вырваться сдавленный между трещащими ребрами крик.

Вервольф достал из-под плаща пустой кожаный мешок, бросил его рядом с Алисой, снова полез под плащ, и в его огромной руке тускло заблестело широкое изогнутое лезвие, наточенное до едва слышного тонкого звона. Он деловито встряхнул мешок, приподнял за волосы голову девушки, поднес нож к ее шее — и вдруг остановился, словно что-то услышав. В следующую секунду Алиса тоже услышала это: приближающийся звук чьих-то шагов.

Вервольф поднялся во весь рост и встал, держа ногу на спине своей жертвы и глядя в сторону единственной арки.

Серой тенью во двор не спеша вошел человек. Он чуть шаркал при ходьбе, мешковатый плащ свисал с покатых сутулых плеч, в руке болталась бесформенная хозяйственная сумка. Оборотень стоял неподвижно, уставив на него непроницаемый взгляд своих черных глаз. В опущенной руке поблескивал нож. Человек прошел мимо, бросил в сторону Вервольфа и девушки мимолетный взгляд, и, ничуть не сбившись с шаркающего шага, продолжил свой путь, подходя к одной из дверей. Задыхающаяся под давящим на ее хребет сапогом Алиса попыталась выдавить из себя хоть какое-то подобие крика, но из горла со свистом вырвался только слабый шепот: «Помогите...» В следующее мгновение нога Вервольфа с такой силой прижала ее к асфальту, что она почувствовала, как хрустнули ребра и потемнело в глазах. Человек в сером еще раз посмотрел на нее ничего не выражающим взглядом, повернулся к дверям и некоторое время позвякивал ключами. Лязгнул замок, дверь открылась, на несколько секунд выпустив во двор тусклое желтое свечение лампочки, а потом захлопнулась. Алиса закрыла глаза. Судьба, отрицательно покачав головой, дала последний ответ на ее немую, отчаянную мольбу о спасении.

Вервольф одним движением набросил ей на голову мешок, и Алиса успела ощутить тяжелый густой запах сырого мяса. В следующий миг острое лезвие ножа скользнуло по ее шее, рассекая горло от уха до уха. Сильная рука удерживала голову в мешке, так, чтобы кровь, бьющая из рассеченных артерий, не разбрызгивалась по сторонам. Несколько секунд ее ноги судорожно елозили, разрывая джинсы на коленях, пальцы скребли по земле, ломая ногти с праздничным маникюром. Вервольф терпеливо ждал, пока тело не перестанет биться в рефлекторных попытках освободиться от его хватки, пока пройдут предсмертные конвульсии, и только минуты через две после этого вынул голову девушки из мешка: лицо покрыто кровавыми потеками, волосы слиплись в жуткие ведьминские колтуны, словно за несколько минут она превратилось в какое-то другое, странное и жутковатое существо.

Вервольф, аккуратно придерживая мешок за петлю, перевернул девушку на спину, обратив ее лицо к плачущим небесам. Он аккуратно перехватил нож лезвием к себе, примерился и занес клинок. Нужно было заканчивать начатое. И так уже сегодня было потрачено слишком много времени на погоню.

Лезвие ринулось было вниз, но замерло на полпути. Оборотень повернулся в сторону арки и издал раздраженное рычание. Из каменной трубы прохода снова слышались чьи-то шаги, и на этот раз они были быстрыми, целеустремленными и принадлежали как минимум двоим. Вервольф прислушался. Где-то среди дворов нарастала тревожная суета и ощущалось движение множества людей.

Оборотень снова зарычал и посмотрел на лежащее перед ним тело. Он не боялся никого и ничего, тем более ночью и на своей территории, но сейчас ясно чувствовал приближающуюся опасность, тем более неприятную, что он не понимал, откуда она исходит. Вервольф еще секунду поколебался, но шаги приближались, уже отдаваясь эхом в арке всего в нескольких метрах от него. Он рывком затянул клапан мешка с кровью, убрал нож, и в этот самый миг во двор вбежал человек.

* * *

Алина на этот раз отстала от своего напарника всего на пару секунд и успела увидеть огромную тень, бросившуюся от центра двора в дальний угол. Гронский черной летучей мышью метнулся следом, но темный силуэт, вдруг словно сжавшись в размерах, стремительно проскочил в едва заметную щель между домами. Гронский, оскальзываясь на кучах мусора, стал протискиваться следом, и в этот момент Алина увидела распростертое на земле неподвижное тело.

Алиса Пожарская лежала на спине расслабленно и умиротворенно, словно отдыхала от тревог нелегкого дня. Струи дождя бережно смывали кровь с ее лица и слипшихся волос, а пузырящиеся потоки воды, обегающие тело, уносили кровавые потоки в темные подземелья дренажных люков, как дань хтоническим богам. Алина привычным жестом протянула руку к шее девушки, но пульс проверять было негде, да и незачем: все, что могло пульсировать в ее жилах, вырвалось из тела через страшный разрез на горле. Глаза были приоткрыты, и дождевая вода собралась между век, как невыплаканные слезы.

Сознание привычно отмечало детали: ободранные ладони – падала, джинсы порваны – возможно, ползла, босые окровавленные ноги с остатками колготок – сбросила обувь, бежала босиком, достаточно долго... Но взгляд постоянно возвращался к лицу: Алина уже очень давно не встречалась со смертью настолько лично. Перед ней был не просто остывший труп, положенный на прозекторский стол, не безымянное тело, лежащее на улице, – всего пару часов назад она видела эту девушку живой, смеющейся и полной жизни, которую сейчас отобрали.

Зашуршал мусор. Алина подняла глаза: Гронский выбрался из узкого лаза, прошел несколько шагов, и сел на валяющийся рядом с домом обломок бордюрного камня. Пальто было густо измазано белесой грязью.

– Я его упустил, – сказал Гронский. Он достал из кармана пачку сигарет, закурил, выпустив во влажный сумрак клубы дыма. – Упустил.

Со стороны входа во двор послышался шум, и из арки с азартным гомоном выбежали двое дорожных полицейских. У одного из них в руке был пистолет. Они увидели то, над чем склонилась Алина, и в растерянности остановились.

– Старший судебно-медицинский эксперт Алина Назарова, – сказала она. – Звоните в дежурную часть, пусть присылают сюда следственную группу. И специальный транспорт тоже.

* * *

Через двадцать минут ночной пустынный двор наполнился светом, людьми и сдержанной, деловитой суетой мрачноватого ритуала. Четыре мощные лампы освещали квадратное пространство скрещенными лучами. Холодной молнией бесшумно сверкала вспышка фотоаппарата. Негромко переговаривались мужские голоса. Двое оперативников опрашивали нескольких заспанных, недовольных жителей окрестных домов, в наспех наброшенной поверх пижам и ночных сорочек верхней одежде. Мимо прошел полицейский с грустной мокрой собакой на поводке. В открытой двери сарая виднелась чья-то копающаяся в разбросанном мусоре фигура. Мелькали темные силуэты и красноватые огоньки сигарет.

Алина, в форменной полицейской куртке поверх пиджака, подошла к Гронскому. Он по-прежнему сидел на камне и курил, глядя перед собой. Алина села рядом.

– Дайте сигарету, – попросила она.

Он протянул ей пачку и зажигалку. Алина закурила, поморщилась, закашляла, но тут же сделала еще одну затяжку.

– Он ушел через подвалы, – сказал Гронский. – Очень быстрый. Я потерял его почти сразу.

Алина молча курила.

– Это моя вина, – снова сказал он. – Я не должен был так ошибиться с адресом. У нас были все шансы ее спасти.

– Ваша вина, – медленно начала Алина, – в том, что вы беретесь не за свое дело. Насколько я знаю, ваша работа – хоронить людей, и у вас, видимо, это неплохо получается. Вот, организовали себе нового клиента.

Гронский промолчал.

– А работа всех этих людей, – продолжала Алина, – искать и задерживать преступников. И я помогаю им в этом по мере своих сил и способностей. Если бы вы не занимались ерундой, не скрывали информацию и слушали меня хоть иногда, а не заставляли все делать по-своему, – вот тогда да, тогда у девушки были бы шансы спастись.

Гронский молча курил. Алина сделала еще одну затяжку, бросила сигарету и встала.

– На этом игры закончились. С меня вполне достаточно историй про алхимиков и вампиров, многозначительных намеков, а еще более чем достаточно трупов. С этого момента я буду делать все так, как считаю нужным. Одна.

Гронский посмотрел на нее, но ничего сказал и снова отвернулся. Алина еще немного постояла рядом, повернулась и пошла туда, где двое санитаров уже поднимали с земли тело Алисы Пожарской.

# Часть II
# СВИНЕЦ

## Хроники Брана

*Часть вторая*

### ПРОКЛЯТЫЙ ПУТЬ

Едва собравшись с силами, я помог подняться на ноги леди Вивиен, и пешком мы достигли имения Патерчерч, чьи хозяева, Адам Патерчерч и его жена Кэтрин, проявили по отношению к нам истинно христианское сострадание и оказали самое радушное гостеприимство. Не вдаваясь в долгие объяснения, я лишь сказал им, что мы попали в беду, потерпев кораблекрушение, и, хотя обагренное кровью платье леди Вивиен красноречиво говорило о том, что одним лишь бедствием на море наши несчастья не ограничивались, хозяева имения не стали задавать лишних вопросов. Они накормили нас, позволили отогреться у очага и дали чистую сухую одежду: простое платье для леди, рубашку и куртку для меня, а также два плотных длинных дорожных плаща с капюшонами, которые были более чем кстати, ибо погода обещала быть холодной и ветреной. Леди сняла свои украшения, в числе которых было драгоценное ожерелье, браслеты и перстни, некогда привезенные лордом Валентайном из странствий по Святой земле, и убрала их в сумку вместе со своим окровавленным платьем, которое, видимо, хотела сохранить как горькую, но дорогую память. Хотя радушные хозяева предлагали и даже уговаривали нас остаться у них до следующего утра, леди Вивиен вежливо отказалась от гостеприимства, не желая навлечь на них горьких несчастий, подобных тем, что обрушились на ее родной дом. Тогда мистер Адам и его жена собрали нам в дорогу еды и, понимая, что наше стремление поспешно оставить их дом имеет под собою более чем веские основания, дали двух лошадей: белую кобылу для леди и прекрасного серого жеребца для меня. Леди Вивиен, унаследовавшая от своего отца умение ценить в людях благородство и всегда вознаграждать добром за добро, отдала им в качестве платы один из своих перстней. Мистер Адам и миссис Кэтрин долго отказывались принять этот дар, ибо одного взгляда на перстень было достаточно, чтобы понять, что он стоит больше, чем все их имение с каменной башней на берегу впридачу, и взяли его лишь тогда, когда леди Вивиен согласилась принять немного денег в качестве посильной, хотя и небольшой, доплаты.

Покинув поместье Патерчерч тем же днем, мы направились на юго-восток, в Бристоль. Опасаясь погони, мы ехали чрезвычайно скоро, ночуя на постоялых дворах или в домах крестьян, принимавших нас под свой кров, и лишь однажды сделав остановку днем, чтобы перековать лошадей. Так мы преодолели расстояние до Бристоля всего за пять дней, въехав в город почти ровно через неделю после того рокового дня, который принес гибель лорду Валентайну и разрушение его родовому гнезду. За все это время мы едва обменялись десятком слов: леди Вивиен, так и не проронившая ни слезы и не дававшая волю обуревавшим ее чувствам, переживала снова и снова трагическую гибель родных. Я же думал о своем бедном отважном брате Томасе, а более всего о матери и младшей сестре, которые остались теперь безо всяких средств к существованию и от которых с каждым часом я удалялся все больше и больше, не зная, доведется ли их снова увидеть.

Поначалу мы собирались остановиться в Бристоле на день или два, чтобы дать отдых себе и нашим лошадям. Но когда я зашел в один трактир недалеко от морской гавани, чтобы справиться о ночлеге, то услышал разговор хозяина с двумя людьми в черных плащах, выпытывавших у него, не появлялись ли здесь юная леди со своим слугой, и суливших за такие сведения большие деньги.

И когда я сообщил об этом леди Вивиен, она сказала:

– Они идут за нами по пятам, Вильям. Думаю, что пока мы добирались сюда из Патерчерч, лорд Марвер направил своих соглядатаев морем прямо в Бристоль, потому что это самый близкий к Ирландии портовый город. Хорошо только то, что это дает нам основания надеяться, что мистер Адам Патерчерч и его супруга не поплатились за свое великодушие.

Мы спешно покинули Бристоль, заночевав в небольшом селении в десятке миль от города, где вынуждены были спать на сеновале, рядом с конюшней, потому что единственная семья, согласившаяся пустить нас на ночлег, была столь многодетной, что вполне могла бы населить даже небольшой замок, а не то что убогую деревенскую лачугу.

От Бристоля мы снова направились на восток и двигались теперь с величайшей осторожностью, опасаясь больших дорог и многолюдных постоялых дворов. Я полагал, что мы направляемся в Лондон, но на восточной границе Беркшира мы неожиданно повернули южнее, и леди Вивиен сказала мне, что наш путь лежит в Дувр. Я немало удивился этому, потому что был уверен, что леди намерена предстать перед королем Эдуардом и просить защиты от преследований, а также справедливого и скорого возмездия для злодея, погубившего лорда Валентайна и леди Изабелл, а вместе с ними еще полтора десятка знатных рыцарей.

– Разве род Валентайнов не служил несколько веков верой и правдой английской короне? – спросил я. – И сам лорд Валентайн, ваш доблестный отец, разве не был личным другом почившего короля Эдуарда Длинноногого, его товарищем в крестовом походе, союзником и советником во многих делах? Так не следовало бы нам обратиться теперь к его сыну, молодому королю Эдуарду Второму, за защитой и справедливостью?

– Увы, мой добрый Вильям, – ответила мне леди, печально покачав головой. – Нынешний король Эдуард не унаследовал вместе с короной ни доблести, ни чести, и вряд ли считает друзей своего отца своими друзьями. Недаром и зловещий лорд Марвер появился в Англии, а потом и у нас, лишь два года тому назад, когда старый король Эдуард отошел к Господу, а его наследник окружил себя развращенными льстецами и предателями без стыда и совести. Даже если я и обращусь к нему за помощью и он примет и выслушает меня, то будет суд, на который призовут лорда Марвера, чтобы он мог отвечать на обвинения и свидетельствовать в свою защиту. А кто будет свидетелем с моей стороны? Ведь недаром лорд Марвер выбрал для своего злодеяния именно тот день, когда в нашем замке собрались все друзья отца, знатные и влиятельные лорды, чтобы разом уничтожить всех, кто мог бы впоследствии свидетельствовать против него или воздать отмщением. И теперь в случае королевского суда мое слово будет против его, и это будет слово обездоленной сироты против слова могущественного, принятого при дворе рыцаря. К тому же стараниями этого проклятого некроманта я вряд ли доживу до судебного разбирательства. Нет, Вильям, нам нужно бежать: в Дувр, а оттуда – во Францию, как можно дальше и быстрее, потому что я уверена, что наш враг уже разослал своих убийц во все концы Англии.

И действительно, словно бы в подтверждение этих слов, на седьмой день пути, когда мы пересекали обширную пустошь, далеко среди холмов я заметил несколько темных точек, быстро к нам приближавшихся, так, что скоро можно было разглядеть шестерых всадников в черных плащах, мчавшихся во весь опор. Мы тоже пришпорили лошадей, понуждая бежать их со всей резвостью, на которую они только были способны после долгого и утомительного пути. Час, а может, и более продолжалась эта бешеная скачка, и пару раз мне казалось, что нас неизбежно догонят, так что хотел уже остановиться, чтобы принять бой и дать возможность леди Вивиен уйти. Наконец нам удалось оторваться от наших преследователей незадолго до того, как пустошь сменилась лесом, и еще некоторое время мы скакали что есть сил по лесной дороге, пока наконец не пустили измученных лошадей шагом. Никто не нагнал нас, и я до сих пор не знаю, были эти шестеро всадников посланниками лорда Марвера или обычными гонцами какого-нибудь знатного господина, спешащими по его поручениям.

Так, то стремительным галопом по открытой местности, то осторожным шагом через леса и болота, останавливаясь в редких селениях и опасаясь больших дорог, продуваемые немилосердными ветрами и обильно орошаемые осенним дождем, в начале двадцатых чисел октября мы прибыли в Дувр.

В этом портовом городе было столько проезжающих купцов, моряков и прочего постоянно странствующего люда, что мы решили задержаться здесь на несколько дней, полагая, что даже если лазутчики лорда Марвера прибудут за нами следом, им будет весьма затруднительно найти нас здесь за короткое время. Леди Вивиен и я остановились в одной из гостиниц, разместившись в двух маленьких комнатах на втором этаже. Я заметил, как бледна была леди, как осунулась и сильно ослабела, что я объяснял для себя долгой и изнурительной дорогой. Но уже наутро она встретила меня столь бодрой, полной сил и даже веселой, что я поразился, какое целительное действие может оказать всего лишь одна ночь спокойного сна. Мы направились на рынок, и в одной из ювелирных лавок леди Вивиен продала еще один перстень и браслет. Я видел, каким алчным блеском сверкнули глаза хозяина лавки, едва тот увидел драгоценности леди, но по обыкновению людей торгового сословия, он долго мялся, изображая отсутствие интереса, торговался и в итоге предложил цену столь постыдно низкую, что я уже хотел воззвать к его совести при помощи моего меча. Однако леди остановила меня и продала и браслет, и перстень за цену, едва ли составляющую одну пятую их истинной стоимости. Впрочем, даже и этих денег хватило, чтобы мы могли купить все потребное для дальнейшего пути: дорожные сумки, запас одежды, всякие мелкие, но полезные в дальней дороге вещи, а еще длинный лук в чехле и запас стрел, которые я счел не лишними, учитывая грозящие нам опасности и памятуя о погоне, от которой пришлось уходить на дороге через пустоши. Кроме этого, леди Вивиен заказала для себя два платья, точные копии того белого, что было на ней в ее последний день рождения, но из плотной темно-красной ткани, и с тех пор я видел ее одетой только в этот кровавый цвет. Еще леди приобрела набор письменных принадлежностей и толстую пачку пергаментных листов. Их она положила в ту сумку, которую дал ей при расставании лорд Валентайн, и я случайно увидел там книгу в темном кожаном переплете.

Итак, на четвертый день мы покинули Дувр, переправились через пролив в Кале, оставив за спиной удивительные белые скалы английского побережья и, не задерживаясь более, начали свой путь по дорогам Франции.

Двигаясь на юго-восток, через несколько дней пути мы миновали Реймс и там повернули на юг.

– Нам нужно добраться до Бургундии, Вильям, – сказала мне леди Вивиен. – Там, недалеко от Дижона, есть замок старого друга моего отца, рыцаря-тамплиера, с которым они вместе сражались на Святой земле. Отец не получал о нем известий несколько лет, но оставался в твердой уверенности, что его товарищ – человек чести и что там можно рассчитывать на помощь и защиту. Нам бы только добраться до его замка, и там мы сможем остановиться и вместе решить, что делать дальше.

Услышав это, я воспрял духом, потому что цель нашего путешествия стала для меня более ясной и обнадеживающей, а еще более из-за того, что предстояла встреча с настоящим рыцарем-крестоносцем из легендарного ордена тамплиеров, и я лелеял надежду на то, что, возможно, мне удастся послушать его рассказы о дальних странствиях и славных боевых подвигах.

Леди Вивиен была уверена, что убийцы, посланные лордом Марвером, преследуют нас и во Франции, и что сам он движется следом, как грозовая туча, непроглядной чернотой нависающая над горизонтом. Я не мог с этим спорить, потому что и сам порой ощущал словно бы чье-то незримое, но зловещее присутствие, похожее на недобрый взгляд за спиной. Поэтому мы, как и раньше, старались держаться вдалеке от больших городов и проторенных торговых путей, предпочитая незаметные дороги, маленькие селения и лесные таверны. Обычно, когда нам приходилось проводить ночи под одной крышей на постоялых дворах, леди Вивиен располагалась в одной из гостевых спален на втором этаже, я же оставался за дверью, в темноте узкого коридора, и сидел прямо на полу, охраняя покой леди и дожидаясь, когда погаснет тусклый и теплый свет, пробивающийся через щель под дверью. Леди долго не ложилась спать: ночь за ночью она старательно переписывала книгу, которую дал ей лорд Валентайн, перенося текст на чистые пергаментные листы. Один или два раза я присутствовал при этом ее занятии и видел, как сосредоточено ее лицо, освещенное колеблющимся светом свечи, как широко распахиваются серые глаза, когда ей попадается в книге трудное для понимания место, как иногда она с любовью проводит пальцами по строчкам, написанным ее отцом, и улыбается — грустно и отрешенно. И когда она заканчивала свои труды, я тихо входил в комнату и ложился у двери на пороге, положив рядом меч, и впадал в краткое сонное забытье под тихое дыхание моей госпожи.

Иногда нам не удавалось за один день добраться до следующей таверны, и ночевать приходилось в лесу, под открытым небом. Тогда мы отходили от дороги и искали низину, чтобы свет небольшого костра был не так заметен. Леди Вивиен спала, завернувшись в теплый плащ, я же поддерживал огонь, слушал голоса ночного леса и смотрел на небо. И видя над собой эту глубокую черную бесконечность, полную сияющих россыпей серебристых звезд, прекрасных настолько, что перехватывало дыхание и слезы выступали на глазах, я жалел, что не наделен талантом поэта и не могу передать всю завораживающую красоту этого зрелища. А еще я думал, что хотя Бог и незрим, он все же является нам в самых удивительных своих творениях, таких, как это ночное звездное небо, и, глядя на него, мы словно бы всматриваемся в лик Божества, величественный и прекрасный.

Так мы продолжали свое странствие. И однажды, когда до Дижона оставалось уже всего два дня пути, около полудня я почувствовал тревогу: в обступившем нас лесу было неестественно тихо, как бывает, когда в этой тишине кто-то пытается скрыть свое присутствие, и краем глаза я пару раз замечал бесшумно мелькающие между деревьев тени. Я уже собирался сказать леди, что нам следует повернуть назад, и как можно скорее, когда из зарослей по краям дороги впереди и позади нас в одно мгновение выскочили десятка полтора вооруженных людей. Четверо тут же подхватили под уздцы наших лошадей, еще четверо нацелили на нас арбалеты, а остальные, выставив перед собой тяжелые копья и грозя топорами и мечами, перегородили дорогу спереди и сзади. Засада была организована столь искусно, а нападение – таким молниеносным, что оставалось только принять бой, который в данных обстоятельствах представлялся совершенно безнадежным. Я выхватил меч, едва уклонился от мгновенно просвистевшей рядом с головой арбалетной стрелы и ударил разбойника, схватившего моего коня. Тот, однако, успел достать свое оружие и отразить удар. Лязгнула сталь; я отбил копье, нацеленное мне в грудь, посмотрел на леди Вивиен и с удивлением увидел, что она тоже достала свой фальшион и умело осыпает ударами двух разбойников, которые пятились под ее напором. И пока я смотрел на леди, отвлекшись всего на несколько мгновений, то получил сильный удар копьем, который хотя и не пробил кольчугу, но сбросил с седла, и сразу несколько сильных рук пригвоздили меня к земле. В этот миг я услышал голос леди Вивиен:

– Остановитесь, или я убью его!

Я повернул голову и увидел, что леди рукой в дорожной перчатке держит одного из разбойников за волосы, другой рукой прижимая к его горлу изогнутое лезвие фальшиона.

– Потеря будет невелика, – промолвил другой голос, низкий и глубокий, и я увидел, как вперед вышел высокий седовласый человек, с лицом, изборожденным морщинами и шрамами – судя по всему, предводитель разбойников. Он внимательно посмотрел на меня и спросил:

– Откуда у тебя этот меч?

Я по-прежнему сжимал в руке рукоять с навершием в виде головы терьера, и ответил, что меч дал мне мой лорд, чтобы я служил правде и защищал его дочь и мою госпожу.

– А как звали твоего лорда? – спросил предводитель разбойников.

– Лорд Валентайн из Мунстера, – ответил я.

– Мы идем в замок барона де Вернуа, – добавила леди Вивиен. – Он друг моего отца, лорда Валентайна, и непременно воздаст вам справедливым возмездием, если с нами что-нибудь случится.

Я увидел, как на суровом лице седовласого предводителя отразилась печаль, и он сказал, что барон де Вернуа уже никому не сможет воздать возмездием в этом мире, и велел своим людям отпустить меня, что и было немедленно выполнено.

Старый разбойник представился нам Гийомом Дюбуа. Он был оруженосцем и слугой барона де Вернуа, на протяжении тридцати лет сопровождая того во всех походах и сражениях, в том числе и на Святой земле. Встречал он и лорда Валентайна и потому узнал его меч, который теперь принадлежал мне. Нам предстояло узнать горестные вести: два года назад по приказу короля Филиппа орден тамплиеров был разгромлен, а рыцари схвачены по всей Франции едва ли не в один день. Эта участь постигла и барона де Вернуа, который, по слухам, умер в заточении от пыток, но не опозорил себя малодушием и не признал всех тех лживых и чудовищных обвинений, которые были предъявлены тамплиерам. Замок его сменил владельца, а слуги разбежались. Что же до Гийома Дюбуа, то он собрал нескольких верных своему бывшему господину солдат, к которым примкнули и некоторые из местных бродяг, и теперь разбойничает на дорогах, громя обозы и убивая слуг короля.

Так мы распрощались с надеждой получить помощь и защиту в замке старого рыцаря-тамплиера. Леди Вивиен была очевидно расстроена этими известиями, и, когда Гийом спросил ее, зачем мы ехали в замок барона, честно поведала о страшной участи своего отца, о лорде Марвере и о том, что мы вынуждены спасаться бегством, словно сами являемся преступниками, а не жертвами преступления.

– Мне очень жаль, что я мало чем могу помочь дочери славного лорда Валентайна, – сказал Дюбуа. – Разве что дать немного денег из наших запасов. Но я обещаю и клянусь, что никто из ваших врагов теперь не пройдет по тем дорогам, за которыми мы следим. Пусть сейчас я разбойник, но не забыл о воинской чести и не позволю свершиться несправедливости в отношении леди.

Напутствуемые этим обещанием, мы попрощались с теми, кто еще совсем недавно составлял свиту блестящего рыцаря, а ныне стал лесными разбойниками вне закона, и продолжили наш путь на юг, будучи в подавленном состоянии духа и не вполне понимая, что делать дальше. Впрочем, у леди Вивиен вскоре появился какой-то план, и она сказала, что нам нужно теперь ехать на самый юг Франции, в Прованс, и добраться до Марселя. Мы продолжали двигаться, соблюдая все возможные предосторожности, хотя я надеялся, что преследователи давно уже потеряли наш след. Увы, это было не так: чем дальше мы шли на юг, тем более ощущали их присутствие. Останавливаясь на постоялых дворах, мы все чаще ловили на себе косые взгляды лесных бродяг и слышали у нас за спиной перешептывание сумрачных местных жителей; все чаще нам приходилось отвечать ложью на настойчивые вопросы о том, кто мы и куда едем, и не один и не два раза мы срывались с места и уходили из таверн и трактиров окольными путями, ища ночлег в лесу, чтобы избежать встречи с лазутчиками зловещего Некроманта. Видимо, посланники лорда Марвера привлекли на свою сторону всех негодяев окрестных мест, посулив за наши головы большую награду, и теперь мы нигде не могли чувствовать себя в безопасности. Я почти вовсе перестал спать: ночью я лишь дремал час или два вполглаза, прислушиваясь к каждому звуку и шороху, так что когда мы наконец достигли Прованса и миновали Авиньон, мир вокруг казался мне посеревшим и выцветшим, как старая гравюра, а тяжелое небо наваливалось сверху гнетом тяжкой усталости. Один раз я на минуту заснул прямо в седле, и мне привиделось, будто деревья вокруг дороги ожили и протянули к нам свои искривленные ветви, так что проснулся я с неистово бьющимся сердцем и до боли в пальцах сжимая рукоять меча.

Леди Вивиен тоже тяжело переносила этот длинный переход и постоянное щемящее чувство тревоги: она побледнела, осунулась и к концу ноября все больше походила на измученную и растерянную девочку-подростка, утратив свою обычную гордую осанку и решительный, непреклонный вид.

Наконец, когда до Марселя оставалось уже не более двух-трех дней пути, мы решились остановиться на ночлег в затерянной таверне, мимо которой вилась едва заметная лесная тропа. Задняя стена этого покосившегося строения вросла в лесистый склон, из которого сквозь заросли травы и кустарника проглядывали скальные выступы. Темные бревна и покатая крыша были покрыты мхом, а сама таверна была такой низкой, что два ее этажа вполне могли бы сойти и за один. Она больше походила на место сборищ местных ведьм и оборотней, нежели на людское пристанище, но зато здесь было тихо, безлюдно, и нам не приходилось опасаться, что кто-нибудь из постояльцев окажется соглядатаем преследующего нас Некроманта.

Хозяин, древний и словно бы замшелый, как и его таверна, отвел нам единственную крохотную комнатку на втором этаже, лестница в которую вела не через коридор, а просто упиралась в деревянный люк в полу у самой стены. И когда мы поднялись, я поставил тяжелый табурет прямо на этот люк, сел, прислонившись к стене, и стал, по обыкновению, ждать, когда леди Вивиен завершит свои занятия по переписыванию книги, которым ей в последнее время приходилось предаваться нечасто. Я смотрел на фарфорово-бледное лицо моей леди, почти прозрачное в трепещущем свете свечи, на ее правильные черты, тонкие пальцы, сжимающие перо, и к величайшему своему стыду вдруг заснул так быстро и так крепко, как будто усталость, как коварный противник, сразила меня неожиданным ударом палицы.

Проснулся я так же внезапно, как и уснул. Вокруг стояла та глухая тишина дремучей ночи, какая бывает лишь в последние, похожие на заповедную территорию ночные часы, куда заказан вход бодрствующему сознанию. Даже огонек свечи горел тихо и ярко, словно опасаясь нарушить легким потрескиванием цепенящее молчание мира. И я увидел, что леди Вивиен стоит прямо передо мною, почти касаясь головой низкого потолка, и ее тень, закрывшая половину комнаты, чуть трепещет на стенах и потолке, как будто пытаясь вырваться на волю и слиться с бесконечной тьмой за стенами таверны. Шнуровка на лифе багрового платья леди была слегка распущена, а в руке она держала небольшую плоскую флягу на кожаном ремешке. Даже в неверном свете свечи я заметил, что от усталости и изможденности леди не осталось и следа: лицо более не было прозрачным и бледным, а отливало теплым румянцем; длинные локоны цвета черной меди снова обрели густоту и живость, и от всей ее фигуры исходило такое ощущение внутренней силы, что я вновь поразился тому, как удается моей госпоже так быстро побеждать крайнюю утомленность. Я бросил взгляд на узкую кровать: постель не была разобрана, зато на столе по-прежнему лежали листы пергамента и раскрытая книга. Тем временем леди, не сводя с меня пристального взгляда, медленно наклонилась и подняла с пола небольшой металлический предмет, круглую крышечку от ее фляги, падение которой, судя по всему, и послужило причиной моему пробуждению.

– Прости, Вильям, – сказала леди Вивиен, – я не хотела беспокоить твой сон.

Я рассыпался в извинениях за свою неподобающую сонливость, но леди жестом остановила меня. Она закрыла флягу, которую по-прежнему держала в руке, набросила кожаный ремешок себе на шею, и, еще больше ослабив шнуровку на платье, убрала флягу на грудь под одежду, заставив меня отвести взгляд и покраснеть, что, я надеюсь, было не слишком заметно в полумраке комнаты. И когда я снова поднял глаза, леди уже сидела за небольшим столом и пригласила меня сесть напротив. Я взял табурет, сделал два шага и сел, и тогда леди Вивиен спросила меня:

– Что ты знаешь о моем отце, Вильям?

Я промолчал, не зная, какой ответ хочет услышать от меня моя госпожа.

– Тебе известно о его ученых занятиях? – снова спросила она, и я опять промолчал, теперь уже из уважения к доброй памяти о моем покойном лорде. Леди Вивиен посмотрела мне в глаза, потом отвела взгляд, задумалась и негромко заговорила:

– Мой отец отправился в последний крестовый поход совсем молодым рыцарем, взыскующим подвигов во имя правого дела, и это стремление к истине вело его потом всю жизнь. Сам поход нельзя было назвать ни победоносным, ни даже сколь-либо удачным. Во время пребывания в Тунисе вспыхнула эпидемия лихорадки, и мой отец был в числе заболевших. К тому времени, как он смог побороть болезнь и снова подняться на ноги, часть рыцарей уже вернулась обратно, и многие из них погибли в морских штормах, а другие, вместе с будущим королем Эдуардом, отплыли в Сирию, чтобы продолжить затем поход в Палестине. Отец, вместе с еще несколькими товарищами, добрался до Египта, и там, в Александрии, случилось так, что он познакомился с древними мистериями и учением Гермеса Трисмегиста. Тайные науки об устройстве и природе мироздания так увлекли его, что он продолжил изучение их и в Акко, куда прибыл, чтобы соединиться с рыцарями принца Эдуарда. В этом городе не было недостатка ни в старинных книгах, ни в учителях, и мой отец стал прилежно заниматься астрологией, алхимией, теургией, а потом и каббалой под руководством знаменитого рабби Иехиэля. Из-за этой своей увлеченности он оставался в Акко и после того, как принц Эдуард, раненный посланным к нему убийцей, покинул Святую землю и вернулся в Англию. Потом город пал: постоянные распри между рыцарскими орденами позволили мамлюкам султана Ашраф Халиля взять город и вырезать почти всех христиан. Как ты знаешь, мой отец чудом спасся, пройдя через подземные ходы тамплиеров к пристани, но я еще слышала, что немалую роль в этом его спасении сыграла сарацинская девушка, которая так любила отца, что ради него приняла христианскую веру, а потом и пожертвовала собственной жизнью.

Речь моей леди звучала напевно и плавно, как будто она рассказывала старинную песнь о героях.

— Больше всего моего отца интересовала алхимия, и в особенности получение истинного эликсира, но не того, что преображает неживую материю, а того, который может сделать совершенной человеческую природу. Отец мечтал создать панацею, что навсегда избавит людей от болезни, страданий и даже от самой смерти. Он сделался одержим этой идеей, но годы проходили в сотнях опытов и экспериментов, а попытки получить эликсир так и оставались тщетными. Отец довольно скоро понял, что бессмертие человека заключено в нем самом, как в нем же заключена и обреченность на смерть, которую нельзя победить веществами тварного мира. Но даже понимание этого не приблизило его к успеху, которого он так страстно желал.

Я молча внимал рассказу леди. Она взглянула на меня и продолжала:

— Ты знаешь, Вильям, что отец всегда заботился об образовании своих ближних и дальних и, конечно, он очень многому меня научил. Еще в раннем детстве я выучилась читать сначала на ирландском и английском, а потом и на других языках, и прочла множество книг из нашей библиотеки, отдавая предпочтение философии, теософии и истории. Наверное, та жажда познания и стремление постичь истину, которые были присущи моему отцу, отчасти передались и мне. Очень скоро я поняла, в чем причина неудач моего отца — причина, которой он не мог, а скорее, не желал увидеть. Человек обречен на смерть вследствие живущего в нем греха. Наше тело — это наша темница, куда заключена поврежденная грехопадением душа, мы узники в земной юдоли скорби и страданий. Мы можем только заботиться о спасении своей души, идя по пути добродетели, а все поиски средств избежать земных страданий и смерти греховны по сути своей, ибо в них горделивый человеческий разум отвергает Божественную благодать, которая одна лишь и ведет к истинному спасению. Но отец дошел до такой степени желания обладать плодом запретного знания, что готов был бы продать душу дьяволу, если бы тот вдруг явился ему. И дьявол действительно явился: в образе некроманта лорда Марвера, черного колдуна, практикующего самые темные из всех возможных видов магии. Про него мало что было известно: говорили только, что сам он принадлежит к древнему языческому роду, жившему в Англии задолго до саксов и норманнов, и что почти сотню лет назад силой своего темного искусства он превратил себя в вампира, обретя неуязвимость и бессмертие, которое поддерживал кровью невинных жертв. Отец, будучи сведущ в тайных науках не менее, а может, и более самого лорда Марвера, не мог не понимать, чем может закончиться союз с подобным человеком, но страстное желание достичь своей цели оказалось сильнее голоса рассудка и сердца. Коварный некромант обольстил разум моего бедного отца призраком близкой удачи, а сам использовал его познания в алхимии, чтобы, соединив их со своими колдовскими ритуалами, получить то, что в итоге назвали ассиратумом. Знаешь ли ты, Вильям, что это такое?

Я вздрогнул и подумал, что вряд ли хочу это знать, голос же леди сделался тверже и зазвенел, как темная сталь, когда она продолжала свой рассказ.

– Так мой отец и лорд Марвер назвали желанный эликсир, который им удалось получить. Но цена этого успеха была страшной. Ты, верно, слышал истории о бесследно пропавших девушках в селениях окрест нашего замка? Ассиратум приготовлялся из их внутренностей и крови, и множество невинных людей было умерщвлено во время опытов, и порой по ночам лорд Марвер на лодках привозил откуда-то на наш остров десятки новых жертв, которых вводили в башню через подземный ход, и никто из них более никогда не увидел дневного света. Мой отец, окончательно подпавший под темное влияние лорда Марвера, внимал его успокаивающим речам о том, что все эти жизни приносятся в жертву ради будущего спасения тысяч и тысяч других. Иногда он и его зловещий сотоварищ сутками не выходили из своей башни, и у тебя не достанет сил услышать о том, что там творилось. Мне пришлось стать невольной свидетельницей происходящего только потому, что я, как могла, старалась повлиять на своего отца, надеясь пробудить в нем его совесть и благородство, но в итоге лишь стала очевидцем кошмарных ритуалов и невольно впитала многое из тех знаний, о самом существовании которых лучше бы не знать человеку. В конце концов, как я и сказала, ассиратум был получен, а все размышления и ученые изыскания отца, которые помогли в достижении этой страшной цели, а также сам процесс изготовления кровавого эликсира, были описаны в двух одинаковых книгах, одна из которых осталась у лорда Марвера, а другая хранилась в нашем замке. Эту книгу, Вильям, ты сейчас видишь перед собой.

Я взглянул на раскрытые страницы, и никогда еще рукописные строчки не внушали мне такого ужаса, как те, на которые я смотрел сейчас.

– Враг рода человеческого лукав по природе своей, и дьявольский ассиратум отнюдь не был тем совершенным эликсиром, о котором мечтал отец. Да, он действительно исцеляет болезни и даже смертельные раны – но не делает человека неуязвимым для оружия или стихии. Он может дать бесконечно долгую жизнь – но человек, единожды принявший ассиратум, обречен всю жизнь употреблять его каждое новолуние, потому что в противном случае та самая смерть, которую он стремился обмануть, придет к нему до того, как луна снова начнет расти. Он словно бы становится вампиром, нуждающимся в постоянной подпитке своего существования свежей кровью, но сохраняя при этом человеческие слабости и уязвимость. Это пожизненное рабство кровавому напитку вместо свободы от болезни и смерти, это бесконечное страдание, потому что смерть уже не придет, как избавление от мук, только если человек сам не решит прекратить свою земную жизнь или же его не оборвет оружие или стихия. Но для того, кто владеет секретом ассиратума, – это еще и власть, огромная власть над всеми, кто соблазнится вечной жизнью и вечным здоровьем. Секретом эликсира владели только двое: мой отец и лорд Марвер, а еще он записан в этой книге, и в этом заключается причина гибели моей семьи и преследования нас, Вильям. Некромант не хотел ни с кем разделять то могущество, которое может дать ассиратум: он убил моего отца, мою мать, сотни других людей, только чтобы завладеть вторым экземпляром книги и остаться единственным, кто обладает заключенным в ней тайным знанием. И он не остановится, пока не достигнет этой цели или пока не будет остановлен.

И тогда я спросил, почему в таком случае леди так тщательно переписывает ее лист за листом, вместо того, чтобы просто сжечь это дьявольское творение и избавиться от преследования Некроманта. Но леди Вивиен только печально улыбнулась мне в ответ:

– Даже если бы мы и сожгли ее, Вильям, – как бы мы сообщили об этом лорду Марверу? Да и разве поверил бы он в это? Нет, ему нужна не только книга, но и моя смерть, потому что он знает: пока я жива, он никогда не будет тем единственным, кому известна тайна ассиратума, а еще он никогда не сможет чувствовать себя в покое и безопасности, стоит только мне уйти от его преследования. К сожалению или счастью, но во всем мире только я, Вивиен Валентайн, могу остановить его, и только я представляю для него угрозу. То, чем я сейчас занимаюсь, переписывая книгу, еще сослужит нам службу, Вильям, и я скажу тебе о своих планах, когда для того настанет время.

И потом леди добавила:

– К тому же, вздумай я сейчас уничтожить книгу ради того, чтобы она не попала в случайные руки, – я не смогу этого сделать. Не смогу потому, что моя жизнь тоже зависит от нее: во всяком случае, до тех пор, пока я не смогу настолько освоить приготовление ассиратума, чтобы обойтись без заключенных в манускрипте подсказок.

И в этот миг мне показалось, что все тени в комнате разом сгустились в своих углах, словно мрачная драпировка, ночная темнота дохнула холодом через крошечное оконце, и волосы зашевелились у меня на голове. Леди Вивиен посмотрела на меня и горько усмехнулась.

– Как ты думаешь, что в этой фляжке, Вильям? – И она достала из-под платья тот самый плоский сосуд на кожаном шнуре. – Да, мой добрый сквайр Вильям Бран, это ассиратум, и его я принимаю каждое новолуние, как сегодня, ибо без него наутро второго или третьего дня ты бы уже увидел меня мертвой.

Сердце мое готово было разорваться от ужаса, скорби и жалости к моей леди. А она рассказала мне, что, когда ее отец и лорд Марвер уверились в действенности эликсира после ряда чудовищных и жестоких экспериментов, лорд Валентайн принял ассиратум сам и дал выпить жене и дочери, чтобы самые дорогие ему люди тоже обрели бессмертие, которое обернулось лютой смертью для него и леди Изабелл и проклятием – для леди Вивиен.

– Когда в тот роковой вечер мы поднялись в башню, отец дал мне свою книгу, меч и эту флягу, сказав, чтобы я всегда носила ее на теле, потому что ассиратуму нужно тепло для сохранения своих свойств. Здесь немного, но много и не требуется: достаточно выпивать по пять жидких унций каждое новолуние, чтобы напиток действовал. Думаю, здесь еще достанет на два месяца.

И леди вновь убрала флягу, а потом добавила грустно и устало:

– К чести моего отца могу сказать, Вильям, что незадолго до смерти он все-таки вырвался из темных оков, опутывавших его душу и разум в последние два года. Он винил себя за все совершенные под влиянием своей одержимости злодеяния, за то, что приобщил меня и мою мать к этому роковому эликсиру, и хотел уничтожить все записи и все свидетельства о своих опытах и принудить к этому и лорда Марвера. Возможно, это намерение ускорило роковую развязку. Тогда в башне, прощаясь со мной навсегда, он сказал, что в этом мире любая панацея превращается в ящик Пандоры, и просил, чтобы я не допустила этому ящику открыться. Это мой долг перед доброй памятью об отце, не как о кровавом безумце, а как о сильном, доблестном и благородном рыцаре, каким он был почти всю свою жизнь и каким принял смерть, и я намерена исполнить этот долг, чего бы мне это ни стоило. Теперь ты знаешь все, Вильям, и можешь решить, хочешь ли идти дальше по смертельно опасному пути с той, которая отмечена кровавым проклятием, и если ты оставишь меня прямо сейчас — я пойму тебя и не осужу.

Душа моя была исполнена смятения и такого сострадания к моей бедной госпоже, что в этот миг я не задумываясь отправился бы вместе с ней и в адскую бездну, если бы это могло облегчить выпавший ей тяжкий жизненный жребий. И я сказал, что останусь верным обещанию, данному мной лорду Валентайну, и всегда буду преданным слугой моей леди, так что если ей потребуется моя жизнь, то пусть берет ее не задумываясь.

И тогда леди Вивиен улыбнулась, и улыбка эта была так светла и в то же время так печальна, что у меня защемило сердце.

— Спасибо, мой добрый Вильям, — только и сказала она.

# Глава 9

С высокого балкона VIP-зоны ночного клуба виден общий зал: вытянутый прямоугольник барных стоек, танцпол, хаотичное множество столиков и беспокойное, горячее, жадное движение плотной массы человеческой плоти, пестрящей яркими пятнами одежд. Толпа пульсирует вместе с низкими звуками музыкального ритма, и в такт ему лихорадочно бьются сотни сердец, гонящих по венам разгоряченную кровь, насыщенную гормонами и алкоголем. Мерцают и вспыхивают белые, синие, голубоватые лучи света, и горячий воздух несет снизу будоражащие запахи парфюмерии, возбуждения и человеческих тел, которые здесь, наверху, смешиваются с ароматами кальянного и сигарного дыма.

За низким столиком в глубоких кожаных креслах сидят двое немолодых мужчин в компании двух очень молодых девушек. Бутылка шампанского в ведерке со льдом покрыта капельками влаги, янтарным светом сияет в стаканах скотч, фрукты на большой тарелке кажутся искусственными в неживом свете, рассеивающем полумрак, как кажется искусственной лихорадочно пульсирующая жизнь вокруг.

Один из мужчин, безупречно ухоженный, невысокий, с коротко постриженными седеющими волосами, смотрит на крупный циферблат тяжелых часов на запястье и поднимается из-за стола. «Я на минуту», – коротко бросает он своим спутникам и идет к лестнице. Его белая рубашка отсвечивает синевой в лучах клубных прожекторов. Он спускается вниз, мимо охранника, оберегающего неприкосновенность VIP-зоны, протискивается сквозь плотную стену разгоряченных тел и выходит в холл. Там, у гардероба, его уже ждет водитель, высокий, крепкий, на черной гладкой коже куртки поблескивают капли дождя. Мужчина берет у него небольшую сумку, говорит: «Подожди», и уходит в туалет. Он закрывает за собой матовую стеклянную дверь кабинки, защелкивает замок, садится и открывает сумку. Изнутри она покрыта блестящим мягким материалом, напоминающим фольгу: такие сумки используются, чтобы сохранить определенную температуру своего содержимого. Мужчина достает оттуда небольшую бутылочку из темного стекла, похожую на те, в которые разливаются пробники дорогого вина, только на этой бутылочке нет никаких этикеток. Стекло теплое и как будто живое на ощупь. Он открывает пробку, по привычке нюхает содержимое, а потом двумя большими глотками выпивает темно-красную жидкость. В едком парфюмированном воздухе уборной разливается тонкий запах вина, каких-то специй, а еще горячего железа и сырого мяса. Человек убирает в сумку пустую бутылочку, выходит, отдает сумку водителю и, ни слова не говоря, проходит обратно в клуб сквозь пеструю толпу, похожую на бесконечное множество мотыльков, слетевшихся на призрачные, мерцающие огни.

* * *

В большом, приземистом особняке престижного пригорода тускло светится одно окно. За ним, в огромной кухне-гостиной, за широкой стойкой сидит пожилой грузный человек с жестким ежиком седых волос и тяжелым, суровым лицом, какое приобретается долгими годами руководства силовыми структурами. Перед мужчиной стоит хрустальная пепельница, полная окурков. В дальнем конце погруженной в полумрак гостиной беззвучно мерцает широкий плоский экран телевизора, на котором мелькают населяющие эфир призраки. Человек смотрит на лежащие перед ним часы с массивным золотым браслетом, подходит к кухонному шкафчику и достает оттуда завернутую в плотную ткань и фольгу небольшую бутылочку. Он открывает пробку и одним махом вливает себе в рот пахнущую вином, специями, металлом и мясом жидкость. Зачем-то с сопением нюхает рукав, видимо, повинуясь многолетней привычке, потом ставит пустую бутылочку обратно в шкафчик, выключает телевизор и по широкой пологой лестнице идет на второй этаж, в спальню, где давно уже спит его жена.

* * *

В призрачном свете экрана ноутбука бледное лицо Маши Галачьянц отливает неживым оттенком синевы, а большие черные глаза кажутся еще больше и темнее. Она сидит за письменным столом в полумраке своей комнаты на втором этаже готического особняка на островах. На экране компьютера перед ней открыто окно социальной сети, а еще белеет электронный лист текстового файла, наполовину покрытый частыми штрихами строчек. Быстро и сухо щелкают клавиши. Рядом с ноутбуком под настольной лампой стоит большая пластиковая банка, в которой на пожелтевшем листке сидит черная бабочка. Маша время от времени отрывается от экрана и смотрит на нее, и тогда бабочка, словно чувствуя взгляд, чуть шевелит усиками и крыльями, давая понять, что она еще жива.

Раздается осторожный тихий стук в дверь. Светлый прямоугольник дверного проема почти полностью закрывает высокая тень.

– Ты не спишь, дочка? – спрашивает Герман Андреевич.

Маша не отвечает. Папа и так прекрасно знает, что она сейчас не спит.

Галачьянц неловко входит в комнату. Его широкоплечая, угловатая фигура выглядит сейчас еще более сутулой, словно на плечах лежит тяжкое и неприятное бремя. Маша смотрит на отца. Он похож на человека, выполняющего нелегкий, но необходимый долг.

– Машенька, вот, нужно выпить... лекарство, – говорит он и протягивает ей темную бутылочку.

Маша некоторое время смотрит на него своими большими черными глазами, потом протягивает руку и прикасается к теплому стеклу. Она пьет медленно, длинными глотками, ощущая, как тягучая жидкость бежит по языку в гортань и наполняет ее теплом, силой и, как всегда, ощущением безотчетного страха. Впрочем, страх быстро проходит, а тепло и сила остаются. Маша знает, что они останутся с ней до следующего месяца, когда отец снова придет к ней в комнату с лицом человека, выполняющего нелегкий долг.

Герман Андреевич целует дочь в лоб, обнимает ее и говорит:

– Волшебных снов тебе, принцесса.

Потом он выходит, как-то боком, тихо притворив за собой дверь.

Маша знает, что снов не будет. Никаких. Они перестали ей сниться в декабре прошлого года, и она сомневается, что когда-нибудь увидит еще хотя бы один.

* * *

Я в аду. Здесь тесно, жарко, душно, и с каждым вдохом я втягиваю в себя вместе с густым горячим воздухом тяжелые алкогольные пары, запахи пота, кожи и похоти. Толпа обитателей ада стиснута так плотно, что двигаются они, едва передвигая ноги и покачиваясь, как зомби, а любой чуть более широкий шаг вызывает нарастающую волну, которая заканчивается шумной свалкой где-нибудь на танцполе, пьяными визгами, гоготом и звоном посуды. Впрочем, чаще всего этого не слышно: чудовищный грохот динамиков глушит все звуки, поэтому те, кто яростно штурмует барную стойку, надсадно разевают рты в крике, и лица их, и без того раскрасневшиеся, натужно багровеют, контрастируя с надувающимися синевой венами. Этот неистовый штурм отбивают девушки-бармены, реющие за стойкой как разъяренные гарпии: с резвостью, которой позавидовали бы и самые расторопные черти, они выхватывают мокрые мятые купюры, которые тянут к ним задние ряды штурмующих через головы передних, пригнувшихся над бокалами, наливают прозрачную, янтарную, красноватую жидкость на глаз и наугад и протягивают стаканы навстречу жадным рукам. Иногда из колонок, перекрывая музыкальное грохотание, несутся вопли ведущего, похожие то ли на боевой клич индейских племен, то ли на возгласы впавшего в экстаз шамана:

— Ваши руки, «Винчестер»! А теперь — ВАШИ ГОЛОСА!

И ад вздрагивает от немыслимого, чудовищного рева, от которого звенят стаканы, дрожат стены, сыплется сор с потолка, а в открытую, покосившуюся дверь бара сметающим все на своем пути селевым потоком с улицы лезут все новые и новые тела, ошалело поводящие глазами и вдавливающиеся себя в жаркую толщу толпы.

Давка меня не беспокоит. Я стою у края барной стойки с внутренней ее стороны, куда заказан ход для других, вместе еще с двумя-тремя постоянными гостями, которым тоже даровано такое молчаливое право вместе с привилегией наливать самому себе виски. И этой привилегией я пользуюсь сегодня в полной мере. Внутри у меня свой собственный ад: тягучая, выматывающая душу тоска, которая отступает со змеиным шипением под очередной порцией алкоголя, но не уходит, а продолжает сдавливать сердце черными холодными кольцами. И сколько бы я ни пил, кто-то недобрый и мстительный внутри меня с издевательской настойчивостью показывает одни и те же картинки: мертвую девушку под холодным дождем и исчезающую в черном провале подвала быструю тень. Я оборачиваюсь: на полке между бутылок до сих пор стоит фотография Марины в траурной рамке — она тоже здесь, в этом аду, словно даже и после смерти не покинула рабочего места. Ее улыбка, при виде которой и самая горькая человеческая жизнь уверовала бы в то, что она прекрасна, сейчас уже не выглядит веселой, а взгляд кажется полным укоризны. Да, Мариша. Тебя я тоже не уберег от смерти на разделочной доске грязного асфальта. А вчера не смог спасти еще одну девушку от того, чтобы она не стала разорванной оберткой человека, мусорным мешком, набитым стынущим мясом, брошенным в холодную лужу.

— Ваши руки, «Винчестер»! А теперь — ВАШИ ГОЛОСА!

Дом вздрагивает от подвала до чердака, словно от чудовищной икоты, сотрясшей его чрево. Определенно, то, что набилось сюда в эту ночь, может вызвать изжогу даже у каменного желудка. Я смотрю на лица в толпе, наливаю виски и пытаюсь договориться с самим собой — самым трудным и упрямым оппонентом на свете.

Конечно, ты облажался, дружище. Не спас человеческую жизнь. Наверное, Алина права и то дело, которым ты занимался когда-то и за которое взялся снова, действительно не твое.

Но хорошо, предположим, ты ее спас. Не опоздал на несколько минут, и вот Пожарская жива, только напугана, да еще измазала грязью модные джинсы и курточку. Испуг пройдет рано или поздно, одежда отстирается, и она будет жить дальше. Втиснется в толпу, заполняющую «Винчестер» или другой бар. Будет скакать на танцполе, вскидывать руки и добавлять свой голос к общему реву. Знакомиться – вот, например, с этим потным типом в полосатой рубашке, который старается смыть алкоголем размышления о квартальных бонусах и взносах за кредитную «Camry», оставив на их месте клубящуюся пустоту, потому что других размышлений у него никогда не бывало. Потом она уедет с ним из бара, а позже будет обсуждать это приключение с подружками. Может быть, она станет с ним встречаться и называть его «мой МЧ». Будет ездить с ним на отдых, выкладывать фотографии в социальную сеть, а через некоторое время, преодолев неубедительное сопротивление, женит его на себе, и они начнут размножаться в ипотечной квартире. Да, парень, похоже мир много потерял от того, что ты не успел ее спасти. Чертовски много.

Я знаю, что индуцированный приступ мизантропии – это не выход, но продолжаю заводить себя, всматриваясь в бесконечное хаотичное движение пустых лиц. Поношенная девица в вызывающе нарядном вечернем платье и с маленькой сумочкой, выглядящая на редкость нелепо в демократичной обстановке бара. Тип в плохом костюме с болтающимся ослабленным галстуком – видимо, сбежал сюда прямо из офиса. Краснорожая туша, с утробным рыком наваливающаяся на спины в стремлении пробиться к алкогольному водопою. Клетки бессмысленной животной массы.

Я делаю глоток, жидкий огонек обжигающего торфяного пламени присоединяется к разгорающемуся пожару внутри. Снова доливаю себе виски, и в этот момент стены опять вздрагивают от оглушительного акустического удара, а у дверей возникает какое-то новое движение: кто-то останавливается, кто-то оборачивается, человеческая масса беспокойно колышется, и в ней образуются просветы, как бывает, когда сильный ветер рвет плотный слой облаков. Сначала я вижу машину: черные глянцевые бока тяжелого «Continental», припаркованного прямо у входа, блестят от дождя, как шкура породистой лошади. А потом я вижу ее.

Она входит в бар, как инопланетная принцесса, сверкающей звездой спустившаяся с ночных небес другого мира, – бесконечно прекрасная и бесконечно чужая. Вокруг нее сразу образуется свободное пространство; она легко поводит плечами, и стоящий у двери охранник Гера бросается вперед, чтобы подхватить темно-красный кожаный плащ. Он держит его на вытянутых руках, глядя то на машину, то на нее так, как и следует глядеть человеку на внезапно представшее ему неземное существо, а потом бережно вешает плащ на давно уже переполненную вешалку у входа, сбросив для этого на пол несколько пальто, которые сейчас смотрятся невзрачными тряпками. Она идет прямо к стойке, и толпа расступается, словно волны Красного моря перед Моисеем. Учитывая тесную давку, это кажется чудом не меньшим, чем библейское. Мир вокруг поблек, как старая черно-белая фотография, и в нем остались только несколько ярких цветов: глубокий черный цвет волос, ниспадающих гладкой блестящей волной, красный оттенок губ и ослепительно белый цвет майки на лямках, оттеняющей золотистый теплый бархат смуглой кожи. Кажется, даже динамики вдруг поперхнулись грохотом, а ведущий Пауль, худой паренек в оранжевой футболке, вытянув шею, смотрит на нее со своего места изумленно вытаращенными глазами. Я мотаю головой и несколько раз моргаю, прогоняя наваждение, и в этот момент она видит меня, улыбается так, что от людей остаются лишь тени, и подходит к стойке.

– Родион, привет! Не ожидала вас тут встретить, очень рада!

Высокий барный стул у торца стойки рядом со мной освободился так быстро, что я не могу вспомнить, кто на нем сидел.

– Здравствуйте, Кристина. Не знал, что вы тоже тут бываете.

Кристина садится, откидывает волосы и снова улыбается. Мир вокруг еще раз качнулся и снова стал прежним: взревел музыкальный грохот, толпа сбилась в плотную массу тел, и все вокруг словно бы делало вид, что ничего не произошло, и только женщины бросали на Кристину быстрые, косые недобрые взгляды.

Она забрасывает одну длинную ногу на другую – голубые джинсы, длинные черные сапоги на шпильках – и подается ко мне, чтобы лучше слышать друг друга в окружающем шуме. Сквозь перфорированную ткань треугольного декольте в виде орла с распростертыми крыльями я вижу, как мягко движутся теплые тени и блестит золотая цепочка. Предплечья длинных рук обвивает тонкий рисунок татуировок, похожий на браслеты в виде переплетенных растений и змей.

– Я здесь не бываю, заехала первый раз. Просто много слышала про это место, говорят, тут весело. – Она обводит взглядом бар, и он сразу начинает казаться грязнее, теснее и темнее. – А вы сюда часто заходите?

– Я тут живу, – отвечаю я.

Кристина смеется, закидывая голову, и смотрит на меня сияющими темными глазами.

– Ну тогда рассказывайте, что здесь стоит попробовать.

Я пытаюсь определить, сколько ей лет. Тогда, в доме Галачьянца, мне казалось, что ей за тридцать, а сейчас едва ли можно дать двадцать пять.

– Полагаю, мне нужно предложить вам что-нибудь безалкогольное, – говорю я. – Вы за рулем.

– Я все-таки рискну и выпью какой-нибудь коктейль. Ради нашей случайной встречи.

– Тогда попробуйте местный «лонг-айленд». Он изготавливается здесь по особому секретному рецепту.

Она улыбается и кивает.

Секретный рецепт здешнего «лонг-айленда» прост и эффективен: бармены просто смешивают в высоком стакане весь крепкий алкоголь, до которого могут дотянуться, а потом добавляют немного колы для цвета – страшное и действенное оружие соблазнения. Снежана, с ревнивым любопытством прислушивавшаяся к нашему диалогу, кивает мне с понимающей улыбкой и начинает готовить эту адскую смесь.

– Не боитесь за машину? – спрашиваю я. – Здесь часто бывают эвакуаторы.

– Ерунда. – Кристина небрежно машет рукой. – «Bentley» сразу не эвакуируют. Проверят номера, увидят, чья машина, встанут рядом и будут охранять. А потом будут клянчить немного денег за услуги.

Снежана ставит на стойку перед Кристиной стакан с коктейлем. Я поднимаю свой бокал, и мы выпиваем за встречу.

– А тут мило, – замечает Кристина.

– О да, – отвечаю я. – Очень. Муж не против того, что вы гуляете по ночам одна?

Она щурится, как большая кошка.

– Герман мне не муж. Я сама решаю, где мне гулять и с кем.

Я ловлю на себе мужские взгляды: одобрительные, восхищенные, завистливые. На Кристину местные охотники за удовольствиями на одну ночь посматривают украдкой и пока боятся приближаться к ней, по-шакальи затаившись в углах. Ее красота и исходящее ощущение какой-то чарующей энергии пугает их и обостряет комплексы неполноценности.

Кристина внимательно смотрит на меня.

– Вы невеселы, Родион. Тяжелый день?

В голове у меня уже гудит, постепенно разгораясь, пламя торфяного пожара.

– Тяжелая ночь, – отвечаю я. – Позавчера. – И неожиданно для самого себя добавляю: – Я не смог спасти человека.

– Понимаю, – протяжно говорит она. – Вы же врач.

Снова этот внимательный взгляд. Она знает, или понимает, или догадывается, а у меня нет никакого желания играть.

– Я не врач.

Кристина молча кивает и потягивает коктейль.

Я делаю большой глоток виски и смотрю ей в глаза. Они черные, как глубокий бархат ночного неба, и я вижу в их глубине серебряные искры далеких звезд. Внезапно я чувствую, что мы остались наедине: грохот музыки словно отделяет нас от остального мира незримыми стенами, и я начинаю говорить. Мне хочется рассказать ей все: про Марину, про виски и одиночество, про несчастную девушку, погибшую по моей вине, даже про серую тень, которую я безуспешно преследовал. Слова путаются, и речь мою вряд ли можно назвать связной, но Кристина смотрит и слушает так внимательно, что уже не важно, как и о чем я говорю. Важно, насколько близко к моей руке на стойке бара лежит ее изящная рука, а я смотрю ей в глаза, и в этот момент мне кажется, что ничего и никого прекраснее я в жизни не видел. Может быть, причина этому скотч, а может быть, это что-то большее. И сейчас я хочу думать именно так.

Сверху нависает чья-то громоздкая тень, как будто слон нахрапом лезет в закрытую лавку чудес. Шум музыки снова врывается между нами и глушит слова. Я поднимаю глаза и вижу, что кто-то из местных искателей приключений все-таки решился подойти к Кристине: здоровенный тип в туго натянутой на животе розовой рубашке, сто двадцать кило грузной самоуверенности, подкрепленной алкоголем, внушительными габаритами, статусом коммерческого директора в какой-нибудь торговой конторе и выплаченным кредитом за «Infinity». Он смотрит на меня сверху вниз и покровительственно подмигивает поросячьим глазом, явно намереваясь продемонстрировать мастер-класс обольщения.

– Привет, – говорит он Кристине, изображая улыбку. – Классные у тебя тату!

Кристина молчит и смотрит прямо перед собой с непроницаемым выражением лица.

– Чё пьешь? – осведомляется он, и меня передергивает. – Давай угощу!

– Спасибо, не нужно, – холодно бросает Кристина, по-прежнему не глядя в его сторону. – Я замужем.

Похоже, семейное положение Кристины имеет свойство меняться в зависимости от ситуации.

– Ну и что, я тоже женат! – бодро отвечает детина. Наверное, был отличником на корпоративном тренинге по работе с возражениями.

Я ловлю его взгляд. Он осекается, и несколько секунд мы смотрим друг на друга. Потом он мотает головой, что-то недовольно бурчит и удаляется, проходя сквозь толпу, как боевой бегемот.

Сердце зло и тяжело колотится, справляясь с темным потоком бушующей крови. Кристина слегка улыбается и покачивает головой:

– Как жаль, похоже, я упустила завидного кавалера.

Некоторое время мы молчим. Нить прерванного разговора тает, ускользая вместе с разрушенным ощущением волшебства.

– Сейчас вернусь, – говорю я, встаю и поднимаюсь по ступенькам в узкий коридор.

Крошечная тесная уборная чудом оказывается свободной. На стенах шелушится сплошная чешуя фотографий: летопись прошедших вечеринок. Я закрываю расшатанную дверь, включаю воду и некоторое время стою, склонившись над раковиной и пытаясь привести в порядок ураганный хаос мыслей, чувств и эмоций, пропитанных алкоголем. Потом набираю полные ладони холодной воды и выплескиваю себе в лицо – раз, другой, третий, пока не чувствую, что могу уже более или менее адекватно воспринимать окружающую реальность. Вода капает с волос, стекает с лица на рубашку. Я кое-как вытираюсь бумажными полотенцами и иду обратно.

Первое, что я вижу, – это необъятных размеров спина, затянутая в розовую ткань. Не теряя времени даром в мое отсутствие, грузный корпоративный верзила вернулся и о чем-то увлеченно вещает Кристине: видимо, излагает свои оригинальные взгляды на институт брака. Кристина видит меня и чуть приподнимает бровь, указывая взглядом на своего собеседника.

– Здесь занято, – говорю я.

Здоровенный тип не удостаивает меня даже взглядом и продолжает что-то говорить Кристине на ухо. Та слегка морщится.

Я делаю глубокий вдох и подхожу к нему. Он тут же разворачивается мне навстречу, выставляя вперед здоровенное тугое брюхо: в нем на десять сантиметров больше роста, килограмм на сорок пять больше веса, и он это прекрасно понимает. Я шагаю вперед, аккуратно беру его за запястье и делаю легкое движение: снизу вверх и чуть вперед. В одно мгновение сто двадцать с лишним килограммов живой массы поднимаются на цыпочки с легкостью, которой позавидовала бы и балерина. Верзила балансирует на кончиках носков, судорожно вытягивается вверх, словно пытаясь оторваться от земли, и широко и беззвучно разевает рот, растягивая мгновенно побледневшую толстую физиономию так, что она напоминает греческую трагическую маску. Этот захват называется «ветка ивы», и я знаю, что он сейчас чувствует, как будто все кости его правой руки выгнулись, напряглись, словно древко натянутого лука, и готовы лопнуть одновременно в трех местах. Собственно, так оно и есть.

– Идем. – Я легко подталкиваю его вперед. Он идет гарцующим шагом, с удивительной грацией неся на носках свою огромную тушу и вытягивая вверх голову так, что даже становится заметна шея. Мы проходим сквозь толпу к входной двери. Я на секунду останавливаюсь.

– Одежда.

Хватая воздух судорожно раскрытым ртом, он лихорадочно шарит свободной рукой на вешалке, потом выдергивает из мягкой мешанины пальто темную куртку. Уже на пороге я на прощание чуть сильнее надавливаю вверх перед тем, как отпустить его руку, и он вываливается из бара громадным орущим чудищем, спотыкаясь на ступеньках и заставляя броситься врассыпную всех, кто пытался войти.

Моя ладонь горячая и осклизлая от его пота. Я брезгливо вытираю руку о пиджак и начинаю пробираться обратно, то прямо, то боком стараясь протиснуться сквозь плотную массу тел.

Когда я дохожу до стойки, Кристины там уже нет. Я быстро окидываю стойку взглядом, потом проталкиваюсь к узкому коридору, ведущему к черному ходу, – ее нигде не видно. Рывками продираясь сквозь толпу, я возвращаюсь к дверям – но ее нет ни здесь, ни на улице, и я вижу, что «Continental» тоже исчез, как будто его никогда здесь и не было, и там, где стоял массивный автомобиль, поблескивающий темным металлом, только капли дождя разлетаются брызгами по пустому мокрому асфальту. Охранник Гера ловит мой растерянный взгляд, ухмыляется и разводит руками. Инопланетная принцесса исчезла так же неожиданно, как и появилась.

Я снова прохожу в свой угол. Фотографию Марины кто-то

уже убрал с полки, и теперь она улыбается мне с обратной стороны стойки бара, пристроившись между пепельниц и пустых стаканов, и улыбка ее кажется мне сочувствующей и понимающей. Я киваю ей в ответ, беру бутылку и наливаю себе бокал до краев...

Четыре часа утра. Бар похож на упрямого боксера в двенадцатом раунде, который, едва стоя на ногах, тяжелыми шагами упрямо идет вперед, покачиваясь и размахивая руками. Музыка не грохочет, а разухабисто ухает диковатыми аккордами. На обеих барных стойках гроздьями висят пьяные девицы, разбавленные редкими и еще более пьяными мужскими особями, и я вынужден постоянно поднимать свой стакан, чтобы в него не угодил чей-нибудь пошатывающийся каблук. Вопли ведущего Пауля напоминают уже не боевой клич, а крики стервятника, кружащего над едва стоящей на ногах толпой на танцполе, а диджейские миксы уступили место ностальгическому алко-диско восьмидесятых. Справа от меня кто-то тощий, бледный и волосатый во всех смыслах этого слова, в одном нижнем белье вскарабкался на шаткий стол, извивается в танце, и ему с хохотом засовывают деньги за резинку трусов. Слева на дальней стойке под многоголосый рев и улюлюканье толпы какой-то здоровенный лысый мужик раздевается почти догола и по очереди кидает через весь зал предметы своего гардероба, которые с переменным успехом пытается ловить Пауль. Брюки поймать не удается, и они падают на головы и в стаканы, вызывая всеобщий восторг.

Мир вокруг меня колышется в тошнотворном мареве, которое все больше наливается густой темнотой. Та самая тягучая, холодная тоска, которая сидит во мне уже третий день, выбралась теперь наружу, сжимается вокруг и с прежним садистским удовольствием продолжает показывать мне дождь, мертвую девушку, серую тень, а еще Марину, лежащую на грязном асфальте.

– Чё, не дала?

Я поворачиваю голову на прозвучавший рядом голос. Мой новый знакомый в розовой рубашке, оказывается, вернулся и теперь сидит за стойкой в двух шагах и сверлит меня недобрым взглядом маленьких кабаньих глазок. Физиономия его раскраснелась еще больше, живот воинственно нависает над ремнем, воротник рубашки расстегнут до середины белой пухлой груди. Он сидит вполоборота ко мне, положив локоть на стойку, и сжимает в огромном кулаке стакан с виски.

Я отворачиваюсь.

– Не дала, спрашиваю?

Он вытягивает ногу и с силой пинает стул, на котором я сижу. Похоже, опыт с «веткой ивы» ничему его не научил, и теперь оскорбленное самолюбие вместе с плещущимся в крови алкоголем рождают в нем тяжелую животную агрессию.

Я смотрю на него. Марево вокруг наливается чернотой, как грозовая туча. Видения мелькают чаще, но по-прежнему со страшной отчетливостью: рубленые раны, перерезанное горло, Марина улыбается – а вот уже лежит на земле, и я с трудом узнаю ее. «Ваша ошибка в том, что вы беретесь не за свое дело», – говорит Алина. Я чувствую, как внутри меня с каждым вдохом все выше поднимается холодная темная волна, едва сдерживаемая тонкой ледяной коркой рассудка.

В соседнем зале пол сотрясается от ритмичного топота: настало время музыки из фильмов, и толпа ревет, выкрикивая по слогам имя веселого деревянного человечка.

– Чё молчишь? Приссал? – И детина в розовой рубашке снова бьет ногой по моему стулу.

Я делаю выдох и отпускаю то, что так яростно рвется наружу. В одно мгновение исчезает все: алкогольное марево, видения, тоска, мысли, и сознание наполняет звенящая кристальная пустота.

– Скажите, как его зовут?! – сорванным голосом кричит Пауль.

– БУ! – от рявкающего вопля десятков глоток закладывает уши.

Я нагибаюсь через барную стойку.

– РА!

У меня в руке бокал для шампанского на тонкой ножке.

– ТИ!

Я разбиваю бокал о край стойки, соскальзываю со стула и резким движением всаживаю длинный острый осколок стекла в лицо человека в розовой рубашке.

– НООО!!!

– ОООО!!!

Его крик на мгновение перекрывает и грохот музыки, и крики толпы. Я чувствую, как тонкое стекло с хрустом сминается о лицевую кость, оставаясь торчать в разрезанной плоти зазубренными осколками. Алая кровь широкой волной выплескивается на рубашку и стойку. Толпа вокруг мгновенно расступается, образуя широкий полукруг, а опытная Снежана делает быстрый шаг назад, чтобы капли крови не попали на одежду. Детина орет, закрывая лицо руками. Я делаю шаг, кладу руку ему на затылок и резко бью лицом о стойку. Удар приходится точно в его стакан с виски, который с треском разламывается вместе с переносицей. Вопли становятся воем. Ко мне с двух сторон бросаются охранники Гера и Гоша, но я поднимаю вверх руки, и они замирают рядом. Я подхожу к вешалке, срываю свое пальто и выхожу на улицу, в холодную мокрую тьму.

Некоторое время я стою, подставляя лицо каплям дождя и чувствуя себя сейчас единым целым с ветром, холодом, стылой влагой и ненастной ночью. Потом надеваю пальто. Когда я вытаскиваю из кармана пиджака сигареты, пальцы натыкаются на сложенную вдвое салфетку. Я вынимаю и разворачиваю ее. Аккуратным почерком на ней начертаны семь цифр, а ниже выведено имя: Кристина.

* * *

Часы на приборной доске автомобиля показывали половину второго ночи. Еще десять минут. Нет, пятнадцать минут она подождет в машине, еще раз соберет и успокоит мысли, а потом начнет действовать.

Красный «Peugeot» был припаркован в темном переулке, метрах в ста пятидесяти впереди темнело огромное здание медицинского центра «Данко», а чуть дальше проносились по набережной огни редких машин. Капли частого мелкого дождя мелькали в неярком свете фар, словно бесконечный рой прозрачных ночных насекомых. Алина положила руки на руль и мысленно прошлась по всем пунктам плана, который составила за эти два дня.

Итак, на сегодня есть одно открытое уголовное дело о гибели в начале августа девушки-телохранителя, в рамках которого Кобот получал постановление об эксгумации. Заключение по исследованию останков составлено Алиной и совершенно адекватно отражает действительность: ведь Кобот сам хотел настоящую экспертизу и реальных результатов. Это заключение Алина завтра же отправит тому следователю, который подписал постановление, а копия уйдет в Следственный комитет. Туда же она отправит материалы по вскрытию другого тела, которое до сих пор хранится в морге Бюро судебно-медицинской экспертизы. Это заключение тоже подготовлено для Кобота, сделано Алиной и содержит описание признаков насильственной смерти: разрез на горле, разрубленная грудная клетка, травмы лица. Кроме того, за вчерашний день она закончила исследование тела несчастной Алисы Пожарской, и, хотя на этот раз убийца не успел довести свое дело до конца, разрез на горле и обескровленный труп полностью соответствуют признакам других, совершенных ранее убийств. К тому же на месте совершения последнего злодеяния было полно свидетелей: сотрудников полиции, следователей, санитаров, — которые несомненно видели жертву насилия, а не какого-то мифического нападения собак. Три экспертных заключения, отправленных в Следственный комитет, по трем однотипным убийствам — это повод для расследования такого масштаба и на таком уровне, что ни Кобот, ни тот, кто за ним стоит, не смогут больше скрывать страшную правду о маньяке, орудующем в Петербурге с начала весны, жертвами которого стали уже десять человек. Кроме того, Алина решила еще немного подстраховаться и передать все имеющиеся у нее материалы в прокуратуру, а если вдруг результат все-таки будет недостаточным — что ж, есть еще и журналисты, для которых у нее найдется по-настоящему сенсационный материал.

Все это она должна была сделать еще раньше, две недели назад, когда впервые увидела такие страшно знакомые раны на теле убитой девушки-бармена. Ну или минимум на неделю позже, завершив исследования двух других тел. И если бы не Гронский с его загадочными намеками, мистическими теориями и странными просьбами, она бы давно уже поступила именно так, и два дня назад ей не пришлось бы видеть, как очередной удар ножа зловещего убийцы оборвал еще одну жизнь.

Да, Гронский... Она решила, что обязательно позвонит ему, когда все закончится, и расскажет, что сделала и чего добилась. Вообще, с желанием позвонить ему она боролась все эти два дня. Ей хотелось извиниться за резкие слова, которые наговорила ему тогда, во дворе, и, хотя сама Алина никогда не призналась бы себе в этом, она была бы не прочь посоветоваться с ним в отношении своих планов. Нет, конечно, что бы ни сказал Гронский, она бы не отступила от задуманного, но все же... Все же он каким-то немыслимым образом узнал, кто окажется следующей жертвой убийцы. Был прав, когда посоветовал ей принять предложение Кобота и внедриться в его медицинский центр: здесь действительно было что-то неладно, и это неладное имело прямое отношение к таинственным убийствам. А еще именно Гронский связал вместе древний алхимический трактат и ритуалы красной магии с тем, как были убиты несчастные девушки, а легендарный ассиратум — со странным в своей безупречности здоровьем пациентов «Данко». И на настоящий момент это было единственным объяснением всего происходящего, пусть даже такое объяснение Алина ни при каких обстоятельствах не готова была принять. Но сегодня она сама выяснит если не все, то очень, очень многое из того, что еще было непонятным. Вот тогда можно будет звонить Гронскому: и с извинениями, и с рассказами.

Впрочем, в плане своей победоносной кампании Алина видела один небольшой изъян. Существовала вероятность, что Коботу удастся уйти от наказания: в конце концов, все фальшивые заключения судебно-медицинской экспертизы были подписаны Эдипом и Мампорией, которые, конечно, могут свидетельствовать против своего шефа, но могут и промолчать, сославшись на собственные ошибки и признавшись в полной некомпетентности. Расследование пойдет обычным порядком, а подозреваемый номер один, виновный в сокрытии всех этих убийств, останется вне поля зрения следователей. Был только один надежный способ не дать Коботу уйти от ответственности: раздобыть серьезные, неопровержимые улики, которые связывали бы его и «Данко» со всей этой кровавой вакханалией. Алина была практически уверена в том, что если такие улики имеются, то искать их следует в закрытой зоне медицинского центра. Туда она и собиралась проникнуть сегодня ночью. Это будет последним, но очень важным штрихом к общей картине, которую она с удовольствием передаст в дар следственным органам.

Алина еще раз взглянула на часы. Без двадцати два. Все, пора. Она глубоко вдохнула, завела двигатель и рванула машину с места, набирая скорость на коротком отрезке до набережной.

Маленький автомобиль влетел в черно-белое поле зрения камер наблюдения и резко остановился в туче водяных брызг прямо у входа. Алина заглушила двигатель, достала телефон, прижала его к уху, и, сделав озабоченное лицо, выскочила из машины.

Тяжелые двустворчатые двери медицинского центра были закрыты. Она нажала на кнопку звонка, подождала пару секунд и снова надавила: раз, другой, третий, создавая впечатление тревожной спешки. Раздался негромкий щелчок, дверь открылась. Алина ворвалась внутрь и стала почти бегом подниматься по лестнице к посту охраны, нарочито громко говоря в телефон:

— Все, я уже здесь, Даниил Ильич, вот буквально поднимаюсь по лестнице... да, да... Даниил Ильич, я доехала за десять минут, как могла... да, я все поняла, не волнуйтесь, все будет сделано и подготовлено. ... Когда приедет клиент? Все, поняла, принято, я справлюсь...

Охранник вышел из своей будки и настороженно уставился на Алину. За его спиной тускло мерцал экран маленького телевизора и лежал на столе раскрытый журнал со сканвордами. Алина отодвинула трубку от уха и быстро проговорила:

– Мастер-ключ от всех дверей и закрытой зоны, прямо сейчас!

В глазах охранника метнулось беспокойство. Он посмотрел на Алину и мотнул головой:

– Нужно разрешение.

– У меня не разрешение, у меня личное распоряжение шефа, ключ давайте быстро!

Охранник набычился и не сдвинулся с места.

– Нужно, чтобы Даниил Ильич сам подтвердил. Иначе нельзя.

Алина сделала непроницаемо-холодное лицо, отступила на шаг, и, с ледяной ненавистью глядя охраннику в глаза, сказала в телефон:

– Даниил Ильич, все отменяется. Я сама сообщу клиенту, что он может не приезжать. Почему? Потому что охрана отказывается выполнять ваши распоряжения. Как вас зовут? – требовательно спросила она у упрямого стража.

– Георгий, – ответил охранник и переступил с ноги на ногу.

Да, все верно, Георгий. Тот самый, который рассказал Эдипу про ночной визит вора в законе, ставшего потом пациентом «Данко». Алина специально узнала, что именно он будет дежурить сегодня, в ночь с пятницы на субботу.

– Даниил Ильич, охранник по имени Георгий отменил визит вашего клиента и требует, чтобы вы лично сюда прибыли и с ним пообщались.

Алина отодвинула трубку от уха и слегка поморщилась, словно не в силах выдержать дикого крика и потока брани, несущегося из динамика. Потом протянула телефон переминающемуся у своей будки Георгию и, глядя ему в глаза, спросила:

– Есть желание поговорить лично?

Настал момент истины. Если сейчас охранник возьмет ее телефон и услышит там тишину, ей придется отступить ни с чем. Неизвестно, каких трудов потом будет стоить убедить следствие провести обыск в «Данко», в котором к этому моменту уже будут уничтожены все возможные свидетельства преступной деятельности, если они там имелись.

Георгий посмотрел на телефон, на Алину, продолжавшую сверлить его яростным взглядом, повернулся и молча полез за ключом.

– Даниил Ильич, – сказала Алина в трубку звенящим голосом. – Проблема улажена. Ключ у меня, все подготовлю. Да, все... не волнуйтесь, Даниил Ильич... да, позвоню, как только закончим...

Алина дрожащей рукой убрала телефон в нагрудный карман и выдохнула. Охранник Георгий протянул ей пластиковый ключ-карту.

– Распишитесь. – Он подвинул Алине журнал, и она вывела свою фамилию и поставила торопливый корявый росчерк. – Там от закрытой зоны еще механический ключ, он у Даниила Ильича в кабинете...

– Знаю! – рявкнула Алина. Пальцы сомкнулись на теплой пластиковой поверхности карты.

– Только я с вами пойду, – сказал Георгий, упрямо нагнув голову. Он был похож на выпоротого, но не смирившегося с поражением школьного двоечника.

– Вы что, не поняли? – Алина постаралась довести градус бешенства в своем голосе до максимального накала. – Мне как еще объяснить? Через двадцать минут тут будут люди, клиент на носилках, кто им дверь откроет?! Подготовьте все для встречи, вызовите помощь, если нужно, и оставайтесь здесь!

Не дожидаясь ответа, Алина с неистово бьющимся сердцем быстро стала подниматься вверх по лестнице, качая головой и что-то негодующе бормоча себе под нос. Охранник провожал ее угрюмым взглядом.

Огромное пространство вестибюля было наполнено гулкой пустой тишиной. В полумраке светились редкие лампочки дежурного освещения. Алина быстро поднялась на четвертый этаж и открыла дверь в длинный коридор, обитый деревянными панелями. Итак, у нее есть двадцать минут, если, конечно, охранник Георгий прямо сейчас не набирает номер мобильного телефона Кобота. В этом случае могут возникнуть такие осложнения, что лучше о них не думать.

Толстые ковры глушили звук ее торопливых шагов. Алина прошла мимо пустого зала переговоров, мельком взглянув на стоящие вокруг длинного стола стулья, словно собравшиеся на ночное заседание неведомого тайного общества, быстро миновала приемную и открыла дверь в кабинет Кобота.

Даже ночью тут стояла та же странная, душная жара, которая

так удивила ее в прошлый раз. Тускло поблескивали в неверном ночном свете стекла шкафов и глаза охотничьих трофеев хозяина кабинета: кабан и олень, казалось, кидали на Алину недобрые взгляды. Возможно, они и не пылали любовью к тому, кто лишил их жизни, но и непрошеной ночной гостье тоже не были рады.

Алина подошла к столу. В первом ящике оказалось несколько папок с бумагами: какие-то записи от руки, столбики цифр, химические формулы, несколько листов с распечатками лабораторных анализов — похоже, Кобот занимался какой-то научной деятельностью. Алина на секунду задумалась, не захватить ли бумаги с собой, но решила, что сейчас это не важно, да и не нужно раньше времени тревожить хозяина кабинета: если все же ей удастся обнаружить что-то важное в таинственной закрытой зоне здания, то все эти документы в любом случае попадут в нужные руки, когда будут изъяты при обыске. Алина аккуратно осмотрела ящик, закрыла и открыла следующий. Он был почти пустой, и среди раскатившихся карандашей, старых ручек и скрепок Алина увидела большой стальной ключ. Сердце учащенно забилось. Алина взяла ключ, оказавшийся тяжелым и нагретым на ощупь, закрыла ящик, вышла из кабинета и почти бегом устремилась к железной двери в противоположном конце коридора.

Механический замок глухо лязгнул, отзываясь на повороты ключа: один, два, три, четыре раза. Теперь ключ-карта: Алина вставила ее в считывающее устройство, и через мгновение красный огонек сменился зеленым, раздался характерный щелчок и дверь приоткрылась. Путь в запретную зону был свободен.

Пространство за дверью было заполнено непроницаемой черной темнотой. Алина, похвалив себя за предусмотрительность, достала из кармана фонарик, и желтый луч осветил уходящий вдаль длинный узкий коридор с закрытыми дверями. Алина сделала шаг, и дверь за ее спиной мягко захлопнулась с тихим щелчком. На электронном замке снова зажглась красная лампочка.

Воздух был душным и жарким. Стены и пол покрывал тонкий слой пыли, и только под ногами посередине коридора тускло поблескивал линолеум: там пыль была стерта подошвами тех, кто здесь проходил. Алина пошла вперед по этой блестящей, как слюда, дорожке, одну за одной открывая незапертые боковые двери.

Помещения по обе стороны коридора были большими, квадратными и почти пустыми. В одном из них жара была еще сильнее: на всех четырех стенах висели обогреватели, над которыми тянулись ряды длинных полок — пустых, но не пыльных, а значит, совсем недавно ими пользовались. В углу она увидела несколько лежащих на полу открытых сумок, выложенных изнутри мягким блестящим материалом, напоминающим фольгу. В двух других комнатах было прохладнее, обогреватели выключены, а на полках скопилась пыль. В одном из пустых кабинетов находилось несколько чемоданов: металлических, с кодовыми замками, слоем уплотняющей резины, но, судя по весу, пустых. В другом кабинете стояло несколько коробок с множеством небольших бутылочек, похожих на те, в которые разливают пробники вина. Бутылочки были сделаны из темного непрозрачного стекла. Еще две стоящие рядом коробки оказались заполнены маленькими пробками.

Алина миновала коридор и толкнула дверь в самом его конце. За дверью оказалась лестница, пролеты вели вниз, к тем закрытым этажам, входа на которые не было из других помещений «Данко». Сама лестница была узкой, простой, с обыкновенными железными перилами, покрытыми черным дешевым пластиком. Как бы то ни было, это место явно не предназначалось для посещения гостями и клиентами медицинского центра. Алина посмотрела на часы. У нее оставалось примерно семь минут до того момента, как не дождавшийся прибытия ночного пациента охранник Георгий начет проявлять признаки беспокойства, но возвращаться обратно сейчас было совершенно немыслимо, и Алина стала спускаться вниз.

Помещения на третьем этаже были заполнены медицинским оборудованием. Луч фонаря выхватывал из темноты зачехленные, накрытые прозрачным пластиком, а иногда даже не распакованные рентгеновские аппараты, оборудование для УЗИ и флюорографических исследований, два огромных агрегата МРТ, операционные столы, сложенные кое-как большие и маленькие коробки с логотипами производителей: современное дорогостоящее оборудование было составлено без всякого порядка и покрывалось серой пылью, которая толстым слоем лежала на упаковочном пластике и картоне. Еще два кабинета оказались завалены хаотичными залежами медицинских халатов, операционной одежды, россыпью инструментов, перевязочных материалов и даже лекарств. Чувствовалось что-то зловещее в этом молчаливом хранилище того, что было предназначено для спасения человеческой жизни, а сейчас пылилось тут в мрачном забвении.

Алина снова вернулась на лестницу и стала спускаться ниже. Здесь было заметно прохладнее, а когда Алина толкнула дверь второго этажа, холод сделался еще более ощутимым. Она посветила фонариком, и луч его мгновенно затерялся в темноте огромного пространства.

Второй этаж не был разделен на кабинеты, окна оказались заложены кирпичом, а большое холодное помещение уставлено рядами коробок с вином. Алина быстро прошла вдоль штабелей, читая названия: кто бы ни занимался материальным снабжением этой странной части «Данко», он явно не экономил ни на медицинском оборудовании, ни на алкоголе. Все вино было известных марок, лучших сортов и с прекрасно подобранными годами урожая — во всяком случае, насколько об этом могла судить Алина, которая благодаря отцу и его бизнесу волей-неволей научилась разбираться в винах.

Двадцать минут истекли. Собственно, это случилось уже минут пять назад, так что скоро сверху вполне могут послышаться шаги охранника Георгия, а возможно, и не его одного. Алина опять оказалась на лестнице, которая заканчивалась на втором этаже узкой площадкой. Похоже, придется возвращаться ни с чем: жаркие помещения с полками, пустые бутылки, пылящееся без дела медицинское оборудование и запасы вина — это, конечно, очень интригующе, и будь здесь Гронский, он бы сумел объяснить все какой-нибудь очередной увлекательной теорией, но только вот ничто из этого не подходит на роль изобличающих улик. Алина повернулась и уже поставила ногу на ступеньку, как луч фонаря, скользнув по стенам лестничной площадки, высветил в противоположной стене еще одну металлическую дверь.

Алина подошла ближе, подергала за круглую ручку: дверь была заперта на механический замок. Не особо рассчитывая на успех, Алина вставила стальной ключ в чернеющую скважину, и он неожиданно легко повернулся все четыре раза. Дверь открылась. Сразу за ней, на расстоянии полуметра, оказалась еще одна дверь, деревянная, рассохшаяся от времени, покрытая чешуйками облупившейся краски. Алина толкнула ее, и та с легким скрипом отворилась. Пахнуло сыростью, и прямо перед ней распахнулись темные недра старой квартиры в том самом заброшенном доме, к стене которого примыкал медицинский центр. Алина поколебалась несколько мгновений, но все же сделала шаг и вошла в затхлую тьму.

Воздух здесь был пыльным и пропитанным запахом тления. Старые половицы кряхтели и мягко проседали под ногами. Холод и сырость проникали через разбитые окна вместе с призрачным синеватым светом и монотонным далеким гулом ночного города, похожим на долгие вздохи огромного живого существа. Алину окружала неприветливая глухая тишина, как будто квартира затаила злобу на тех, кто бросил ее умирать и разваливаться изнутри, а заодно и на весь человеческий род. Луч фонаря встревоженно метался вокруг, тускло освещая свешивающиеся со стен лоскуты обоев, покосившуюся мебель, выдвинутые ящики столов, продавленный диван, покрытый гниющими тряпками. На полу были разбросаны игральные карты, и снизу вверх смотрели пиковые короли и валеты, словно предвещая несчастья. Алине стало не по себе: казалось, что в этой квартире, навсегда оставленной людьми, поселились теперь какие-то *другие* люди, такие же обветшалые, грязные, подгнившие и очень недобрые, как и все здесь.

Алина двигалась вперед, осторожно заглядывая в открытые комнаты по обе стороны длинного коридора. Приметы ушедшего быта оставляли гнетущее впечатление: пожелтевший плакат календаря за какой-то забытый год, свисающая рваная занавеска, разбросанные и распухшие от плесени книги – все это, когда-то бывшее атрибутами жизни, теперь стало печальными свидетельствами смерти. Особенно было неприятно думать о том, чьи руки разбросали игральные карты по полу, или выдвинули ящики стола, или раскрыли одну из книг посередине, да так и оставили, словно собираясь вернуться. Видение *другого* человека, восседающего на дырявом стуле за трухлявым столом и читающего книгу, покрытую черными пятнами плесени, заставило Алину нервно ускорить шаг.

Коридор заканчивался большой кухней. На плите и столах стояли почерневшие мятые кастрюли, в буфете среди пыли виднелась забытая тарелка. В дальнем углу кухни темнел дверной проем, и Алина направилась туда, стараясь унять страх и подавить растущее паническое чувство, что она здесь не одна, что стоит ей обернуться, и она увидит *тех*, чьи взгляды ощущает спиной.

Алина почти бегом миновала маленькую прихожую, успев отметить, что на вешалке висит какое-то серое одеяние, похожее на пальто и саван одновременно, и выскочила на лестничную площадку. Сюда выходили двери еще трех квартир, все приоткрытые, как прищуренные веки, из-под которых что-то наблюдает за вторгшимся чужаком пустыми провалами глазниц.

Алина внимательно осмотрелась. На полу, в пыли и крошеве осыпавшейся штукатурки, были видны следы, точнее, едва заметная тропа. Кто бы ни проходил здесь, его путь шел не в соседние квартиры, а вниз по лестнице. Алина стала спускаться, стараясь ступать как можно тише и ощущая, как три этажа пустого дома нависают сверху гнетущим темным молчанием.

Лестница вела все ниже и ниже, мимо пустых квартир первого этажа, заколоченной двери подъезда, пока последний, самый короткий пролет из покосившихся ступеней не уперся в подвальную дверь: низкую, толстую, обитую листами крашеного железа. Петли для навесного замка свободно болтались, торча в разные стороны. Алина мгновение помедлила, а потом потянула дверь на себя.

За дверью оказалась еще одна лестница из десятка ступеней, плавно поворачивающая вправо, в темноту огромного подвала. Снизу несло застарелой сыростью, влажным кирпичом, а еще металлом и едва уловимым, но таким знакомым запахом морга. Алина посветила фонариком: рядом с дверью на стене был большой старинный рубильник. Она с усилием нажала на него, рукоятка, громко щелкнув, упала вниз, и в подвале с гудением и стеклянным потрескиванием одна за другой вспыхнули лампы дневного света. Алина спустилась вниз, посмотрела на то, что осветили лампы, и поняла, что на этот раз она пришла туда, куда надо.

Подвал был огромным, шириной во всю площадь находящегося над ним дома, с довольно высоким потолком и плотно утрамбованным земляным полом, от которого тянуло холодом. Справа от входа в два ряда стояли большие железные клетки из толстых прутьев, верхние концы которых уходили в камень потолка, а нижние были приварены к металлическим плитам в основании. Тяжелые цепи с висячими замками запирали решетчатые двери. Всего клеток было шесть; Алина увидела внутри табуреты, брошенные на пол дырявые старые матрасы и стоящие прямо на полу пожелтевшие фаянсовые унитазы. За клетками у правой стены подвала стояли два больших железных стола, покрашенных серой, уже облупившейся краской. Ножки столов были снабжены колесами, а сами столы — двумя парами грубых толстых ремней и широкими желобами кровостоков, покрытых вязкой черно-багровой запекшейся коркой. Над столами свисали хирургические лампы и цепи со стальными мясницкими крюками. В двух железных шкафах без дверец были разложены хирургические инструменты, новые и старые, чистые и покрытые бурыми пятнами: прямые и изогнутые пилы, ланцеты, скальпели, ножницы всех размеров, щипцы и ручные толстые сверла. Рядом прямо в кирпичную стену было вбито несколько загнутых вверх гвоздей, на которых висели грязно-серые и синие халаты. Здесь же располагалась покрытая пятнами ржавчины металлическая раковина, с одним краном и с огрызком хозяйственного мыла. В углу у раковины грязной кучей валялись заскорузлые от крови фартуки. Чуть дальше, у задней стены подвала, стояли шесть больших, в человеческий рост, железных холодильников, похожих на сейф и гроб одновременно. Они были заперты на висячие замки, и от каждого холодильника вился толстый черный кабель, подключенный к одной из шести промышленных розеток внизу стены.

Алина шла, стараясь ступать как можно легче по земляному полу, словно боясь потревожить неподвижную тишину. В дальнем правом углу она увидела небольшую железную дверь с грубо намалеванным белой краской каким-то странным символом. Замочной скважины на двери не было, а когда Алина попыталась ее открыть, та лишь слегка подалась в пазах, а изнутри послышалось едва различимое звяканье засова.

Левая часть подвала была отгорожена короткой и низкой кирпичной стеной. За ней Алина увидела помещение, в котором безошибочно можно было узнать лабораторию: вытянутый прямоугольник из серых металлических стен с большими окнами, забранными толстым стеклом, которые отделяли ее от остального подвала. Внутри аккуратно размещалось оборудование для химического анализа, рабочий стол с разнообразной посудой и два холодильника, которые обычно используются для хранения биологических образцов. Алина подошла ближе и заглянула внутрь. Пол в этом помещении был не земляным, а плиточным, очень чистым, а рядом с входом на плечиках вешалки висел новый рабочий лабораторный костюм. Она взялась за матовую стальную ручку двери, подергала, потом попробовала вставить свой мастер-ключ в электронный замок, но дверь по-прежнему осталась закрытой. Алина прошла чуть дальше и в углу подвала увидела низкую широкую дыру, образованную неровно осыпавшейся кирпичной кладкой. Она посветила туда фонариком. Желтоватый луч потерялся в кромешной тьме уходящего вниз глубокого провала. Из темноты доносились запахи потревоженной земли, влаги и разложения. Где-то в глубине одиноко прозвучала упавшая капля воды.

Алина еще раз окинула взглядом лабораторию, клетки, железные столы с ремнями и потеками крови, цепи, огромные холодильники – и решительно направилась к выходу. Ей было достаточно. Что бы ни происходило в этом подвале, это уж точно не было лечебно-оздоровительными процедурами. Даже если бы на железных столах и разбросанных грязных халатах не было красноречивых кровавых пятен, тяжелая гнетущая обстановка подземелья, пропитанная болью, страхом и смертью, говорила сама за себя.

Алина поспешно поднялась по лестнице к выходу, выключила рубильник и плотно закрыла низкую дверь. Когда на обратном пути она снова проходила через заброшенную квартиру, наполненную холодной и злой духотой, ей почему-то уже совсем не было страшно.

Она аккуратно заперла дверь в закрытую зону, вернулась в кабинет Кобота, положила ключ на место и стала спускаться по лестнице к выходу. С момента ее решительного вторжения в «Данко» прошло уже чуть больше часа, но менее всего Алину сейчас волновало, какие чувства и тревоги испытывает охранник Георгий. Даже если бы на выходе ей преградил дорогу целый отряд его коллег во главе с самим Коботом, это вряд ли произвело бы на нее впечатление более сильное, чем недавняя экскурсия по подземельям.

Впрочем, Георгий смирно сидел на своем месте, глядя в телевизор. Он только мрачно взглянул на Алину, которая отдала ему ключ, и кивнул, когда она сказала: «Клиент не доехал. Увы, так бывает».

Алина миновала пост охраны и через минуту уже вдыхала промозглый холодный воздух, показавшийся ей сейчас сладким и свежим. Некоторое время она стояла, переводя дыхание, рядом с машиной, потом открыла салон, села внутрь и достала телефон.

– Следственный комитет, дежурный, слушаю, – услышала она в трубке.

– Здравствуйте, – сказала Алина. – Я Назарова Алина Сергеевна, старший эксперт Бюро судебно-медицинской экспертизы. Пожалуйста, примите оперативную информацию.

# Глава 10

Телефон звонит упрямо и настырно, как собака, которой давно пора гулять, тянет одеяло со спящего хозяина. Я с усилием выбираюсь из тяжелого мертвого сна, пытаясь попутно осмыслить три основных философских вопроса: кто я, что есть этот мир и что я тут делаю. А еще: кому и какого черта я понадобился в такую рань? На часах девять утра. Я беру в руки телефон и пытаюсь сфокусировать зрение на имени, которое мигает на экране: Алина. После нашего последнего разговора я не ждал ее звонка: во всяком случае, не ждал так рано, во всех смыслах этого слова.

– Слушаю.

Осипший голос повинуется мне нехотя, язык едва ворочается, обложенный плотным слоем осевших на нем алкогольных испарений, поднимающихся из желудка.

– Родион, здравствуйте, доброе утро, можете говорить, я вас не разбудила? – Алина щебечет, как свихнувшийся от жизнерадостности жаворонок. В динамике звучит гулкое эхо – почему-то она говорит по громкой связи.

– Разбудила... ли, – отвечаю я. – Что случилось?

– Помните, я вам рассказывала про закрытую зону в здании «Данко»? Ну, ту в которую можно попасть только через дверь из коридора верхнего этажа? Так вот, вчера ночью мне удалось туда пробраться, представляете?

Я проснулся и протрезвел одновременно. Алина продолжает говорить, и голос ее звучит неестественно оживленно, как у продавца в телемагазине.

– Я обнаружила там потрясающие вещи, просто потрясающие! Знаете, теперь мне все стало ясно. Мне обязательно нужно вам это рассказать! Вы можете приехать ко мне прямо сейчас?

Я резко поднимаюсь. Мир вокруг на мгновение тошнотворно качается, но тут же встает на место. Похмелье стремительно отступает, словно понимая свою неуместность.

– Где вы? – спрашиваю я.

– Я дома, вы можете ко мне приехать? Прямо сейчас. Это очень важно!

Звенящий от напряжения голос. Громкая связь.

– Так, еще раз, – говорю я, одной рукой срывая с вешалки

рубашку и брюки. – Ночью вы были в закрытой зоне «Данко», да? И увидели там что-то необычное?

– Да! Да!

– И теперь вам нужно, чтобы я как можно скорее приехал к вам домой, так?

– Совершенно верно! Вы все правильно поняли! Запишете адрес?

У меня уже давно был домашний адрес Алины, но я вспоминаю несчастную Пожарскую и говорю:

– Да, диктуйте.

Я быстро записываю несколько слов и цифр.

– Так вы приедете?

– Постараюсь как можно скорее, – отвечаю я и кладу трубку.

Постараться действительно придется. Если я и в самом деле все правильно понял, времени у меня совсем немного.

* * *

Весь остаток ночи Алина почти не спала, безуспешно пытаясь погасить возбуждение телевизором, книгой, Интернетом, и только утром забылась тонким и легким, как паутина, сном. Оперативный дежурный Следственного комитета, которому она сообщила о своей находке в подвале заброшенного дома рядом с медицинским центром «Данко», записал ее личные данные, контактную информацию, сказал, что подготовка операции займет несколько часов и что утром с ней обязательно свяжутся, чтобы привлечь к следственным действиям. Алина чувствовала себя так, как, наверное, чувствует полководец в те минуты, когда его войска пошли в решительную атаку на оборонительные ряды противника и вот-вот сойдутся с ним в рукопашной.

Звонок прозвучал в восемь утра. Мужчина, представившийся сотрудником Следственного комитета, поинтересовался, как скоро она может быть у «Данко» для того, чтобы принять непосредственное участие в проводимом досмотре. Сон мгновенно смахнуло с глаз. Алина заверила, что соберется за полчаса, и выскочила из постели.

* * *

– Сказала, что соберется за полчаса. Через двадцать минут поднимемся.

Черный джип, похожий на огромный бронированный катафалк, остановился напротив подъезда Алины, почти вплотную прижав свою здоровенную угловатую морду к переднему бамперу ее маленького красного автомобиля. Сидящий на переднем пассажирском сиденье крепкий мужчина средних лет, со светлыми, коротко стриженными волосами, бульдожьей челюстью и печальными глазами старого, много повидавшего пса, убрал в карман телефон, повернулся и посмотрел на остальных. Зрелище не радовало глаз. Маклай покачал головой и поправил кобуру под короткой кожаной курткой. Чему уж тут радоваться.

За рулем сидит Шут, немногословный парень, единственный, кого Маклай знает сравнительно давно. Ему еще нет тридцати, но он спокоен, надежен, и поэтому обычно Маклай оставляет его в машине: ощущение того, что пути к отходу прикрывает проверенный человек, добавляет немного уверенности и порядка в этот мир. Зато сзади сидели двое, словно самой природой предназначенные этот порядок разрушать. Вертлявый, худой, черноволосый Репа, с острым злым лицом хорька и движениями такими быстрыми, что за ними не всегда успевало его короткое пальто, которое было на два размера больше и болталось, как старый пиджак на огородном пугале. Маленькие глазки Репы блестели, будто капельки ртути, и даже Маклай без особенной необходимости не заглядывал в них, опасаясь, что оттуда в ответ выглянет что-то нечеловечески злобное. Пусть уж лучше оно остается у Репы внутри. Рядом с Репой сидел Косяк — здоровенный верзила, едва не подпирающий головой высокую крышу джипа, с красной круглой физиономией, а сейчас еще и периодически икающий с похмелья.

Маклай снова покачал головой. Дело, конечно, было не в этих пацанах. Пацаны как пацаны, он видал и хуже. Дело в самой работе, в том, чем ему приходилось заниматься в свои без малого сорок лет. Многие из тех, с кем он вместе начинал непростую карьеру бандита в начале далеких девяностых, уже давно вышли в люди, имеют свой собственный бизнес, один даже стал депутатом Думы. Иногда они звонят ему, приглашают встретиться, выпить, и порой он соглашается, но чаще отказывается, чтобы не отвечать на вопрос: чем занимаешься, Саша? Как дела? Что он им ответит? Отлично дела, парни, все так же бегаю по городу с ТТ за поясом и в компании молодых гопников. Круто. Конечно, некоторые и вовсе не дожили до его лет: были убиты, сгинули в лагерях, спились, но ведь сравнивать себя нужно с лучшими, разве нет? Да, с материальной точки зрения особенно жаловаться было не на что: платили ему хорошо, за то, что он хорошо делал свое дело, но есть ведь еще и самоуважение, а еще это... самореализация. Недавно он прочитал одну книжку о том, как добиться успеха, и там много говорилось о цели в жизни. Как важно иметь цель и идти к ней своим путем. А какая у него цель?

Косяк икнул сильнее прежнего. Маклай покосился на него: парень был бледным и надувшимся, как большая жаба, словно пытался напряжением щек и мышц лица успокоить тошнотворные волны в желудке. Он еще раз икнул и поправил под бушлатом тяжелый автомат с коротким стволом.

— Ты бы еще гранатомет взял, — хохотнул Репа. — Там одна баба.

— Сказали быть с оружием, — буркнул Косяк. — Я знал?.. Ох, блин, чё-то мне реально херово...

И снова надулся, сдерживая рвотные позывы.

— Заблюешь мне машину, будешь сам языком убирать, — глядя прямо перед собой, ровным голосом сказал Шут.

— Уберу, не пыли, — огрызнулся Косяк.

— Блевотина не отстирывается, кстати, — заметил Репа. — Слышь, придется тебе Шуту новую тачку покупать, если что.

Начались вялая перебранка. Маклай слушал бубнящие голоса и чувствовал, что скоро его тоже затошнит. Надо все-таки что-то менять в своей жизни.

* * *

Алина металась по квартире, лихорадочно собираясь и приводя себя в порядок. Как всегда бывает в спешке, все оказывалось не на своих местах, если и находилось, то тут же снова терялось, падало и с металлическим или пластмассовым стуком скакало по полу. Господи, руки в безобразном состоянии — да и ладно, пусть так, в конце концов, операция Следственного комитета — это не великосветский раут. В какой-то момент времени она снова захотела позвонить Гронскому и пригласить его поучаствовать в том, что вполне может оказаться первым, решающим и победоносным сражением в их не слишком удачной пока маленькой военной кампании, но потом передумала. Позвонит по факту, когда все закончится. Но все равно обязательно позвонит. Алина посмотрела на часы: с момента звонка из Комитета прошло пятнадцать минут.

* * *

Маклай взглянул на циферблат больших тяжелых часов. Пятнадцать минут. Все, пора. Хватит гонять в голове невеселые мысли, это сейчас совсем некстати. Он повернулся назад:

– Так, еще раз: все понятно? Все помните, что делать?

С заднего сиденья раздалось разноголосое невнятное мычание.

– Итак: заходим быстро и желательно без шума. Никакого грохота и тем более стрельбы. Наша задача – получить информацию. Говорить буду я. До того, как я закончу разговор, ничего лишнего с ней не делать – Репа, это к тебе относится. Она должна быть в состоянии внятно отвечать на поставленные вопросы. Потом так же тихо заканчиваем и выходим.

– Увозить будем? – поинтересовался Репа.

– Нет, оставляем на месте. Без погромов, без закосов под грабеж – закололи и ушли. Шут, ты в машине, ждешь и смотришь. Если что, набираешь меня. Всем все ясно? Тогда пошли.

Маклай вышел из автомобиля, следом за ним вылезли Репа и Косяк и все вместе направились к подъезду в застывшей прохладной тишине осеннего субботнего утра. Маклай недружелюбно глянул в низкое туманное небо, с которого сыпался мелкий моросящий дождь. Небо ответило ему холодным надменным взором. «Ты мне тоже не очень-то нравишься», – пробормотал Маклай, подошел к двери подъезда и нажал на кнопку звонка. Дверь открылась, и трое крепких мужчин в черных пальто и куртках широкими шагами поднялись по короткому лестничному маршу навстречу заспанной старушке-консьержу. Маклай на ходу выхватил из нагрудного кармана удостоверение в красной обложке и помахал им перед старушечьим носом.

– Следственный комитет. Мы в шестьдесят первую. Спецоперация.

Красная обложка, мелькающая фотография и печать всегда производят достаточно сильный магический эффект для того, чтобы никто не задавал вопросов и не вчитывался в текст удостоверения, в которое можно с одинаковым успехом вклеить фотографию козла вместо изображения человеческого лица. Так случилось и сейчас: старушка ойкнула, часто-часто закивала и спряталась в свою будку, провожая три удаляющиеся черные спины испуганным взглядом.

* * *

Алина закончила свои стремительные сборы и, стоя перед зеркалом, быстро проверяла еще раз, все ли на месте. Так, телефон, документы, ключи от машины, бумажник, вроде бы ничего не забыла. Уже у входной двери у нее еще раз мелькнула мысль о том, а не стоит ли позвонить Гронскому, но она решительно тряхнула волосами и повернула ключ в замке.

Трое бесшумно замерших у двери мужчин услышали первый лязгающий щелчок и подобрались. Маклай поднял вверх один палец и показал на Репу. Тот кивнул и встал ближе к двери.

Алина быстро повернула ключ еще раз, и еще, и еще. Четыре ригеля надежного замка вышли из железного паза.

Снаружи Репа тихо взялся левой рукой за ручку двери.

Алина отодвинула засов, он тоже лязгнул, и она открыла дверь.

Удар в лицо был мощным, ошеломляющим и жестоким. Он мгновенно рассек верхнюю губу и отбросил Алину от двери так, что она отлетела метра на полтора и с размаха упала на спину, ударившись о жесткий пол короткого коридора, ведущего в холл. Она еще не успела понять, что случилось, сознание отстало от стремительно падающего тела, и тут же получила еще один удар, ногой в живот, лишивший ее возможности не только дышать, но даже и видеть сквозь пелену ослепляющей боли. Следующие несколько секунд распались на фрагменты: топот ног, грохот захлопнувшейся двери, голоса, и снова дикая боль от страшного рывка за волосы, когда Репа, намотав их на руку, волоком потащил ее в комнату.

Репа швырнул задыхающуюся, окровавленную Алину на диван, испытывая привычное, но от этого не менее острое наслаждение, всегда накатывающее на него в такие минуты. Он еще раз несильно ударил лежащую перед ним беспомощную, напуганную женщину кулаком в голову и прорычал сиплым, придушенным шепотом:

– Молчать! Молчать!

Алина увидела, как в руке у склонившегося над ней человека появился нож.

– Молчать! – еще раз прошипел Репа, а она и без того не могла вымолвить ни слова и только смотрела на него широко распахнутыми глазами.

Алина вдруг вспомнила выражение «заглянуть в глаза смерти». А еще – «зверство». Сейчас, посмотрев в глаза человека с ножом, она поняла, что заглянула в такую бездну беспредельной жестокости, которую не может вместить в себя ни один зверь, а только человек – порочный, бесконечно злой и бесконечно распущенный.

Нож сверкнул и прорезал спинку дивана в нескольких сантиметрах от ее лица.

– Лежать тихо! Убью, сука! – Лезвие с треском выскочило из ткани и вонзилось еще раз. Алина лежала не шелохнувшись. Человек снова выдернул нож, стиснул другой рукой ее горло и, тяжело дыша, стал наваливаться сверху, надавливая коленом на живот.

– Репа, все, хватит, – раздался негромкий голос.

Тот, кого назвали Репой, криво ухмыльнулся Алине в лицо, медленно убрал колено с ее живота, встал и отошел к двери в комнату, не сводя с нее горящего плотоядного взгляда. Алина сделала вдох, отозвавшийся болью в диафрагме, и огляделась.

Бывают ситуации настолько кошмарные и настолько противоречащие привычному порядку вещей, что первой реакцией человеческого разума является отрицание. Сейчас, когда ужас осознания происходящего начал наваливаться на Алину, она готова была отрицать саму возможность существования реальности, в которой ее бьют по лицу, пинают ногами и тащат за волосы по полу собственной гостиной. Реальности, где в ее квартире оказываются трое здоровенных чужих мужчин, мгновенно заполнивших пространство плечами, руками и топотом тяжелых ботинок, а она одна, и помощи ждать неоткуда. Больше всего на свете Алине хотелось сейчас повернуть время назад. Хотя бы на минуту, до того момента, когда она отодвинула засов, открыла дверь, и ее квартира, которая всегда была для нее домом и убежищем, превратилась в место ужаса и боли. Да, пусть время вернется назад на минуту. Тогда она отойдет от двери, уйдет в комнату, заберется с ногами вот на этот самый диван, завернется в плед и будет сидеть так тихо-тихо и долго-долго.

С кухни донесся звук открывающейся дверцы холодильника, звон стекла, потом что-то с шумом упало на пол и низкий голос с чувством выругался. Нет, время не вернулось назад. Она здесь, у нее пульсирует разбитая губа, во рту солоноватый привкус крови, а каждый вдох сопровождается болью.

В комнату вошел еще один человек, немолодой, светловолосый, крупный. Он подвинул стул, со вздохом сел рядом с лежащей Алиной и молча посмотрел на нее глазами большой грустной собаки. Впрочем, добрыми эти глаза назвать было нельзя.

Просто пес смертельно устал от своей работы, но это не помешает ему в одну секунду перекусить горло, легко и не задумываясь.

Алина молчит и смотрит на человека с собачьими глазами. С кухни снова слышен звук открывающегося холодильника, какая-то возня и шорох оберточной бумаги.

– Косяк, – негромко позвал человек на стуле.

Послышались тяжелые шаги, и в дверном проеме воздвигся здоровенный тип в распахнутом бушлате и с болтающимся на шее короткоствольным автоматом – Алина видела такие у патрульных полицейских. В одной руке он держал пакет с соком, а в другой – надкушенный кусок сыра.

– Что ты там шаришься?

– Маклай, да я пожрать с бодуна, вот, отпускает вроде, чё... – верзила откусил сыр и с шумом запил соком из пакета.

– Ты проверил квартиру? – спросил Маклай, не сводя с Алины внимательного и немного печального взгляда.

– Да нет тут никого. – Косяк махнул рукой с пакетом, и сок плеснулся на пол. – В другой комнате смотрел, в ванной.

– Ты все-таки еще раз глянь повнимательнее.

Косяк кивнул и затопал прочь. Маклай еще немного посмотрел на Алину и спросил:

– Надеюсь, вы не будете кричать?

Алина помотала головой.

– Нет.

Она прекрасно знала, что это бесполезно.

– Очень хорошо, – сказал Маклай. – У нас появляется шанс расстаться друзьями.

Он повернулся назад, пошарил рукой на кресле и протянул Алине ее домашнюю футболку с рисунком веселого медвежонка.

– Вот, возьмите. У вас кровь течет.

Алина прижала футболку к рассеченной губе. Медвежонок окрасился алым.

– Мы пришли не за вашей жизнью. Если бы нам нужно было вас убить, вы бы уже были мертвы. Но у нас есть вопросы, и мы хотим получить ответы. Вопросов всего три: что вы искали прошлой ночью в медицинском центре «Данко»? Зачем вы ездили к Герману Галачьянцу? И третий, самый главный: кто тот человек, который был тогда вместе с вами? Причем вот про него нам хочется услышать самый подробный и правдивый рассказ.

Маклай говорил спокойно и негромко, не сводя взгляда с Алины. Это всегда хорошо действует после того, как жертва избита. Очень важно создать ощущение, что все еще может закончиться хорошо. Нужно дать инстинкту самосохранения человека, его надежде на жизнь хоть какую-то зацепку. Надо нарисовать то будущее, в котором человек окажется, когда они уйдут. А они обязательно уйдут, только нужно просто ответить на вопросы. И тогда все снова станет как прежде.

– К вашему руководителю мы отношения не имеем, с ним потом будете сами разбираться, как хотите. – Маклай слегка акцентировал слово «потом». – Нас послал совершенно другой, серьезный человек с серьезными вопросами. Если вы ответите нормально, честно и быстро – все, наша задача выполнена. А если будете упрямиться и врать, то вот он, – совершенно спокойно сказал Маклай, кивая на Репу, – вам матку вырежет.

Он увидел, как в больших зеленых глазах женщины плеснулся ужас. Очень хорошо.

Стоящий у двери Репа ощерил в ухмылке мелкие острые зубы, демонстрируя нож и делая им движение снизу вверх.

– Вырежу, – подтвердил он. – А потом еще и сожрать заставлю, если раньше не сдохнешь.

Алина давно научилась справляться со своим живым воображением, но сейчас оно вдруг со страшной отчетливостью, усиленной многолетним опытом вскрытий, нарисовало перед ней картину столь ужасающе яркую, что у нее зашумело в голове. Никаких иллюзий насчет планов этих людей она не питала: в живых ее не оставят, и ее ближайшее будущее – прозекторский стол в собственной лаборатории. Интересно, кто будет проводить вскрытие? Неужели Эдип? Она вздрогнула, представив, как ее белое обнаженное тело лежит под ярким безжизненным светом хирургической лампы, а Эдип-Эдуард склоняется над ней со скальпелем в руке и делает длинный разрез между грудей, сопя и причмокивая. Нет, сейчас нужно успокоиться и думать. Неизвестно, что знают, а чего не знают ворвавшиеся к ней люди, поэтому лучше не пытаться им врать: нужно отвечать максимально подробно, долго, старательно и пытаться найти хоть какую-то возможность для того, чтобы спастись. Нужно говорить – потому что пока она говорит, она будет жить. И умрет сразу же, как только замолчит.

– Можно мне воды? – попросила Алина.

Маклай посмотрел на Репу и кивнул. Тот с недовольной миной вышел из комнаты и вернулся со стаканом, грубо сунув его Алине в руки. Она взяла его и начала пить длинными медленными глотками, с удивлением замечая, как перестают дрожать руки, а сознание проясняется. Ужас отступил, и даже боль в разбитой губе и животе немного поутихла. Она допила воду, отдала стакан Маклаю и начала говорить.

– По первому вопросу...

Алина, тщательно подбирая слова, рассказала, как приехала на место убийства девушки-бармена, как устроилась работать в «Данко» с целью побольше узнать о тех преступлениях, которые скрывал ее шеф. Что не знала, что конкретно хочет найти в закрытой для посторонних зоне медицинского центра, но логика и интуиция подсказали ей, что там наверняка может быть что-то связанное с убийствами. Когда она со всеми подробностями рассказала о том, как получила ключ у охранника Георгия, на губах Маклая появилась легкая улыбка, а Репа презрительно фыркнул. Она принялась описывать свой путь до подвала в заброшенном доме, потом и сам подвал, и тут Маклай ее перебил:

– Хорошо, достаточно. Допустим, с этим вопросом мы разобрались. Теперь переходим ко второму: к Галачьянцу зачем ездили?

Алина вздохнула.

– Я не знаю, – совершенно честно сказала она.

Репа поднял нож, радостно оскалился и шагнул к ней.

– Стоп! – Маклай вскинул руку и внимательно посмотрел на Алину. – Поясните.

Алина лихорадочно думала над ответом. Ей придется рассказать им о Гронском. Третий вопрос тоже был связан с ним, и вообще Алине начинало казаться, что он интересует их в гораздо большей степени, чем она сама.

– Меня попросили... попросил тот самый человек, о котором вы спрашивали. Это была его идея. Я не знаю, зачем нужно было ездить к Галачьянцу.

– И кто он такой, этот человек?

– Он похоронный агент.

Маклай удивленно вскинул брови.

– Кто?

– Похоронный агент. Ну, это тот, кто организовывает похороны и всякое такое...

– Имя у него есть?

Алина немного поколебалась и сказала:

– Да. Родион Гронский.

Она снова начала говорить, чувствуя, как стремительно иссякают слова и информация: они встретились случайно, и да, он с самого начала проявлял интерес к этому делу, посоветовал ей устроиться на работу к Коботу, потом попросил организовать визит к Галачьянцу, и... больше Алине при всем желании сказать было нечего. В принципе, оставались еще истории про алхимию и вампиров, но она сильно сомневалась, чтобы рассказы на эту тему помогли продлить ее жизнь.

Маклай слушал Алину и задумчиво кивал. Он умел различать правду и ложь, при его работе это было жизненно необходимо, и сейчас видел, что Алина не врет. Кроме того, ему нравилось, как она держится. Маклай был готов к истерике, крикам, слезам: мало ли как может вести себя человек в такой ситуации. Но эта маленькая молодая женщина, хотя и была смертельно напугана, да еще и избита, держалась очень хорошо. Маклай подумал, что, когда все закончится, он не даст Репе совершить с ней какую-нибудь кровавую отвратительную выходку. Он убьет ее сам, быстро и безболезненно. Но пока время для этого еще не настало.

Алина замолчала и посмотрела на Маклая. Он встал и вышел из комнаты. Алина проводила его взглядом, увидела Репу – тот смотрел на нее и улыбался – и поспешно отвела глаза. Маклай вернулся обратно с сумочкой Алины в руках.

– Ну что ж, – сказал он. – Если ваш знакомый такой скрытный, давайте спросим обо всем его самого.

Маклай порылся в сумочке, достал телефон и бросил Алине.

– Звоните. Пусть приезжает сюда, и побыстрее.

Сердце Алины учащенно забилось. Только что у нее появился шанс, пусть совсем слабый, но все-таки шанс. Если правильно построить разговор, то...

– Что мне ему сказать? – спросила она.

– Да что хотите, – пожал плечами Маклай. – Скажите правду, что обманом проникли в медицинский центр, что-то там видели и хотите поговорить. Только поставьте телефон на громкую связь и не вздумайте сказать лишнее, хорошо? И постарайтесь быть убедительной.

Длинные гудки казались бесконечными.

– Слушаю, – наконец раздался сиплый, сонный, но такой знакомый голос. Алина вдруг почувствовала, что рада его слышать почти до слез. Она посмотрела на Маклая и затараторила в трубку:

– Родион, здравствуйте, доброе утро, можете говорить, я вас не разбудила?

– Разбудила... ли... Что случилось?

«Господи, он что, опять с похмелья?»

– Помните, я вам рассказывала про закрытую зону в здании

«Данко»? Ну, ту в которую можно попасть только через дверь из коридора верхнего этажа? Так вот, вчера ночью мне удалось туда пробраться, представляете?

«Догадайся, пожалуйста, очень тебя прошу».

– Я обнаружила там потрясающие вещи, просто потрясающие! Знаете, теперь мне все стало ясно. Мне обязательно нужно вам это рассказать! Вы можете приехать ко мне прямо сейчас?

«Ты должен догадаться. Я очень стараюсь говорить как дура, собственно, я и есть дура, что не послушала тебя и полезла куда не надо, и я обязательно попрошу у тебя прощения, и, черт побери, даже буду слушать твои истории и твои советы, только догадайся!»

– Где вы?

– Я дома, вы можете ко мне приехать? Прямо сейчас. Это очень важно!

Маклай и Репа смотрели на Алину внимательно и напряженно.

– Так, еще раз, – голос Гронского звучал глухо, то отдаляясь, то приближаясь к микрофону. – Ночью вы были в закрытой зоне «Данко», да? И увидели там что-то необычное?

«Да! Да!»

– Да! Да!

– И теперь вам нужно, чтобы я как можно скорее приехал к вам домой, так?

«О Боже, как же можно так напиваться?!»

– Совершенно верно! Вы все правильно поняли! Запишете адрес?

На мгновение повисла звенящая пауза. Алина почувствовала, как защипали глаза вдруг выступившие слезы.

– Да, диктуйте.

Маклай расслабился и откинулся на спинку стула.

– Так вы приедете? – спросила Алина.

– Постараюсь как можно скорее, – ответил Гронский, и связь прервалась.

Алина перевела дыхание. Теперь оставалось только надеяться на то, что Гронский догадается вызвать полицию на ее адрес, а не заявится сюда сам.

Алина положила трубку и посмотрела на Маклая. Он тоже смотрел на нее, и в его больших собачьих глазах она увидела нечто, похожее на сожаление. В горле у нее пересохло.

* * *

Я еду, изо всех сил стараясь не превышать скорость, и аккуратно останавливаюсь на красные сигналы светофоров. Мне вполне хватило полицейской погони три дня назад. К тому же, скорее всего, Алину убили сразу после того, как она положила трубку. Если же нет, то, кем бы ни были ее утренние гости, они подождут меня, чтобы разобраться сразу с обоими.

Через пятнадцать минут мучительно медленной езды я останавливаюсь у подъезда. Рядом с машиной Алины стоит огромный черный джип, вытянутым силуэтом похожий на стальное хищное насекомое. По автомобилю можно многое сказать о тех, кто на нем прибыл, и этот джип свидетельствовал о хорошей материальной базе, высокомерии, склонности к насилию, отсутствии разумной осторожности и стремлении решать проблемы нахрапом.

Я ставлю машину чуть в стороне и не скрываясь иду к дверям подъезда. За тонированными стеклами джипа на водительском месте виден силуэт человека. Очень хорошо, пусть знают, что я уже здесь. Эффект внезапности в любом случае не удалось бы использовать: те, кто заставил Алину позвонить мне, знают, что я появлюсь. Но, возможно, мне удастся удивить их чем-то другим.

Дверь подъезда открывается после первого же звонка. Из своей будки на меня настороженно смотрит старушка-консьерж.

– Я в шестьдесят первую квартиру, – бросаю я на ходу.

Она окидывает меня взглядом и спрашивает:

– А вы тоже из Комитета?..

Я останавливаюсь.

– Да, именно оттуда. А что, мои коллеги уже прибыли?

– Минут тридцать назад! – с готовностью сообщает старушка. – Три человека!

Я киваю и иду к лифтам.

За дверью квартиры Алины тихо. Некоторое время я еще прислушиваюсь к настороженной тишине, потом расстегиваю пальто и нажимаю на кнопку звонка. Звучно разносится мелодичная трель. Снова тишина, и примерно через минуту я вижу, как по светящемуся изнутри яркому кружочку дверного глазка пробегает легкая тень, а потом коротко лязгает засов и дверь открывается.

* * *

– Он вошел. – Маклай быстро засунул мобильный телефон в карман. – По местам все.

Сердце у Алины упало. Значит, вместо того, чтобы вызвать полицию, Гронский все-таки приехал сюда сам. Появившийся было шанс на спасение оказался последним глотком воздуха для утопающего перед тем, как его окончательно накроет тяжелая и темная волна обреченности.

Маклай и Репа деловито навинчивали глушители на свои пистолеты. Из коридора раздался звук спущенной воды в унитазе, и появился бледный Косяк, вытирая рот и поправляя висящий на шее автомат. Похоже, сок и сыр все-таки не пошли ему впрок.

– Репа, встретишь его первый, отрежешь путь назад, – быстро говорил Маклай. – Косяк, на подстраховке. Я приму его спереди. Все, разошлись.

Репа с пистолетом в руке встал за углом короткого коридора, ведущего от входной двери в холл, Косяк занял место в трех метрах за ним у открытой двери туалета и взял автомат наизготовку. Маклай укрылся за дверью в гостиную.

– Откроете и сразу войдете обратно в квартиру, – сказал он Алине. – Не бежать и не говорить лишнего, иначе сразу стреляем. Все ясно?

Алина обреченно кивнула.

В этот момент раздался звонок.

Трое мужчин с оружием в руках замерли. Напряжение повисло в воздухе, как сгустившееся электричество, готовое разразиться ударом грома.

Алина на негнущихся ногах подошла к двери. Сердце билось сильными ритмичными толчками, отмеряя долгие секунды. Алина отодвинула засов и открыла дверь.

Гронский окинул ее быстрым взглядом: широко распахнутые глаза, разбитая припухшая губа, золотистые волосы в беспорядке.

– Привет, рада тебя видеть, так хорошо, что ты приехал, – заговорила Алина, и беззаботный тон ее голоса совершенно не вязался с выражением лица. – Проходи.

Она попятилась назад, и Гронский шагнул в квартиру. Он внимательно посмотрел Алине в глаза. Она осторожно приподняла перед собой руку и показала три пальца. Он кивнул.

– Сегодня столько интересного произошло, ты просто не поверишь, – продолжала говорить Алина. Шаг назад, еще шаг. Два пальца показывают в сторону.

– Так много нужно тебе рассказать, – Алина сделала еще один шаг, входя в холл. Боковым зрением слева от себя она увидела Репу, застывшего с напряженным лицом. Он облизнул губы. Алина подняла один палец, указала назад, и сделала последний длинный шаг. Гронский подошел к ней вплотную и тоже оказался в холле. Алина зажмурилась.

В этот момент Репа резко вытянул руку с пистолетом, направляя длинный ствол с глушителем в висок Гронскому.

Неожиданный толчок в грудь был мягким, но таким сильным, что Алина полетела через весь холл к открытой двери спальни. От удивления она широко открыла глаза и увидела, как Гронский левой рукой перехватил кисть руки Репы, а правой, еще вытянутой после толчка, резко ударил его снизу под локоть. Затрещал сломанный сустав. Пистолет со стуком упал на пол, и Гронский пинком отправил его по полу в сторону Алины. Репа издал дикий вопль, но в следующий миг Гронский ударом локтя вмял ему в горло мягко хрустнувшие хрящи гортани, и крик прервался, превратившись в хрип.

Маклай шагнул вперед и вскинул оружие. Пистолет издал два коротких сердитых плевка, но Гронский одним движением сдвинул Репу перед собой, и две пули попали тому в спину, разрывая аорту и легкие. Алина успела заметить, как плавно, но стремительно движется ее напарник, словно бы существуя в каком-то замедленном времени, а еще – странно отсутствующее выражение его лица. В этот момент Гронский отпустил обмякшее тело Репы, и в руке у него появился черный коротконосый пистолет. Дважды отрывисто громыхнули выстрелы. Маклай почувствовал, как в лицо ему вонзаются щепки от разбитой пулей дверной коробки, а в следующее мгновение страшной болью взорвалось правое плечо, развороченное вторым выстрелом. От удара его слегка развернуло, пистолет выпал из руки, и Маклай бросился обратно в комнату.

Резко лязгнул затвор автомата. Гронский сделал быстрый шаг назад, в коридор, и в этот момент Косяк заорал и нажал на спусковой крючок. Длинная автоматная очередь ударила в угол стены. Воздух разорвался от грохота, наполнился кислым запахом пороховой гари и разлетевшейся бетонной крошкой.

Маклай, зажимая левой рукой пульсирующую горячую рану в плече, бросился к балкону. К черту все это. Он видел, как двигается этот похоронный агент, за две секунды убивший Репу и ранивший его самого. Это такой же похоронный агент, как Маклай – фигурист, а если и так, то, видимо, клиентуру он организовывает себе сам. Окровавленная ладонь скользнула по пластмассовой ручке. Маклай с усилием открыл балконную дверь. Все, с него хватит. Надо уходить, и чем скорее, тем лучше.

Алина зажала ладонями уши, но это не помогло: автомат гремел так, что казалось, взрываются сами молекулы воздуха, распадаясь на атомы и разнося взрывными волнами окружающее пространство. В перерывах между выстрелами она слышала яростные крики Косяка, а потом снова грохотали автоматные очереди, и в стороны разлетались куски мебели, осколки зеркал и щепки из паркетного пола.

Косяк снова заорал и дал очередь по тому углу, за которым прятался оказавшийся таким прытким тип в черном пальто, но автомат вдруг захлебнулся, издав короткий щелчок. Косяк выбранился и нашарил за поясом запасной магазин. Смеялись надо мной, лихорадочно подумал он. Пустой автоматный рожок со стуком упал у его ног. Там одна баба, говорили. Зачем тебе автомат, Косяк. А вот зачем! Он защелкнул обойму, и в этот момент черная тень стремительно вылетела из-за угла.

Косяк успел вскинуть автомат и нажать на спуск, но Гронский перекатился по полу, уходя от настигающих его пуль, и трижды выстрелил. Одна пуля пролетела мимо, пробив дверь туалета, но вторая попала в левое плечо, разрушая сустав. Косяка развернуло кругом, и он еще не успел осознать ранения, как третья пуля сорокового калибра ударила ему в затылок и вышла навылет, выламывая лобную кость. Он тяжело упал вперед, рухнув лицом в унитаз, и вода потащила в канализацию его кровь и мозг, как за несколько минут до этого уносила содержимое желудка.

Маклай изо всех сил сжимал пальцы левой руки, уцепившиеся за балконные перила, и начинал понемногу раскачиваться, стараясь не отвлекаться на крики и грохот выстрелов, несущиеся из квартиры. Сейчас главное – перебросить себя на балкон нижнего этажа, а там он уйдет, выбьет двери, прорвется через квартиру мимо хозяев, напугает ревом, хлещущей из раны кровью, а потом – вниз, к машине, и бежать, куда угодно, только подальше от этого места и от такой жизни.

Стараясь подбодрить себя, он вспомнил, как в далеком девяносто третьем году, спасаясь от облавы, выпрыгнул из окна третьего этажа, сломал себе обе ноги, но сумел уйти, убежать от погони, единственный из всех, кто был с ним тогда. Он напряг руку, удерживающую сейчас на себе девяносто килограммов веса, и стал раскачиваться сильнее. Ноги его взлетели над пропастью в одиннадцать этажей, и он увидел внизу черный джип, похожий отсюда на блестящего крупного жука. Еще раз, еще только один сильный взмах тела, и сила обратного движения поможет ему забросить себя на нижний балкон. Он взмыл над пустотой – и раз...

Дверь балкона распахнулась, и Маклаю показалось, что он увидел перед собой ангела смерти: бледное узкое лицо, черные торчащие волосы и горящие ледяным пламенем серые холодные глаза. Тот самый похоронный агент выскочил за ним следом и уже протянул руку, чтобы схватить за воротник.

Маклай охнул и инстинктивно разжал пальцы чуть раньше, чем было нужно.

Он понял, что произошло, только когда мимо него с невероятной скоростью промелькнул тот самый балкон, куда он хотел перепрыгнуть, а потом понеслись один за одним и другие – девятого, восьмого, седьмого этажа. В ушах оглушительно взревел воздух, и Маклай издал вопль, полный негодования на несправедливость этого мира, отбирающего у него шанс на новую жизнь именно тогда, когда он наконец-то на нее решился. Он летел и кричал до тех пор, пока его тело не рухнуло на крышу красного «Peugeot».

Громыхнуло сминающееся железо, и осколки стекла вместе с какими-то брызгами ударили в лобовое стекло джипа. Шут отпрянул, подумав в первое мгновение, что стоящая перед ним машина взорвалась, а потом всмотрелся вперед. Стекло перед ним было покрыто каплями густой крови и какими-то желтоватыми слизистыми сгустками, как будто джип только что промчался сквозь тучу крупных насекомых. Шут посмотрел на прогнувшуюся крышу маленького красного автомобиля и увидел, что прямо на него уставился залитый кровью и почти полностью выскочивший из орбиты глаз, который уже не был больше похож на глаз большой печальной собаки. Шут повернул ключ в замке зажигания с такой силой, что едва не сломал его, двигатель взревел, как охваченное паникой животное, и джип, со скрежетом протиснувшись мимо разбитой и залитой кровью машины, унесся прочь.

В квартире стало очень тихо. В туалете негромко журчала вода. Гронский прошел через холл, хрустя обломками дерева, бетонной крошкой и осколками стекла под ногами, и заглянул в спальню.

Алина лежала на полу, выставив перед собой зажатый в обеих руках пистолет с длинным стволом. В широко раскрытых неподвижных глазах застыли слезы.

— Все в порядке, — сказал Гронский. — Они ушли.

Дальнейшие события запомнились Алине только туманными обрывками, как нечеткий ускользающий сон. Она помнила, как сидела, дрожа, на кухне, и в руках у нее откуда-то появилась чашка горячего чая, а она смотрела на лежащий перед ней большой кусок сыра со следами зубов. Помнила, как приехал наряд полиции, и как Гронский о чем-то разговаривал с молодым полицейским, который ошарашенно оглядывался вокруг. Помнила, как в квартире стало очень много людей, но к ней никто не подходил, а потом появился человек внешности настолько непримечательной, что одно это могло стать его особой приметой, и разговаривал со всеми: с людьми в форме, с людьми в штатском, с Гронским. Помнила, как автоматически подумала о том, когда же приедут забирать тела и почему до сих пор нет никого из экспертов.

Потом она оказалась на улице. Гронский вел ее под руку, и она увидела свою машину, вернее, то, что от нее осталось, а на промятой крыше — того самого человека с глазами как у большого грустного пса. Правда, сейчас его глаза были совсем другими: один был не виден из-за залившей его крови, а другой торчал из глазницы, как мяч для гольфа. Видимо, она потеряла сознание, потому что в следующий момент обнаружила себя уже в джипе Гронского. Она сидела на переднем сиденье, и ее била крупная дрожь.

Некоторое время они молчали. Гронский положил руки на руль и иногда искоса посматривал на Алину. Наконец она словно очнулась, открыла лежащую на коленях сумочку, вытащила пудреницу и долго смотрелась в маленькое зеркало. Рассеченная губа кровоточила, белая блузка была испачкана алыми пятнами.

— Ну вот, — сказала Алина. — Теперь губа распухнет. Буду ходить страшная.

И вдруг разрыдалась, как будто внутри у нее что-то прорвалось. Гронский обнял ее за плечи, и она, уткнувшись лицом в темную теплую ткань его пальто, плакала долго, навзрыд и с каким-то безутешным наслаждением.

Потом рыдание стало тише, перешло в отдельные всхлипы. Алина отстранилась от Гронского и выпрямилась. Она снова открыла сумку, порылась там, достала бумажные салфетки, открыла зеркальце и стала сосредоточенно приводить себя в порядок.

— Все, — сказала она. — Прости. Я в порядке.

— Тогда поехали. — И Гронский тронулся с места.

Алина оглянулась. Дверь подъезда была открыта, рядом с

двумя серыми автомобилями стояли какие-то люди, и она увидела, как полицейская машина отъезжает от ее дома. Разбитый красный «Peugeot» проводил ее печальным взглядом раскосых фар. Тела на его крыше уже не было.

– А куда мы едем? – спросила она.

– К Кардиналу, – ответил Гронский.

# Глава 11

Сквозь толстое дымчатое стекло мир за окном кажется призрачным. Возможно, таким он выглядит из другой, параллельной реальности: странные размытые тени домов, неясные силуэты машин, фигурки людей, словно нарисованные несколькими карандашными штрихами, и неестественно темное небо. Все это подернуто желтовато-коричневой пленкой сепии, как будто смотришь на старую фотографию под стеклом и замечаешь, что старинные экипажи и люди на ней едва заметно движутся, продолжая жить там, в двумерном пространстве далекого прошлого. Иногда изнутри этого плоского немого мира долетают капли бесконечного дождя, мерцающими круглыми крапинками покрывая стекло, и это доказывает, что мир за окном действительно существует, не подозревая о том, что он – лишь смазанная блеклая картинка, на которую кто-то смотрит с другой стороны реальности.

Бесшумный дождь взвился, бросая на дымчатое стекло россыпи дрожащих капель, чуть продвинулись силуэты людей и машин, и Кардинал вспомнил парадоксальный вопрос Свифта, язвительно переиначившего слова Фомы Аквинского: «Сколько ангелов может одновременно танцевать на кончике иглы?» Свифт зря насмешничал: к его вопросу вполне серьезно отнеслись бы современные физики-теоретики и даже могли бы рассказать про бесконечное множество миров, одновременно находящихся в любой точке пространства. Но и без богословских и научных интеллектуальных изысков очевидно, что даже в этом зримом, плоском мире за окном каждый человек существует в отдельной микроскопической вселенной, думая, двигаясь и действуя в соответствии с ее законами, которые он принимает, не осмысливая и не пытаясь с ними спорить.

В своей параллельной реальности Кардинал живет уже много лет, практически всю жизнь, а может быть, и несколько жизней, в одной из которых, навсегда оставшейся в пространстве старой фотографии плоского мира, затерялось имя, которое он когда-то носил.

Существуют сотни и тысячи тайных обществ и секретных организаций, и далеко не все они связаны с оккультными науками или древними мрачными ритуалами. Большинство из них сохраняют секретность своего существования по причинам вполне рациональным: так удобнее действовать в собственных интересах или в интересах тех, кто вынужден прибегать к их услугам. Этнические и транснациональные преступные синдикаты; нелегальные научные лаборатории и подпольные исследовательские институты; негласно аффилированные с правительствами разных стран оружейные поставщики; секретные подразделения внутри официальных государственных организаций; наконец, частные армии и службы агентурной разведки. И если знаменитая Academi, более известная как Black Water, – это настоящие вооруженные силы, с различными военными подразделениями, бронетехникой, авиацией и даже карманным военно-промышленным комплексом, то организацию Кардинала можно было бы назвать, например, частной МИ-6. Только, в отличие и от Academi, и от МИ-6, ее имя никогда не называлось настолько громко, чтобы быть услышанным в плоском мире, за толстым дымчатым стеклом.

Реального масштаба этой структуры не знал никто. Но информационные и агентурные возможности организации Кардинала были огромны, и не исключено, что превосходили возможности разведывательных служб многих крупных государств. К нему обращались правительства разных стран, когда не хотели или не могли использовать собственные ресурсы: ведь агенты Кардинала были наемниками, а значит, в случае их провала можно было не опасаться последствий в виде политического скандала. Прибегали к услугам Кардинала и частные лица, которые не имели возможностей для решения возникших проблем, и тогда из-за толстого дымчатого стекла в мир старой фотографии отправлялись серыми тенями его посланцы. Обратиться к Кардиналу было все равно что воззвать к помощи сверхъестественных сил: не каждый мог это сделать, не всегда на это воззвание откликались, но если уж сила отзывалась, то гарантированно делала свое дело, за исполнение которого воззвавшему всегда приходилось платить цену гораздо большую, чем можно было выразить в материальном эквиваленте.

Кардинал появился в Петербурге чуть больше двадцати лет назад. Никто не знал, где была его штаб-квартира до этого и почему он перебрался сюда, но он появился и стал устраиваться здесь так, как устраивается в купе поезда дальнего следования привыкший к комфорту пассажир. Он полностью купил шестиэтажный дом на Петроградской стороне и долго, тщательно обустраивал его с тем, чтобы расположить в нем и личные апартаменты, и рабочие помещения. Конечно, это не прошло незамеченным. На протяжении первого полугода к нему пытались проявить небескорыстный интерес различные неформальные силовые структуры, а проще говоря, расплодившиеся как ядовитые грибы после дождя наступившего беззакония преступные группировки. После того, как на каждое такое проявление интереса следовал ошеломляюще асимметричный ответ, а количество грибов стало сокращаться с угрожающей для всей популяции скоростью, криминальные авторитеты сделали вид, что не замечают присутствия в городе странного чужака, тем более что он ни в коей мере не посягал на их сферы влияния. Следом за неформальными организациями последовали официальные, но и с властями города Кардинал достиг своего рода консенсуса, заключавшегося во взаимном нейтралитете и невмешательстве в дела друг друга. Очень скоро и те и другие поняли, что лучше иметь в его лице друга, а не противника, и изредка обращались с просьбами, в которых он чаще всего не отказывал, так что авторитет Кардинала и его влияние в городе с годами возросли настолько, что, вздумай он ими воспользоваться, картинка за дымчатым стеклом могла бы претерпеть весьма значительные изменения. Но интересы Кардинала лежали далеко за пределами Петербурга, а влияние и возможности он использовал только тогда, когда они были необходимы для разрешения какой-либо проблемы, с которой к нему обращались и которую он брался решить. Он не покупал больше ни домов, ни квартир, не затевал строительства, не захватывал предприятий, а просто спокойно жил и работал здесь, иногда покидая город или оставаясь за дымчатыми стеклами кабинета в своем шестиэтажном доме. С асимметричными ответами и крайними проявлениями силы тоже давно уже было покончено, потому что на протяжении полутора десятков лет никто не осмеливался сказать ему «нет», особенно после того, что случилось с тем последним, кто это слово все-таки сказал.

Это произошло примерно пять лет спустя после прибытия Кардинала в город. К тому времени все те, кто жил здесь и знал, кто он такой, давно оставили мысль о самой возможности каких-либо конфликтов. Но случилось так, что Кардинал взялся урегулировать некий спор, возникший у кого-то из местных влиятельных персон с не менее влиятельным человеком из столицы. Встреча Кардинала со столичным гостем состоялась на крыше Гранд Отеля, в ресторане, который был по такому случаю закрыт для посетителей, так что там не было никого, кроме двух собеседников и двух десятков человек их охраны, из которых только двое были людьми Кардинала. Разумеется, визави Кардинала слышал о нем, но, видимо, не вполне представлял, с кем имеет дело, так что переговоры очень быстро зашли в тупик. Надо сказать, что Кардинал никогда не давил, не угрожал, не повышал голос: он просто предлагал свое решение — всегда разумное и не унижающее собеседника больше, чем тот мог бы выдержать, — и мягко описывал возможные негативные последствия, которые наступят, если это решение не будет принято. Но увы, в тот раз ни его мягкость, ни разумность предложения оценены не были. Собеседник Кардинала был действительно очень влиятельным человеком в столице, к тому же прошедшим суровую жизненную школу старой закалки, и на все предложения он ответил «нет», причем, по слухам, в довольно резких и непарламентских выражениях. Он встал, обозначая окончание встречи, залпом допил коньяк, к которому активно прикладывался во время переговоров, и бросил в рот дольку лимона — видимо, по старой генеральской привычке. Кардинал попрежнему сидел в кресле, не сводя с него взгляда. Внезапно лицо столичного гостя побагровело, стало наливаться синюшной кровью, темнеть, рот широко открылся, пытаясь набрать воздуха в судорожно трепещущие легкие, глаза выкатились из орбит, и он тяжело упал на роскошный паркетный пол ресторана. К нему мгновенно бросились охранники, через полминуты снизу уже бежал, перескакивая через ступеньки, гостиничный врач, а еще через две минуты по улицам неслась, завывая как банши, карета «Скорой помощи». Кардинал продолжал сидеть, глядя, как несколько человек суетятся вокруг упавшего тела, пытаясь делать непрямой массаж сердца и искусственное дыхание. Первое было бесполезно, а второе оказалось даже губительно: никто из тех, кто пытался спасти задыхающегося человека, не знал, что он подавился лимонной косточкой, намертво закупорившей трахею. Подоспевшие за рекордные десять минут врачи «Скорой» уже ничего не смогли сделать. Так умер, поперхнувшись лимоном, человек, последним сказавший «нет» Кардиналу. Надо полагать, что последним, что он видел в своей жизни, когда взгляд его застилался удушливой красной пеленой, было лицо Кардинала, так и не поднявшегося с кресла.

* * *

– Я хочу, чтобы ты это имела в виду, когда мы будем с ним разговаривать, – сказал Гронский.

За окном промелькнуло массивное и серое, как туча, здание Военно-морской академии. Джип Гронского въехал на мост; с низкого неба лился дождь, становясь все крупнее, и само небо наливалось тяжелым холодом.

– А откуда ты про него знаешь? – спросила Алина.

– Когда-то я с ним работал, – ответил Гронский. – Хотя правильнее было бы сказать, на него. Мне пришлось позвонить и попросить разрешить ситуацию, которая сложилась после... этого происшествия в твоей квартире, хотя мы не разговаривали уже два года. К сожалению, сам я при всем желании не смог бы объяснить полиции, что там произошло. Так что теперь мы должны Кардиналу дружескую услугу и уж как минимум визит вежливости.

«Кто бы мне самой объяснил, что там произошло», – подумала Алина, вздрогнув при воспоминании о том, что Гронский деликатно назвал «происшествием».

Они проехали по Большому проспекту и свернули направо, в одну из неприметных улиц.

– Кардинал обязательно спросит о том, почему случилось то, что случилось. Говорить буду я, но, возможно, он захочет послушать тебя. В этом случае не лги ему. Можно попробовать умолчать о чем-то, но только не лгать. Потому что он неизбежно это заметит, и тогда наш разговор может принять неприятный оборот.

Гронский остановил джип на тротуаре – проезжая часть узкой улицы была слишком мала для парковки, – и они вышли под холодный дождь.

Дом был высоким, вытянутым вверх, причудливым эклектичным строением, похожим на средневековый замок, каким его мог себе представить гениальный до помешательства архитектор XIX века. Темно-серые стены хаотично утыканы окнами самых разных типов и размеров: большими квадратными в мелкой клетке частых переплетов, классическими готическими, узкими и прямоугольными, как бойницы, полукруглыми и даже круглыми. Так же причудлива была и крыша, заостряющаяся несколькими длинными узкими куполами и шпилями, с выступающими над фасадом мансардами, как будто каменные горгульи высунули с чердаков свои угловатые морды. Только на первом этаже окна были обычной формы, выстроены в ровный прямой ряд и все без исключения забраны железными жалюзи. Алина отметила, что серые стены дома совершенно чистые, в отличие от желтоватых боков своих покосившихся угрюмых соседей, испещренных грязноватым граффити и пестрящих слоящейся шелухой рваных объявлений. В дом вела только одна металлическая дверь, отделанная черным матовым деревом. Рядом не было ни табличек, ни вывесок, ни камер наблюдения или переговорных устройств: только маленькая серая кнопка звонка слегка выступала из стены.

Гронский нажал на кнопку, и почти сразу же массивная бронированная дверь медленно отворилась, впуская их внутрь.

– Проходи, – сказал он Алине. – Нас ждут.

За дверью было пусто и тихо. Широкие пологие марши прекрасно отреставрированной лестницы вели к небольшому холлу. Не было ни будок с охраной, ни золоченых львов, как в «Данко», ни других бросающихся в глаза примет нового времени и дурного вкуса. Дом восстановили изнутри таким, каким, вероятно, видел его и сам архитектор, создавший это необычное здание: сдержанным, холодным и немного надменным. Гронский и Алина прошли через холл и стали подниматься выше по другой лестнице, более узкой, с безупречно чистыми каменными ступенями и перилами, металлические завитки и деревянные поручни которых блестели как новые. На широких лестничных площадках каждого этажа располагалось только по одной двери из черного дерева и с блестящей латунной ручкой замка. Двери были плотно закрыты, и из-за них не доносилось ни звука, лишь стук шагов отдавался коротким эхом между серыми стенами, облицованными тусклым камнем.

– Кстати, а как мне его называть? – спросила Алина.

– Кардинал, – ответил Гронский.

– Да? А может быть, все-таки лучше по имени?

– Это его имя.

На пятом этаже, когда Алина уже слегка запыхалась от долгого подъема и искоса посматривала на Гронского, который шел ровными и длинными шагами, нисколько не сбив дыхание, их уже ждали. У раскрытой двери стояла высокая, стройная молодая женщина с короткими светлыми волосами, безукоризненно правильными чертами красивого лица и в столь же безупречном сером костюме. Она вежливо и в то же время сдержанно улыбалась, как умеют улыбаться только истинно профессиональные секретари и личные ассистенты.

– Здравствуйте, – сказала женщина. – Пожалуйста, проходите за мной.

Гронский и Алина вошли следом за ней в длинный коридор с низким потолком, стены которого были покрыты каким-то серым материалом, чуть шершавым и слабо поблескивающим в мягком рассеянном свете. В неглубоких нишах между черными закрытыми дверями висели картины с изображением странных геометрических фигур всех оттенков серого, которые причудливо пересекались множеством граней, как будто принадлежали другому, гораздо более многомерному миру. Алина удивилась совершеннейшей тишине вокруг: не глухой и вязкой, как в оставленной людьми квартире заброшенного дома, не звенящей, не гулкой, какая бывает в пустых помещениях, – это была тишина абсолютного, космического покоя, в которую не долетают голоса шумного мира. Даже звуки шагов были едва слышны и будто скрадывались широкими квадратными плитками пола, образующими шахматную клетку из светло-серых и темно-серых полей.

Они свернули налево и попали в маленькую приемную, обставленную в истинно спартанском духе настоящего минимализма. Стеклянная поверхность стола секретаря была совершенно пуста, исключая один черный телефон и плоский монитор. У стены стоял небольшой черный диван из кожи и хромированного металла, напротив располагался шкаф со стеклянными дверцами и рядами одинаковых папок внутри. Надписей на корешках папок не было.

Девушка с короткой стрижкой открыла дверь в противоположной стене приемной и кивком пригласила Гронского и Алину войти.

Кабинет, в котором они оказались, тоже был сравнительно невелик и обставлен в том же стиле, что и приемная. Слева находился длинный стол для совещаний со столешницей из матового стекла, по обеим сторонам которого стояли шесть черных кожаных стульев на легких металлических каркасах. Во главе этого стола стоял другой, видимо, принадлежащий хозяину кабинета. На его черной поверхности лежал закрытый тонкий ноутбук.

Большое квадратное окно, находившееся в стене слева, было забрано толстым дымчатым стеклом и походило на экран, на котором неторопливо двигались кадры старинной кинохроники.

— Родион, мой мальчик! Рад тебя видеть!

Алина вздрогнула. Она так увлеклась интерьером кабинета, что не заметила, как из-за стола с ноутбуком поднялся человек. Впрочем, Алина не могла бы поручиться за то, что он был там, когда они вошли, а не материализовался вдруг прямо из высокого черного кресла.

Кардинал широко улыбнулся и шагнул навстречу гостям: среднего роста, крепкий мужчина в прекрасном сером костюме, белоснежной рубашке, с коротко постриженными пепельно-серыми волосами и небольшой седеющей бородкой вокруг рта. Его лицо, которое вполне могло бы подойти и университетскому профессору, и командиру атомного ракетного крейсера, прорезали неглубокие, но заметные морщины, и при взгляде на него Алина подумала, что вот именно это называется «красиво стареть», когда каждый прожитый год не крадет, а приносит с собой толику силы и благородства. На вид Кардиналу можно было дать и сорок пять, и пятьдесят пять лет, но Алина не была уверена ни в минимальной, ни в максимальной своей оценке. А еще в нем было какое-то неуловимое сходство с Гронским: в плавной манере двигаться, в серых холодных глазах, которые оставались серьезными, когда он улыбался, и даже в этом костюме и белой рубашке без галстука.

— Я тоже очень рад, — мрачно отозвался Гронский, и они с Кардиналом пожали друг другу руки. По сравнению с хозяином кабинета ее напарник показался Алине каким-то поношенным и потертым.

— Ты представишь мне свою спутницу?

Кардинал, все так же широко улыбаясь, повернулся к Алине.

— Алина, это Кардинал. Кардинал, это Алина, — безрадостно произнес Гронский.

— Очень приятно познакомиться. — Алина протянула руку и улыбнулась как можно приветливее, забыв про разбитую губу, которая тут же напомнила о себе и заставила болезненно поморщиться.

— Я тоже искренне рад знакомству, — отозвался Кардинал и к величайшему смущению Алины поднес ее руку к своим губам. — Друзья Родиона — мои друзья.

Алина почувствовала, что растерялась: и от этого церемонного обмена приветствиями, и от угрюмости Гронского, так не соответствующей радушию хозяина, а еще от быстрого пронзительного взгляда Кардинала, похожего на точный удар ножом, мгновенно доставший до сердца.

– Ну, что же мы стоим? Проходите сюда. – И Кардинал сделал приглашающий жест в правую часть кабинета, отделенную стеллажом с полками, на которых сквозь туманное стекло виднелись силуэты то ли старинных артефактов, то ли небольших авангардистских скульптур.

Алина осторожно присела на краешек удобного низкого дивана. Гронский устроился на противоположном конце, выложив перед собой на небольшой столик телефон и пачку сигарет с зажигалкой. Кардинал предложил гостям кофе – его, великолепно заваренный, в маленьких белоснежных чашечках через несколько минут принесла девушка с короткой стрижкой, – открыл дверцу массивного деревянного шкафа и достал бутылку виски.

– Тридцатилетний «Ardbeg», – сказал он, с бережной гордостью держа бутылку в руках. – Можно сказать, хранил для особого случая. Не откажетесь?

Алина подумала и не отказалась. Она вдохнула густой, насыщенный аромат дегтя и дыма с рыбацких верфей, сделала глоток, и жидкое торфяное пламя, пробежав по гортани, успокаивающим теплом разлилось в мыслях и чувствах, наполняя их величественной тишиной равнин и прибрежных скал острова Айла. Кардинал достал из хьюмидора сигару, предварительно осведомившись, не против ли леди, и скоро пряный сигарный дым поплыл под потолком кабинета. Алина почувствовала, что постепенно расслабляется: крепкий дымный виски, аромат сигары, тишина и изысканность обстановки придавали ситуации оттенок светского визита.

– Что ж, Родион, – прервал молчание Кардинал, – хотя тебя и привели ко мне определенные трудности, все же я действительно рад, что ты здесь. Сколько мы не виделись?

– Два года, – ответил Гронский. Он допил кофе и теперь курил, стряхивая пепел в большую хрустальную пепельницу. Синеватый дымок сигареты стеснительно вился среди благородных сигарных клубов.

– Да, два года. Как летит время! Когда ты позвонил сегодня, я даже подумал, что оно вдруг повернуло вспять. Подумать только: труп человека, упавшего с высоты на крышу машины! Застреленный автоматчик! – Кардинал с легкой улыбкой покачал головой, как отец, втайне гордящийся озорными выходками сына. – Ничего подобного ты не вытворял уже, наверное, года три?

– Думаю, что почти четыре.

– Время, время... Но выбор оружия, насколько я знаю, все тот же: «Walther» сорокового калибра. Кстати, мне сказали, что из пяти твоих выстрелов в цель попали только три. Что с тобой такое? Отсутствие практики?

– У меня была вчера нелегкая ночь, – ответил Гронский, немного замявшись.

– Влияние нелегких ночей на такие навыки – это и есть следствие отсутствия практики, – назидательно сказал Кардинал.

Алина с удивленным вниманием слушала этот диалог, переводя взгляд с одного собеседника на другого. Кардинал посмотрел на нее и улыбнулся:

– Вероятно, Родион, с присущей ему скромностью, не рассказал вам о том, что он не всегда организовывал похороны... ну, во всяком случае, в том качестве, в каком он занимается этим сейчас? Впрочем, думаю, вы уже об этом догадались, если видели его сегодня в деле.

Алина сдержанно кивнула.

– Видите ли, Родион, в некоторой степени, мой воспитанник. – Кардинал взглянул на Гронского. – Не правда ли?

Гронский тоже молча кивнул. Кардинал посмотрел на него, на Алину, усмехнулся и стряхнул в пепельницу толстый серый столбик слоистого пепла.

– Итак, давайте перейдем к делу. Мне было приятно оказать вам обоим сегодня небольшую услугу, и особых проблем это мне не доставило. Но я понимаю, что сегодняшнее неприятное событие – это только следствие. И мне бы очень хотелось узнать о причинах.

Гронский подался вперед.

– Я расскажу.

Кардинал чуть поднял руку.

– Родион, с твоего разрешения, я бы предпочел, чтобы рассказ начала леди. Во-первых, она является пострадавшей стороной, а во-вторых, мы же джентльмены, верно?

Алина бросила на Гронского быстрый взгляд. Тот молча пожал плечами. Она посмотрела на Кардинала – он улыбнулся и развел руками.

– Считайте это просто небольшим пожеланием хозяина дома.

Гронский повернул голову к Алине и чуть кивнул. Она вздохнула и начала свой рассказ, уже второй раз за этот день снова не понимая, зачем это делает и о чем можно говорить, а о чем следует умолчать.

Она не упомянула о таинственной гибели своей матери тринадцать лет назад. Но совершенно откровенно рассказала обо всем, начиная с момента обнаружения тела несчастной Марины на заднем дворе бара «Винчестер»: о кровавых убийствах девушек во дворах, о характере нанесенных жертвам ранений, о том, как руководитель судебно-медицинского бюро Даниил Ильич Кобот скрывал эти преступления, подписывая ложные заключения экспертизы, и о том, как она по совету Гронского дала согласие работать в медицинском центре «Данко», чтобы попытаться узнать причины всех этих странных событий. Иногда Алина смотрела на Гронского: тот спокойно сидел, не глядя на нее, и задумчиво курил. Зато Кардинал не сводил с Алины внимательного, но доброжелательного взгляда, ободряюще кивал, и даже один раз подлил в ее бокал еще виски, который она, разволновавшись, выпила, даже не заметив. Он задал несколько уточняющих вопросов о «Данко», а когда она дошла до состоявшегося по просьбе Гронского визита к Галачьянцу, Кардинал одобрительно кивнул:

– Браво, Родион. Если навыки огневой подготовки ты немного растерял, то исследовательский талант и интуиция по-прежнему с тобой.

– Это было очевидно, – отозвался Гронский.

– Не скромничай, – сказал Кардинал. – Очевидно далеко не для каждого, к тому же не каждый так информирован о некоторых обстоятельствах жизни этой почтенной семьи. Ты не рассказал милейшей Алине, зачем тебе понадобилось делать анализ крови Маши Галачьянц?

– Я не успел.

– Ну, полагаю, что ты еще восполнишь этот пробел. Ведь вы напарники, так? А у напарников не должно быть тайн друг от друга.

Алина хмыкнула.

– Вижу, вы уже успели убедиться в том, что откровенность не входит в число добродетелей Родиона, – заметил Кардинал. – Так что же было дальше?

– Дальше Алина решила самостоятельно исследовать закрытую зону «Данко», – быстро сказал Гронский. – Хотя я категорически не советовал ей этого делать.

Кардинал укоризненно покачал головой.

– Родион, ты невежлив. Дай леди самой продолжить рассказ.

Алина поняла: ей следовало умолчать о том, как они пытались спасти очередную жертву таинственного убийцы, и рассказывать теперь о событиях прошлой ночи. Происходящее стало напоминать ей какую-то странную игру джентльменов, в которую она оказалась втянута, не зная ни правил, ни ставок в этой игре, и могло статься, что в итоге тот, кто останется в проигрыше, встанет, учтиво поблагодарит победителя за интересную партию и пустит себе пулю в лоб.

Помня предостережение Гронского, Алина обстоятельно рассказала то, что пока не было известно и ему самому: о своих находках во время ночной вылазки, о том, как потом позвонила в Следственный комитет и о последовавшем за этим утреннем визите в ее квартиру трех тяжеловооруженных громил. Мужчины внимательно слушали, а Кардинал поинтересовался, какими же в итоге оказались результаты анализа крови Маши Галачьянц.

– Совершенно нормальными, – Алина пожала плечами. – Никаких следов патологий или заболеваний.

Кардинал и Гронский переглянулись. Алина замолчала, и на некоторое время в кабинете снова наступила тишина. Кардинал задумчиво вращал в руке стакан с капелькой виски на дне.

– Ну что ж, – наконец сказал он. – В знак благодарности за увлекательное повествование я тоже хочу кое-что рассказать. Ведь вам интересно, кем были посланы те, кто стараниями Родиона освободился сегодня от бремени земного существования?

Гронский и Алина молчали, выжидательно глядя на Кардинала. Он продолжил:

– Личности было установить нетрудно. У того, кто так неловко приземлился на крышу автомобиля, было удостоверение офицера ФСБ – поддельное, разумеется, но имя там было указано настоящее. А у двух других были документы сотрудников частной охранной фирмы. И принадлежит эта фирма некоему Абдулле.

Гронский вздрогнул и бросил взгляд на Кардинала.

– Тот самый?..

– Да, Родион, мой мальчик, тот самый. Я скажу больше: он является официальным и единственным владельцем медицинского центра «Данко», непрезентабельные закоулки которого так отважно исследовала очаровательная Алина. Ты удивлен?

Гронский кивнул. Очаровательная Алина непонимающе

смотрела то на него, то на Кардинала. Тот заметил ее взгляд и пояснил:

– Видите ли, получилось так, что этот Абдулла, о котором мы говорим, известен и мне, и Родиону, и известен не с самой лучшей стороны. До недавнего времени он работал в службе безопасности Германа Андреевича Галачьянца – странное совпадение, не правда ли? Точнее сказать, не в самой службе безопасности, а в той неофициальной ее части, которая исповедует принцип, что лучшая защита – это нападение. Но в декабре прошлого года он вдруг оставил это занятие и совершенно неожиданно увлекся оказанием медицинских услуг.

– Теперь понятно, откуда взялись средства на строительство «Данко», – задумчиво сказал Гронский. – И почему во главе его оказался именно Кобот.

– Совершенно верно, – кивнул Кардинал. – Я сначала думал, что Абдулла действует по поручению самого Галачьянца, но очень скоро убедился, что это не так. Он действительно разорвал с ним отношения, по крайней мере, как с работодателем, и развил за это время удивительную активность. Создание собственных боевых отрядов из сумасшедших головорезов, которых он выкупает из тюрем и специализированных психиатрических клиник. Бессмысленный захват нескольких не очень крупных бизнесов, совершенный без всякой тонкости, зато с максимальными затратами средств и применением насилия. Чем-то похоже на пьяный загул в масштабах города, только пьяный не от алкоголя, а от неожиданно свалившихся на голову больших денег. Конечно, меня это пока непосредственно не касается, но тем не менее примерно с мая месяца мои люди присматривали за Абдуллой, но, видимо, недостаточно внимательно. Да и про убийства девушек я услышал сегодня впервые.

Кардинал помолчал, аккуратно допил виски, поставил бокал на столик и посмотрел на Гронского:

– Теперь многое становится понятным, да?

– Да, – сказал Гронский. – Многое.

«Только не для меня», – подумала Алина, с трудом удерживаясь от вопросов.

– Ну что ж. – Кардинал поднялся из кресла. – Спасибо, что навестили. Наверное, у вас сегодня еще масса важных дел, так что не буду больше докучать вам своим обществом.

Гронский и Алина тоже встали, причем Алина почувствовала,

как легко зашумел у нее в голове виски, словно далекий шепот морского прибоя у берегов шотландских островов.

Кардинал проводил их до двери кабинета, еще раз церемонно поцеловал Алине руку на прощание, и когда они уже перешагнули порог, вдруг спросил:

– Кстати, Родион, хотел спросить: у тебя нет, случайно, предположений, чем таким занимались у себя в подвале наши общие знакомые, Кобот и Абдулла? Какие-то идеи, может быть, объясняющие результаты анализа крови Маши Галачьянц?

Алина замерла на месте. Гронский покачал головой:

– Я теряюсь в догадках.

Несколько секунд они с Кардиналом смотрели друг другу в глаза.

– И конечно, у тебя нет никакой иной заинтересованности в этом деле, кроме альтруистического желания помочь в изобличении убийцы?

– Никакой.

Алина почему-то подумала про лимонную косточку.

– Пусть так. – Кардинал улыбнулся. – Может быть, мы еще к этому вернемся. Постарайся быть осторожнее и береги свою спутницу. Ты же знаешь: в таких делах иногда нельзя предвидеть, чего ожидать.

Последняя фраза прозвучала зловеще.

Они вышли на улицу, когда едва миновал полдень, и даже скудный свет сумрачного дождливого дня показался Алине слишком ярким после приглушенных серых интерьеров. Они сели в машину и едва отъехали от дома Кардинала, как Алина перестала сдерживаться:

– И что это было? Ты что, знал Кобота раньше? И этого Абдуллу? Откуда? И что ты знаешь про Галачьянца? И ради всего святого, почему ты мне вообще ничего не рассказывал и не рассказываешь? И что это за истории про твое умение стрелять и еще какую-то чертовщину? А еще, скажи мне, пожалуйста, куда мы сейчас едем?!

– Мы едем ко мне, – спокойно сказал Гронский. – Сейчас для тебя это самое безопасное место.

И пока Алина пыталась осмыслить это самое неожиданное и безапелляционное из приглашений, которое она когда-либо слышала от мужчины, Гронский сказал:

– Я не знаю Кобота лично. Как не знал ни Машу Галачьянц, ни ее отца, ни Абдуллу. Но про них всех мне действительно коечто известно.

* * *

Это случилось два года назад, когда Маше Галачьянц как раз исполнилось четырнадцать лет. Ее пригласили на день рождения к подруге, дочери знакомых Германа Андреевича, с которой Маша училась в одном классе. В то время у нее еще были подружки и одноклассники. В загородном доме собралось человек пятьдесят тинейджеров от четырнадцати до семнадцати лет, и, как часто бывает на таких вечеринках, здесь были не только гости, лично приглашенные виновницей торжества, но и те, кого позвали сюда друзья и друзья друзей, так что общество собралось несколько пестрое и далеко не все были знакомы друг с другом. Машу, как обычно, привезли двое охранников, проводили до дверей дома, а сами остались ждать в машине. Это было нормально: что за вечеринка, на которой охранники стоят вдоль стен и мрачными статуями возвышаются над толпой веселящихся подростков? К тому же Маше уже приходилось там бывать, пригласившая ее девочка была из хорошей семьи, и охрана сочла, что никакая опасность не может угрожать их подопечной в доме, полном людей, музыки, яркого света и веселья. Но в этот раз все пошло не так.

Маша, как обычно, держалась в стороне от радостного мельтешения толпы и в какой-то момент времени оказалась одна. Тоненькая, бледная девочка с огромными черными глазами на правильном фарфоровом личике привлекла внимание трех шестнадцатилетних пьяных подонков. Они затащили ее в комнату на втором этаже, жестоко избили и по очереди изнасиловали, пока остальные благополучно пили и танцевали внизу, не подозревая о происходящем и, конечно, не услышав ни звука среди шума музыки и общего полупьяного гомона. Оставшиеся на улице охранники спокойно курили в компании коллег, тоже ожидавших своих подопечных, и, конечно, не обратили внимания на трех молодых людей, которые быстро вышли из дверей дома и растворились в ночи, как летучие мыши. В конце концов, мало ли кто и почему захотел уйти с вечеринки пораньше? Тревога поднялась только минут через сорок, когда Машу, избитую, окровавленную, охрипшую от криков и почти задушенную подушкой, которой насильники эти крики глушили, нашла парочка подростков, бродивших по дому в поисках укромного места для добровольного занятия тем, что с Машей проделали трижды и насильно.

Дальше события развивались лавинообразно. Перепуганные

насмерть подружки вывели находящуюся в полубессознательном состоянии Машу из дома, и уже через минуту охранники мчали ее на бешеной скорости в личную клинику Галачьянца, и их виски стремительно седели при мысли о том, каким будет наказание за недосмотр. Через две минуты о случившемся узнал сам Герман Андреевич. Через три ему уже звонили хозяева дома, родители той самой одноклассницы Маши, и в ужасе выкрикивали в трубку извинения и вопросы о том, чем они могут помочь, страстно желая одного — чтобы помочь им разрешили. Галачьянц не стал с ними разговаривать. Еще через четыре минуты он уже сам летел к дочери, и его «Maybach» мчался по ночным улицам в сопровождении двух черных джипов, разрывающих темноту вспышками стробоскопов и тоскливым воем сирен. Через пять минут сначала в пригородном районе, а потом и в самом городе был введен план «Перехват», и на улицы вырвались десятки полицейских машин и черных автомобилей службы безопасности Галачьянца, хищными тенями помчавшихся по округе. Еще не добравшись до больницы, Галачьянц позвонил Кардиналу: разумеется, они были знакомы и до этого случая, и вот теперь несчастный отец обратился к нему с просьбой помочь найти тех, кто изувечил его дочь, и попросил сразу, как только трое насильников будут найдены, передать их Абдулле. Самому Абдулле он кратко описал ситуацию и сказал, что хочет адекватного наказания для малолетних негодяев. Выбор казни Галачьянц оставил на его усмотрение, хотя возможно, что если бы он представлял всю меру кошмарной изобретательности своего охранника, то дал бы тому более четкие и конкретные указания, а трое насильников отделались бы короткой поездкой в один конец в сторону лесных болот.

Свой личный план «Перехват» Кардинал начал уже через десять минут после того, как в дверях загородного дома появилась истерзанная насильниками Маша, тут же взяв под контроль не только транспортные магистрали, но и входящие и исходящие мобильные вызовы, операции с кредитными картами, телефоны службы такси, уличные камеры видеонаблюдения, и послал нескольких человек в загородный дом, где в тишине, среди печальных атрибутов трагически прервавшегося праздника, стремительно трезвели напуганные подростки в компании своих прибывающих родителей.

Ситуацию осложняли несколько обстоятельств. Во-первых, с момента исчезновения троих малолетних насильников с места преступления прошел уже почти час — время, достаточное для того, чтобы далеко уйти и хорошо спрятаться. К тому же оказалось, что никто толком не знал, кем были эти трое: они были приглашены случайно, какими-то общими знакомыми, не все из которых и сами пришли на праздник. Так что, хотя все присутствовавшие на злополучной вечеринке с большим энтузиазмом давали показания десятку очень серьезных людей в серых костюмах, на определение личности и места жительства каждого из злодеев ушло примерно полчаса. Тут же были отработаны все их ближние и дальние контакты, вскрыты ящики электронной почты и страницы в социальной сети, и количество людей, разбуженных и поднятых на ноги среди ночи тревожными и настойчивыми звонками в дверь, стало расти в геометрической прогрессии. В числе первых оказались, разумеется, родители этой троицы, которые очень скоро прокляли день и час, когда судьба уготовила им знакомство друг с другом, чтобы впоследствии произвести на свет виновников бед такого масштаба, и они очень старательно изложили все тем же серьезным людям информацию обо всех мыслимых и немыслимых местах возможного пребывания своих отпрысков. Некоторая трудность возникла только с одной из матерей, женщиной сильного характера, закаленного многолетним управлением небольшой сетью магазинов бытовой техники, но трудность была преодолена за пять минут при помощи молотка, пары гвоздей и случившейся под рукой зажигалки «Zippo». С отцами, кстати, проблем не было почему-то вообще: они всячески выказывали желание помочь в поисках, а один из них, косясь на жену, тяжело переживавшую последствия тесного общения с молотком, гвоздями и зажигалкой, даже требовал дать ему оружие и принять в ряды карательного отряда.

Вторым осложняющим обстоятельством было то, что искомые подростки протрезвели гораздо быстрее, чем того можно было ожидать, и вместо того чтобы спать пьяным сном дома или у знакомых в ожидании неизбежной расправы, начали прятаться. Очень трудно найти в многомиллионном городе человека, если он хочет спрятаться по-настоящему, особенно когда он напуган до смерти и успел снять почти все деньги с банковской карточки родителей до того, как она была заблокирована.

Причины быть напуганными у них, конечно, были. Кто-то из них вспомнил, что девушку, павшую жертвой сочетания пубертатных гормонов и алкоголя, зовут Маша. Другой, ощутив смутный укол беспокойства, позвонил своему знакомому из тех, кто пригласил его на вечеринку, но сам почему-то не пришел, и поинтересовался фамилией Маши. После того, как они узнали, что оставили за небрежно прикрытой дверью в чужую спальню Марию Германовну Галачьянц, едва живую от боли, страха и слез, хмель покинул их окончательно, а на смену опьянению пришла паника. Деньги были сняты с кредитных карт родителей в максимальных объемах, которые только позволили банкоматы, после чего кредитки безжалостно выбросили. За кредитками последовали сломанные сим-карты и разбитые телефоны. Они пересаживались из одной случайно пойманной машины в другую, каждый раз останавливаясь на безлюдных, глухих улицах и забиваясь все дальше и дальше в темные щели городских трущоб.

Всех троих люди Кардинала нашли чуть более чем через сутки. Были проверены все гостиницы, мини-отели, все квартиры и комнаты, сданные любыми способами за прошедший день. На трассах останавливали и досматривали грузовые машины дальнего следования и легковые автомобили, в которых сидело более двух человек. На вокзалах, платформах пригородных электричек и в аэропортах постоянно дежурили агенты вместе с нарядами полиции. Участковые прочесывали подвалы и чердаки. Были выставлены сторожевые посты по всем адресам, куда могли пойти трое искомых подростков. Велся мониторинг сотовой связи. Это была настоящая широкомасштабная поисковая операция, проводимая силами Кардинала, службы безопасности Галачьянца и полиции. Однако сутки уже были на исходе, а результаты оставались нулевыми: неуловимые подростки словно скрылись от готового настичь их возмездия где-то за гранью реальности. Тогда Кардинал решил проверить последний вариант, которым могли воспользоваться тинейджеры, не привыкшие и не умеющие прятаться в трущобных закоулках и на свалках, но имевшие на руках в общей сложности примерно полмиллиона рублей. Их взяли в одном из борделей на Петроградской стороне: не самом большом, не принадлежащем к сетевым заведениям такого рода, но вполне уютном, домашнем, который молодые дарования арендовали на сутки с продлением, используя тамошних сотрудниц не только по их прямому профессиональному назначению, но и для покупки продуктов и алкоголя, а также в качестве поваров. Возможно, они хотели отсидеться, пока хватит денег, и решить, что делать дальше. Во всяком случае, их затянувшийся визит был прерван к вящему неудовольствию хозяйки заведения и к неописуемому ужасу самих юных гостей. Несколько человек буквально вынесли их из квартиры вниз по длинной, узкой лестнице, забросили в микроавтобус и передали Абдулле, у которого все уже было готово для того, что в его понимании являлось тем самым «адекватным наказанием».

– Даже страшно слушать дальше. Все, что приходит в голову, настолько отвратительно, что не хочется держать это там дольше одной секунды.

– Мне не рассказывать?..

– Продолжай, конечно. Просто после того, что я сегодня пережила и чего наслушалась, картины представляются самые жуткие.

– Боюсь, что действительность может их превзойти. Потому что теперь в этой истории появляется наш общий знакомый, Даниил Ильич Кобот, который сейчас раскроется перед тобой с еще одной выразительной стороны.

Абдулла и Кобот были знакомы уже давно. Ходили слухи, что когда-то Кобот, будучи военным хирургом на Кавказе, помог раненому Абдулле: того подобрали на месте боя федеральных сил с местными бандитами, к числу которых он принадлежал, и Кобот не только успешно прооперировал его, но и выдал каким-то образом за пострадавшего бойца спецназа, чем практически второй раз спас ему жизнь. Думаю, что Абдулла нашел способ, как отблагодарить чуткого доктора. И вот теперь, много лет спустя, он снова вспомнил о Коботе и обратился к нему за помощью, разумеется, небескорыстной. Для того, чтобы привести в исполнение задуманную Абдуллой казнь, требовалась хорошая операционная, трое хирургов и один анестезиолог. Операционную Кобот сумел арендовать на ночь в Военно-медицинской академии, нашел анестезиолога, а в качестве еще двух хирургов пригласил... догадайся, кого?

– О Боже...

– Совершенно верно, еще двоих твоих знакомых, Эдипа Иванова и Георгия Мампорию. Как видишь, когда Кобот делал тебе предложение о сотрудничестве, он оказывал большую честь присоединиться к маленькому, но давно сплоченному коллективу мерзавцев.

Несчастных насильников привезли среди ночи в Военно-медицинскую академию и разложили на хирургических столах. Абдулла отдельно настаивал, чтобы они оставались в сознании, так что анестезиологу пришлось применить все свое искусство, чтобы так и было на протяжении того времени, пока склонившиеся над столами хирурги в масках отрезали лежащим подросткам руки и ноги. После того, как руки были отделены от туловищ по плечевым суставам, а ноги были вынуты из бедренных, наступила очередь ампутации гениталий. Последними были глаза, которые извлекли из орбит, и языки, аккуратно вырезанные из ротовой полости. Операционная была залита кровью, а ампутированные конечности заполнили собой два больших оцинкованных корыта. К утру от трех молодых людей остались только человеческие обрубки, лишенные половых органов, слепые, мотающие безглазыми головами и издающие мучительное мычание. Впрочем, один из них все-таки умер после завершения операции: видимо, не выдержало сердце, а двое других были тщательно перевязаны и оставлены на пороге одной из больниц. Не исключено, что они живы до сих пор: в вечной темноте, немые, заключенные в гниющий обрубок беспомощной плоти. Говорят, что когда Абдулла бодро отчитывался Галачьянцу о проделанной работе, тот сказал только одно слово: «Хорошо». И все.

– Кошмар какой-то...

– Да, кошмар. Но не больший, чем узнать, что твоя единственная и любимая дочь четырнадцати лет от роду жестоко избита, изнасилована, а кроме того, обречена на скорую и мучительную смерть. Дело в том, что в конце этой драматической истории прозвучал еще один аккорд, превративший ее в настоящую трагедию.

У Маши Галачьянц обнаружили ВИЧ. Это выяснилось через три недели, при повторных лабораторных исследованиях крови, когда отец и дочь молча сидели рядом в пустом коридоре клиники, где ее лечили от последствий посещения дня рождения школьной подруги. Маша не плакала, а просто сидела и смотрела в стену перед собой своими огромными черными глазами, в которых уже не было слез, не отвечала на вопросы, не реагировала на слова, так что когда в коридоре появился смертельно бледный врач с результатами анализов крови, навстречу ему поднялся один Герман Андреевич. Неизвестно, знал ли один из насильников, что где-то подхватил смертельную заразу, или нет – да это и не важно. Зато теперь Галачьянц узнал о том, что кроме сломанного носа, ушибов лица и многочисленных разрывов тканей полуночные кавалеры наградили его дочь вирусом, который с этого момента поселился в ее крови и останется там до тех пор, пока рано или поздно не сведет в могилу. Страшно подумать о том, что он испытал в эти минуты.

Галачьянц воспитывал Машу один: ее мама, его жена, умерла, когда Маше было два или три года, так что на протяжении долгих лет дочка была единственной и главной женщиной в его жизни. И конечно, он приложил все мыслимые и немыслимые усилия к тому, чтобы не дать развиться в ее организме смертельному заболеванию. Но увы – больше года назад ВИЧ активизировался, и наступила активная стадия СПИДа, прогрессирующая быстро и неумолимо. Я знаю об этом потому, что информация о болезни дочери Галачьянца мгновенно разлетелась по всем похоронным агентствам города, которые стали ждать ее смерти с голодным предвкушением гиен, рассчитывающих первыми добраться до организации обещающих быть невероятно пышными похорон. Новости об ухудшающемся состоянии здоровья приходили почти ежедневно: пневмоцистная пневмония, саркома Капоши, кандидоз пищевода, внелегочный туберкулез – девочка мучительно умирала, и похоронные агенты отслеживали неумолимую поступь смерти подобно шакалам, следящим за последними шагами обреченного животного.

– Необычно быстрое течение заболевания, – заметила Алина. – Обычно этот вирус убивает гораздо медленнее, человек вполне может прожить с момента заражения еще десяток лет.

Гронский кивнул.

– Да, но, видимо, нет правил без исключений, и одно из них пришлось как раз на случай Маши. Смерть не дала ей отсрочки и сидела у изголовья постели девочки, ожидая развязки и внимательно наблюдая за тем, как мрачная стая болезней, этих зловещих эмиссаров вечности, разрывает на части тело, едва удерживающее душу в слабеющих объятиях.

А потом все закончилось. Новости от врачей перестали поступать, сиделки и санитары были отпущены из дома Галачьянца, и большинство похоронных агентов сошлись во мнении, что Маша умерла, а Галачьянц похоронил ее тайно, не желая делать свое горе достоянием широкой общественности. Поэтому можешь себе представить мое удивление, когда я услышал от тебя, что Маша жива и даже здорова, в чем я и сам имел возможность убедиться. Вот почему я попросил тебя о том визите к Галачьянцу и об анализе крови его дочери.

– Я могу тебе со всей ответственностью заявить, что в ее крови нет ни следа не только ВИЧ, но и вообще каких бы то ни было вирусов или заболеваний. Девочка совершенно здорова.

– Я знаю. И теперь, когда и ты знаешь обо всем, попробуй убедить себя в том, что причиной ее выздоровления не является ассиратум.

# Глава 12

По обе стороны длинного стола сидели пятеро, и, как это всегда бывало, когда они собирались вместе, Кардинал испытывал редкое для него ощущение гармоничного покоя, какое бывает только в добром семейном кругу. Собственно, эти пятеро и были его семьей, его друзьями, и сейчас он чувствовал себя дома. Казалось, что даже холодный серый интерьер кабинета стал вдруг теплее и уютнее.

Судьбы каждого из пятерых когда-то очень давно соприкоснулись с судьбой самого Кардинала, и, подобно тому, как притягиваются друг к другу капельки ртути, слились с ней воедино, и жизненный путь их, отклонившись от первоначального направления, продолжился здесь, по эту сторону дымчатого стекла. Они не были для него сотрудниками или подчиненными; они были командой, безоговорочным лидером которой являлся Кардинал, авторитет которого основывался не на власти руководителя, а на глубоком уважении и безграничном доверии к нему всех пятерых. Только один из них постоянно жил здесь, в доме Кардинала, вместе с тремя десятками невидимых и бесшумных людей, обеспечивающих работу различных служб штаб-квартиры. Остальные могли быть везде и нигде: за пределами города, страны, мира, занимаясь своими делами, иногда появляясь и снова исчезая по собственному усмотрению, но всегда готовые явиться в случае необходимости по первому зову. Последний раз такая необходимость возникала полтора года назад, и вот снова появилась сейчас.

Кардинал говорил себе, что ему следовало бы серьезнее отнестись к возникшим год назад обстоятельствам. Возможно, в то время все можно было решить проще. Но, как это обычно бывает, появились какие-то другие, казавшиеся более важными и неотложными дела, и он почти забыл про Галачьянца, его дочь и странную историю, рассказанную ему тогда: как будто записка с важной информацией, лежащая на столе, была на время закрыта другими бумагами и документами. И вот теперь, неожиданно, после двухлетнего отсутствия, являются Гронский и эта девочка-эксперт, и то, что было забыто и отложено в дальний ящик памяти, оказалось снова извлечено на свет, и цепь удивительных и странных совпадений замкнулась, вызвав ослепительную вспышку, подобную электрическому разряду. В ее ярком свете все встало на свои места: и семейное предание Галачьянцев, и удивительное исцеление Маши, и медицинский центр Кобота, и неожиданный взлет Абдуллы к вершинам теневого могущества, и следы экспериментов в подвале заброшенного дома, и самое главное – убийства, при которых у жертв изымались совершенно определенные внутренние органы. Кардинал догадывался, что именно это означает и зачем могут понадобиться сердце, почки, селезенка и кровь, взятые в новолуние. Интересно, знает ли это Гронский? Скорее всего, да: он солгал в ответ на вопрос Кардинала по поводу предположений о причинах чудесного исцеления дочери Галачьянца, причем солгал явно и сознательно, прекрасно понимая, что Кардинал видит его ложь. К тому же Кардинал слишком хорошо знал Гронского, его аналитические способности и стремление к обстоятельному изучению всех деталей дела, которым он занимается, чтобы предполагать, что тот не дошел в своих поисках до сути происходящих событий. Впрочем, это сейчас не важно. О чем бы ни догадывался Гронский, ключевым звеном в этой истории является не он, а Абдулла, и именно ему нужно задавать вопросы. Но заставить его на эти вопросы ответить не под силу одному человеку, даже такому, как Гронский. Зато это вполне по силам Кардиналу и той команде, которая сейчас собралась здесь, в его кабинете.

– Пока звучит не очень-то сложно, – сказал один из них, огромный бородатый мужчина с гривой седеющих волос и в толстой потертой кожаной куртке. Его мотоцикл стоял сейчас внизу, у самых дверей дома, тускло поблескивая под дождем хромом и кожей, похожий на огромного пса, который дожидается хозяина. Редкие прохожие с опаской обходили мотоцикл стороной. – Захватить парня и привезти его сюда. Дела на десять минут.

– Ты невнимательно слушал, Карл, – заметил Алекс. Он сидел, закинув ногу на ногу, и безупречным костюмом вкупе с холеным блеском ухоженности напоминал преуспевающего инвестиционного консультанта. – Если бы в этом городе издавали криминальный «Forbes», то этот парень вошел бы в первую десятку. К тому же он помешан на оружии и безопасности, я правильно говорю, Виктор?

Человек, сидевший рядом с Кардиналом и обладавший внешностью настолько непримечательной, что одно это могло стать его особой приметой, кивнул.

– Не менее двух автомобилей охраны, в каждом по четыре человека, плюс еще двое охранников в машине самого Абдуллы, не считая водителя, – сказал Виктор. В его речи слышался чуть заметный акцент, похожий на немецкий. – Весь транспорт изготовлен на заказ и бронирован. Есть еще две машины наблюдения, впереди и позади колонны. Иногда он ездит в сопровождении полиции – на деловые встречи, например, хотя таких у него немного. Никогда не ночует два раза подряд в одном месте: у него несколько квартир в городе и загородная база с тремя рубежами активной и пассивной обороны. Там же располагаются его основные ударные силы, так что штурм представляется довольно затруднительным. Маршрут следования определяет спонтанно, сам и в последний момент. Может остановиться в гостинице. Друзей нет. Женщин ему привозят из проверенных борделей и потом увозят обратно. Впрочем, увозят не всегда: например, после поездок за город они иногда не возвращаются. В клубах и ресторанах бывает редко, но если приходит, то в клубе вокруг него охрана обеспечивает пустое пространство в несколько метров, а ресторан закрывают полностью.

Карл хмыкнул, но промолчал.

– Для таких мер безопасности есть свои причины. На Абдуллу покушались дважды, в начале этого года. Первый раз двое автоматчиков изрешетили его вместе с охраной рядом с машинами. Погибли трое охранников и оба стрелка: Абдулла каким-то чудом не пострадал и убил их сам. Второе покушение состоялось ровно через две недели после первого: снайпер расстрелял его машину, когда водитель остановился у светофора. Я слышал про этого снайпера: говорили, что он не промахивался ни разу за всю свою карьеру. Результат тот же: Абдулла невредим, снайпер исчез бесследно. Потом его влияние в городе стало расти, и больше покушений не было.

– Похоже, наш парень родился в рубашке, – заметил Карл.

Виктор пожал плечами.

– Несмотря на это, если бы речь шла о физическом устранении, все было бы гораздо проще. Но взять его живым в городе и не наделать много шума несколько проблематично.

– Ну почему же, – возразила ему сидящая напротив женщина, высокая, стройная, с гибкой и сильной фигурой спортсменки, короткими черными волосами и правильными чертами холодного красивого лица. – Установить наблюдение. Дождаться, когда он поедет, например, в тот же ресторан. Он ведь не входит туда вместе со всей охраной, если заведение для него закрывается полностью? Наверняка берет с собой двух-трех человек, а остальные ждут в машинах. Тех, кто остался снаружи, можно убрать быстро и без шума. Оставить одного, который поддерживает связь, чтобы докладывал об отсутствии проблем. Потом взять самого Абдуллу на выходе, ликвидировать оставшихся охранников и увезти его самого на его же транспорте. Все.

Она посмотрела на Кардинала серебристыми глазами, мерцающими, как ледяные звезды. Тот сидел молча.

– Можно сделать еще проще: я предлагаю его отравить, – миловидная светловолосая женщина с добрым лицом детского врача застенчиво улыбнулась. – У меня сейчас есть прекрасные нейротоксины. В том же ресторане яд можно добавить ему в пищу, и через несколько минут наступит искусственная кома, часов на шесть-семь. Ему вызовут «Скорую», приедет наша машинка и мы спокойно его заберем.

– Лорен, охрана за ним поедет, – возразил Алекс. – Обе машины, это совершенно точно.

Лорен улыбнулась еще шире.

– Ну, можно ведь придумать, как от них избавиться по дороге. Правда, Хлоя?

Темноволосая женщина молча кивнула.

– Можно, можно, – проворчал Карл. – Лично грузовиком снесу одну машину и заблокирую другой дорогу. В этом городе улицы местами такие узкие, что перегородить их могут два столкнувшихся мопеда.

Пятеро молча смотрели на Кардинала. Он покачал головой.

– Существуют некоторые обстоятельства, – сказал Кардинал. – Например, есть основания сомневаться, что на Абдуллу подействует нейротоксин. Но не это главное. Виктор, сколько всего у Абдуллы бойцов?

– В июле было полсотни, – ответил Виктор. – Сейчас, думаю, чуть больше ста, с учетом того, что он активно вытаскивал из тюрем и психиатрических больниц пожизненно осужденных убийц и маньяков.

– Вот в этом и дело. – Кардинал по очереди посмотрел на каждого из пятерых. – Я очень не хочу, чтобы эта дикая неуправляемая дивизия, оставшись без хозяина, разнесла в его поисках половину города, и уж тем более чтобы они заявились сюда. С военной точки зрения это не критично, конечно, но шума будет много, а ненужного внимания со стороны внешнего мира еще больше. Нет, я хочу одним ударом уничтожить их всех. Сразу. К тому же, оставшись без своей армии, и сам Абдулла будет разговаривать чуть более охотно.

– Для этого понадобится настоящая войсковая операция,

Карди, – заметил Виктор. – Нужно подумать над тем, где ее проводить.

– Я думаю, – медленно сказал Кардинал, – что это должно быть место за городом, в котором численное превосходство не будет играть решающего значения, где можно легко организовать засаду и несколько точек для ведения перекрестного огня. Карл, сколько нам потребуется людей для того, чтобы при таких условиях выполнить задачу? Двух десятков хватит?

– Лучше три десятка, – ответил Карл. – И это должны быть опытные бойцы. И еще мне нужно, чтобы было из кого выбирать.

– Завтра утром у тебя будет выбор. Боевая часть операции твоя. Алекс, на тебе снабжение и техническое обеспечение. Обсуди с Карлом, что ему понадобится, и сделай так, чтобы все нужное было тут к утру. Я хочу, чтобы наши потери были минимальны, поэтому подумай отдельно насчет защитного снаряжения.

– Карди, срок не очень большой, – отозвался Алекс. – Боюсь, ты несколько льстишь моим возможностям.

– Я их очень хорошо знаю, – ответил Кардинал и чуть улыбнулся. – Я же не прошу достать дирижабль времен Первой мировой войны. Но нам обязательно понадобятся ручные пушки с металлическими сетями, три, а лучше четыре штуки. Карл, скажешь своим людям, что Абдулла нужен живым и только живым и чтобы группа захвата использовала сети. Остальные пусть избегают с ним боевого соприкосновения, насколько будет возможно, ну или, во всяком случае, не стреляют на поражение. Хотя учитывая то, что нам известно, вряд ли стрельба может причинить ему вред.

Никто из пятерых не задавал вопросов о том, зачем, собственно, этот захват нужен. Все знали, что если Кардинал сочтет нужным что-то сообщить им, то он сделает это тогда и так, как решит сам.

– Виктор, на тебе полный контроль передвижений и переговоров Абдуллы, – продолжал Кардинал. – С этой минуты мы должны знать про него абсолютно все. Кроме того, возьми на себя взаимодействие с внешними силами: полицией и экстренными службами. Совершенно не нужно, чтобы в самый разгар дела кто-то из них примчался, завывая своими сиренами.

Виктор кивнул.

– Хлоя, ты можешь вызвать сюда свою группу?

– Конечно. Они будут здесь завтра.

– Отлично. Тогда я прошу тебя обеспечить подготовку места проведения нашего мероприятия. Нам не нужны неожиданности.

– Я все сделаю, Карди. – Хлоя блеснула серебристыми льдинками глаз. – Ты же знаешь.

Кардинал снова легко улыбнулся. Да, он знал.

– Лорен, тебе я дам контакты дружественной нам медицинской клиники: ее владелец должен мне услугу и не будет задавать вопросов. Пусть там все подготовят для приема раненых. Надеюсь, что их не будет много.

– Конечно. Мне подумать над тем, чем мы будем угощать нашего гостя Абдуллу, когда его привезут? Что-нибудь новое, необычное? Сильнодействующее?

– Лишним не будет, – согласился Кардинал. Лорен радостно улыбнулась и кивнула. Она принадлежала к числу тех совершенно счастливых людей, которые хорошо знают и искренне любят свое дело.

– Осталось определить место встречи, – заметил Виктор. – Без этого трудно что-то планировать.

– Конечно. – Кардинал взял в руку телефонную трубку. – Пусть его выберет Абдулла. Место, куда он приедет и приведет с собой всю свою ватагу.

– Ты хочешь бросить ему вызов? – Алекс прищурился. – Не думаешь, что он заподозрит неладное?

Кардинал перевел телефон на громкую связь и стал набирать номер.

– Не заподозрит, если назначит встречу сам, – сказал он. – Я намерен сделать предложение, на которое наш новый друг может прореагировать только единственно возможным для него образом.

* * *

За толстым бронированным окном автомобиля сгущались неприятные и тревожные сизые сумерки, когда уличные фонари еще не зажглись, но промозглая мгла уже превратила мир в калейдоскоп мельтешащих теней и вызывала подобие куриной слепоты. Двигающиеся по тротуарам плотные толпы людей, казалось, были объяты каким-то неясным беспокойством, которое заставляло их склонять головы и ускорять шаг, фары сбившихся в тесные стаи автомобилей горели лихорадочным светом, и все вокруг словно было объято неясной дрожью, то ли от страха, то ли из-за пронизывающего холодного ветра.

Огромный черный «Hammer H1 Alfa» в сопровождении двух джипов и одного грузового микроавтобуса нахрапом лез по улицам через вечерние пробки, и влажная грязь фонтанами разлеталась из-под колес машин, добавляя грязно-серого цвета окружающему безрадостному миру. Абдулла угрюмо смотрел наружу: казалось, толпа на тротуарах топчется на месте, как безликая серая масса.

Телефон задрожал и изверг из себя диковатые ритмы лихой лезгинки. Абдулла нахмурился и прорычал несколько гортанных замысловатых ругательств. Сегодня его раздражало все, и оснований для раздражения было более чем достаточно.

Все пошло не так два месяца назад. Сколько усилий он приложил, чтобы бизнес развивался успешно, сколько вложил в этот медицинский центр, идею которого подсказал ему Кобот, – и старания принесли плоды. Клиентская база успешно прирастала, причем во многом благодаря деятельности того же Кобота, тут надо отдать ему должное: он находил тех, чье финансовое положение было куда более завидным, чем состояние здоровья, и продавал им воплощение мечты о вечной молодости и бесконечной жизни, каждый месяц пополняя счет Абдуллы и свой собственный на очень, очень неплохие суммы. Но ведь нельзя останавливаться на достигнутом, разве не так? В этом городе не так много людей, способных каждый месяц платить миллион долларов за порцию этого зелья, и Абдулла сам, лично ездил в столицу, находил нужных людей, налаживал контакты, и вот наконец был готов вывести поставки эликсира на совершенно новый уровень. Нужно было только увеличить производство. Что в этом сложного?

Но *они* ответили отказом. В голове не укладывается: он отдает *им* половину заработанных денег, обеспечивает безопасность, и вот, когда он предлагает продавать больше в два, три, четыре раза, – ему говорят нет! Ссылаются на этого своего таинственного Мастера, которого Абдулла в глаза не видел и который что-то говорил о дополнительных рисках при добыче сырья и о том, что не хочет привлекать к себе лишнего внимания. Как будто *они* его к себе привлекали! Все делал он, Абдулла, и Кобот, это они подставлялись в случае, если что-то пойдет не так, хотя не так пойти уже не могло: на ассиратуме давно сидели такие люди, которые могли бы и Варфоломеевскую ночь объяснить эпидемией гриппа. А сырье? Да он мог привозить им это сырье автобусами, а потом так же автобусами сбрасывать где-нибудь на свалке или в карьере за городом. Где риск? Абдулла еще раз потребовал встречи с этим Мастером, как требовал уже не единожды, но ему и тут ответили отказом. А между тем столичные партнеры, которых он нашел, все чаще задавали вопрос о том, когда же он сможет поставить первую партию эликсира, и ему приходилось что-то мямлить, оправдываться и переносить сроки.

Но он и тут нашел выход, да, он не растерялся: велел Коботу найти способ, как можно самим делать это снадобье. Кобот же врач, в конце концов, профессионал, должен понимать в таких вещах! Абдулла купил ему дорогое оборудование, регулярно привозил материал для опытов, но все без толку. Два месяца времени, десятки испорченных единиц живого материала, почти три литра драгоценной жидкости, изведенной в процессе экспериментов, – и никаких результатов. Чему его учили в этой его Медицинской академии?

Дальше – больше. Три недели назад совершенно неожиданно для всех во дворах нашли тело какой-то убитой девчонки, причем убитой, как теперь совершенно очевидно, этим чертовым верзилой со звериной мордой. И ни его, ни Кобота, никто даже не подумал поставить в известность. Что это значит? Только одно: *они* все-таки могут делать больше эликсира, возможно даже, нашли кого-то еще, кроме Абдуллы, кому будут его продавать, но при этом по-прежнему хотят, чтобы он при помощи Кобота подчищал за ними хвосты. Немыслимо! Хорошо еще, что очередная поставка в конце октября состоялась вовремя. Тогда у него был с *ними* очень неприятный разговор, причем *они* имели наглость отрицать очевидное и утверждать, что эту девку в середине месяца убил он сам! Оно ему надо?

Ну а последние события и вовсе уже выходили за всякие рамки. Этот осел Кобот, вместо того чтобы по-тихому убрать настырную экспертшу, так некстати сунувшую свой нос куда не следует, взял ее на работу, да еще и поручил проводить исследования других, уже давно похороненных трупов. И ведь Абдулла предупреждал о том, что добра из этого не будет, – чутье его никогда еще не подводило. Но гениальный Кобот уперся и настоял на своем. И вот теперь они имеют то, что имеют: девица-эксперт с каким-то мрачным типом приезжала к Галачьянцу, взяла на анализы кровь у его дочери, а потом еще забралась ночью в «Данко» и только что не сфотографировала и не выложила в Интернет все, что так тщательно было скрыто от глаз посторонних в подвале пустого дома. Хорошо, что у Абдуллы есть свои люди и в Следственном комитете, так что необратимых последствий пока удалось избежать: пока, потому что в довершение всего каким-то непостижимым образом ей и ее хмурому дружку удалось перебить людей Абдуллы и скрыться в неизвестном направлении. Конечно, их ищут и обязательно найдут, но что они успеют натворить за это время?

Не успел Абдулла прийти в себя от этих утренних новостей, как ему позвонили *они* и назначили встречу в подвале заброшенного дома, там же, где обычно проходила ежемесячная передача товара. Конечно, он все равно собирался ехать туда сегодня вечером, чтобы привезти Коботу новую партию материала для опытов, но вот эта неожиданно назначенная встреча настораживала. Что еще за напасть может его ожидать?

Телефон хрипел и свистел лезгинкой. Абдулла посмотрел на дисплей и вздрогнул: номер был ему знаком, и на звонок этого человека лучше было ответить. Он откашлялся и взял трубку.

– Кардинал, привет, уважаемый, слушаю тебя!

– Привет, Абдулла, – раздался в динамике чуть отдающийся эхом знакомый ровный голос. – У тебя есть сейчас минута, чтобы поговорить?

– Слушаю, слушаю очень внимательно!

– Это не займет много времени. Я хочу сделать тебе одно предложение. Мне нужно, чтобы ты отдал мне свой медицинский центр, «Данко», и все, что ты там производишь и поставляешь своим клиентам, например Галачьянцу. Полагаю, ты понимаешь, о чем идет речь. Мне кажется, оказание медицинских услуг – это совершенно не твое, а я сумею распорядиться этим бизнесом наилучшим образом. Конечно, я расценю это как дружеское одолжение с твоей стороны, и с удовольствием отвечу тем же, если тебе понадобится моя помощь.

Абдулла подумал, что ослышался. Хотя нет: если бы он ослышался, то тяжелая красная волна не поднималась бы сейчас в нем, подобно готовой извергнуться лаве, заливая разум и перехватывая горло спазмом удушающей ярости.

– Абдулла, ты меня услышал? Я бы хотел получить ответ, – донеслось из динамика.

– Что? – короткое слово было единственным, что Абдулла мог сейчас выдавить сквозь судорожно сжавшиеся голосовые связки.

– Прости, видимо, какие-то проблемы со связью. Я предлагаю отдать мне твой бизнес, связанный с «Данко». Поверь мне, я полностью в курсе того, что ты там делаешь, и твое дело попадет в хорошие руки, обещаю. Ну а я, со своей стороны, буду очень признателен, и...

В следующий миг толстые бронированные стекла автомобиля дрогнули, водитель испуганно дернул рулем, едва не выбросив с дороги с трудом увернувшееся маршрутное такси, а нечеловеческие хриплые вопли, казалось, огласили даже сумеречные улицы, заставив пешеходов испуганно оглядываться. Отдельные связные слова почти терялись в потоке каркающей брани, с трудом пробиваясь сквозь нее, как через треск помех:

– Ты... голову потерял... да?! Ты думаешь, ты один тут такой, да?! Не понимаешь, с кем говоришь... я тебе объясню, кого хочешь приводи, я обосную... ты... готов ответить?!

– Я так понимаю, что ты не согласен на мое предложение, – прозвучал невозмутимый голос в телефоне, когда Абдулла на секунду прервался, чтобы перевести дыхание. – Очень жаль, я искренне хотел решить этот вопрос миром, но ты, видимо, настроен говорить по-другому.

На этот раз водитель был готов к яростному акустическому удару, но ему все же стоило определенного труда удержать руль в руках.

– Ты... мне будешь угрожать?! Это я тебе... и твоих... чтобы ты... давай встретимся, поговорим, если ты мужчина!

– Где и когда? – прозвучал быстрый вопрос.

– Заброшенный бетонный завод знаешь на севере, где выезд из города?! Завтра ночью в двенадцать часов буду тебя там ждать! В лицо мне скажешь все это!

– Отлично. Завтра в полночь, завод бетонных изделий, север. Я приеду. До встречи.

Абдулла еще минуты две кричал в трубку, пока не понял, что Кардинал уже давно его не слышит.

Абдулла сжал телефон так, что тот затрещал в кулаке, и, тяжело дыша, обвел взглядом салон «Hammer». Водитель смотрел прямо перед собой, старательно держась обеими руками за руль. Двое охранников на заднем сиденье молча уставились в окна. Несколько секунд Абдулла сидел неподвижно, а потом что есть силы швырнул телефон о приборную панель. Аппарат рикошетом отскочил и как пуля пронесся через весь салон в сторону заднего сиденья, где один из охранников чудом успел уклониться от неизбежного попадания в лоб. Раздался треск и звон рассыпающихся пластмассовых и металлических осколков. Абдулла несколько раз ударил кулаком по дверце, по сиденью и злобно воззрился на водителя, который чуть притормозил на пешеходном переходе:

– Ты всех пропускать теперь будешь, да?! Ты шофер или Армия спасения?! Давай тогда уже никуда не ехать, встань тут и стой, жди, пока весь город мимо тебя не пройдет!

Водитель вздрогнул и резко нажал на педаль газа. Серые тени испуганно метнулись в разные стороны от бампера автомобиля, как брызги грязной воды из-под колес.

Лишь немного успокоившись, Абдулла вдруг понял, что только что возник еще один вопрос, не менее, а может быть, и более важный, чем те, о которых он размышлял по дороге: как Кардинал узнал о его делах? Кто и когда мог ему об этом сказать?

Да что же за день такой сегодня!

Абдулла глубоко вздохнул. Они уже ехали по набережной канала. До «Данко» оставалось минут пять пути.

– Телефон дай мне, – сказал он, и с заднего сиденья мгновенно протянулась рука с точно таким же аппаратом, который разлетелся на куски несколько минут назад. Он уже был включен, и сим-карта вставлена внутрь. Охрана прекрасно знала характер и привычки своего шефа.

– Даня! Чего не отвечаешь, руки заняты?! Давай, спускайся уже, я почти приехал, не хватало еще мне бегать за тобой!

* * *

«Ты бы вообще не бегал, скотина такая, если бы я тебя не зашил», – подумал Кобот, отложил в сторону телефонную трубку и устало потер виски. Прежние невеселые мысли бродили в голове, как неприятные пьяные гости, только сегодня их было особенно много, и вели они себя еще более навязчиво, чем обычно.

Надо же, Даня. Кобот покачал головой: в следующем году ему исполняется пятьдесят лет, он доктор наук, уважаемый человек, даже и без этого проклятого медицинского центра, и вот тебе – Даня! Давай, спускайся... Все чаще в последнее время Кобот начинал жалеть, что в свое время проявил чудеса хирургического искусства, и в полевом госпитале, при свете переносной лампы, совершил настоящее чудо, вытащив из поджарого тела молодого бандита шесть пуль, да еще и сохранив ему правую ногу, которую любой другой, менее опытный врач просто отрезал бы к чертовой матери во избежание лишних проблем. Зато теперь, похоже, Абдулла считает, что облагодетельствовал своего спасителя, посадив его в кресло управляющего медицинским центром, как будто до этого Кобот побирался на помойке, а не руководил Бюро судебно-медицинской экспертизы, не читал лекции в Медицинской академии и не был совладельцем собственного похоронного агентства. Конечно, сейчас он получал каждый месяц столько денег, сколько раньше не заработал бы и за год, но с каждым днем Коботу казалось, что он платит за эти деньги несоразмерно большую цену. И сегодня это чувство было особенно острым.

Даже если бы не было этой чудовищной ситуации с Алиной, так вероломно обманувшей его доверие и сделавшей его виноватым в том, что едва не привело к катастрофе, сегодняшний день и без того не предвещал ничего хорошего. Абдулла предупредил заранее, что привезет очередную партию материала для исследований, а значит, придется снова отвечать на вопросы о результатах, которых не было и, как все больше убеждался Кобот, и быть не могло. Когда два месяца назад Абдулла предложил ему найти способ самим изготавливать эликсир, Кобот подумал, что сможет справиться с этой задачей. У него были исходные образцы, было четкое понимание того, из чего делают эту жидкость, и он взялся за дело с твердой уверенностью в успехе. Но чем дальше, тем больше эта уверенность его покидала. Все больше он напоминал самому себе Виктора Франкенштейна, пытающегося создать живого человека из неживой плоти, но только в отличие от Франкенштейна у Кобота так и не получилось найти тот чудодейственный электрический разряд, который бы превратил мертвую смесь крови, человеческих тканей и вина в живую воду ассиратума. Еще из курса философии, который им читали в Медицинской академии среди прочих общеобразовательных предметов, Кобот помнил, что целое больше суммы своих частей. Человек – это не только ноги, руки, голова и набор внутренних органов. Это еще и то неуловимое, непознанное, что оживляет материю, рождает мысли, чувства, сознание, личность. Точно так же было и с эликсиром: его химический состав Кобот выучил наизусть, ингредиенты были ему известны, и он комбинировал их в самых разных пропорциях и очередности, но очевидно, что в этом напитке было еще что-то, не поддающееся анализу, не определяемое никаким оборудованием и приборами, то, что дает ему живительную силу, которой начисто была лишена малоприятная жидкость, получаемая Коботом в ходе бесконечных экспериментов. Объяснить это он был не в силах даже самому себе, и уж конечно, бессмысленно было даже пытаться донести это до сознания Абдуллы, и Кобот раз за разом спускался в подвал, как будто выполняя тяжкую повинность, и камень, давивший на его плечи, становился все тяжелее – тот камень, который он, подобно персонажу греческого мифа, безнадежно пытался закатить на недосягаемую вершину. А еще он чувствовал, что больше не в силах смотреть в глаза материалу, который привозил Абдулла. Потому что все чаще и чаще в последнее время он видел эти глаза во сне.

Кобот как мог подготавливал себя к сегодняшнему неприятному разговору про Алину и про безрезультатные опыты, но днем Абдулла позвонил снова и сказал, что на вечернюю встречу в подвале придут *они*. Если бы на то была воля Кобота, он не хотел бы видеть *их* вовсе никогда, настолько глубокий леденящий страх внушала ему эта зловещая пара. Но Абдулла, как всегда, настаивал на его присутствии, и он не мог отказать.

Полумрак кабинета прорезали скользнувшие по потолку длинные полосы света от автомобильных фар, послышался далекий звук отпираемых ворот в заборе, ограждающем заброшенный дом, потом захлопали дверцы машин и зазвучали резкие голоса. Кобот тяжело поднялся с кресла, окинул взглядом кабинет, которым он так гордился раньше и который теперь, после наглой ночной вылазки Алины, стал казаться ему неуютным, словно бы оскверненным чужим вторжением, взял ключ из ящика стола и вышел в коридор.

Когда он спустился в подвал, там уже горели лампы, заливая пространство холодным мертвым светом. Абдулла прохаживался взад и вперед по земляному полу и нервно курил. Два его охранника стояли у задней стены, поворачивая головы вслед за передвижениями своего шефа. Они были с ног до головы одеты в черное, на руках тускло поблескивали перстни и браслеты, которые, казалось, даже отражались в сверкающих черных остроносых ботинках с позолоченными пряжками. Чуть ближе к клеткам возвышались еще двое, при взгляде на которых Кобот вздрогнул, хотя видел их уже далеко не впервые: огромного роста громилы в поношенных грязных куртках, всегда хранящие настолько мрачное молчание, как будто кто-то вырезал им языки. Они обычно помогали Коботу в его экспериментах и делали это с такой холодной безучастной деловитостью, что внушали страх, легкой дрожью отзывающийся в желудке.

— Где ты ходишь, а? — прокаркал Абдулла вместо приветствия. — Этих нет, так еще и тебя ждать. Вот, смотри, привез тебе еще материал.

Абдулла махнул рукой в сторону клеток. Кобот сделал над собой усилие и заставил себя посмотреть.

Девушек было шестеро, по одной в каждой из шести клеток.

Сжавшиеся в комок в углу, тихонько плачущие, испуганно озирающиеся, светловолосые, темненькие, высокие и не очень. На троих из одежды были только лифчики и трусики, еще две были облачены в какое-то подобие полупрозрачных ночных рубашек. Еще одна девушка, рослая, рыжая, одетая в короткое красное платье с глубоким декольте на высокой груди, держалась обеими руками за железные прутья и что-то быстро говорила стоящему рядом молчаливому громиле.

– ...потому что все знают, где мы были, мы же тоже все понимаем, но можно же поговорить, если нужно, я дам телефон, позвоните и проверьте, я же не просто так это все говорю...

Кобот с трудом сглотнул комок в горле и спросил:

– Откуда на этот раз?

– Взял в борделе на Коломяжском, – Абдулла махнул рукой. – Всю смену снял. Не беспокойся, я проверил, все иногородние, искать не будет никто.

Громила в грязной куртке молча поднял руку и несильно ударил рыжую девушку по лицу. Та отлетела на два шага, упала на задницу, но тут же снова поднялась на ноги. Из разбитого носа текла кровь. Кто-то из девушек ахнул. Всхлипы сделались громче.

– Эй, ты, полегче там, – прикрикнул на верзилу Абдулла. Тот по-прежнему стоял молча, даже не повернув головы на окрик. – А вы заткнитесь!

Рыжая девушка снова заговорила, быстро, неразборчиво, заикаясь. Абдулла шагнул к ней, и в это время послышался короткий лязгающий звук отодвигающегося засова.

Небольшая дверь в дальнем правом углу подвала с грубо намалеванным белым знаком открылась, и Кобот невольно сделал шаг назад, поближе к лестнице.

Вервольф шагнул в подвал первым, прошел вперед и встал в нескольких метрах от Абдуллы. Двое огромных верзил рядом с клетками сразу словно уменьшились в росте и габаритах. Следом за Вервольфом вошла женщина. Она окинула взглядом подвал, на мгновение задержав его на Коботе, отчего тот сразу же почувствовал прикосновение какого-то неземного холода и поспешно отступил еще дальше к выходу; потом сделала несколько шагов, двигаясь с ленивой грацией большой кошки, и присела на краешек большого железного стола, откинув назад черные волосы и брезгливо поморщившись.

Абдулла смотрел на вошедших с нарастающим раздражением. «Даже не глядит на меня, сука, – подумал он. – А ведь раньше...»

– Мы пришли, – сказал Вервольф глухим голосом. Так мог бы говорить зверь, научившийся исторгать из глотки звуки человеческой речи, но не понимающий ее смысла.

– Да неужели? – язвительно отозвался Абдулла. – Ну, и о чем хотели поговорить?

Женщина посмотрела на клетки.

– Развлекаешься, Абдулла? – спросила она глубоким мелодичным голосом. – Очень мило.

– Работаю, – огрызнулся он.

Женщина чуть улыбнулась и покачала головой.

– Мы пришли сказать тебе, что прошлая поставка эликсира была последней. Наша совместная деятельность окончена. Так решил Мастер.

Абдулла задержал дыхание, прикрыл глаза и старательно сосчитал до пяти.

– Почему? – хрипло спросил он.

– Слишком много ошибок с твоей стороны, – сказала женщина. – Слишком опасно. В последний раз Вервольфу даже не удалось взять необходимое: ему помешали, и мы уверены, что это не было случайностью.

– Кто помешал?

– Мужчина, – выговорил Вервольф. – Высокий. Быстрый. И женщина. Маленькая. Рыжая. Двое.

Абдулла обернулся и метнул на Кобота яростный взгляд. «Алина, – подумал Кобот и почувствовал, как сердце от страха резко провалилось куда-то вниз. – Господи, да что же она еще успела натворить?»

– Послушай, – Абдулла сдерживался изо всех сил, стараясь говорить спокойно, – видишь? – Он показал на клетки с затихшими пленницами. – Берите что хотите и сколько хотите. Мало вам? Я еще привезу, сколько скажете, десять, двадцать, сколько надо, только делайте, что должны! Свои проблемы я сам решу, передайте этому вашему Мастеру, что у меня все под контролем, только пусть даст больше эликсира. У меня сейчас такие подвязки серьезные, никто не будет страшен, все у нас вот где будут!

Он сжал кулак и потряс им в воздухе.

– Нет, – сказал Вервольф.

Абдулла почувствовал, как его начинает бить крупная злая дрожь. Черные провалы глаз на неподвижном большом лице Вервольфа уставились прямо на него.

– Это кто сказал?! Ваш Мастер?! – Абдулла сорвался на

крик. – Тогда дайте мне с ним встретиться и поговорить! За те деньги, которые я ему сделал, он в жопу меня целовать должен!

Женщина легко соскользнула со стола и встала перед Абдуллой.

– Мастер не хочет и не будет с тобой встречаться, – пропела она. – Он ни с кем не встречается, возможно, именно потому, что не намерен никого целовать в... это самое место. Мы все сказали. Удачи тебе, Абдулла.

Она повернулась и легкой походкой направилась к двери в углу. Абдулла несколько мгновений смотрел ей вслед и вдруг рывком расстегнул куртку и выхватил из-за пояса огромный позолоченный пистолет.

– Стоять, сука!

Видимо, в этот момент Кобот моргнул, поэтому не заметил, как легкая тень порывом вихря промелькнула в воздухе. В следующий миг пистолет Абдуллы с тяжелым стуком упал на землю, а сам он оказался прижат к стене. Пальцы женщины обвили его горло, как стальные змеи, впившись в плоть острыми клыками ногтей. Охранники тут же выхватили оружие, но остались стоять на месте, направляя пистолеты то на Вервольфа, то на женщину, мертвой хваткой держащую Абдуллу. Двое верзил сделали шаг вперед, но Вервольф ощерил длинные острые зубы, коротко предостерегающе зарычал, и они остановились в нерешительности. Кобот, замерший на ступенях лестницы, увидел, что в руке оборотня блеснуло лезвие большого изогнутого ножа.

Задыхающийся в безжалостной стальной хватке Абдулла увидел, как совсем рядом с его лицом приоткрылись алые губы и блеснули между ними влажные белые клыки.

– Ты забыл, кто ты, – прошипела женщина, глядя ему в глаза, и он отвернулся, не в силах выдержать ее взгляд, черный, как самая непроглядная ночь. – Я могла бы убить тебя прямо здесь и сейчас, но я дам тебе шанс, маленький, как и все у тебя, Абдулла, шанс вспомнить это и продолжать жить.

Она отпустила его горло и отступила на шаг. Он согнулся и зашелся мучительным кашлем, потирая одной рукой шею, а другой опираясь о колено.

– Новой поставки эликсира не будет, – ровным голосом произнесла женщина. – Мы приходим, когда захотим, и уходим, когда захотим. Перед нами весь мир и вечность, и перед тобой теперь тоже. Ты уже получил от нас, что хотел, и у тебя столько денег, сколько не зарабатывают и несколько поколений таких, как ты. Постарайся распорядиться ими с умом. Не трать все сразу.

Она еще немного постояла перед согнувшимся, хрипло откашливающимся Абдуллой, потом повернулась и пошла к двери. Вервольф попятился за ней, не сводя взгляда с охранников и громил, которые так и остались стоять рядом с клетками.

Снова лязгнул засов, и наступила тишина.

Абдулла распрямился, подошел к валяющемуся на земле пистолету, поднял его и посмотрел на застывших в молчании людей.

– Чего смотрите?! – крикнул он охранникам и снова закашлялся. – Идите в машину, быстро, все, уходите отсюда!

Те молча убрали оружие и поспешно поднялись по лестнице. Абдулла перевел взгляд покрасневших яростных глаз на Кобота.

– А ты что встал?! Видел, что ты натворил со своей этой бабой?! Слышал, что нам сказали?! Все, не будет ничего больше, конец! Так что теперь живи здесь, спи здесь, но чтобы сделал мне это зелье, понял меня?!

Абдулла снова зашелся приступом кашля, мешая его с хриплыми ругательствами на непонятном Коботу языке, и вдруг вскинул пистолет. Кобот зажмурился. Грохот тяжелого золоченого «Desert Eagle» разорвал душный воздух подвала, и когда Даниил Ильич снова открыл глаза, то увидел, как отлетает к решетке рыжая девушка в красном платье и на груди у нее зияет багрово-черная дыра с рваными краями. Абдулла выстрелил еще раз, и еще, и еще. Пули пятидесятого калибра били в оседающее тело, разбрызгивая кровь и вырывая куски плоти вместе с обрывками красной ткани. Звук выстрелов смешался с отчаянными криками ужаса. Последняя пуля попала в лицо, голова девушки дернулась и разломилась, рыжие волосы залила густая темная волна растекшейся крови.

Абдулла опустил пистолет и стоял, тяжело дыша.

– Все, – сказал он устало. – Даня, давай, работай. Времени почти совсем нет у нас, сам понимаешь.

Он тяжело поднялся по ступеням лестницы, засунул пистолет обратно за пояс, повернулся и махнул рукой в сторону клеток:

– Эту убери, я тебе еще привезу, если нужно будет. Ты только дело сделай, ладно?

Кобот проводил Абдуллу взглядом и только сейчас заметил, что не дышит. Он расслабился, и воздух с шумом вырвался из сведенной судорогой груди. Двое молчаливых верзил по-прежнему стояли на своих местах, как будто ничего не произошло, и смотрели на Кобота.

– Что уставились? – сказал он, чувствуя, как на него наваливается страшная слабость, а вместе с ней и безразличие. – Шефа слышали? Готовьтесь, сейчас будем работать.

Он подошел к стене и снял с гвоздя один из синих застиранных халатов. Двое его молчаливых помощников скинули куртки, оставшись в одинаковых, видавших виды белых грязных майках. Их плечи и руки густо покрывала синяя вязь татуировок.

– Освободите один из холодильников, – распорядился Кобот. – То, что там находится, выбросите вон в ту дыру, как всегда. Тело из клетки туда же. Потом подкатите стол. Я сейчас.

Татуированные гиганты молча натянули на могучие плечи халаты, казавшиеся на них детскими распашонками, и принялись греметь ключами, открывая замок холодильника.

Кобот медленно пошел между клетками, по очереди заглядывая в каждую из них. Земляной пол тихо шуршал у него под ногами, а вокруг слышался тихий, монотонный плач, как будто где-то вдалеке двигалась похоронная процессия.

«Проститутки, – сказал он себе. – Не монашки же, в самом деле. И не члены благотворительного общества, да».

Легче почему-то не стало.

В одной из клеток посередине железного пола сидела девушка, маленькая и худенькая, как подросток. На ней была надета белая полупрозрачная комбинация, тоненькие руки обнимали острые колени, в которые она уткнулась лицом. Кобот остановился у клетки. Девушка подняла голову и посмотрела на него большими карими глазами, в которых стояли слезы, и он понял, что именно приснится ему сегодня ночью.

Кобот обернулся. Двое его помощников только что с шумом сбросили что-то в провал в стене и теперь стояли рядом и смотрели на него.

– Сюда, – сказал Кобот.

Большой железный стол мягко покатился по земле, приводимый в движение двумя парами могучих рук. Кобот отошел чуть в сторону и смотрел, как двое огромных мужчин легко поднимают тоненькую девушку и укладывают ее на холодную металлическую поверхность, покрытую темными бурыми пятнами. Один из них туго затянул заскорузлый широкий ремень на ее запястье, и тут она закричала. Она кричала и билась, когда ей привязывали руки и ноги ремнями, кричала, когда стол катили под яркий свет включенной хирургической лампы, и продолжала кричать до тех пор, пока сильная большая рука не затолкала ей в рот искусанный резиновый кляп.

Кобот взял из железного шкафа хирургический скальпель, кое-как натянул на лицо маску и подошел к столу, последний раз заглянув в полные нечеловеческого ужаса карие глаза.

– Все будет хорошо, – пробормотал он, занося нож. – Все будет хорошо...

* * *

Весь день дождь тяжелел, наливался холодом, хмурился; потом среди мелькания серых капель стали появляться быстрые белые штрихи, как метки на старой кинопленке. Их становилось все больше и больше, пока в одно мгновение дождь не сменился густым снегопадом, как будто старая раздраженная осень, хлопнув дверью, на время вышла, впустив в город молодую зиму.

Снег падал частыми крупными хлопьями, окутывая весь мир мягкой белой тишиной и превращая город в декорацию к зимней сказке. Заснеженные деревья стояли молчаливо и торжественно, затаив дыхание и притворившись искусственными, как актеры на время притворяются принцессами и троллями. Таинственные огни ночных фонарей просвечивали сквозь частое переплетение пушистых ветвей, словно театральные софиты, и в их голубоватом, желтом, синем свете покрытые снегом ветки были похожи на новогодние елочные игрушки. Светло-серое ночное небо источало тусклое потустороннее свечение и медленно оседающие белые облака.

Застекленная деревянная дверь была приоткрыта, и в комнату втекал густой прохладный воздух, пахнущий талой водой. Небольшую квадратную террасу покрывал снег, набросивший на трехногий круглый столик и пару старых стульев белые чехлы. По проспекту вдоль набережной проезжали редкие машины, оставляющие двойные черные полосы на белом покрывале снега, но машин становилось все меньше, а снег – все гуще, так что очень скоро дорога стала нетронутым, чистым и белым пространством. За черной узкой рекой, среди деревьев парка, превратившегося под снегопадом в волшебный дремучий лес, тусклым желтым светом горел огонек. Алина смотрела на него, и в голове у нее возникали теплые уютные образы: маленькая комнатка, закипающий чайник, старый сторож, читающий в ночной тишине книгу в потрепанной обложке.

— У меня редко бывают гости, — сказал Гронский. — Вернее, их не бывает вообще.

Алина посмотрела на него и улыбнулась. Она удобно устроилась с ногами на большом диване, закутавшись в плед. Гронский сидел напротив, в старом потертом кресле, в котором, наверное, хорошо рассказывать истории о прежних добрых временах. Воротник белой рубашки был расстегнут, рукава немного закатаны, и в неярком мягком свете напольной лампы тонкая ткань походила на полупрозрачную светлую ауру, окружающую темный силуэт тела. На низком столике стояли кружки с чаем, пузатый чайник, пепельница, блюдце с порезанными и начавшими темнеть дольками яблока, бокалы и большая бутылка «Jack Daniel's», уже пустая наполовину. В полумраке комнаты ее содержимое мерцало, как самый драгоценный и волшебный из всех эликсиров.

Алина обвела взглядом большую комнату. В ней было совсем немного мебели: шкаф, диван, кресло, пара стульев, шаткий столик — но на каждом предмете хотелось задержать взгляд, настолько он был *настоящим*, как будто обладал собственной неповторимой личностью. За каждым из них чувствовалась своя *история*, как часто бывает с вещами, прожившими долгую жизнь рядом с людьми.

— Ты давно здесь живешь? — спросила Алина.

— Три года, — ответил Гронский. Он подошел к двери террасы и открыл ее пошире, чтобы выпустить из комнаты застоявшийся табачный дым. Вместе с далеким монотонным гулом ночного города ворвался поток свежего, морозного воздуха. — Не холодно тебе?

Алина покачала головой. Гронский сел на место, и она подумала, а не холодно ли ему в одной тонкой рубашке.

— Три года, — повторил он. — Но никто не знает, что я здесь живу. Так получилось. Адрес этой квартиры никак не связан с моим именем, а мое имя — ни с одним адресом в городе. Так что сейчас для тебя это самое безопасное место.

«Безопасное». Алина вздрогнула и поежилась, как будто холодное дуновение ночного воздуха проникло под плед, неся с собой не свежесть, а ледяное прикосновение страха. Она почти уже забыла, почему и как оказалась здесь, и вот теперь воспоминания стали вспыхивать в памяти одно за другим, как слайд-шоу: нападение, перестрелка, грохот автоматных очередей, разбитая машина с неподвижным окровавленным телом на крыше, Кардинал, серые полутона... Она осторожно потрогала языком разбитую губу: та еще была припухлой и болела.

— Какой длинный день, — сказала Алина. — У меня такое чувство, что сегодняшнее утро было неделю назад.

— Да, день получился насыщенным. — Гронский спокойно кивнул, так спокойно, как будто не он сегодня дрался, стрелял и разговаривал с человеком, сильнее и опаснее которого Алина не видела и не могла себе даже представить. — Зато мы многое узнали.

— О да. — Она повела плечами, плотнее закутываясь в плед и криво усмехнулась. — Я многое узнала. Можно сказать, приобрела бесценный опыт.

Гронский чуть улыбнулся.

— В конце концов, все обернулось к лучшему. Иначе у нас не было бы повода встретиться с Кардиналом, а то, что он рассказал о роли Абдуллы в этой истории, многое расставило по местам.

Алина вспомнила стопку из восьми папок с результатами вскрытия и фотографиями девушек, принявших страшную смерть во дворах старого города: медсестра, студентка, стюардесса... А потом представила себе другие папки, с историями болезни, а точнее, безупречного здоровья клиентов «Данко». Интересно, знали они, что каждый месяц пьют кровавую смесь, полученную из изувеченных, выпотрошенных тел? А если бы знали, отказались бы тогда от своего ставшего совершенным здоровья, которому больше не была страшна ни старость, ни сама смерть?..

— К сожалению, все это никак не проливает свет ни на личность убийцы, ни на того, кто изготавливает ассиратум для Абдуллы, — сказал Гронский. — И это не говоря уже о том, что совершенно непонятно, как вообще не отличающийся умом и талантами охранник стал вдруг обладателем эликсира, над получением которого безрезультатно бились несколько поколений лучших умов Европы и Азии.

Алина постаралась собрать мысли, которые постепенно расползались по углам в уютном теплом полумраке, наполняющем сознание.

— Может быть, Кобот сам смог как-то получить этот... эликсир? — не без усилий сформулировала она. — Экспериментальным путем. И рассказал об этом Абдулле, потому что знал о ситуации с Машей Галачьянц. Как ты думаешь?

Гронский покачал головой.

— Нет, это вряд ли. Кобот — врач, а не алхимик и не мистик. Ты говорила, что в подвале кроме лаборатории видела окровавленные хирургические столы с ремнями. Значит, там не только ставили опыты на неживом материале, но и творили что-то жуткое с живыми людьми. Если бы Кобот изготавливал ассиратум, то ему совершенно не нужно было бы посылать убийцу на охоту по ночному городу, а потом рисковать, пытаясь выдать очевидные убийства за несчастные случаи. Он потрошил бы жертв сам, в этом самом подвале, а потом избавлялся от тел при помощи Абдуллы. Я, кстати, думаю, что там происходило как раз нечто подобное: возможно, Кобот действительно пытался получить ассиратум, а Абдулла привозил ему живой материал для этих изуверских опытов, тех, кого не будут искать, или тех, кого уже ищут – в городе нет ни одной доски объявлений без сообщений о бесследно пропавших людях. Кто знает, сколько из них закончили свою жизнь в подвале заброшенного дома.

Гронский помолчал, снова покачал головой и продолжил:

– Нет, Алина. Делает эликсир кто-то другой, тот, кто иначе мыслит, иначе действует, кто привык скрываться в тени и самостоятельно добывать материал для своего снадобья, без привлечения помощников и очевидцев. Вот только неясно, как и почему этот таинственный Мастер стал сотрудничать с Абдуллой и почему Кобот взялся за опыты по самостоятельному получению ассиратума?..

– Я не знаю, – честно призналась Алина. – Давай не будем больше говорить о работе?

Она улыбнулась. Надо же, каким словом вдруг обозначилось все то, чем неожиданно для себя самой она занималась последнее время. Да, вот так, теперь это твоя работа, Назарова: алхимики, упыри, бандиты и главы секретных организаций. Алина сделала глоток виски. Сладковатый карамельный вкус кукурузного солода был ярким и праздничным.

– Хорошо, не будем об этом, – согласился Гронский. – А о чем ты хочешь поговорить?

Его серые глаза поблескивали в полумраке, как темное серебро.

– Ты сегодня убил трех человек, – сказала она.

Гронский серьезно кивнул.

– Да.

– И ты это сделал не впервые, так? Ну, судя по тому, как это все у тебя получилось...

Еще один кивок.

– Да.

– И часто тебе это приходилось делать?

– Иногда случалось. Но могу тебя уверить, что вряд ли кто-либо из тех, кого я лишил жизни, мог бы претендовать на Нобелевскую премию мира.

Алина вздохнула.

– Ты мне расскажешь?..

Гронский молча поднялся, немного постоял у раскрытой двери на террасу, глядя на тихо падающий снег, потом закрыл дверь и снова сел. Далекий гул ночного города сразу смолк, и слышно было только тиканье часов, журчание талой воды за окном и редкие протяжные вздохи проезжающих машин.

– А что ты хочешь знать?

– Все. – Алина неловко махнула стаканом, и капля виски пролилась на плед. – Ой, извини... Все. Ведь я вообще ничего про тебя не знаю, а сегодня, ну, эта стрельба, потом все эти разговоры с Кардиналом, какие-то намеки на твое прошлое... Так ты расскажешь?

Гронский задумчиво молчал, глядя перед собой. За окном стало совсем тихо, словно снежная ночь на террасе тоже прислушивалась к их разговору и ждала его ответа.

– Хорошо, – наконец сказал он. – Хотя я и не вполне понимаю, что именно ты хочешь услышать.

Он начал говорить, а Алина слушала его, широко открыв глаза и стараясь не пропустить ни одного слова, как иногда в детстве слушала в полумраке комнаты сказки, которые читал ей папа, и слова будто бы оживали, расцветая картинками и образами.

Молчаливый серьезный мальчик из хорошей семьи. Не очень избалованный родительским вниманием: отец и мать были учеными-океанологами и часто подолгу отсутствовали дома, проводя время в дальних морских экспедициях – месяц, два, три, иногда даже больше. Он рано научился читать, рано научился одиночеству и самостоятельности. До десяти лет его воспитанием занималась в основном бабушка – артистичная, властная, сильная женщина, а когда она умерла, его перевели из обычной школы в интернат с углубленным изучением китайского языка. Родители не хотели или не могли прервать свои ученые занятия и морские походы, так что интернат оказался лучшим выходом в сложившейся ситуации.

– Ты учился в китайском интернате? Это же совсем рядом с моим домом, ну, там, где я жила с родителями, буквально во дворе. Надо же, может быть, мы даже видели друг друга!

– Это вряд ли. Я старше тебя почти на восемь лет и на маленьких девочек внимания не обращал.

– А я обращала внимание на мальчиков старше себя, вот так! У тебя были в школе друзья?

– Я не помню. Наверное.

– Ты дрался?

– Один раз, когда меня только перевели в интернат. После этого родителей единственный раз вызвали к директору. Я тогда сломал мальчику нос и руку. И больше со мной уже никто драться не хотел.

– А в девочек ты влюблялся?

– Тебе налить еще виски?

– Ну скажи!

– Значит, все-таки налить.

Когда ему было пятнадцать, родители, как всегда, вместе, отправились в очередную экспедицию, из которой им уже не суждено было вернуться. Их небольшое океанографическое судно попало в шторм где-то в Северном море и затонуло. Была зима, и спастись не удалось никому. Он помнит, как его вызвали к директору с последнего урока. В кабинете был какой-то мужчина в морской форме, школьный психолог, представитель органов опеки и еще один человек: средних лет, уже начавший седеть, с изрезанным благородными морщинами лицом, которое могло бы одинаково хорошо подойти и университетскому профессору, и командиру атомного авианосца. Человек представился как Кардинал, и это имя почему-то ни у кого не вызвало удивления. А еще он очень хорошо запомнил свою реакцию на известие о гибели родителей: это было странное ощущение наступившей определенности, как будто жизнь наконец стала такой, какой и должна была быть. Пятеро взрослых смотрели на него серьезно, тревожно, сочувственно, а он только кивнул, проглотил подступивший к горлу комок и вернулся в класс.

– Ого! Получается, что ты знаешь Кардинала с пятнадцати лет?

– Да, он был моим опекуном. Так получилось, что не нашлось никого из родственников ни по материнской, ни по отцовской линии. Кардинал сказал, что он был близким другом моего отца и как-то очень быстро оформил опекунство. Тогда меня это не удивило, а сейчас не удивляет тем более.

– И ты никогда не спрашивал его, откуда он знает твоего отца?

– Нет. Честно говоря, меня это не особенно интересовало.

Он окончил интернат, прекрасно владея английским и китайским языками и успев за время обучения получить диплом инструктора восточных единоборств.

– Если помнишь, тогда все увлекались боевыми искусствами, просто не всем везло с учителями. Мне повезло.

Он без труда поступил на филологический факультет университета. Уже тогда его интересовала мифология, история культуры, древняя литература и языки. А когда ему исполнилось восемнадцать лет, Кардинал предложил ему получить несколько другое образование, а в перспективе и работу. Именно тогда он узнал, чем занимается его бывший опекун.

– И ты вот так просто согласился?

– А кто в восемнадцать лет не согласился бы пройти обучение в настоящей шпионской школе и стать секретным агентом? К тому же это было начало девяностых годов, и тогдашние первокурсники еще помнили детские мечты о том, чтобы стать космонавтами, летчиками, разведчиками и шпионами, вообще людьми героических и необычных профессий, чтобы заниматься настоящим делом. В то время никто не мечтал с детства быть коммерческим директором или бренд-менеджером.

Кардинал очень внимательно относился к кадровой работе и предпочитал выращивать сотрудников внутри организации, нежели принимать в свои ряды тех, у кого за плечами был уже какой-то опыт, пусть даже и заслуживающий самого глубокого уважения. «Чтобы не приходилось переучивать, – говорил Кардинал. – Гораздо проще привить полезные навыки, чем искоренить дурные». Получение полезных навыков началось после первого курса и было оформлено как прохождение летней языковой практики. Гронский и еще четверо его ровесников начали обучение в специализированном центре подготовки где-то на юге Европы. Их готовили как многоцелевых городских агентов для спецопераций, как одиночек, способных спланировать, организовать и провести акции любой степени сложности, оставаясь в тени и исчезая сразу после выполнения миссии. Обучение продолжалось пять лет, но первое свое задание он получил, когда еще учился на четвертом курсе.

– И какие у тебя были задания?

– Самые разные. Добыть информацию, помочь кому-то скрыться или, наоборот, найти того, кто скрывается. Обеспечение безопасности теневых сделок или их срыв. Создание событий: например, конфликта между криминальными группировками или правительственными организациями. Последнее было интереснее и труднее всего.

— А заказные убийства?..

— У тебя опять пустой бокал, тебе налить еще?

— Ну хорошо, скажи тогда, тебе это нравилось?

Да, конечно, ему это нравилось. Очень нравилось. Он был один, свободен, не зависел, в отличие от агентов из аналогичных государственных служб, ни от начальства, ни от корпоративных интриг. Он не нуждался в средствах, мог практически без ограничений передвигаться по миру и был очень, очень востребованным специалистом, к тому же имевшим право самому решать, браться или нет за очередное задание. А еще ему нравилось ощущение собственной исключительности: возможно, именно это являлось для него самым главным. Кардинал доверял ему все более сложные дела, и он всегда справлялся: в Европе, Южной Америке, Азии, но чаще всего в Китае. Он был настоящей звездой в своем деле и знал это.

— Тогда почему ты ушел?

Гронский замолчал. Алина увидела, как по лицу у него скользнула тень, словно в театре опустили на несколько мгновений занавес, обозначая затемнением смену действия и декораций.

— Во время выполнения одного задания возникли некоторые обстоятельства... непреодолимой силы. И вследствие этих обстоятельств задание я провалил, причем дважды, первый раз оказавшись в больнице, а второй раз — в тюрьме.

Основное преимущество работы с наемниками в том, что их можно не спасать. Не выкупать, не обменивать, не вытаскивать из тюрьмы. Наемник — это человек вне законов: они его не ограничивают, но и не защищают. Три недели он провел в одной из самых страшных и хорошо охраняемых китайских тюрем, одно название которой наводило ужас на тех, кто хотя бы краем уха слышал о ее существовании. И в течение двадцати дней в темную и тесную, как шкаф, холодную камеру приходил человек, огромный татуированный монстр, который избивал его до полусмерти. Тем, кто поместил его в эту тюрьму, нужна была информация, и они собирались получить ее любыми путями. Человек приходил в камеру всегда в одно и то же время, специально, чтобы за несколько часов до его прихода жертва уже начинала метаться, сходя с ума от ужаса перед предстоящим истязанием. Несколько раз палач задерживался, один раз даже часа на три, и тоже специально, чтобы дать зародиться надежде на то, что избиения можно избежать, и чтобы тем страшнее было наступающее потом осознание неотвратимости пытки. Обычно содержание в темном каменном мешке в сочетании с ежедневными жестокими побоями превращало человека в загнанное, объятое паникой, бессмысленное животное дней за десять. Но для тех, кто проявлял неожиданное упорство и силу духа, этот вид пытки был только первой ступенью на длинной лестнице, ведущей через такие круги ада, что и бойкое перо самого Данте запнулось бы при их описании. Кто знает, что стало бы с Гронским, начни он спускаться туда, откуда не возвращаются, но на двадцать первый день ему удалось бежать. По слухам, за последние шестьдесят лет это был первый случай, когда кто-то смог бежать из этой тюрьмы.

К концу второй недели избиений он дал понять, что полностью развалился. Он ползал по полу, выл и плакал, как только к нему приходили. Как правило, палач являлся не один: два вооруженных охранника стояли в дверях и наблюдали, как он молотит пленника. Но чем больше жертва превращалась в их глазах в лишенную человеческого облика развалину, тем больше усыплялась их бдительность. В последние четыре дня охранники уже не стояли у открытой двери камеры, а спокойно сидели на своем посту рядом с решеткой, закрывающей дверь в коридор. Ключи они отдавали татуированному громиле, тот вешал их на пояс сзади и спокойно делал свое дело.

Когда охранники не пришли в пятый раз, Гронский начал действовать. Палач привык на протяжении двух недель бить по беспомощному телу, не встречая никакого сопротивления, поэтому неожиданный удар в пах снизу от лежащего человека был для него неприятным сюрпризом. Громила не успел еще набрать в рот воздух, чтобы заорать от боли, а переносица уже входила в его мозг, загнанная туда резким ударом ладони. Потом Гронский снял ключи с безжизненного тела и направился в караульное помещение. Сидевшие там охранники тоже не были готовы к его появлению. После того как в его распоряжении оказались ключи, пульт охраны и два комплекта формы, один из которых даже не был забрызган кровью, остальное было лишь делом техники.

— А что потом?

— У меня оставались кое-какие незавершенные дела... личного свойства. На то, чтобы их закончить, ушло довольно много времени, почти год. После того как я все завершил, продолжать ту деятельность, которой я занимался, стало невозможным.

Ему чудом удалось вернуться в родной город: без денег, без документов. Это было три года назад. Кардинал, который, разумеется, принял своего бывшего воспитанника со всем возможным радушием и готов был снова предоставить возможность работать, очень скоро понял, что вернулся к нему совсем другой человек. Что-то, случившееся там, за опущенным на несколько мгновений темным занавесом, навсегда его изменило. Когда стало очевидным, что прежнее использование его как высококвалифицированного агента невозможно, Кардинал устроил его руководителем службы безопасности в одну крупную компанию, владелец которой, как водится, был должен Кардиналу дружескую услугу. Наверное, это была хорошая работа, спокойная и достойно оплачиваемая, но приходить в офис каждое утро, уходить вечером, ждать пятницу, получать зарплату и ловить периодически на взятках и откатах вороватых менеджеров было явно не для него. Гронский с трудом отработал там полгода, а потом ушел, навсегда, как казалось, порвав с Кардиналом и своим прошлым.

– А как получилось, что ты начал заниматься похоронным бизнесом?

– Случайно. Вообще, сначала попробовал быть частным детективом, даже получил лицензию, но следить за гуляющими налево мужьями и женами или проворовавшимися деловыми партнерами, а тем более быть охранником у этих самых проворовавшихся и теперь опасающихся за собственную жизнь – то еще занятие. Впрочем, тогда мне удалось помочь одной девушке, Селене, той самой, которая сейчас в свою очередь помогает мне получать информацию из разных закрытых или полузакрытых источников. Так вышло, что Селена стала жертвой шантажистов, угрожавших раскрыть ее истинный род занятий, а когда она все же не захотела платить им, ее стали избивать, причем делали это с завидной регулярностью. Я нашел этих ребят и указал им на недопустимость подобного поведения.

– Боюсь представить.

– Все остались живы. А Селена до сих пор благодарна мне за ту небольшую услугу. Однажды она попросила меня помочь своей знакомой, мужу которой кто-то серьезно угрожал, но к сожалению, я опоздал с помощью: угрозы были приведены в исполнение, и мне пришлось иметь дело с несчастной вдовой, почти полностью потерявшей голову от горя. И как-то случайно вышло, что вместо того, чтобы помочь сохранить жизнь человеку, я помог проводить его в последний путь. Так я начал организовывать похороны. Это хороший бизнес. Занимаясь им, вряд ли можно приобрести много друзей, но именно это мне в нем и нравится.

Алина держала обеими руками бокал с виски и смотрела на Гронского. Он был сейчас совсем другой, хотя нет, не так: он был все тот же, просто увидела она его сейчас с другой стороны. Спокойный, уверенный, сильный; полумрак комнаты резче обозначил правильные черты лица, как будто нарисованного четкими штрихами восточного мастера манги, и весь его облик казался окутанным ореолом тайн, страшноватых, но восхитительных. На языке у Алины вертелся вопрос, и она никак не решалась его задать потому, что это был один из тех вопросов, которые ясно показывают интерес женщины к мужчине, вопрос-сигнал «ты мне нравишься», и в ней боролись какие-то противоположные чувства, определение которым она сейчас не могла подобрать.

— Ты был женат? — все-таки спросила она.

Гронский на секунду задумался.

— Можно сказать, да. Мы жили вместе.

Он помолчал и добавил:

— Я имею в виду не просто совместный быт или что-то в этом роде... я имею в виду жизнь, когда она одна на двоих.

— А почему расстались?

— Она умерла.

Алина прикусила язык, мысленно отругала себя и покраснела.

— А ты? — спросил Гронский. — Ты ведь не замужем, насколько я знаю?..

— Ну да, — Алина усмехнулась. — У меня редкий талант выбирать не тех мужчин. Хотя, знаешь, я все чаще думаю, что это я какая-то не та. Наверное, я слишком требовательная. И у меня скверный характер. В общем, со мной мало кто может ужиться.

— Чистая правда.

Гронский улыбнулся широко и светло, и от этой улыбки Алина почувствовала себя так хорошо и свободно, что прикрыла глаза и откинулась на спинку дивана. Согревающий сердце виски, и негромкие слова, и зимняя сказка за окном, полумрак, полусвет, теплый мягкий плед вдруг слились в одно мгновение совершенного покоя и гармонии, которое, наступив, не уходило, и казалось, что оно будет длиться вечно.

— Расскажи мне еще что-нибудь, — попросила Алина, не открывая глаз. — Что-нибудь интересное. Про то, во что кто-то верит, кто-то не верит, а ты знаешь...

Гронский снова заговорил, а Алина слушала, и снова слова превращались в образы, яркие, насыщенные жизнью, и очень скоро она уже как будто шла между ними, словно в стране чудес. Покрытые причудливой вязью разноцветных татуировок молчаливые азиатские ассасины; юные девушки, одержимые злыми духами; монахи затерянных среди джунглей древних обителей; лисы-оборотни, контрабандисты, пираты, сумасшедшие ученые, а еще говорящие животные и стихийные духи воды, огня, земли и воздуха, принимающие облик прекрасных женщин или злобных уродливых ведьм. Высоко в ослепительно лазоревом небе парил белый гриф, и Алине казалось, что кто-то летит, держась за его шею, и наблюдает за ней с высоты. Снежно-белый волк подошел к ней и посмотрел прямо в сердце умными серыми глазами, и Алине вдруг стало неловко от того, какой беспорядок царит у нее в душе, и она бросилась убирать раскиданные как попало вещи, которых вдруг оказалось очень много, и чем больше она убирала, тем их становилось все больше и больше, а белый волк все смотрел на нее, пока не позвал по имени:

– Алина! Алина...

Она открыла глаза. Гронский мягко касался ее плеча и смотрел, казалось, прямо в сердце серыми глазами.

Алина потянулась, заметив, что полулежит, скрючившись под пледом, за окном уже глубокая, безнадежно поздняя ночь, а чашки, бокалы и бутылка убраны со стола.

– Прости, я, кажется, уснула, – сказала она.

– Давай я тебе здесь постелю, – отозвался Гронский. – Час уже поздний, а тебе нужно выспаться по-настоящему.

Алина с трудом выбралась из-под пледа и стояла, обняв себя за плечи, слегка покачиваясь и наблюдая сквозь полуопущенные веки, как Гронский выходит, возвращается с постельным бельем и быстро застилает диван.

– А ты где будешь спать? – сонным голосом спросила она.

– У себя в комнате. Все, готово, ложись. Я вернусь через пару минут, проверю, как ты устроилась.

Он снова вышел. Алина быстро разделась и с наслаждением вытянулась под прохладной тканью одеяла. Чуть скрипнула закрытая дверь на террасу, дрогнуло окно в неплотной деревянной раме: снаружи подул сильный ветер, вздымая снег в туманные облака и нагоняя на небо тяжелые темно-серые тучи.

Гронский вернулся через несколько минут, осторожно заглянул в комнату и тихо вошел. Алина слабо улыбнулась ему и тихонько помахала ладошкой, высунутой из-под одеяла. Он подошел ближе, присел на край дивана, посмотрел на нее и коснулся волос, шелковым золотом разметавшихся на подушке.

Алина вдруг почувствовала томительное, но приятное напряжение, охватившее ее тело, ощутила, как чуть заныли бедра, и почти непроизвольно слегка выгнулась под одеялом навстречу Гронскому. Он наклонился к ней. Алина опустила веки и чуть приоткрыла губы.

В следующий миг она почувствовала, как Гронский прикоснулся губами к ее лбу.

– Спокойной ночи, Аля, – услышала она, но так и не открыла глаза.

Гронский погасил лампу и бесшумно вышел из комнаты.

«Ну и ладно», – неожиданно легко подумала Алина и мгновенно провалилась в спокойный, глубокий сон.

За окном ветер дул все сильнее, а из затянувших небо темных облаков полился частый крупный дождь, смывая светлое снежное волшебство, и его монотонный шум сливался с легким журчанием талой воды. Ночь меняла декорации зимней сказки, готовясь к очередному будничному дневному спектаклю. Среди потемневших деревьев парка за рекой мигнул и погас теплый желтый свет далекого окошка.

Спокойной ночи, Аля.

## Хроники Брана

### *Часть третья*

### ХОЗЯИН МОРЕЙ

Мы прибыли в Марсель на третий день после той ночи в затерянной лесной таверне, когда леди Вивиен рассказала мне печальную повесть о судьбе своего отца и проклятии, которое он невольно навлек и на нее, будучи увлечен злокозненным лордом Марвером в пучины запретного темного знания. Я заметил, что с души моей госпожи словно бы на время свалился тяжелый груз, как будто, рассказав мне обо всем, она переложила часть своего бремени на мои плечи; я же был готов ради нее нести бремена и еще более тяжкие и неудобоносимые. Два дня пути прошли спокойно: наши преследователи более не давали о себе знать, местность вокруг радовала глаз, постоялые дворы отличались удобством комнат и радушием хозяев, и мы с леди Вивиен провели это время в беседах, в которые она теперь вступала столь же охотно, как ранее хранила молчание. Я рассказывал ей о своих детских годах, проведенных в родном рыбацком селении, об отце, о матери, сестре, о моем бедном отважном брате Томасе и о наших ребяческих забавах, так что порой на лице леди появлялась улыбка, а один раз она даже рассмеялась, тихо, но радостно, и у меня потеплело на сердце от того, что я смог хотя бы на краткий миг помочь ей забыть о горестях и невзгодах. Леди Вивиен тоже рассказала мне немало увлекательных историй о приключениях лорда Валентайна в Святой земле, и я слушал ее с неослабевающим интересом, порой жалея о том, что Господь не дал мне родиться раньше и стать участником множества героических походов и сражений, которые ныне все больше отдалялись от нас во времени и рано или поздно обречены были кануть в пучину забвения вместе с идеалами истинного рыцарства и благородства.

Так, за разговорами и рассказами о давних временах, мы прибыли в Марсель. И хотя не было никаких знаков близкого присутствия наших преследователей, мы решили не останавливаться в городе на ночь и поспешили в порт, чтобы найти судно, подходящее для дальнейшего путешествия.

— На море соглядатаям лорда Марвера куда труднее найти наш след, чем на суше, — сказала леди Вивиен. — И если удача будет нам сопутствовать, то они могут и вовсе потерять нас. Во всяком случае, путь морем даст нам самое главное — время, которое мне нужно, чтобы довести до конца задуманное.

Я же, по обыкновению, не стал спрашивать леди Вивиен о ее плане, а лишь поинтересовался, куда именно она хочет отправиться из Марселя.

— В Венецию, Вильям, — ответила мне леди. — Отец много рассказывал мне об этом городе. Думаю, даже если посланцы Некроманта узнают, что мы направились туда, им нелегко будет отыскать нас среди постоянно прибывающих и вновь отправляющихся в путь купцов, воинов и прочего бродячего и торгового люда.

Нам пришлось проститься с нашими добрыми лошадьми, которые были с нами неразлучны весь долгий путь от самого западного побережья Англии, служа так верно, честно и безропотно, как способны служить только существа с истинно благородной душой. К величайшему моему сожалению, даже если бы мы и взяли их на корабль, они вряд ли бы пригодились нам в Венеции, да и дальнейшие наши пути были пока столь неизвестны нам самим, что лошади стали бы лишь обузой. И мы продали их, наказав новому владельцу, который показался человеком достойным и порядочным, следить и ухаживать за ними должным образом, после чего отправились в порт, стараясь не оглядываться, чтобы не увидеть печальных взглядов, которыми провожали нас наши верные спутники.

В порту Марселя было четыре корабля, снаряженных и готовых отправиться в путь немедленно, но на трех из них ответили отказом на просьбы взять нас на борт, потому что они направлялись не в Венецию, а в другие портовые города. Лишь капитан четвертого судна, двухмачтового когга, согласился принять нас, да и тот отчаянно торговался и демонстрировал всем своим видом крайнюю неохоту, пока леди Вивиен не отдала ему в качестве оплаты последний из оставшихся драгоценных браслетов, которого достаточно было бы, чтобы купить этот корабль вместе с его немногочисленной командой. От меня не укрылось, как алчно блестели глаза капитана, когда он смотрел на браслет, а также то, что он успел бросить взгляд в дорожную сумку леди, где среди прочего оставалось еще и ее ожерелье. Не менее жадные взоры устремлял он и на перстень, подаренный лордом Валентайном своей супруге, леди Изабелл, который моя госпожа надела на руку и собиралась сохранить как память, а также и на саму леди Вивиен. Улучив момент, я попытался отговорить мою госпожу от того, чтобы подниматься на борт корабля: хотя капитан и отрекомендовался ганзейским торговцем, достаточно было одного лишь взгляда на него и членов его команды, чьи лица были изборождены шрамами и следами порочных страстей в не меньшей степени, чем солеными морскими ветрами, чтобы понять, что они есть не кто иные, как морские разбойники, а если и торгуют чем-то, так только добычей с захваченных ими судов и другим неправедно нажитым добром. Всем известно, что пираты – люди без чести, и на борту корабля мы оказались бы в полной их власти. Но леди Вивиен настояла на своем, желая как можно скорее выйти в море, чтобы оторваться от возможной погони, и смело взошла по шаткому трапу на борт, а за нею последовал и я, стараясь не давать волю беспокойству и дурным предчувствиям. Так, 1 декабря 1309 года, преодолев по суше более семисот миль и пройдя через всю Францию с севера на юг, мы начали путь по морю, выйдя из Марселя и держа курс на Венецию.

К сожалению, уже на второй день пути самые худшие мои подозрения получили горькое и полнейшее подтверждение.

Когг шел полным ходом, подгоняемый свежим, но несильным ветром, заполнявшим его паруса, и чуть поскрипывали мачты, устремленные в чистое синее небо. Солнце, уже по-зимнему холодное, но по-прежнему яркое, рассыпало свой ослепительный свет множеством сверкающих бликов на ряби морских волн. Леди Вивиен, в развевающемся на ветру красном платье, стояла на носу корабля, глядя в морскую даль, я же расположился на ступенях лестницы, ведущей к носовой части судна, и наблюдал за капитаном и его людьми, не внушавшими мне, как я уже говорил, никакого доверия. В этот день явственно было заметно, что они что-то затевают: все свободные от управления кораблем члены команды собрались на корме и оживленно толковали между собой, время от времени кидая жадные и похотливые взгляды на леди и посматривая на меня, словно бы оценивающе. Потом четверо из них не спеша и как бы невзначай подошли к бортам корабля по правую и левую руку от меня, и я заметил, что они вооружены небольшими, но мощными арбалетами, причем тетивы были уже натянуты, а стрелы наложены и изготовлены к выстрелу. Вскоре остальные члены команды, а вернее сказать, разбойничьей шайки, направились ко мне во главе со своим предводителем, и каждый из них сжимал в руках широкую саблю, или короткое копье, или абордажный топор. Я поднялся им навстречу и положил руку на рукоять своего меча. Капитан, приблизившись, заговорил и озвучил свои намерения в отношении моей госпожи в выражениях столь недвусмысленных и гнусных, какие джентльмен не может позволить себе даже помыслить, а уж тем более произнести вслух или повторить, пусть даже и на страницах правдивого повествования. Разумеется, алчной банде нужны были все драгоценности, которые, как они знали, леди хранила в своей дорожной сумке, но кроме того, они намеревались посягнуть и на нее саму, мне же предлагали броситься за борт и попробовать спастись вплавь или же быть убитым на месте.

Впрочем, это последнее предложение я не выслушал до конца: дерзкие слова в адрес леди Вивиен так возмутили мой дух, что я выхватил меч раньше, чем капитан закончил свою гнусную тираду. Пираты тут же взяли оружие наизготовку, а стрелки у бортов подняли свои арбалеты и направили их в мою сторону. Я стоял один против полутора дюжин опытных головорезов и с отчаянием понимал, что мне не победить в этой схватке и что если меня не достанут топором или копьем в рукопашном бою, то уж точно пронзят стрелами из арбалетов, и тогда никто и ничто не помешает разбойникам исполнить свои намерения в отношении моей госпожи. Признаться, в этот момент я по малодушию своему вспомнил, как искусно обращалась леди со своим фальшионом во время стычки в лесу с бывшими солдатами барона-тамплиера, и подумал, что вдвоем у нас, пожалуй, было бы чуть больше шансов на то, чтобы сохранить жизнь хотя бы ей одной. Я посмотрел назад и увидел, что леди Вивиен все так же неподвижно стоит на носу корабля, всматриваясь вдаль, как будто видит там что-то, скрытое пока от глаз остальных. И тогда я повернулся лицом к врагам, которые подбирались все ближе, так что в нос мне бил запах их немытых тел и потной одежды, и подумал, что первым ударом разрублю капитану его глотку, из которой он исторгал свои отвратительные речи.

И в тот миг, когда я уже выхватил меч, корабль вдруг сотрясся всем корпусом от сильного удара, словно на полном ходу натолкнулся на что-то, а потом начал раскачиваться с борта на борт. Я с трудом удержался на ногах, уцепившись за перила лестницы. Мои противники смешались, кто-то упал, кто-то выронил оружие, многие зашатались, вцепившись друг в друга, а один из арбалетчиков с воплем полетел за борт. С верхушки бешено раскачивающейся мачты раздался дикий крик дозорного, исполненный такого панического страха, словно он в один миг лишился рассудка. Пираты забыли про меня и бросились к бортам, чтобы посмотреть, в чем дело, и зрелище, представшее их взорам, заставило многих завыть от ужаса.

По обеим сторонам корабля вздымались какие-то движущиеся кольца в несколько охватов толщиной, выходящие из воды выше бортов и переливающиеся на солнце серо-зеленым влажным блеском. Полдюжины таких колец возвышались по левому и правому борту, а корабль стремительно терял ход и через несколько мгновений уже почти полностью остановился, словно удерживаемый какой-то неведомой, но могучей силой. Я взглянул на огромные серо-зеленые чешуйчатые петли и понял, что это тела живых существ, а точнее, одного существа — морского змея, рассказы о котором я слышал от своего отца и других бывалых моряков и о котором даже читал в некоторых книгах.

Едва я успел об этом подумать, как из-за кормы стала быстро подниматься, словно вырастая из моря, толстая длинная шея, увенчанная чудовищной бугристой головой, с которой сбегали потоки морской воды и свисали лохмотья бурых водорослей.

Через считаные мгновения она уже нависла над нашим судном, вздымаясь выше мачт.

Отчаянный вопль разом вырвался из груди охваченных страхом пиратов. Кто-то бросился, спасаясь, на нос корабля, кто-то метал копья и топоры во вздымающегося из воды чудовищного обитателя морских глубин, но оружие отскакивало от его толстой чешуи и падало в море или на деревянную палубу. В воздух взлетели две арбалетные стрелы, одна из которых отлетела от огромной головы змея, а вторая застряла в могучей шее между чешуйчатых пластин, не причинив, по-видимому, никакого вреда.

В следующий миг змей качнулся и сделал движение столь молниеносное, какое трудно было ожидать от существа столь исполинских размеров. Одна из двух мачт, задетая толстой, словно вековое дерево, шеей, треснула и наклонилась, а огромная пасть чудовища, усеянная сотней длинных острых зубов, раскрылась и схватила одного из пиратов. Несчастный издал короткий вопль, который тут же прервался, а тело его, мгновенно разорванное на части, исчезло в бездонной глотке змея. Теперь уже все пираты, объятые животным ужасом, кинулись на нос корабля не разбирая дороги и не видя ничего перед собой, так, что едва не сбили меня с ног и невольно увлекли следом за своим паническим бегством; змей же сделал еще один столь же стремительный бросок, и еще один моряк исчез в его чудовищной пасти.

И в этот момент всеобщей паники и отчаяния я увидел, как леди Вивиен спускается по ступеням и идет через весь корабль на корму, направляясь прямо к свирепствующему там чудищу. Я закричал и попытался было броситься к ней, но был стиснут со всех сторон пиратами, ищущими спасения на носу корабля, и мог только наблюдать, как моя леди остановилась на широкой палубе прямо перед покрытой уродливыми наростами гигантской мордой морского змея. Леди Вивиен спокойно стояла, глядя в глаза кошмарному монстру, а он медленно приближал к ней свою голову, пока между ним и леди осталось не более фута. Некоторое время они оба были неподвижны, и в наступившей тишине слышалось лишь, как журчит вода, стекающая на палубу с тела морского змея. И тогда леди Вивиен медленно подняла вверх руки, воздевая их, подобно священнику, призывающему благословение на Святые Дары, и громко произнесла нараспев несколько слов на незнакомом языке, звучащем так чуждо и странно, что кажется, он принадлежал тому же миру, что и замершее перед нею чудовище. Змей чуть качнулся назад, продолжая неотрывно смотреть на леди, и тогда она еще раз пропела слова заклинания, но уже более властно и так звучно, что голос ее словно наполнил все пространство над бескрайней морской гладью, которая вздрогнула и покрылась мгновенно пробежавшей по ней рябью волн. Змей одним быстрым движением поднялся вверх, выше мачт, на мгновение замер, а потом резко погрузился назад, в морскую бездну, и кольца его тела одно за другим стали исчезать по обеим сторонам корабля. Деревянный корпус скрипнул, колыхнулись, вновь наполняясь ветром, паруса, и судно двинулось вперед.

Я не могу точно сказать, сколько длилось ошеломленное молчание. Но завершилось оно таким взрывом ликования, которого мне не доводилось видеть и слышать ни до, ни после этого. Пираты устремились к леди Вивиен, по-прежнему неподвижно стоящей посреди палубы, и, упав перед ней на колени, рыдали, целовали подол ее багрового платья, славословили и рассыпались в благодарностях столь же неистовых, какой совсем незадолго до этого была их злоба. Кто-то молился на разных языках, кто-то вдруг стал исповедовать ей свои грехи, она же только молча смотрела поверх склонившихся перед нею голов и спин, и когда я встретил ее взгляд, то увидел, какой усталой выглядит моя госпожа и как грустны сейчас ее прекрасные серые глаза. И хотя я был поражен случившимся не менее всех остальных, но все же вспомнил о том, что рассказывала леди Вивиен о магических опытах своего отца и Некроманта, и о том, как много ей пришлось узнать за то время, что она провела вместе с ними в башне замка, будучи невольной свидетельницей темных ритуалов, и я подумал, что никто из славословящих и благодарящих ее не знает, что явленное им сейчас чудо есть часть лежащего на ней тяжкого проклятия.

Остаток пути вся команда во главе с капитаном относилась к леди Вивиен с благоговением, подобным самому горячему религиозному обожанию. Каждый думал о ней в меру своей веры или суеверия: кто-то считал морским божеством, кто-то святой, а кто-то и самой Девой Марией, сошедшей к ним, чтобы спасти их тела и грешные души от преждевременной смерти без покаяния. Более же всего было удивительно то, что эти люди словно бы изменились сами, и узнавая их ближе на протяжении нашего короткого плавания, я увидел, что многие из тех, кого я справедливо считал лютыми душегубами и гнусными насильниками, не были лишены ни отваги, ни воинской доблести, ни даже чести, и все эти прекрасные свойства их изувеченных душ сейчас вдруг проявились во всей полноте своей изначальной красоты. Воистину, это было чудом не меньшим, чем заклятие морского змея.

Дальнейшее наше плавание прошло без происшествий; только однажды ночью за два дня до прибытия в Венецию вдруг налетел злой зимний ветер, и на море поднялось волнение, но и оно к утру стихло, что вся команда единодушно приписала чудесной силе моей госпожи. Когда же мы наконец достигли порта назначения и собрались сойти на берег, капитан и вся команда на коленях молили леди не оставлять их, спрашивая, чем они могут ей услужить, и принося клятвы в пожизненной верности. И тогда леди Вивиен сказала, что просит их не покидать город столько времени, сколько понадобится ей для завершения своих дел, и ждать ее в порту, воздерживаясь все это время от насилия и грабежей. Впрочем, последнее пожелание было явно лишним, ибо никто из пиратов, чьи лица до сих пор будто светились отраженным сиянием пережитого чуда, не помышлял о преступлениях. Когда же капитан попытался вернуть ей браслет, полученный в уплату за свои услуги, леди отказалась принять его обратно, сказав, что это честная плата за честный труд и чтобы он продал браслет, дабы его команда ни в чем не нуждалась во время своего ожидания. Так, оставив наших столь неожиданно приобретенных союзников на борту корабля, мы спустились на берег и вошли в город, где нам предстояло осуществить до конца тот план, что был задуман леди Вивиен.

# Глава 13

Пробуждение не было легким. Проводить вечер и ночь в компании мистера Джека Дэниэла несравненно приятнее, чем просыпаться с утра в его обществе: как будто ночью ты поддалась на уговоры обходительного джентльмена, показавшегося в уютном полумраке бара воплощением идеала мужской привлекательности, и поехала к нему домой, чтобы утром с тоской увидеть реальность, лишенную магического алкогольного флера, пустоту и уныние убогого холостяцкого быта, смятые несвежие простыни, белое рыхловатое тело, застиранные линялые трусы и торчащие из носа волосы, а потом долго и мучительно пытаешься найти темы для разговора за чашкой скверного кофе, думая только о том, как бы поскорее убраться восвояси.

Алина с трудом открыла глаза, и тусклый серый свет утра показался ей слишком ярким и резким. Зимняя волшебная сказка за окном сменилась неприятной реалистической прозой: угрюмо нависшие свинцовые тучи, моросящий дождь, деловитое мокрое шуршание автомобильных шин на набережной и неопрятные подтаявшие пятна грязного снега, лежащие на газонах, как птичий помет. Голова была тяжелой, мысли с трудом ворочались среди обрывков странных снов: там было море, какой-то скрипучий причудливый корабль, похожий на старую этажерку, чудище, которого она почему-то совсем не боялась, а еще, кажется, там был Гронский...

При мысли о нем Алина быстро приподнялась на диване, поморщившись от мгновенного приступа тошнотворного головокружения, дотянулась до лежащей на стуле сумочки и достала зеркальце. Она посмотрела на свое отражение и застонала. Все-таки ей уже не двадцать лет, когда можно засыпать с неснятым макияжем и сотней-другой граммов виски в желудке, а потом просыпаться как ни в чем не бывало. Из зеркала на нее печально глядела какая-то помятая женщина с оплывшим бледным лицом и размазанной тушью, эффектно подчеркивающей темные круги вокруг опухших и покрасневших глаз. Алина закрыла зеркальце и снова откинулась на подушку, опять ощутив головокружение и пытаясь бороться с тошнотой, усиливающейся обволакивавшим рот мерзким привкусом, в который превратились вчерашние яркие карамельные ароматы. Ничего подобного она не испытывала уже несколько лет, с тех пор, как случайно выпила пару лишних коктейлей на дне рождения подруги по академии. «Похмелье, – подумала Алина. – Вот он, вкус беззаботной молодости, когда никуда не надо спешить, а все дела можно отложить до завтра».

Минувший день, впрочем, вспоминался на удивление ярко и четко. Она снова с удивлением осознала, что еще вчера утром проснулась дома, в своей постели, и что одни сутки вместили в себя угрозу неминуемой смерти, чудесное спасение, странное знакомство, огромное количество информации и удивительные ночные разговоры. Алина чуть улыбнулась, вспомнив вечер, оставивший впечатление какой-то волшебной истории. Вот только она, похоже, из героини сказки превратилась наутро в лягушку. Потом вдруг отчетливо вспомнила, как Гронский зашел пожелать ей спокойной ночи, покраснела и прикусила губу. Вот ведь черт. Ладно. Будем считать, что он ничего не заметил.

Тем не менее нужно было вставать и как-то выходить из комнаты, хотя бы для того, чтобы умыться и привести себя в порядок. Алина поднялась и села на диване, свесив ноги и стараясь хотя бы немного прийти в чувство. В неприятном утреннем свете мебель в комнате утратила свое очарование, и, казалось, смотрела на нее недружелюбно и несколько надменно, как старый мажордом на задержавшегося сверх всяких приличий гостя. Алина встала, кое-как облачилась в юбку и блузку, аккуратно висевшие на спинке стула, и прислушалась. Из-за двери доносился голос: похоже, Гронский разговаривал с кем-то по телефону. Алина собралась с духом и уже хотела выйти из комнаты и пробраться поскорее в ванную, когда голос смолк и раздался стук в дверь. Алина вздрогнула от неожиданности, метнулась и зачем-то села обратно на диван.

– Да-да! – отозвалась она севшим голосом, который никак не хотел звучать бодро.

Дверь открылась, и в комнату вошел Гронский, на удивление свежий и энергичный.

– Доброе утро, – сказал он. – Как спалось?

На нем была чистая белоснежная рубашка, безупречно сидящие темные брюки, черные волосы влажно блестели после душа. Алина с завистью глянула на него и ответила:

– Спасибо, чудесно.

– В ванной есть чистое полотенце и новая зубная щетка.

«Ты мой кумир, – подумала Алина. – Подумать только, какая простая формула счастья».

– Собирайся, а я пока заварю чай. У нас важные новости.

Он внимательно посмотрел на Алину и осведомился:

– Как ты себя чувствуешь?

– Отвратительно, – призналась она. – Жуткое похмелье.

Гронский усмехнулся.

– Добро пожаловать в мой мир, – сказал он и вышел из комнаты.

Через двадцать минут они сидели на кухне: большой, пустынной, старой, со стенами, покрытыми желтой, местами облупившейся краской, множеством каких-то труб, стальными кольцами выступающих из стен под потолком, скрипучим деревянным столом и древней газовой плитой. После душа Алина чувствовала себя если и не заново родившейся, то уж точно обновленной, бодрой, и с наслаждением пила горячий крепкий чай из большой кружки, пытаясь сосредоточиться на том, что говорит Гронский, и отвлечься от мыслей о необходимости снова накраситься.

Новости у Гронского и в самом деле были важные.

Рано утром он позвонил своей знакомой из числа тех, кого знал еще с давних времен и кто до сих пор работал у Кардинала. Девушка была сотрудницей одного из информационных подразделений штаб-квартиры, обрадовалась его звонку, тем более неожиданному и приятному, что Гронский сразу сказал, что позвонил просто так, узнать, как дела, и пообщаться. Только, ой, сейчас она совсем не может говорить, потому что тут такая суета, столько людей прибыло отовсюду, и все так срочно. Гронский вежливо поинтересовался, что случилось, упомянув как бы невзначай, что как раз подумывает о том, чтобы вернуться на работу к Кардиналу, так может быть, сейчас самое время?..

Через несколько минут он уже знал самое главное: намечается нечто настолько грандиозное, что ради этого прибыли *пятеро*, утром весь дом был полон боевыми группами, которые собирал в подвале засевший там огромный хромой байкер, еще с десяток человек приехали и сразу уехали вместе с молодой темноволосой женщиной, и все сотрудники штаб-квартиры мобилизованы на сутки, потому что событие, ради которого затеяна вся эта подготовка, назначено на полночь, и происходить все будет на севере, за городом, вроде бы на каком-то заводе, но она точно не знает, да это и не ее дело, у нее другая работа, которой, кстати, полно. Так что если он хочет встретиться, чтобы, например, вспомнить прошлое и, может быть, поговорить о будущем, чему она очень рада, конечно, то это только завтра, а еще лучше послезавтра, потому что после бессонной ночи она точно будет отсыпаться еще сутки, вот...

– Знакомая, да? – спросила Алина.

– Именно, – спокойно подтвердил Гронский. – И мне повезло, что она меня помнит, причем как человека, который был в свое время очень близок к Кардиналу. Иначе бы и слова не сказала. Полагаю, ты поняла, что происходит?

Алина задумалась на несколько секунд.

– Абдулла?

– Уверен, что так, – сказал Гронский. – Мы рассказали Кардиналу достаточно для того, чтобы он понял: кто-то в этом городе успешно делает некую панацею, избавляющую от болезней и даже смерти, использует для этого человеческие органы и кровь и реализует полученный продукт через «Данко», а главным связующим звеном в этой истории является Абдулла. Думаю, сегодня ночью Кардинал постарается его захватить. Скорее всего, он спровоцировал Абдуллу на бой, и тот сунул голову в такую петлю, которая захлестнется у него на шее быстрее и крепче, чем он может себе представить.

– И что нам теперь делать?

– Тебе – ничего не делать. Быть моей гостьей, отдыхать, восстанавливаться... можешь кино посмотреть какое-нибудь, у меня отличная подборка фильмов ужасов. Только пока никуда не выходи из дома.

– А ты?..

– А я постараюсь сделать так, чтобы Абдулла не попал в руки Кардинала, потому что тогда мы уже никогда не узнаем ничего из того, что пытались узнать все это время.

Алина молча посмотрела на Гронского. Он тоже несколько секунд смотрел ей в глаза, потом пожал плечами и сказал:

– Ну хорошо, если ты так настойчиво спрашиваешь... Мне все равно не удалось бы захватить Абдуллу в одиночку, да потом еще и заставить его говорить. Конечно, я мог бы попытаться, но на подготовку ушло бы несколько дней, а то и недель, но сейчас у нас нет и суток. Так что остается только попробовать использовать сложившиеся обстоятельства: оказаться на месте предстоящего боя и надеяться на то, что в ходе сражения появится возможность как-то перехватить Абдуллу, когда его бойцы будут заняты противостоянием людям Кардинала и пока эти самые люди не добрались до него самого. Шанс более чем призрачный, планировать и предсказать ничего нельзя, но это единственное, что можно сделать. Попытаться сделать.

Алина кивнула и решительно поставила кружку с чаем на стол.

– Отличный план. Я иду с тобой.

– Исключено. – Гронский покачал головой.

– Родион, это не просьба, – твердо сказала Алина. – Это наше общее дело, ведь так? И я совершенно не хочу сидеть тут всю ночь и ждать, когда ты вернешься, а может быть, и не вернешься вовсе. Так что я иду с тобой. Или вообще сейчас соберусь и поеду на работу, что бы меня там ни ждало, так и знай.

Гронский вздохнул.

– Там будет бой, понимаешь? Настоящий бой. Я не могу не то что гарантировать твою безопасность, но даже быть уверенным в том, что смогу тебя защитить, если что-то пойдет не так. А практика показывает, что в таких ситуациях обычно все идет не так.

– Знаешь, в моей жизни уже все пошло не так недели три назад. А после вчерашнего меня вообще трудно чем-то напугать.

– Тебе так кажется, – заметил Гронский.

– Все равно. – Алина упрямо нагнула голову. – Я пойду с тобой.

Некоторое время они сидели молча.

– Хорошо, – сказал наконец Гронский. – Идем вместе. Но только при одном обязательном условии.

– Каком?

– Ты мгновенно и без обсуждений выполняешь все мои приказы. Не просьбы, не рекомендации – приказы. Если я скажу «падай», ты должна упасть, даже если под тобой будет выгребная яма. Если скажу «стой» – останавливаешься в ту же секунду, хотя бы даже и на одной ноге. Понятно?

Алина улыбнулась широко и радостно, как ребенок, которому отец разрешил пойти вместе с ним на работу.

– Понятно. Отлично. Я согласна. Когда выходим?

– Детский сад какой-то, – проворчал Гронский, встал, поставил в железную раковину свою опустевшую кружку и повернулся к Алине.

– Когда скажу, тогда и выходим. А пока мне нужно идти, а ты остаешься и ждешь меня в квартире.

Алина открыла было рот, но Гронский строго посмотрел на нее и сказал:

– Правило выполнения приказов вступает в силу немедленно. Мне нужно подготовиться к сегодняшней ночи, кое-что узнать и проверить. А тебе лучше не выходить на улицу, если не хочешь встретиться с приятелями тех джентльменов, один из которых упал на крышу твоего автомобиля.

– Я бы могла поехать к папе, – неуверенно произнесла Алина.

– И это будет первой точкой, где тебя начнут искать, – ответил Гронский. – Так что, как я уже говорил, здесь самое безопасное для тебя место. Мобильник тебе придется выключить и не включать, пока я не скажу. В квартире есть городской телефон, если будет нужно, я позвоню на него. Сама никому и никуда не звони вообще.

– А на работу можно позвонить? Я бы просто предупредила ассистентку, что меня сегодня не будет...

– Ни в коем случае. Твой начальник вчера подписал тебе бессрочный отпуск, так что на работе как-нибудь справятся без тебя.

Алина печально кивнула. Гронский вышел из кухни и вернулся с пачкой машинописных листов.

– Вот, почитай, чтобы не было скучно. Надеюсь, тебе нравится средневековая проза.

* * *

Кардинал откинулся на спинку кресла и задумчиво посмотрел на часы. Стрелки на циферблате с мальтийским крестом вытянулись в одну длинную вертикальную линию, как по стойке смирно. До начала операции оставалось шесть часов.

Только что из его кабинета вышли *пятеро*. Впрочем, сейчас их было только четверо: Хлоя уехала еще утром, как только в город прибыла ее группа. Кардинал молча выслушал короткие доклады своих людей, время от времени рассеянно кивая: боевые отряды полностью экипированы и готовы к выходу, техническое обеспечение завершено, работа с полицией и другими экстренными службами проведена, госпиталь подготовлен к приему возможных раненых, а тех, кому, несмотря на тщательную подготовку, все же будет не суждено пережить эту ночь, ждет специальный транспорт и молчаливая глубокая яма на окраине города, которая станет для них вратами в иной мир. Абдуллу ожидало другое: специально оборудованное помещение на втором подземном уровне дома и сложный химический коктейль, с любовью и тщанием приготовленный Лорен. Если все и дальше пройдет так, как задумано, то очень скоро в этом же помещении окажется еще один гость, тот, который и являлся главной целью операции, о существовании которого Кардинал раньше только слышал, а теперь получил убедительные доказательства его существования.

Да, все готово. Иначе и быть не могло, когда *мероприятием* занимаются лично *пятеро* под его руководством. Кардинал посмотрел в окно: расплывающийся в тусклом полумраке ранних сумерек мир за стеклом не подозревал о том, какие изменения может принести ему эта ночь. Впрочем, скорее всего, эти изменения вряд ли повлияют на картинку, подобную старому дагерротипу: все так же будут ползти по тротуарам фигурки людей, медленно двигаться автомобили и экипажи, свет в окнах домов будет зажигаться и гаснуть в привычное время. Их почувствуют только те, кто, как и Кардинал, находится с другой стороны зеркального стекла, а внешний мир если и заметит что-то, то не более, чем холоднокровные обитатели болота могут обратить внимание на изменение цвета оперения прилетающих по их душу цапель.

Кардинал вытащил из нагрудного кармана небольшой ключик, нагнулся, открыл нижний ящик стола и некоторое время молча смотрел на его содержимое. Небольшая книжка в мягкой потрепанной обложке с заглавием на английском языке и грубым изображением каких-то гор; небольшой серебристый осколок металла с зазубренными краями и отверстием, в которое был продет потертый кожаный шнурок; деревянная лакированная шкатулка с красными иероглифами на крышке. Поверх бумажной обложки книги лежала тяжелая армейская «Beretta», тускло поблескивающая потертым металлом. Рядом стояла картонная коробочка с патронами.

— Привет, старый друг, — пробормотал Кардинал и вытащил пистолет из ящика. Ладонь сомкнулась вокруг толстой рифленой рукояти. Металл был теплым, как тело живого существа. Кардинал вытянул вперед руку с пистолетом, который тут же стал ее естественным продолжением, и прицелился. Мышцы привычно приняли на себя вес оружия, рука замерла неподвижно и твердо, как стальной прут. Отлично.

Кардинал положил пистолет на стол, вынул пустую обойму, достал из ящика картонную коробочку и начал не спеша снаряжать двухрядный магазин патронами с необычными, светло-серыми пулями, на каждой из которой имелась едва заметная насечка в виде знака, похожего на букву арамейского алфавита.

Когда в обойму с легким клацаньем лег пятнадцатый патрон, раздался негромкий мелодичный звук: телефон деликатно сообщал о входящем звонке. Кардинал отложил в сторону обойму и взял трубку.

— Я слушаю.

— Это Хлоя, — раздался в динамике холодный женский голос. — Я на месте. Ситуация под контролем.

— Очень хорошо, — ответил Кардинал, снова взял пистолет в руку и прицелился в стену напротив. — Там кто-то был, конечно?

— Теперь уже именно был, — ответила Хлоя.

— Спасибо, — сказал Кардинал. Он по-прежнему целился в стену. Рука оставалась неподвижной. — Связь каждый час, в последний час — каждую четверть, последняя четверть — непрерывно.

— Принято, — отозвалась Хлоя и дала отбой.

Кардинал медленно надавил на спусковой крючок, в ответ на его движение курок пистолета так же медленно отошел назад, пока наконец не раздался громкий металлический щелчок. Рука не дрогнула, прицел не сбился ни на миллиметр. Кардинал удовлетворенно кивнул, взял снаряженную обойму и резким движением загнал ее в рукоять пистолета.

* * *

Шут не понимал, как такое могло произойти.

Он все сделал правильно, постарался учесть все возможные варианты развития событий, предусмотреть и заранее устранить ошибки и был уверен, что его ныне уже покойный наставник и старший товарищ Маклай мог бы им гордиться. Посмотрел бы своими бульдожьими глазами, кивнул и буркнул что-нибудь одобрительное. Он всегда делал именно так, и Шуту было приятно знать, что бригадир его ценит. За те несколько лет, что они работали вместе, между ними не было сказано, наверное, и сотни слов, даже если сосчитать приветствия, но они были и не нужны: между Маклаем и Шутом установилось суровое, мужское взаимопонимание, которому были ни к чему лишние разговоры. И вот теперь все изменилось: Маклай мертв, а на его месте совершенно неожиданно оказался Шут, и он до сих пор не мог понять, как нужно было расценивать неожиданное задание по наблюдению на заброшенном заводе – как повышение по службе или наказание за провал операции два дня назад. Вначале он думал, что первое, во всяком случае, судя по важности и ответственности этого поручения и по тому, что теперь он лично звонил шефу, что раньше мог делать только Маклай. Но в последние несколько минут он все больше убеждался в том, что это было истинным наказанием, причем неоправданно суровым.

Неоправданно потому, что Шут действительно все сделал правильно. Он прибыл на территорию завода восемнадцать часов назад, ночью, ровно за сутки до времени предстоящей встречи. С ним было еще пятнадцать человек, и они должны были проследить, чтобы никто, кроме них, не вздумал устроить здесь засаду или еще что-нибудь в этом роде.

Завод был огромен и напоминал город, оставленный своими обитателями больше двадцати лет назад, который был слишком велик для того, чтобы его можно было снести или реконструировать, и который теперь медленно разрушался под действием дождей, ветров и времени. Заводская ограда частично обрушилась; с западной стороны, которая выходила к болоту, поросшему густым невысоким лесом, она отсутствовала вовсе, а большие железные ворота в южной стене покосились и замерли, распахнутые, словно беззубые челюсти. С десяток гигантских бетонных корпусов возвышались как городские небоскребы, разделенные улицами широких подъездных дорог и аллей, а между ними тесно лепились друг к другу небольшие каменные и деревянные строения с провалившимися крышами и покосившимися стенами. Пахло железом, холодом и отсыревшим бетоном. У раскрытых ворот бывших складских помещений уткнулись в мокрый просевший асфальт железные остовы мертвых машин. Огромные окна оскалились острыми обломками выбитых стекол, а те, в которых стекла каким-то чудом сохранились, были покрыты густой грязью из пыли и влаги, как затянутые бельмами глаза. Повсюду из широких трещин в стенах и щелей между бетонными плитами вылезала сорная трава или торчал чахлый кустарник вперемешку с болезненными, как дети подземелья, деревцами: первые поселенцы, посланники окружающего заводские корпуса леса, который рано или поздно скроет от глаз людей брошенное ими их собственное безобразное творение и затянет растительным пологом эту груду каменных обломков и ржавого железа, как живая плоть затягивает уродливую рану на теле. Кроме этой жалкой растительности здесь не было ничего живого. Ни человек, ни зверь не стали бы селиться среди этих холодных развалин в тридцати километрах от городской черты, а если кто-то и обитал в гулкой тишине заброшенных зданий, то уж точно не принадлежал ни к миру животных, ни к миру людей.

Силами пятнадцати человек перекрыть периметр завода было невозможно. Шут сомневался, что это можно было бы сделать и при помощи целого батальона: слишком много провалов в стенах, проходов и лазеек, не говоря уже о том, что со стороны леса завод и вовсе был открыт всем ветрам. Поэтому он разбил свой маленький отряд на пять групп и расположил их так, чтобы радиусы обзора покрывали если и не всю территорию, то большую ее часть. Одна группа расположилась недалеко от ворот на пересечении трех главных внутренних аллей; две другие засели на восточной и северной стороне завода, наблюдая за боковыми дорогами, идущими вдоль полуразрушенных стен; еще одну он направил на крышу самого большого из заводских корпусов, откуда прекрасно просматривалась вся западная сторона периметра, выходящая к болоту. Сам Шут с двумя своими бойцами выбрал местом дислокации бывшее здание заводоуправления, невысокое, трехэтажное, где и расположился с относительными удобствами среди заплесневевших завалов поломанной мебели, составлявшей когда-то обстановку кабинета главного инженера. Из окна с покосившейся рамой была видна узкая длинная площадь, на которой и должна состояться встреча. Напротив возвышалась угрюмая громада того самого гигантского корпуса, где на крыше дежурила одна из групп, а справа и слева виднелись две дороги, ведущие на площадь и похожие на провалы ущелий между темными скалами каменных зданий.

Прошла ночь с густым снегопадом, который временами так затруднял видимость, что Шут начинал беспокоиться и посылал своих людей в пешее патрулирование территории. Потом проснулось хмурое блеклое утро, и дождь смыл остатки снега, превратив его в грязные лужи. Начиная с полудня Шут каждые два часа звонил Абдулле и докладывал ему обстановку, а сам выслушивал такие же доклады по рации от своих групп каждые полчаса. Так минуло еще шесть часов, и скучный серый день сменился тоскливыми сумерками. Шут и его люди сидели на продавленных креслах, пили чай из термосов, иногда негромко перекидывались парой фраз, но чаще молчали, прислушиваясь к пустой тишине, и временами из глубины давно заброшенного здания доносились далекие звуки: то что-то коротко звякало, отдаваясь эхом, то вдруг дребезжало оконное стекло, то раздавался неожиданно близкий хруст бетонного крошева, словно отзываясь на чьи-то шаги. Шут думал, что, окажись он тут один, то бежал бы без оглядки до тех пор, пока не оказался за воротами, подальше от этих странных звуков и неприятного ощущения постоянного тяжелого взгляда, окружающего со всех сторон. Но снова включалась рация, он слышал голоса своих людей и говорил себе, что бояться нечего, потому что он все сделал правильно и у него все под контролем.

И вот теперь Шут не понимал, как *это* могло произойти. Он сидел в кресле у окна и, кажется, глубоко задумался, а может быть, даже немного задремал тем тонким сном, в котором собственные мысли становятся зримыми и неотличимыми от легких и ярких сновидений, как вдруг почувствовал прикосновение к шее. Прикосновение, которое не спутаешь ни с чем: тонкий холод острой стали.

Шут замер, глядя в окно перед собой. Чьи-то умелые и быстрые руки сняли с его плеча автомат, вытащили пистолет из кобуры и кинжал из ножен на бедре. После этого ему разрешили повернуться.

Два его человека темными бесформенными кучами лежали там, где сидели до этого. На столе рядом с одним из них попрежнему стоял открытый термос и дымился паром металлический стаканчик с чаем. Винтовка с прицелом ночного видения осталась на месте, прислоненная к стене. Перед Шутом стояла женщина: высокая, стройная, коротко стриженная, с сильной спортивной фигурой, затянутой в черный комбинезон и бронежилет, каких он раньше никогда не видел: гибкий легкий доспех повторял контуры тела и разительно отличался от тяжелой штурмовой брони, которая висела на его плечах, как кираса. У входа и у дальней стены рядом с распростертым безжизненным телом одного из его бойцов замерли две темные фигуры, тоже в броне, шлемах с глухими защитными стеклами и с короткими автоматами в руках. Такой же автомат висел на боку у стоящей перед Шутом женщины, а в руке она держала длинный нож, похожий на уменьшенную копию самурайского меча.

«Танто, — неожиданно всплыло в памяти слово. — Этот нож называется танто».

Женщина мягко опустилась в кресло напротив, не сводя с него пристального взгляда холодных глаз, мерцающих как серебро. Шут смотрел на ее красивое, удивительно правильное лицо, на эти мерцающие ледяные глаза и думал, что еще никогда в жизни не видел ничего страшнее. Хотя, возможно, это слово не вполне подходило сейчас для описания его ощущений: страшными бывают уродство или злоба, а глядя на эту женщину. Шут чувствовал себя так, словно заглядывал в глаза древним давно угасшим звездам, а может быть, той темной части мироздания, которая разрушает галактики или стирает созвездия с ночного неба.

— За что тебе платят? — спросила женщина, и при звуках ее голоса Шут вздрогнул.

— Я... это... не...

— Пожалуйста, успокойся. И просто ответь мне на вопрос: за что тебе платят?

— За работу, — выдавил Шут.

— Хорошо. И в чем она сейчас заключается?

— Наблюдение. Координирую группы, потом звоню... шефу.

— Группами руководишь ты?

Шут на секунду задумался, сглотнул комок в горле и кивнул.

— Сколько всего групп?

— Пять. — Шут откашлялся. — Пять групп.

Женщина одобрительно кивнула.

— Молодец. У тебя пока получается выжить. Скажи мне, а нет ли еще одного или двух отрядов, которые не выходят на связь по рации, чтобы их нельзя было обнаружить, и находятся в запасе на случай непредвиденных обстоятельств?

Шут помотал головой.

— Нет.

— А очень зря, — укоризненно сказала женщина. Потом чуть коснулась пальцами уха и, продолжая смотреть в глаза Шуту серебристым холодным взглядом, отчетливо произнесла: – Первый – четвертый, подтверждаю ликвидацию. Центр у меня.

Видимо, от страха чувства Шута неимоверно обострились: в таком состоянии человек может слышать, как падает звезда и как шепчутся сны. Сейчас он буквально кожей ощутил, как в один миг оборвалась дюжина жизней.

– Итак, тебе платят за работу, – снова обратилась к нему женщина. – Может быть, тебе платят и за то, чтобы ты умер?

– Нет.

– В таком случае я предлагаю тебе немного поработать для меня и получить в качестве оплаты свою жизнь. Ты будешь по-прежнему звонить своему шефу и говорить, что все в порядке. Конечно, это будет означать, что ты плохо выполняешь ту работу, за которую тебе платят деньги. Так что придется выбирать: добросовестное исполнение своих обязанностей или жизнь.

– Я все сделаю, – сказал Шут. Сейчас он действительно был готов сделать все.

– Хорошо. Когда ты должен звонить следующий раз?

Шут посмотрел на часы.

– Сейчас.

– Тогда не будем изменять традиции.

Шут с трудом расстегнул нагрудный карман, непослушными пальцами достал мобильный телефон и два раза ткнул в зеленую кнопку, повторяя последний вызов. В динамике раздались монотонные сдвоенные гудки.

«А вдруг он не ответит, что тогда?» – мелькнула было паническая мысль, но тут гудки прервались и послышался знакомый каркающий голос:

– Слушаю, говорите, ну.

– Босс, это Шут. У нас все тихо.

– Хорошо, отбой, – прокаркал голос, и разговор прервался.

Шут убрал телефон и посмотрел на женщину.

– Отлично. Ты вполне справляешься.

Она выпрямилась в кресле и слегка потянулась, как кошка, всем своим гибким и сильным телом.

– Похоже, нам придется провести много времени вместе, – сказала она. – Так что давай знакомиться. Меня ты можешь называть Хлоя. А как зовут тебя?

– Игорь, – честно ответил Шут.

– Ну что ж, Игорь. Предлагаю о чем-нибудь поговорить. За хорошим разговором время летит быстрее, правда?

Шут кивнул.

– Правда.

– Какие книги тебе нравятся, Игорь?

Шут посмотрел на мертвые тела своих товарищей, лежащие у окон, на два черных силуэта в броне и шлемах, замершие в темных углах, на женщину с серебристыми глазами, сидящую напротив.

– Не знаю... мне разные нравятся.

И помолчав, добавил:

– Я люблю романы ужасов.

* * *

Огромный деревянный парусник «Мария Селеста», на двух этажах которого располагались модное кафе и один из лучших ресторанов в городе, неподвижно застыл у набережной недалеко от моста. И хотя он был почти точной копией легендарного загадочного судна, сейчас, в неверном сумеречном свете наступившего вечера, освещенный прожекторами, сияющими на его мачтах как огни святого Эльма, парусник больше походил на другой знаменитый корабль, «Летучий Голландец», прибывший сюда на пути своих скитаний в мировом океане.

Абдулла сидел в ресторане на втором этаже и смотрел на город. По случаю его визита ресторан был закрыт для посетителей, только в дальнем углу за пустым столом располагалась пара его молчаливых охранников, иногда бесшумно пробегал через зал бледный и сосредоточенный официант, да время от времени мелькало в дверях озабоченное лицо управляющего. За толстым стеклом панорамных окон в дождливом полумраке неестественно ярко светились ростральные колонны, мосты, повисшие над темной водой, как причудливые гирлянды, и сияли парадные набережные: картинный и фальшивый фасад города-призрака, похожий на золоченую маску, надетую на иссохшее лицо мумии. Абдулла пил коньяк, но коллекционный «Chabasse» не приносил сегодня никакого удовольствия. Глядя на торжественную панораму города за окном, Абдулла вспоминал совсем другие города и другие пейзажи.

Вот горы, их склоны покрыты густым лесом, а вершины сияют снежной белизной на фоне яркого синего неба; вот ущелья, изрезанные яростными мелкими речками с каменистым дном, зеленые долины, маленькие селения, жители которых смотрят настороженно и испуганно, когда он и его товарищи тяжелой поступью проходят по пыльным дорогам между покосившихся домишек. Вот разрушенные войной города, пустые каменные остовы домов, выпотрошенных взрывами снарядов, железные тела сгоревших мертвых танков. Вот он сам, молодой, усталый, голодный, злой и грязный, и на его плечи тяжело давят ремень автомата, бронежилет и лямки большого рюкзака. Он чувствовал себя в своей стихии, война любила его, и он платил ей взаимностью, умудряясь выживать там, где остальных настигала неминуемая смерть. Потом тот самый роковой, последний бой, долгое отступление по лесам с преследующими их по пятам отрядами спецназа, снова бой, и шесть пуль, которые разорвали его тело и надолго отправили к самой границе жизни, за которой его ждала клубящаяся злая тьма. Тогда ему повезло. Пусть и далеко не бескорыстный, но искусный хирург спас ему не только жизнь, но и здоровье, чудом избавив от участи навсегда остаться калекой, а потом сделал так, что молодой бандит оказался в глазах властей героем-ополченцем, так что в далекий северный город Абдулла прибыл не как беженец-нелегал, а как героический ветеран боевых действий.

Потом были поиски работы, месяцы жизни мелкими грабежами и налетами, пока ему снова не помог счастливый случай — и вот он уже работает в охранной структуре Германа Галачьянца, бизнесмена номер один в этом городе. И Абдулла не упустил свой шанс, делая свое дело старательно, рьяно, так что его усердие не осталось незамеченным. Неформальное, но очень эффективное подразделение Абдуллы подчинялось напрямую самому Галачьянцу, что вызывало зависть у некоторых его коллег из официальной службы безопасности, зависящих от бесконечного числа директоров, управляющих и руководителей, делавших вид, что помогают в управлении бизнесом, хотя, по глубокому убеждению самого Абдуллы, они только путались под ногами и превращали самое простое дело в сложный и бесконечно затянутый процесс. Сам Абдулла всегда предпочитал прямой путь и быстрые решения.

Впрочем, Абдула никогда не был особо близок к Герману Андреевичу, и это объяснимо: работа, которую он делал, была необходимой, но грязной, а хозяева не очень охотно общаются с теми, кто такую работу выполняет. В самом деле, не будете ведь вы водить дружбу со своим ассенизатором или крысоловом. Абдулла был и тем, и другим: убирал дерьмо, травил крыс и не очень-то горевал по поводу того, что хозяин не сажает его с собой за один стол.

Абдулла осушил бокал с коньяком и сразу налил еще. Нет, черт возьми, он горевал, да еще как. Он ненавидел свою роль лакея, слуги, пусть даже высокооплачиваемого и нужного. Дело было не в том, что ему не нравилось, чем именно он занимался, но Абдулла не желал смириться с тем, что именно этим ему предстоит заниматься и дальше всю оставшуюся жизнь. Ничто так не способствует развитию комплекса неполноценности, как работа на человека, превосходящего тебя на несколько уровней. Да, у тебя хорошая машина, но твой шеф ездит на «Maybach», а все его друзья на «Bentley» и «Maserati», и вот тебе уже кажется, что весь мир вокруг тебя передвигается именно на этих автомобилях, и свой вполне приличный «Mercedes» E-класса ты начинаешь ненавидеть. Твоего хозяина принимают везде как дорогого гостя, а тебя не замечают в упор, пока ты не выстрелишь кому-нибудь в лицо. И пока ты сидишь в сауне в окружении проституток, шеф летит отдыхать на собственном самолете на арендованный целиком тропический остров, где вокруг него собираются самые красивые женщины мира.

Абдулла смотрел на лихорадочно яркие огни за окном, отражавшиеся в воде, темной и густой, как нефть. Противоположный берег терялся в пелене моросящего дождя, и разноцветные огни расплывались, размазывались в мокром оконном стекле.

Бесшумный официант осторожно подкрался к его столику, быстро поставил на белую скатерть новый графин с коньяком взамен опустевшего и так же тихо удалился.

О чем это он?.. Ах да, женщины. Они всегда играли в его жизни важную роль. Это они помогали, поддерживали, спасали, прятали его у себя в домах, опустевших после гибели их мужчин, когда он пробирался по равнинным и горным дорогам, уходя от готовой настичь погони. Это его мать, имя которой он успел шепнуть склонившемуся над ним хирургу, раздобыла деньги, которые пришлось заплатить за его жизнь, здоровье и свободу. Даже на работу к Галачьянцу он попал с помощью своей бывшей любовницы, работавшей руководителем какого-то подразделения в одной из компаний бизнесмена. И то событие, которое произошло в его жизни почти год назад и навсегда эту жизнь изменило, тоже было связано с женщиной. Воспоминание об этом было таким ярким, что Абдулла словно увидел, услышал, почувствовал всем телом и кожей то, что случилось тогда.

Теплый полумрак, горящие свечи — много, много свечей. Острый, пряный запах сандала и дымящихся благовоний, аромат древних мистерий. Большая ванна наполнена горячей водой. Все его тело пылает изнутри ровным сильным жаром, как от раскаленных углей, и он чувствует одновременно и приятно обволакивающую истому, и томительное напряжение.

Напротив в ванне – она. Ее длинные темные волосы намокли и черными завитками лежат на смуглой коже, которая блестит от воды и масла так, что в ней отражаются пляшущие огоньки свечей. Он смотрит на нее: чуть раскосые черные глаза, темные маленькие соски на совершенной формы груди, обвивающий бедра причудливый орнамент татуировок. Ее тело, гибкое, сильное, плавно движется в горячей воде, словно огромная змея, опасная и завораживающая одновременно. Абдулла чувствует, как пальцы длинных ног касаются его груди, ласкают, опускаются ниже, и он сдавленно рычит, подается вперед – но ее нога со стальной силой удерживает его на месте.

Она что-то говорит ему, но Абдулла видит перед собой только глубокую черноту ее глаз, и слова проникают в его сознание, минуя органы слуха. Деньги. Власть. Бессмертие. Он избран ею. Это великое счастье, честь, это словно воплотившийся смысл бытия, это сбывшиеся мечты, это достигнутая самая совершенная цель в жизни. Она о чем-то спрашивает, и Абдулла кивает и соглашается, не совсем понимая, на что именно сейчас дал свое согласие.

Она одним движением подается к нему. Вода плещет и переливается через края ванны. Он ощущает, как ее гибкое тело плотно обвивает его; он задыхается от страсти, яростно прижимает ее к себе, а потом она делает быстрое движение бедрами, и он проваливается в жаркую, тесную, влажную глубину, куда ни сознание, ни разум не могут за ним последовать.

Он почти не помнил, как она его убила. Он лежал на широкой кровати в комнате, наполненной горячим, лениво колышущимся воздухом. В памяти осталось ощущение чистой простыни, на которой было распростерто его тело, сжатое ее сильными, горячими бедрами. «Ты ни в чем не будешь нуждаться», – прошептала она и провела вдоль его груди острым лезвием длинного ножа. Он не мог пошевелиться и только смотрел, как медленно раскрывается тонкая красная линия глубокого пореза, наливаясь темной кровью, как она жадно слизывает ее, а потом поднимает нож высоко над головой. Тягучие напевные слова неведомого языка прозвучали утробно и хрипло, и лезвие упало вниз.

Абдулла очнулся от того, что она поднесла к его губам маленькую темную бутылочку. Он сделал большой глоток, почувствовал острый вкус соленого металла и специй и вдруг ощутил сильный страх, заставивший его содрогнуться. Но страх прошел так же внезапно, как и нахлынул до этого, и он жадно выпил все до дна.

Потом он долго лежал на кровати, со смешанным чувством ужаса и странного ликования ощущая, что сердце его не бьется, налившись каменной тяжестью, а все тело наполняет неведомое ранее ощущение невесть откуда взявшейся силы.

После той ночи все изменилось. Абдулла вспомнил, как впервые пришел к Галачьянцу, еще немного смущаясь и злясь на самого себя за это смущение, и как назвал сумму, показавшуюся ему самому тогда неправдоподобно огромной: один миллион долларов каждый месяц за лекарство, которое может вылечить его дочь.

Через три месяца Абдулла понял, что стал владыкой мира. Это понимание окончательно утвердилось в нем после того, как он дважды выжил во время покушений на свою жизнь: автоматные очереди прошили его тело, лишь причинив мгновенную жгучую боль, а пуля снайперской винтовки, вошедшая точно в сердце, как будто растворилась в том тяжелом окаменевшем сгустке, в который это сердце превратилось. Он был неуязвим для оружия, болезней и времени; от его воли зависело все больше и больше влиятельных людей, и сильные мира сего переставали быть сильными, как только выпивали первую порцию эликсира: их деньги, сила и власть теперь принадлежали ему, как и их жизни. Абдулла знал, что прием ассиратума — так она называла эликсир — нельзя прекратить: каждое новолуние он собирал дань с тех, кто пришел к нему как клиент, а теперь был подданным, платившим кровавый налог. Он тоже каждый месяц жадно выпивал свою порцию этого зелья, но знал, что при необходимости может обойтись и без него: тяга к свежей горячей крови периодически ощущалась им так остро, что втайне от Кобота он просил его помощников собирать эту драгоценную жидкость, вытекавшую из перерезанных жил несчастных подопытных жертв. Его существование действительно стало сбывшейся мечтой, как и сказала она.

И как после всего этого она могла ограничить его в восхождении к новым вершинам богатства и власти?! Что за причина могла заставить ее попытаться препятствовать ему в победоносном движении?! Естественно, что после ее отказа увеличить производство эликсира он заставил Кобота заняться исследованиями, чтобы не зависеть ни от нее, ни от таинственного Мастера, ни от их зловещего помощника со звериной мордой. И это стало началом конца их отношений.

Абдулла помотал головой. Мир немного плыл перед его глазами, не успевая возвращаться вслед за движениями головы.

Ну и пусть. Он был прав, прав до конца! Он мужчина, она – женщина, кем бы она ни была. Она дает – он берет. Он завоевывает этот мир для себя и для нее, он отдает ей половину – половину! – всех денег. И она должна была сделать то, что он ей сказал: увеличить производство, представить его Мастеру, они все должны делать то, что он скажет!

Абдулла вспомнил встречу в подвале заброшенного дома и выругался, ударив кулаком по белой скатерти. Охранники чуть повернулись в его сторону, официант быстро высунулся из двери кухни и так же быстро исчез.

Все в порядке, он спокоен. Да, теперь он спокоен. Потому что принял все нужные решения и знает, что делать. Кобот справится, и через месяц они будут делать эликсир сами. Сейчас это почему-то казалось очевидным. Абдулла пошлет ко всем чертям и ее, и их Мастера, а когда она останется без денег, то снова придет к нему – нет, приползет! Такие, как она, всегда приползают, когда остаются без средств к существованию. К тому же Абдулла уже не был до конца уверен в том, что этот Мастер вообще существует. Может быть, это она... да, она сама и делает эликсир. Почему бы и нет? Разве это не объясняло бы ее странное упрямство в нежелании знакомить Абдуллу с таинственным Мастером?

Девчонку-эксперта найдут, как и ее приятеля, кем бы он ни был. За пару дней они ничего не смогут сделать, особенно если учесть, какие люди являются клиентами «Данко» и какие силы обеспечивают его безопасность. И если эти двое еще раз попытаются обратиться куда-то, неважно куда: в прокуратуру, к журналистам, к властям – их тут же возьмут, и уж на этот раз осечки не будет.

Что же касается Кардинала, то сейчас Абдулла был даже рад, что все произошло именно так. Рано или поздно это должно было случиться. Конечно, было бы гораздо лучше, если бы Кардинал тоже оказался в числе его пациентов, и тогда, как и все остальные, попал бы в полную зависимость от Абдуллы. Но если этот старый черт, это городское пугало, персонаж устрашающих басен о его невероятном могуществе, решил повести дела таким образом и вознамерился отобрать у него, Абдуллы, то, что принадлежит ему по праву, – что ж, пусть будет так. У этого города теперь есть новый хозяин.

Он снова сделал большой глоток, глядя на расплывающиеся в дождливом сумраке огни вечернего города. Сейчас он казался Абдулле похожим на старинное кладбище, чья открытая для праздных туристов часть полна помпезных, хоть и несколько обветшалых памятников, за которыми на кривых, заросших тропинках, в тени угрюмых деревьев теснятся мрачные склепы, облюбованные упырями, покосившиеся надгробия и провалившиеся могилы висельников, колдунов и самоубийц. Вот туда он и спишет сегодня ночью Кардинала, в безымянную яму на задворках старого кладбища.

Абдулла посмотрел на часы. До назначенной встречи оставалось еще шесть часов. Черт, как же тянется время!

Лежащий на столе телефон мигнул экраном и изверг из себя громом разнесшиеся по пустому ресторану разудалые звуки лезгинки. Абдулла негромко выругался и взял трубку.

— Слушаю, говорите, ну.

— Босс, это Шут. У нас все тихо.

— Хорошо, отбой.

Ну вот, все в порядке. Пять групп, предусмотрительно посланные им на место встречи еще вчера, обеспечивали безопасность, а когда дойдет до дела, то будут выполнять функцию дополнительных засадных отрядов. На загородной базе уже собрались все, кого Абдулла смог мобилизовать: получившаяся ударная группировка была достаточно внушительной для того, чтобы с ее помощью можно было свергнуть режим в небольшой африканской стране. Кардинал — это серьезный противник, силы которого нельзя недооценивать, но пусть попробует противостоять той армии, которая сейчас ждала только приказа, чтобы вступить в бой хоть с ангельским воинством, хоть с легионами бесов.

Абдулла тяжело поднялся из-за стола. Надо было ехать, проверить готовность своих бойцов, а там уже и выдвигаться на север, в сторону старого завода. Абдулла еще раз посмотрел в окно и погрозил пальцем скрывающемуся в ненастной холодной тьме надменному городу. Потом махнул рукой охране и, покачиваясь, пошел к выходу. Управляющий ресторана проводил его почтительным полупоклоном, в котором явно чувствовалось облегчение. Счет, разумеется, никто и подумал принести.

* * *

Утоптанный земляной пол мягко пружинил под ногами. Душную тишину подвальных катакомб лишь изредка нарушал далекий звук падающих капель да частый пугливый шорох крысиных лапок, когда кто-то из замешкавшихся зверьков стремительно проносился меж сырых стен. Иногда откуда-то совсем издалека доносился скрип ржавого железа. Пахло сыростью и старыми кирпичами.

Они не спеша шли по узкому коридору, скудно освещенному редкой цепочкой тусклых ламп. Впрочем, ни он, ни она не нуждались в источниках освещения.

Вервольф покосился на идущую рядом женщину. Человеческие самки не привлекали его и никогда не были объектом его вожделения, а только раздражали своей суетливостью и писком. Они могли быть интересными только как объект охоты, не более того.

Другое дело – волчицы. Он часто думал о них: сильных, уверенных, с гладкими мышцами под шелковой шерстью, спокойных и в то же время по-звериному страстных.

Сейчас, глядя на женщину, он думал, что из нее получилась бы отличная волчица.

– Мастер согласился с тем, что Абдулла нам больше не нужен, – пропела женщина мелодичным голосом. – Более того, теперь он может представлять для нас угрозу, и мы не должны оставлять его жить. Так что дело за тобой.

Вервольф кивнул. Волчица. Сильная, властная, гибкая...

– Я могла бы сделать это сама, – продолжала женщина, – в конце концов, работа с ним была моей идеей. Но возникли некоторые осложнения. Сегодня ночью Абдулла поедет на старый завод недалеко от города. Другой человек, очень опасный, назначил ему встречу. Там будет много людей, много оружия и будет бой.

Вервольф снова кивнул. И зачем ей этот облик человеческой самки? Неужели она не могла выбрать себе другой?

– Я уверена, что Абдуллу не будут убивать, а попытаются захватить. И если это случится, то никто из нас уже не будет в безопасности. Поэтому захватить его не должны.

Она остановилась совсем близко к Вервольфу. Он смотрел на нее сверху вниз, но ему казалось, что это она смотрит на него свысока. Дух древней королевы ночи. Это сильнее физического тела.

– Мы на тебя надеемся. Я на тебя надеюсь.

Женщина слегка коснулась рукой его широкой груди и почувствовала, как под ее ладонью коротко пророкотало гулкое рычание. Она слегка улыбнулась.

– Не подведи меня, волк.

* * *

Они оставили машину у съезда с шоссе, на старой дороге, за три километра до территории завода. Гронский нашел боковой съезд в лес — две разбитые колеи из жидкой грязи, незаживающими мокрыми ранами разрезающие чахлую сорную траву — и поставил джип среди густых зарослей переплетенного кустарника и тонких деревьев, чуть ниже уровня дороги.

— Теперь пешком, — сказал он.

Алина взяла протянутый им фонарик и засунула в нагрудный карман черной куртки. Чувствовала она себя очень неудобно.

Гронский вернулся домой уже вечером. До этого он пару раз звонил Алине на свой домашний телефон, и она каждый раз вздрагивала, когда старинный черный аппарат оглашал квартиру надтреснуто дребезжащими трелями. Во второй раз Гронский поинтересовался размером ее одежды и обуви, и когда он вошел, держа в руке большую черную сумку, Алина поняла, зачем это было нужно. В сумке лежала черная короткая куртка, темные брюки из плотной ткани, ботинки на высокой шнуровке и низкой подошве, а еще черная вязаная шапочка.

— Ты же не собиралась ехать туда в пальто и сапогах на шпильках, правда?

Пока Алина в растерянности разглядывала эти новые предметы своего неожиданно пополнившегося гардероба, Гронский зашел к себе в комнату и вернулся оттуда, держа в руках тонкий бронежилет и кобуру с небольшим пистолетом.

— Вот, — сказал он, — это тебе. И прежде, чем Алина попробовала возразить, добавил: — Без обсуждений.

Бронежилет был легким и немного потертым, как видавший виды доспех, сохранивший память о прошедших боях. Алине он был велик и болтался на теле.

— Второго у меня нет. Ничего, сверху наденешь куртку, он ляжет плотнее.

Пистолет был небольшой, с черной рамкой из пластика и рукояткой с упорами и выемками для пальцев.

— Это «Glock 19», — пояснил Гронский. — В нем пятнадцать патронов, уже заряжен. Очень простой и эффективный. Предохранитель автоматический, в случае необходимости просто достаешь и наводишь на цель. Вот запасная обойма. Ты умеешь стрелять?

— Я стреляла, — ответила Алина, — с папой, из охотничьего ружья. На стрельбище.

– Понятно. – Гронский вздохнул. – Тогда без крайней необходимости пистолет лучше не вынимай.

Все становилось как-то очень серьезно.

Сейчас, в черной темноте ночного леса, под низким серым небом, обещающим неминуемый дождь, Алина чувствовала себя крайне нелепо: куртка топорщится пузырем поверх бронежилета, надетого на блузку, на правый бок ощутимо давит кобура с пистолетом, на глаза надвинута черная шапочка, под которую заправлены волосы, каблуки высоких ботинок непривычно низкие, так что она казалась самой себе какой-то бочкой на коротеньких ножках.

– А лица будем мазать черной краской? – спросила Алина и тут же пожалела об этом, потому что Гронский посмотрел на нее серьезно и даже словно на секунду задумался.

– Пожалуй, нет, – ответил он, и Алина вздохнула с облегчением. – Идем, до полуночи не так много времени.

Они перебежали через ведущую к заводу узкую разбитую дорогу и углубились в заболоченные лесные дебри.

Когда почти через час они добрались до северной стороны заводской ограды, Алина успела дважды провалиться в стылую болотную грязь, причем один раз ее правая нога ушла туда по самое колено, безнадежно промочить ботинки и оцарапать лицо о ветки худосочных, но злобных деревьев. Теперь перед ними возвышалась высокая стена из серых бетонных плит, покосившихся в разные стороны, как расшатанные зубы в гниющей десне. Гронский сделал знак остановиться, что Алина с удовольствием и сделала: три километра через темноту, грязь и густые заросли разительно отличались от тех трех километров, что она легко преодолевала во время пробежки по дорожкам парка. Алина сбила дыхание и чувствовала, как ее начинает потряхивать мелкая дрожь от холода, смешанного с адреналином.

– Сейчас мы войдем на территорию, – шепотом произнес Гронский. – Сразу за стеной здание старого цеха, через него есть сквозной проход к площади перед бывшим заводоуправлением. Думаю, там все и будет происходить. Нам нужно взять чуть вправо, к старому складу, там есть где укрыться. Держись вплотную за мной и постарайся не шуметь. Здесь пять групп наблюдателей, и они очень внимательные, хотя сейчас уже ждут прибытия основных приглашенных гостей, так что у нас есть хороший шанс пройти незамеченными. Все понятно?

– Да, понятно, – так же шепотом отозвалась Алина. – А откуда ты все это знаешь?

— У меня был целый день, — ответил Гронский. — Я не только по магазинам ездил.

Он махнул рукой, и Алина последовала за ним к широкой щели меж разошедшихся плит. Сразу за ней в паре метров возвышалась стена одного из заводских корпусов. Они прошли несколько шагов по грязи и железному мусору, и Гронский осторожно толкнул тяжелую дверь, за которой непроницаемым мраком чернел проем, ведущий вглубь здания.

Тонкие, как спицы, яркие лучи фонарей выхватывали из темноты покрытый густой пылью пол, ржавеющие завалы какого-то искореженного оборудования, приоткрытые двери, ведущие то к темным лестницам, то в крошечные подсобки, то в другие, такие же огромные и захламленные помещения. Алина осторожно переступала через листы железа, груды мусора, глядя под ноги, где свет фонарика выхватывал из темноты то пластиковые грязные бутылки, то обрывки старых спецовок, то заплесневелые слипшиеся стопки истлевших бумаг. Душный спертый воздух пах сырой штукатуркой. Гронский свернул направо, и они пошли по узкому проходу мимо громоздящихся по обе стороны металлических остовов мертвых станков, словно сквозь огромный могильник индустриального века. Впереди замаячил прямоугольник тусклого серого света. Гронский выключил фонарик, взял Алину за руку и повел вперед, к приоткрытой двери, ведущей на пандус перед длинным низким зданием склада. У самой двери он остановился и прошептал ей прямо в ухо:

— Впереди деревянные штабеля, видишь?

Алина кивнула.

— Бегом, но тихо!

Алина снова кивнула. Гронский пригнулся и бесшумной тенью выскользнул из двери, стремительно метнувшись вперед. Алина выкатилась за ним следом, думая только о том, как бы не упасть и не растянуться на виду у тех, кто видеть их совсем не должен. Через несколько секунд она уже переводила дыхание, сидя рядом с Гронским и прижавшись спиной к огромному штабелю деревянных паллет, сросшихся от грязи и сырости и источающих тяжелый запах плесени. В узкие щели между паллетами как на ладони была видна большая пустая площадь, трехэтажное здание управления по левую руку и огромный заводской корпус справа. Никакого движения не наблюдалось на погруженной во мрак территории, ни одного звука не доносилось из черных провалов окон и дверных проемов. Тишина была абсолютной и мертвой, и если бы не гулкие удары сердца, отсчитывавшего вязкие длинные секунды, можно было подумать, что и само время тут застыло в неподвижности. Но оно все же двигалось, медленно, но неотвратимо приближая неизбежное.

— Вот и первые гости, — прошептал Гронский.

Алина услышала далекий мягкий рокот мощных автомобильных моторов, а потом из темноты между заводских корпусов вырвались яркие лучи фар, плавно очерчивающие пространство. Алина прильнула к щели между гнилыми деревянными досками и увидела, как на площадь один за одним медленно въезжают три длинных черных автомобиля.

* * *

Чем ближе время подходило к полуночи, тем больше в душе у Шута росли два противоположных чувства: страх и надежда. С каждым звонком Абдулле, когда он ровным голосом докладывал, что на вверенной ему территории все благополучно и без происшествий, крепла надежда пережить эту ночь. Но каждый раз, убирая телефон, он снова встречался взглядом с серебристыми глазами сидящей перед ним женщины, и надежда отступала перед приступом страха. Две фигуры в черных бронежилетах и наглухо закрытых шлемах тоже не добавляли бодрости духа, как и отряд в несколько десятков человек, прибывший на завод пару часов назад. Шут видел две большие черные машины с погашенными фарами и темные силуэты, один за другим входившие на первый этаж здания. Хлоя на несколько минут спустилась вниз, потом машины уехали, и она вернулась. Шут понял, что если у него еще сохраняется надежда на счастливый исход сегодняшней ночи, то для Абдуллы такой надежды нет вовсе, но тем не менее исправно набирал его номер и бодро рапортовал о полнейшем спокойствии и тишине. В итоге к полуночи надежда стала твердой уверенностью в том, что все обойдется, а страх превратился в цепенящий и парализующий сознание ужас. Эти два чувства боролись за его сознание, как враждебные армии за обладание важной высотой, периодически полностью захватывая контроль над мыслями, так что Шут уже с трудом следил за разговором, который продолжала вести Хлоя.

— Я думаю, что страх — это естественная реакция современного человека на трансцендентное, — сказала Хлоя. Она закинула ногу на ногу, свободно расположившись в кресле напротив Шута и положив на колено блестящее лезвие длинного кинжалатанто. – Причем чем больше человек отходит от традиционного осознания мира, тем сильнее этот страх. Согласись, что роман ужасов – это не просто книга о том, чего человек по тем или иным причинам боится. Такой жанр предполагает обязательное мистическое содержание. Странно было бы видеть предметом подобного произведения страх перед увольнением или лишением премии.

– От увольнения не умирают, – выдавил Шут.

Хлоя улыбнулась, и он почувствовал, как ужас на время снова взял верх над надеждой.

– Ну хорошо, я привела не самый удачный по форме, но точный по сути пример. Пусть будет страх перед смертью от болезни, страх умереть от пули – все это не тема для романа ужасов. Сверхъестественное – вот единственно достойный для него предмет. Ибо если раньше люди осознавали реальность невидимого мира, таким образом испытывая меньший страх перед его проявлениями, то сейчас, когда днем напыщенный и пошлый рационализм празднует свое торжество, ночью человек, оставаясь один на один с собой и вселенной, только острее ощущает ужас перед тем, существование чего он пытается отрицать.

Шут с тоской посмотрел в окно. Завод по-прежнему окутывало зловещее безмолвие, в низком небе клубилась мешанина серых туч. Он покосился на Хлою и подумал, что прекрасным материалом для романа ужасов могла бы стать вот эта многочасовая беседа о литературе с женщиной, у которой такое холодное, отрешенно красивое лицо, светящиеся серебром глаза и самурайский кинжал, лежащий на колене.

Мелодично пропел короткий сигнал.

– Слушаю, – отозвалась Хлоя, коснувшись кончиками пальцев незаметного наушника. – Да, у меня все в порядке, ребята Карла и он сам внизу на двух этажах.

Она помолчала полминуты, внимательно прислушиваясь к голосу в наушнике и чуть заметно кивая.

– Поняла. Сделаю.

Хлоя немного повернулась, опять коснулась наушника и отчетливо произнесла:

– Первая, вторая, третья – на месте, готовим прикрытие, четвертая и пятая – наблюдение.

Она выслушала ответ, снова кивнула и посмотрела на Шута.

– К сожалению, Игорь, наши литературные беседы подошли к концу, – вздохнула она.

Шут сглотнул комок в горле.

– А я?..

– Тебе не о чем волноваться. Думаю, нужно сделать последний звонок твоему боссу, и после этого я тебя освобожу.

– Освободишь?

– Да, – серьезно сказала Хлоя. – А когда я освобожу тебя, то истинно свободен будешь. Звони.

За окном послышался далекий мягкий рокот автомобильных двигателей. В темноте мелькнули, исчезли, а потом снова появились ровные яркие лучи фар, и Шут увидел, как три длинных черных автомобиля медленно въезжают на площадь.

– Что мне сказать?

– Сейчас можешь сказать чистую правду, – ответила Хлоя. – Сообщишь, что Кардинал и его люди только что прибыли на трех машинах.

Шут вздохнул и набрал номер Абдуллы.

– Ну, что там у нас? – прокаркал такой знакомый хриплый голос, сейчас показавшийся почти родным.

– Все в порядке, шеф. Кардинал только что приехал. Три машины. Никаких дополнительных движений.

– Хорошо. Оставайся на месте, если что, со своими ребятами прикроешь нас. Молодец, спасибо тебе, отлично все сделал.

Шут убрал телефон с чувством внезапного и острого стыда. Хлоя смотрела на него строго и внимательно. Он тоже воззрился на нее.

– Приятно было познакомиться, Игорь.

Хлоя небрежно взмахнула рукой. Шут ощутил легкое дуновение воздуха и мгновенное прикосновение к горлу холодного металла, а потом увидел потолок, скрывающийся в пыльной темноте. Шут еще не успел понять, отчего вдруг стал смотреть вертикально вверх, как голова его начала заваливаться еще дальше, назад, и он уставился в стену прямо за собой. По ней медленно ползли какие-то темные густые потеки.

«Кровь», – подумал Шут.

Его затылок коснулся спины.

«Свобода», – успел подумать он, и эта была его последняя мысль в этом мире.

* * *

Кардинал вышел из черного «Rolls Royce», поднял воротник короткого серого пальто и недовольно поморщился от холода. Порыв сильного ветра неожиданно пронесся меж каменных стен, взметнул мелкий мусор и поволок по площади невесть откуда взявшийся тут отсыревший газетный лист. Кардинал глубоко вдохнул холодный влажный воздух и посмотрел на небо, затянутое тяжелыми тучами. Хлопнули дверцы двух черных «Mercedes», остановившихся под углом по обе стороны его автомобиля. К Кардиналу подошли Виктор и Алекс.

– Унылая погода, – заметил Алекс. Его ослепительно-белая рубашка выделялась в темноте ярким треугольником.

– В этом городе она такая почти всегда, – ответил Кардинал. – Хорошо еще, если успеем управиться до того, как пойдет дождь. Виктор, где там наш друг Абдулла?

– Будет через пять минут, – негромко сказал Виктор. – Сейчас его кортеж въезжает на территорию. Группа наблюдения говорит, что это нечто неописуемое.

Кардинал обернулся. Рядом с их машинами неподвижно стояли шесть человек в черном.

– Не слишком мало людей? Может заподозрить неладное.

– Если и заподозрит, то будет уже поздно, – ответил Виктор. – Отсюда ему нет обратной дороги.

Некоторое время они стояли в тишине, наблюдая, как ветер гоняет газетный лист, который то появлялся в ярких лучах автомобильных фар, то снова пропадал во мраке, похожий на огромного уродливого мотылька.

– Слышите? – спросил Алекс.

Из темных лабиринтов заводских корпусов донесся низкий пульсирующий ритм. Вскоре к нему добавились более высокие звуки, которые приближались, постепенно оформляясь в тяжелые музыкальные аккорды; к ним присоединялся рокот множества двигателей. Из-за угла на противоположном конце площади вырвались ослепительно яркие снопы света, и под несущиеся из десятка мощных колонок ревущие звуки «Дыма над водой» одна за одной стали выезжать машины, разворачивающиеся как на парадном смотре.

Первым на площади появился большой «Hammer» Абдуллы, сияющий огнями фар и прожекторов. Чуть позади него по обе стороны следовали еще два «Hammer», настоящих, армейских, в камуфляжной раскраске и с пулеметами на крышах, рядом с которыми по пояс высовывались из люков стрелки. За ними въехали два черных джипа и два микроавтобуса с динамиками, из которых рвались агрессивные гитарные аккорды. Последним на площадь тяжело выполз длинный старинный автобус, низко проседающий под тяжестью броневых щитов с отверстиями для стрельбы на окнах и массивной железной конструкцией на радиаторной решетке, чем-то средним между тараном и ножом бульдозера, густо обмотанной колючей проволокой. Вся эта грохочущая, сверкающая и рычащая кавалькада треугольником развернулась на площади, превратив ее в подобие сцены рок-концерта. Открылась дверца черного «Hammer», и оттуда появился Абдулла. Рев музыки мгновенно оборвался на середине фразы, только двигатели автомобилей продолжали негромко и утробно ворчать, как готовящиеся к нападению хищники.

– Что это за парад-алле? – негромко спросил Алекс.

– Это демонстрация рогов, некстати выданных бодливой корове, – так же негромко ответил Кардинал. – Я иду. Начинаем.

Кардинал не спеша пошел вперед. Наперебой захлопали дверцы машин и микроавтобусов, из которых один за другим выбирались люди в кожаных куртках, с длинноствольными штурмовыми автоматами и дробовиками в руках. Пулеметчики на крышах «Hammer» чуть повели стволами в сторону Кардинала. Абдулла закурил, выпустил вверх густые клубы дыма, мгновенно развеянного порывом ветра, и нетвердой походкой направился навстречу Кардиналу. Газетный лист прошуршал по разбитому асфальту, покружился между идущими людьми и снова умчался во тьму. С низкого неба сорвались первые тяжелые капли дождя.

Они сошлись на середине площади и остановились в нескольких шагах друг от друга. Абдулла сделал глубокую затяжку и, прищурившись, посмотрел на Кардинала.

– Привет, Карди, дорогой. Я думал, какое-то недоразумение, да? Кто-то звонит мне, представляется тобой, чего-то требует, назначает встречу. А теперь я вижу, что это и в самом деле был ты. Давай обсудим?..

Кардинал покачал головой.

– Думаю, это не тема для обсуждения. Просто у меня есть к тебе просьба, Абдулла. Я хочу, чтобы ты ее выполнил. Мне нужен эликсир. И тот, кто его для тебя производит. Выполни эту просьбу, и мы сможем расстаться друзьями, а ты снова займешься тем, что у тебя получается лучше всего: работой на того, кто тебя наймет.

Абдулла вскинул голову.

– Ты не понимаешь, кто я, Карди.

– Нет, Абдулла. Это ты не понимаешь, кто ты. Ты читал «Сказку о рыбаке и рыбке»?

– Чего?

– Сказку. «О рыбаке и рыбке». Пушкина Александра Сергеевича. Должен был читать в школе.

– Чего?

Кардинал терпеливо вздохнул.

– Если ты дашь себе труд вспомнить содержание этой истории, то поймешь, почему рыбка так долго терпела чудачества старухи. Она могла позволить ей быть дворянкой, царицей, быть кем угодно здесь, на земле. Но вернула к разбитому корыту, когда старуха покусилась на власть над тем, над чем человек по определению не может быть властен. А если бы старуха не захотела быть морской владычицей – вполне могла бы оставаться царицей до конца дней своих. Улавливаешь связь?

Абдулла молчал, не сводя с Кардинала наливающихся кровью глаз.

– Знаешь, почему сама эта ситуация для меня оскорбительна? – продолжал Кардинал. – Тебе в руки попало средство, с помощью которого можно управлять миром, а ты не нашел ему иного применения, кроме как торговать вразнос. Лучшие умы человечества, титаны мысли и духа, столетиями бились над созданием совершенного эликсира, а ты меняешь его на деньги, которые даже потратить толком не можешь. Так что я прошу тебя: остановись. Даже не так: я даю тебе возможность остановиться и отдать то, что тебе принадлежать не может. Сделай это, и ты оставишь себе все, что у тебя есть, все свои деньги и вот эти красивые машины с громилами.

Абдулла смотрел на Кардинала тяжелым неподвижным взглядом.

– А ты, Карди, думаешь, что можешь решать, что кому должно принадлежать, а что не должно, да? Тебе бы лучше поостеречься, потому что время твое прошло, и осталось его совсем мало. И тебе не нужно было приходить сюда и говорить со мной так, а стоило сидеть тихо в той дыре, из которой ты выполз, пока твое время не кончилось вовсе.

– Это ответ «нет»? – спросил Кардинал.

– Это ответ «да пошел ты», – сказал Абдулла, и одним движением распахнул куртку, выхватывая пистолет. Длинный золоченый ствол громадного «Desert Eagle» уставился на Кардинала.

Грянул выстрел.

* * *

Звук выстрела гулким эхом раскатился среди каменных стен. Вервольф, поднимавшийся в кромешной тьме по стертым ступеням узкой лестницы, на мгновение замер, прислушался и пошел быстрее. Судя по всему, бой начался, а значит, медлить было нельзя.

Он вошел на территорию завода с восточной стороны, из окутанного темнотой заболоченного леса, сразу после того, как по широкой подъездной дороге между заводских корпусов проехали три первых автомобиля. Вместе с черными тенями, которые плыли вслед за лучами фар, он проскользнул вдоль стен и уже почти у самой площади остановился рядом с приоткрытой покосившейся дверью в стене огромного корпуса, напротив которого находилась площадь и невысокое трехэтажное здание. Вервольф бесшумно вошел внутрь. Узкая крутая лестница вела вверх, и он стал подниматься по искрошившимся ступеням, чтобы подняться на крышу – место, как нельзя лучше подходящее для его цели. Сквозь редкие маленькие окна на лестничных площадках мелькали огни прожекторов, доносились рокочущие звуки музыки и рычание автомобильных моторов. Вервольф поднимался все выше, и громыхнувший снаружи выстрел застал его уже почти на самом верху. Он несколькими длинными прыжками преодолел оставшиеся лестничные марши, проскочил сквозь широкий коридор, пересек большой пустынный зал бывшего цеха и снова остановился. Неясный ночной свет, льющийся из громадного застекленного окна, заливал гулкую пустоту помещения. В противоположном конце цеха еще одна широкая лестница уходила к самой крыше, и сейчас Вервольф почувствовал, что наверху кто-то был. Он потянул носом воздух. Да, так оно и есть: двое, а скорее, даже трое вооруженных людей – Вервольф ощущал запах их тел и тонкий аромат оружейной смазки. Он достал из складок своего длинного черного плаща широкий изогнутый нож и быстро пошел вверх по лестнице.

* * *

Грянул выстрел.

Абдулла выронил оружие, в недоумении посмотрел на свое простреленное запястье и перевел взгляд на Кардинала. Тот стоял, держа в руке пистолет. Крупные капли дождя падали на вороненый металл ствола. Несколько мгновений Абдулла силился понять, как удалось его противнику так быстро выхватить оружие и почему рана на руке зияет огромной багровой дырой, вместо того, чтобы бесследно исчезнуть, а потом пришли раздирающая боль и страх.

«Ранен! Ранен!!!»

Он развернулся и кинулся назад, к своим машинам, разрывая повисшую тишину диким криком:

– Огонь! Огонь!! Огонь!!!

Алина увидела, как стрелок на крыше «Hammer» вздрогнул, словно выйдя из ступора, и обеими руками схватился за пулемет. В этот момент Кардинал поднял вверх руку. В тот же миг с крыши управления послышался громкий хлопок, полыхнула короткая вспышка, и пущенный из гранатомета заряд ударил в бронированную машину. Раздался оглушительный взрыв, и Алина почувствовала на лице мгновенное дуновение горячего воздуха. «Hammer» подпрыгнул и медленно завалился на бок, объятый языками неестественно яркого пламени. Следующий хлопок прозвучал прямо у нее над головой, с крыши склада, так что Алина рефлекторно пригнулась, но увидела, как еще одна граната разнесла на куски второй «Hammer», превратив его в трещащий огненный куб. Тело пулеметчика несколько раз конвульсивно дернулось и безжизненной куклой осталось торчать рядом с оружием, охваченное огнем, словно он успел побывать в аду, предназначенном ему после смерти, и вернуться обратно, объятый языками подземного пламени.

Осколки гранат и куски искореженного металла снесли нескольких бойцов Абдуллы. Трое бросились на помощь своему раненому хозяину, а остальные заметались тенями среди пылающих машин. Крики терялись в гудении и треске пламени.

Из темных провалов окон здания управления полетели какие-то предметы, и Гронский вдруг закрыл Алине глаза ладонью и прижал к себе. В следующую секунду раздался оглушительный треск, словно рвался сам воздух или материя реальности стала расходиться по швам, и даже сквозь зажмуренные веки, прикрытые рукой Гронского, Алина скорее почувствовала, чем увидела, несколько ярчайших вспышек, слившихся в одно ослепительно-белое свечение.

В ушах тонко звенело. Когда Алина снова посмотрела на поле боя, то увидела, что выскочившие из машин бойцы Абдуллы стоят и сидят, обхватив головы руками, оглушенные и ослепленные светошумовыми гранатами, а из дверных проемов управления, подобно осам, вылетающим из гнезда, выносятся черные силуэты в броне и закрытых шлемах. Алина почти не слышала частых автоматных очередей и отрывистых залпов дробовиков, но видела, как один за одним валятся на землю люди Абдуллы. На крыше управления и в проемах окон мелькали сполохи огня и отрывисто били выстрелы из снайперских винтовок.

Абдулла метался в огненном хаосе, который за считаные секунды охватил его боевые порядки. Кругом шатались и падали люди, гремели выстрелы, которых он почти не слышал сквозь звон, наполнивший его голову после светошумовой атаки. Да, он недооценил Кардинала. И посланные за сутки отряды наблюдения, и тяжеловооруженная моторизованная армия казались сейчас нелепыми потугами уличного мальчишки, полезшего с перочинным ножиком на матерого и безжалостного уголовника. Но самым страшным было внезапно навалившееся осознание собственной уязвимости. Из перебитого запястья медленно текла густая кровь, рука отзывалась взрывом дикой боли на каждое движение, и Абдулла не понимал, как удалось этому старому лису сделать то, что не могли сделать ни пули автоматов, ни выстрелы из снайперской винтовки. Впрочем, сейчас было не лучшее время для раздумий.

Абдулла нагнулся, чтобы подхватить с земли выпавший из чьих-то рук автомат, и в этот момент что-то легкое и серое мелькнуло сверху и накрыло его с головой. Он потерял равновесие и упал на спину, запутавшись в тонкой металлической сети. Несколько черных фигур в бронежилетах и шлемах кинулись к нему с разных сторон. Абдулла закричал, с трудом вскинул автомат левой рукой и почти в упор выпустил длинную очередь прямо в темное защитное стекло шлема подбежавшего к нему человека. Осколки пластика разлетелись вместе с брызгами крови, человек развернулся в воздухе и рухнул наземь. Абдулла снова нажал на спусковой крючок, но в этот момент сеть затянулась туже, прижав руку с автоматом вплотную к телу, и яростная автоматная очередь ударила в стальной бок стоящего рядом джипа.

– Ну вот и все, – сказал Кардинал, сделал шаг, но вдруг остановился. – Виктор… а где третий гранатомет?

Виктор быстро посмотрел на крышу высокого корпуса, что-то негромко сказал в переговорное устройство, но в этот момент Кардинал показал рукой вперед и произнес:

– Уже поздно.

Дождь хлынул стеной.

* * *

Вервольф вышел на крышу, когда одна из машин Абдуллы уже пылала от прямого попадания гранаты. Прямо перед ним у края невысокого парапета расположились три человека в черных жилетах и шлемах. Вервольф в несколько широких шагов преодолел расстояние, отделявшее его от людей, и его приближение, и без того почти бесшумное, было заглушено вторым взрывом, растерзавшим еще один джип. Лежащий у края крыши гранатометчик как раз наводил свое оружие на длинный нелепый автобус внизу, когда кинжал Вервольфа, описав неширокую дугу, вонзился ему в основание черепа, попав в щель между шлемом и бронежилетом. Второй боец с пулеметом успел краем глаза увидеть высокую зловещую фигуру, выросшую у него за спиной, но в следующий миг мощный удар кривого тесака почти снес ему голову. Волна горячей крови тяжело плеснулась на третьего человека, сжимавшего в руках снайперскую винтовку. Он быстро перекатился на спину, вскинул оружие и почти в упор выстрелил Вервольфу в грудь. Тот чуть пошатнулся от удара пули пятидесятого калибра, а потом шагнул вперед, поднимая нож. Второй раз человек выстрелить уже не успел.

Вервольф перешагнул через безжизненное тело и встал на краю парапета, подобно молчаливому каменному изваянию. В трех десятках метров под ним пылали машины, метались люди, гремели выстрелы, а прямо в центре всего этого огненно-кровавого действа он увидел Абдуллу, яростно бьющегося в опутавшей его металлической сети. Вервольф немного отступил от края, снял со спины большой арбалет и не спеша стал натягивать тетиву из воловьих жил. Колесико старинного механизма слегка поскрипывало. Вервольф закрепил тетиву, достал короткую толстую стрелу с острым серебряным наконечником, наложил ее на арбалет и снова посмотрел вниз.

* * *

— Уже поздно, — сказал Кардинал.

Из длинного автобуса, стоящего позади изувеченных взрывами и объятых пламенем машин, с воем вылезала дикая пехота Абдуллы: полные ярости и жажды крови головорезы, насильники, потрошители и людоеды, собранные в заброшенных городах и селениях, в психиатрических клиниках, в тюрьмах на далеких северных островах, откуда нет возврата, в жутких логовах, где они ютились, как дикие звери, прячась от людей и закона. Они не были пригодны ни для какого иного дела, кроме убийства, и именно для такого случая Абдулла держал их в бараках за городом, и для этого привез их сюда. В ватниках, старых пальто, лохмотьях и обносках, сжимая в руках старые АК-47 и охотничьи ружья, они устремились сквозь ливень туда, где, опутанный сетью, лежал их хозяин.

Некоторые из них упали тут же, сраженные точными выстрелами, но ответный ураганный огонь из множества автоматов и ружей заставил бойцов Кардинала отступить. На двух крышах засверкали частые вспышки выстрелов винтовок, загрохотали пулеметные очереди, но через несколько секунд воющая орда накрыла десяток бойцов в черном, и пулеметы смолкли, потеряв возможность вести прицельный огонь.

Взгляд Алины, метавшийся среди кровавой вакханалии, развернувшейся на площади, выхватывал отдельные ее фрагменты: обуглившийся труп пулеметчика на крыше горящей машины; распростертый на земле человек в черной униформе, над шлемом которого кто-то огромный и лохматый раз за разом заносил огромный топор; прижатый спиной к пылающему борту автомобиля боец, отчаянно отстреливающийся из дробовика, каждым залпом разрывая на куски чье-то тело.

Большая часть людей Кардинала отступила к управлению, откуда стреляли по яростной, ревущей толпе, поливающей стены и окна здания непрерывным огнем. Несколько рук уже срывали сеть с Абдуллы, стремясь скорее освободить своего хозяина.

Из темных окон снова полетели гранаты. Но солдаты инфернального воинства видели то, что произошло в начале боя, и поэтому большинство из них успело закрыть глаза и уши, а те, кто все-таки попал под действие шума и света, теперь беспорядочно палили во все стороны, разя своих же товарищей.

Абдулла, все еще сжимая в левой руке автомат, затравленно озирался вокруг. Он не питал иллюзий насчет возможного исхода боя: прекрасно обученные и вооруженные бойцы Кардинала очень скоро уничтожат всю его дикую гвардию, а значит, ему остается только одно: уходить, пока еще есть такая возможность. К черту все, выжить сейчас самое главное. Сохрани жизнь и свободу — и ты уже победил.

Абдулла дал несколько коротких очередей в разные стороны, отбросил автомат и метнулся к стоящему рядом джипу с настежь раскрытыми дверцами. Лобовое стекло машины было выбито взрывной волной, уничтожившей один из «Hammer», блестящее крошево устилало сиденья и пол. Абдулла прыгнул на водительское кресло и коснулся рычага передач.

* * *

Вервольф медленно поднял арбалет и прицелился. Вода стекала по редкой короткой шерсти, ливень заливал глаза, и оборотень несколько раз мотнул головой, коротко зарычав, словно пытаясь пригрозить дождю. Внизу Абдулла уже садился в машину. Вервольф прицелился еще раз. Дождь барабанил по деревянному ложу арбалета. Автомобиль внизу дрогнул, трогаясь с места, и в этот момент Вервольф нажал на длинную спусковую скобу. Мощный стальной лук рывком распрямился, взвизгнула тетива. Короткая осиновая стрела стремительно понеслась вниз, разрезая на лету дождевые капли, за доли секунды пролетела от крыши до разбитого лобового стекла машины и ударила в грудь Абдуллы, пробив насквозь тело и прочно пригвоздив его к спинке сиденья.

Абдулла успел почувствовать страшный удар, разорвавший тугой неподвижный комок в груди. Он посмотрел вверх и увидел сквозь тьму и пелену дождя возвышающуюся на крыше фигуру в длинном плаще.

«Зверь, – подумал Абдулла. – Все-таки достал».

А потом его сознание стало стремительно гаснуть, проваливаясь в такую черную бездну, для которой нет иных имен, кроме запретных.

* * *

Гронский напрягся и чуть привстал из-за укрытия. Алина посмотрела на него: он был похож на гончего пса, почуявшего запах хищника.

– Вот он, наш шанс, – сказал Гронский и кивнул туда, где полыхало багровое пламя и гремели выстрелы.

– Что? – спросила Алина. Быстро думать сейчас не получалось: она еще не вполне отошла от оглушительного треска гранат, а последние несколько минут сидела, вжавшись в угол между деревянными паллетами и кирпичной стеной – шальные пули все-таки долетали до их укрытия и пару раз ударили в гнилые доски.

Гронский достал пистолет и торопливо сказал:

— Абдулла в машине, будет уходить в сторону главных ворот. Если пройти напрямую, можно попробовать перехватить его, пока...

Он осекся и посмотрел наверх. Над кромкой крыши гигантского серого корпуса на фоне мечущихся косматых туч мелькнула и исчезла высокая фигура в плаще. Гронский перевел взгляд на черный джип: автомобиль дернулся и застыл на месте.

— Черт, — выдохнул Гронский.

Он быстро повернулся к Алине:

— Сиди тут смирно. Если что, стрелять можно только в людей Абдуллы. На бойцов Кардинала не смей даже наводить оружие, сразу поднимай руки вверх и кричи его имя. Жди меня. Если не вернусь, когда тут все закончится, — уходи одна.

Гронский выскочил из укрытия и исчез в дождливом мраке прежде, чем Алина успела что-то сказать. Она осталась одна. На площади остатки воинства Абдуллы из последних сил пытались защищать его машину, а со всех сторон к ним подбирались черные фигуры бойцов Кардинала.

* * *

Гронский остановился, осматриваясь. Огромный цех был тих и пустынен. В дальнем левом углу различались смутные очертания широкой лестницы, ведущей на крышу. Всю торцевую стену напротив занимало гигантское окно с чудом сохранившимися большими стеклами, едва держащимися в ветхих редких переплетах деревянных рам. Серое ночное свечение, сочащееся через пыльное стекло, как влага сквозь грязную тряпку, разбавляло кромешную темноту до мутных безжизненных сумерек. В углу напротив входа в цех громоздился ржавеющий железный хлам, обрезки труб и прутья стальной арматуры. У дальней стены рядом с окном темнела бесформенная куча строительного мусора, словно кто-то огромным веником смел туда все, что осыпалось с ветшающих стен и высокого потолка. На неровном полу одиноко валялся стоптанный старый башмак.

Снаружи, как будто из другого мира, доносились далекие и все более редкие выстрелы. Гронский обвел помещение быстрым взглядом, а когда снова посмотрел в сторону лестницы, увидел его.

Громадная темная фигура неподвижно стояла на фоне окна:

белое длинное лицо с черными провалами глаз, покрывающий голову капюшон, широкие плечи, с которых свисал длинный плащ.

Гронский сделал шаг вперед и медленно поднял обеими руками пистолет. Короткий ствол уставился в сторону незнакомца. Тот по-прежнему не двигался, повернув к Гронскому большое лицо, похожее на уродливую маску с прорезями для глаз. Потом черный плащ чуть колыхнулся от легкого движения, и Гронский увидел, что в длинной руке блеснуло широкое, чуть изогнутое лезвие, похожее на мясницкий тесак.

– Брось нож и встань на колени! – Гронский сказал это громко, но большое гулкое помещение обладало странной акустикой, и ему показалось, что слова прозвучали рядом с губами, словно что-то глушило звук, не давая отразиться от стен.

Но Вервольф услышал.

Он поднял руку, лезвие сверкнуло ртутным блеском, и широкими быстрыми шагами пошел прямо на Гронского.

Два выстрела ударили один за другим. Гронский целился в ноги и был уверен, что не промахнулся, но Вервольф лишь немного сбился с шага, на мгновение оступившись, и продолжал идти все быстрее и быстрее.

Еще два выстрела. Еще два и еще два – пули сорокового калибра били в широкую грудь и живот, исчезая бесследно в черноте длинного плаща и заставляя огромную фигуру лишь чуть покачиваться при ходьбе и на мгновение замедлять стремительное движение. Тяжелые сапоги оборотня стучали по бетонному полу, блестело лезвие и белым пятном маячило лицо – человеческая маска, кое-как прилаженная поверх морды хищного зверя.

Гронский поднял пистолет выше и, чувствуя, как внутри него нарастает ярость и страх, четыре раза подряд выстрелил в белое лицо. Затвор лязгнул и замер, отскочив назад. Вервольф на секунду остановился, помотал большой головой, зарычал и кинулся вперед. Гронский отбросил бесполезный пистолет, и в этот момент тяжелый изогнутый клинок, со свистом рассекая воздух, полетел ему прямо в лицо. Он кувырком ушел от удара, перекатился, поднялся и встал в боевую стойку напротив огромной черной фигуры Вервольфа.

Оборотень издал короткое грозное рычание и шагнул вперед, занося нож. Гронский быстро и хлестко ударил ногой, раз и другой, в колено и бедро противника, и в следующий миг нанес мощный удар локтем в грудь, целясь под сердце.

Ощущение было такое, словно локоть врезался в каменную стену.

Вервольф снова махнул ножом. Гронский едва увернулся, и тут же огромный кулак ударил его в плечо. Он отступил на шаг, с трудом сохранив равновесие, и снова рванулся вперед.

Гронский был быстрее и опережал противника на одно-два движения. Воздух гудел и дрожал от стремительных мощных ударов, но то, что лишило бы сознания и жизни любого человека, заставляло оборотня только покачиваться, рычать и атаковать с удвоенной яростью. Вервольф бил размашисто, сильно и необычайно быстро, так что через несколько секунд Гронский уже не думал об атаке и только с трудом успевал уворачиваться или защищаться. Предплечья болезненно ныли, словно ему приходилось отражать удары ломом или стальной трубой. Нож пару раз просвистел в нескольких миллиметрах от его лица и шеи, а последний взмах кривого лезвия чуть коснулся головы, и Гронский почувствовал, как по затылку потекла теплая струйка крови. Вервольф теснил его в угол, к груде ржавого железного хлама, пока, споткнувшись об изогнутый прут арматуры, человек на мгновение не потерял равновесие.

На этот раз удар большого костистого кулака оборотня пришелся в лицо. Звенящая боль тут же стиснула голову. Гронский попытался отступить, но железные трубы разъехались под ногами, и следующий прямой удар в грудь с сокрушительной силой обрушился на хрустнувшие ребра, опрокинув его спиной на груду металлического мусора. Оглушенный Гронский успел откатиться в сторону по впивающейся в бока острой стальной арматуре, и взмах кривого лезвия, который должен был разрубить его грудь, со звоном высек искры из ржавого металла. Гронский хотел подняться, но железный хлам под ним гремел и раскатывался в стороны, а когда он все-таки, невероятно извернувшись, нащупал точку опоры, огромный сапог поддел его в живот, разом выбив из легких весь воздух и отшвырнув в сторону, словно сдувшийся мяч.

Вервольф шагнул к лежащему на полу человеку. Бой доставил ему удовольствие. Он не часто встречал достойных противников: за всю его долгую, очень долгую жизнь таких не набралось бы и с десяток. Но этот человек был очень хорош. Ярость и боль, которую причиняли его удары, смешивались с удовлетворением от схватки с настоящим воином, а ведь чем сильнее враг, тем приятнее победа. Вервольф с удовольствием дал бы ему время прийти в себя и продолжить поединок, но увы — сегодня у него другая миссия, которая уже была выполнена, и теперь нужно уходить, не привлекая к себе лишнего внимания. Но он все же потратит еще немного времени: вырежет своему противнику сердце и съест его, в знак уважения и признания его доблести. Ничто не дает столько сил, как сердце храбреца.

Вервольф нагнулся, прижал человека плотнее к каменному полу и занес нож.

* * *

Остатки пехоты Абдуллы дрогнули примерно через две минуты после того, как их хозяин получил в сердце осиновую стрелу, прибившую его словно гвоздем к спинке автомобильного сиденья. Их исступленная ярость уступила место столь же исступленному ужасу неминуемой смерти – убийцы и насильники не знают доблести. Они разбегались в разные стороны, огрызаясь короткими автоматными очередями и выстрелами из ружей, преследуемые черными безликими тенями, словно демонами мщения, не дававшими им уйти от возмездия. Некоторые пытались укрыться в темных каменных лабиринтах завода, и оттуда время от времени доносились короткие выстрелы и слышались мгновенно обрывающиеся отчаянные крики: разведчики Хлои настигали их среди серых стен и в пустых коридорах цехов.

Несколько бойцов Кардинала окружили неподвижный черный джип, держа наготове широкие тубусы пушек с сетями. Кардинал в сопровождении Алекса и Виктора подошел к машине. Откуда-то из темноты, прихрамывая, появился Карл и тоже присоединился к ним. Некоторое время они молча смотрели на стоящий с горящими фарами автомобиль и темный недвижный силуэт на переднем сиденье.

– Что за черт? – пробормотал Кардинал. Дурное предчувствие нахлынуло мутной волной. Не может быть...

Он быстро подошел к дверце и рванул ее на себя.

На водительском месте сидел полуразложившийся труп, покрытый странными белесыми нитями, похожими то ли на могильную плесень, то ли на паутину. Сквозь нее виднелся отвратительный оскал черепа, обтянутого прогнившей коричневой кожей. Из черной кожаной куртки Абдуллы напротив сердца торчал короткий треугольник оперения. Толстая стрела вошла в тело почти полностью, и зазубренный серебряный наконечник высунулся с обратной стороны кресла. От резкого движения открывшейся двери голова мертвеца качнулась, и он уставился на Кардинала безжизненными глазами, подернутыми белесой пеленой смерти.

Кардинал несколько секунд молча смотрел в мертвые глаза Абдуллы. Потом еще раз взглянул на оперение стрелы, оценил угол, под которым она вошла в грудь, проследил взглядом направление ее возможного полета и уставился на скрытую дождем и мраком крышу. Крышу, с которой так и не прозвучало ни одного выстрела.

– Карл, группу наверх, быстро! Пусть обыщут там все... если еще не поздно.

Кардинал медленно прикрыл дверцу машины и огляделся вокруг. Под проливным дождем догорали подбитые джипы; пламя уже не было таким высоким и ярким, багровые языки огня с шипением торопливо подъедали остатки: краску, обшивку салона и почерневшую человеческую плоть, которая потрескивала, покрываясь лопающимися пузырями жира. Пахло раскаленным железом, порохом, кровью, горелым мясом, а еще холодом и водой. Вокруг лежали десятки неподвижных изуродованных тел. С разных сторон доносились выстрелы: последние короткие перестрелки вспыхивали и тут же гасли, подобно языкам умирающего пламени. Кардинал посмотрел наверх. Рваные тени серых облаков метались так, словно души погибших сегодня людей пытались пробиться сквозь свинцовую толщу небес. Но небеса оставались непроницаемы и глухи к этим попыткам, и душам ничего не оставалось, как вернуться обратно вместе с холодным дождем и просочиться сквозь грязный асфальт и мокрую землю вниз, туда, где многих из них давно уже ждали.

– Похоже, все было зря, – заметил Алекс. Дождь смыл его деловой лоск, и теперь он был похож не на преуспевающего бизнесмена, а на школьника, принарядившегося по случаю выпускного бала, которого окатили водой из ведра злокозненные одноклассники. – Жаль... столько сил впустую.

Кардинал пожал плечами.

– Пусть это зачтется нам, как бескорыстное доброе дело, – сказал он. – На несколько десятков мерзавцев в этом мире стало меньше. А Абдуллу, я думаю, можно одного посчитать за сотню. Воздух в городе станет чище.

Он подумал и добавил:

– Хотя и не намного...

Совсем рядом снова загремели выстрелы: два подряд из пистолета, потом коротко ударила автоматная очередь, которую прервал сухой стрекот пистолет-пулеметов. Кардинал услышал, как звонкий женский голос несколько раз выкрикнул его имя. Он обернулся: двое бойцов вели к нему невысокую молодую женщину в черной куртке и с растрепанными рыжими волосами, стремительно намокающими под дождем.

– Здравствуйте, Алина, – устало сказал Кардинал. – Не могу сказать, что очень сильно удивлен нашей встречей. А где же ваш спутник?..

* * *

Холодный каменный пол. Тусклая серая мгла. Голова звенит от раскалывающей боли. Сильнее болят только ребра, и в груди что-то нехорошо скрипит при каждом вдохе. Жесткая рука прижимает меня к полу. Похоже, меня снова избили. Это уже было. Или происходит сейчас?.. Затуманенное сознание отказывается различать прошлое и будущее. Но в любом случае я знаю, что нужно сделать.

Я открываю глаза и вижу склонившуюся надо мной огромную темную фигуру и лицо, белеющее во мраке, словно лик привидения. Я улыбаюсь ему и резко бью коленом в пах. Он воет, запрокидывая голову, разжимает свою железную хватку, но тут же незряче тыкает ножом. Я чувствую, как лезвие входит в левое плечо, словно раскаленная игла в восковую фигурку, но у меня все же получается приподняться, захватить левой рукой поросший жесткой шерстью затылок и ладонью правой резко ударить в основание носа. Раздается мокрый хруст. Он с воплем отшатывается и закрывает лицо руками. Сквозь узловатые толстые пальцы течет темная, густая жидкость.

Я вскакиваю на ноги. Боль полыхает ослепительной вспышкой и сразу гаснет, выключенная милосердным сознанием, но я не знаю, насколько меня еще хватит. И пока он стоит, прижав руки к лицу, я с лязгом вытягиваю из груды ржавого железа трубу длиной почти в мой собственный рост и широко размахиваюсь. Труба с низким гудением рассекает воздух и обрушивается на его лоб как раз тогда, когда он наконец опускает руки. Темная рана прочерчивает белую маску лица, черная кровь широкой волной заливает провалы глаз. Он стонет, почти как человек, шатается, но остается стоять на ногах. Потом смотрит на меня, широко разевает пасть и рычит, скаля желтые клыки и обдавая меня тяжелым кровавым дыханием хищника.

Я понимаю, что победить его мне не под силу. Уйти живым

он мне тоже не даст, так что о том, чтобы попытаться сбежать, не стоит и думать. Я смотрю ему за плечо: до огромного, во всю стену, окна чуть больше пятнадцати метров. Если нельзя одолеть его в схватке, то можно попытаться хотя бы выбросить наружу. Конечно, это его не убьет, но сейчас я, пожалуй, согласен на ничью.

Я делаю шаг вперед, резко бью одним концом трубы в бетонный пол, ставлю ее вертикально, подпрыгиваю, держась обеими руками, и изо всех сил вращаюсь вокруг, как заправская стриптизерша. Удар двумя ногами приходится ему в грудь. Он снова рычит и отступает на несколько шагов, пытаясь сохранить равновесие. Я быстро шагаю вперед, труба снова лязгает о бетон, и я еще раз бью его обеими ногами с разворота, вкладывая в этот удар все остатки быстро покидающих меня сил. На этот раз он спотыкается и падает. До окна остается несколько метров. Он встает, в ярости размахивая ножом и ощеривая в оскале острые зубы, но еще один удар отбрасывает его почти к самому окну. Мне нужно сделать еще одно, последнее движение, и тогда я вышвырну его сквозь стекла и рамы вниз, в темноту узкого прохода между заводскими корпусами. И я снова бью в пол железной трубой и прыгаю.

Но тут что-то идет не так. Тело все-таки подводит меня, и страшная боль внезапно обрушивается с такой силой, что я на мгновение теряю сознание. Руки выпускают холодное железо, труба со звоном падает, а вместо сокрушительного удара, который должен был выбросить моего противника наружу, получается только толчок, впрочем, достаточно сильный для того, чтобы снова опрокинуть его на спину. Я лежу на холодном бетоне, едва дыша от боли, и вижу, как он падает и разбивает головой пыльное стекло окна у самого пола.

Старые оконные переплеты дрожат и через мгновение рассыпаются крошевом гнилых щепок. Огромное стекло тяжело скользит вниз, как нож гильотины. Я успеваю повернуться на бок, закрыть лицо и голову руками, и чувствую содрогание каменного пола, когда стекло ударяется в нижний край стены, а потом с грохотом рассыпается на множество осколков.

Становится очень тихо. Затхлое пространство цеха мгновенно заливает холодный влажный воздух. Я чувствую, как на мою щеку падают долетающие снаружи капли дождя. Я приподнимаюсь и смотрю туда, где несколько мгновений назад было окно. У самого края разверзшейся темной бездны лежит обезглавленное тело большого черного волка. Широкая ткань плаща раскинулась вокруг него, как погребальное покрывало. Среди засыпавших его стеклянных осколков тускло блестит лезвие кривого ножа.

Я не знаю, сколько времени пролежал без чувств и без мыслей. Помню только, как хрустели подо мной стекла, когда я пытался повернуться так, чтобы унять разрывающую ребра боль. Потом были шаги, перекрещивающиеся лучи фонарей, голоса, и чьи-то холодные пальцы трогали меня за запястья и шею. Сквозь заливающее сознание мягкое забытье я чувствовал, как нарастает вокруг меня суета, а потом услышал знакомый женский голос.

– О, Господи! – воскликнула женщина.

Я почувствовал, как быстрые руки ощупали мои раны, потом дотронулись до ребер, и я снова потерял сознание.

# Глава 14

– Два ребра сломано, – строго сказала Алина. – И возможно, что еще минимум в трех ребрах трещины. Это не считая сотрясения мозга, пореза на голове, колотой раны плеча и вероятных внутренних повреждений, которые я не могу диагностировать при поверхностном осмотре.

Гронский молчал.

– Больница по тебе плачет, – добавила Алина и покосилась на Гронского.

В комнате горел яркий свет. За окном сгустилась неподвижная ночь, какой она бывает в самой темной своей глубине, в преддверии первых утренних часов. На низком столике стоял раскрытый аптечный ящик, валялись бинты, ножницы, небольшой моток хирургической нити и пара изогнутых окровавленных игл в плоской металлической миске с водой, по которой расплывались розовые разводы.

Гронский лежал на диване, обнаженный по пояс, вытянувшись на белой смятой простыне и молча глядя в потолок. Алина вздохнула, еще раз окинув взглядом его худое жилистое тело. На груди, в том месте, куда пришелся сокрушительный удар Вервольфа, расплылся огромный багрово-синий кровоподтек. Еще один красовался на правой стороне лица («удивительно, что лицевые кости не сломаны», – прокомментировала Алина); через живот тянулась широкая ссадина от удара сапогом. Рану в левом плече Алина зашила, осторожно орудуя иглой и периодически с опаской посматривая на Гронского — тот спокойно перенес эту процедуру, только раз слегка поморщившись, — а потом наложила повязку. Порез на голове был признан неопасным, и Алина ограничилась тем, что просто продезинфицировала его и остановила небольшое кровотечение.

С того момента, как Алина увидела Гронского, лежащего среди осколков стекла по соседству с обезглавленным трупом огромного черного волка, прошло уже часа три. Тогда, в первое страшное мгновение, Алина подумала, что Гронский мертв. Яркие лучи фонарей хаотично метались по стенам, сплетались в световую паутину, сияющей сетью накрывая неподвижное тело человека на полу; вокруг сновали темные силуэты, слышались голоса, хрустело битое стекло под ногами. Она бросилась к нему сквозь мельтешащий хаос света и тени, упала на колени и прикоснулась пальцами к шее, с невероятным облегчением почувствовав ровное биение пульса под теплой кожей. Он застонал и, кажется, хотел что-то сказать, но Алина распахнула на нем изрезанную куртку, чтобы осмотреть возможные раны, прикоснулась к груди, и он снова потерял сознание — от боли в сломанных ребрах, как теперь понимала она. Кардинал что-то озабоченно говорил своим людям, кажется, давал какие-то распоряжения, лучи фонарей начинали мелькать быстрее, тени вокруг появлялись и исчезали, и Алина слышала краем уха обрывки фраз:

— ...трое на крыше, без признаков жизни...

— ...только животное, никого больше не удалось найти...

— ...брошенный арбалет...

Минут через пять Гронский снова пришел в себя. Алина помогла ему сесть, постоянно спрашивая, как он себя чувствует, но Гронский лишь мотал головой, морщась от боли. К ним подошел Кардинал. К величайшему возмущению Алины, ее попросили отойти ненадолго в сторону, и некоторое время Кардинал и Гронский о чем-то негромко разговаривали, пока недовольная Алина наблюдала, как бойцы в черной униформе быстро заворачивают в широкую темную ткань обезглавленное тело волка.

Выстрелы снаружи слышались все реже, и к тому времени, как они вместе с Кардиналом спустились по узкой длинной лестнице и вышли из двери заводского корпуса, все стихло окончательно. На ярко освещенной автомобильными фарами площади царила неторопливая деловитая суета. К трем длинным машинам Кардинала присоединились четыре небольших фургона; боковая дверь одного из них была отодвинута, и люди в черном помогали забраться туда нескольким своим раненым товарищам. В тусклом свете лампочки внутри Алина рассмотрела болтающиеся провода и трубки капельниц. Еще двоих, неподвижно вытянувшихся на небольших мобильных носилках, грузили через раскрытые задние дверцы другого автомобиля. Среди тех, кто прибыл на завод вместе с Абдуллой, раненых не было. Несколько темных безликих силуэтов словно мрачные жнецы бродили по полю боя, время от времени останавливаясь и делая одиночные выстрелы.

Они прошли мимо застывшего на месте джипа с трупом на переднем сиденье. Гронский на несколько секунд задержался рядом, потом переглянулся с Алиной и, поддерживаемый ею под руку, поковылял дальше. Кардинал любезно предложил довезти их до машины. Гронский и Алина погрузились в пахнущие деревом и кожей, обволакивающие недра салона «Rolls Royse», Кардинал присоединился к ним, а за руль сел человек с удивительно непримечательной внешностью, и Алина некоторое время безуспешно пыталась вспомнить, где она его видела и видела ли вообще. Когда автомобиль плавно выбирался через разверстые железные ворота с заводской территории, им навстречу въезжали два длинных крытых грузовика и несколько эвакуаторов: люди Кардинала были приучены аккуратно убирать за собой.

«Rolls Royse» мягко остановился у съезда с дороги, и Алина отметила, что ни Кардинал, ни его молчаливый водитель не спрашивали о том, где именно Гронский оставил свой джип. От дальнейшей помощи Гронский наотрез отказался, и когда автомобиль Кардинала, развернувшись в два приема на узкой дороге, скрылся в дождливой тьме, долго проверял «Wrangler» каким-то похожим на рацию электронным прибором, который вытащил из металлического чемоданчика в багажнике.

За руль села Алина: Гронский был не в том состоянии, чтобы уверенно вести машину, и, уже въехав в город, они еще долго кружили по ночным пустынным улицам, пока Гронский не убедился, что за ними никто не следит.

Они ввалились в квартиру глубокой ночью: усталые, измученные, промокшие и грязные. Алина в одно мгновение скинула куртку и ботинки, помогла раздеться Гронскому и провела его в комнату, где и уложила на наспех расстеленную на диване простыню. Потом метнулась на кухню, поставила чайник, нашла аптечку и не особо удивилась, когда обнаружила в ней запас перевязочных средств, хирургические иглы, нити и несколько шприц-тюбиков с обезболивающим и адреналином. Через несколько минут, невзирая на неубедительное сопротивление, Гронский был уже раздет, осмотрен, а его раны подвергнуты первичной обработке. Алина сделала несколько глотков горячего крепкого чая и стала старательно зашивать глубокую колотую рану в плече. Гронский начал было рассказывать о том, что произошло в цеху заводского корпуса, где его нашли едва ли не в обнимку с обезглавленным телом черного волка, но Алина, послушав пару минут, покачала головой и предпочла сосредоточиться на обработке ран: в этом она разбиралась, это было понятным, и от этого не разило очередной дикой чертовщиной. Впрочем, если верить Гронскому, то именно чертовщина его так и отделала.

Алина снова взглянула на израненное тело своего напарника. Среди багровых кровоподтеков и ссадин были видны следы других, более старых и явно более серьезных ранений: три рваных круглых шрама от пулевых отверстий на груди, еще один такой же, но крупнее – на левом плече, почти в том же месте, куда пришелся сегодняшний удар ножа. Длинный белый след от какого-то холодного оружия тянулся под ребрами слева, а на правом боку красовалась широкая неровная полоса, похожая на заживший ожог. Алина покачала головой.

– Больница по тебе плачет, – повторила она. – Сломанные ребра – это не пустяки, знаешь ли. И еще меня очень беспокоит травма головы с потерей сознания: а если у тебя субдуральная гематома? Зрачок вроде бы нормально реагирует, но такими вещами не шутят: не дай Бог, провалишься ночью в кому, и что я буду тогда с тобой делать?

Гронский молча смотрел в потолок. Алина вздохнула.

– Родион, я серьезно. Давай я позвоню, отвезем тебя в академию, у меня там все знакомые, а?

Гронский оторвался от созерцания потолка и посмотрел на Алину.

– Нет, – сказал он. – Спасибо, но нет. Завтра нам нужно будет еще кое-что сделать. Давай подождем день-другой, ладно?

Алина махнула рукой.

– Дело твое. Но я предупреждаю: если ты опять потеряешь сознание, хоть на минуту, я тебя в больницу отправлю принудительно и даже спрашивать не буду. Понятно?

Гронский слабо улыбнулся.

– Договорились.

– Хорошо. Ну а теперь расскажи еще раз, что там произошло?

Гронский помолчал.

– Это был оборотень, – сказал он после паузы. – Вервольф.

Алина отвернулась и стала смотреть в окно. Ночь таращилась на нее сквозь мокрое стекло.

– Он убил Абдуллу стрелой из арбалета: я уверен, что осиновой и с серебряным наконечником. Видимо, Абдулла был уже... не вполне человек, что объясняет то, в каком состоянии нашли его труп сразу после смерти. Ты ведь видела тело?..

Алина кивнула. Да, она видела тело, но не могла с уверенностью сказать, чье именно: сидящий на переднем сиденье автомобиля полуразложившийся мертвец, весь покрытый нитями странной белесой плесени.

– Я понял, что Абдулла мертв, когда его машина осталась неподвижной после того, как он до нее добрался, – продолжал Гронский. – А потом увидел фигуру на крыше. Тот, кто стоит за Абдуллой, знал о планах Кардинала и понимал, что Абдуллу собираются захватить как источник информации. И поэтому послал оборотня, позаботившись о том, чтобы этого источника не стало. Я понял, с кем именно пришлось сражаться, только когда увидел обезглавленного волка, хотя то, что я имею дело не с человеческим существом, стало ясно, когда я всадил в него полную обойму из пистолета: двенадцать пуль сорокового калибра, выпущенных в грудь, живот и голову, которые не причинили ему ни малейшего вреда. И если бы он случайно не подставил шею под упавшее стекло, то мы бы сейчас с тобой не разговаривали, а он сам уже бы вернулся в город.

Гронский закашлялся, морщась от боли. Алина встревоженно поднялась с места, но он махнул рукой.

– Ничего... все в порядке. У меня уже были когда-то сломаны ребра.

– Послушай, я говорю тебе еще раз, как врач: нужно ехать в больницу, и...

Гронский отрицательно покачал головой, отдышался и продолжил:

– Я думаю, что этот оборотень и есть тот убийца, которого мы искали. В человеческой форме он был огромного роста и невероятной силы – ее я испытал на себе, можешь мне поверить. Помнишь девушку-телохранителя? Теперь ясно, почему ей не удалось отбиться от нападавшего при помощи пистолета. И следы зубов, похожих на собачьи клыки, тоже становятся понятны: это он выхватывал куски из тел жертв, когда заканчивал свою кровавую работу и принимал облик зверя...

– Родион, – сказала Алина. – Ты не мог бы перестать говорить про оборотней?

Гронский печально взглянул на нее.

– Я так понимаю, что все, что ты видела, так и не убедило тебя в существовании подобных явлений, да?

Алина вздохнула.

– Я могу сказать тебе, что я видела, – а за последние пару дней я насмотрелась достаточно. Я видела окровавленные хирургические столы и лабораторию в подвале пустого дома и убедилась, что там проводились какие-то эксперименты. Видела человека, упавшего с высоты тридцати с лишним метров на мою машину. Видела, как были убиты десятки людей – и я не могу сказать, что это мне очень понравилось. Видела тебя, отделанного так, словно ты подрался с камнедробилкой, что убедило меня в существовании людей, способных тебя побить. Видела труп большой черной собаки или волка без головы, что убедительно доказало существование безголовых трупов черных собак. Видела разложившийся труп на переднем сиденье автомобиля – но в своей практике я сталкивалась и с вещами похуже, особенно когда на тело воздействовали токсичные биологические вещества. Но ни одного превращающегося в человека оборотня, ни одного вампира, летающего, как летучая мышь, ни одной ведьмы в ступе и ни одной русалки я не видела, ты уж извини.

Гронский молча слушал. Алина прикусила губу и посмотрела на него.

– Прости, – сказала она как можно более мягко. – Просто все это как-то слишком для меня. Я не спорю с очевидным и готова признать, что Коботу удалось каким-то образом получить в ходе своих опытов тот самый ассиратум, о котором ты говорил. Это уже само по себе более чем удивительно, учитывая свойства этого вещества. И сейчас мне кажется, что нам нужно было браться именно за Кобота, а не лезть в кровавую баню на заводе, которую устроил там твой друг Кардинал. Я уже готова поверить в реальность алхимических и даже отчасти магических практик, пусть так, но превращающийся в человека волк... это далеко за гранью моих представлений о мире.

– Тогда с кем я, по-твоему, дрался? – негромко спросил Гронский.

Алина промолчала. Повисла пауза, и только в тишине где-то торопливо постукивали часы.

— Ладно, — сказал наконец Гронский. — Во всяком случае, можно убедиться в том, что моим противником был тот самый убийца, которого мы искали.

Он приподнялся, неловко оперся на левую руку и с болезненным стоном повалился обратно на диван.

— О Господи! — всплеснула руками Алина и вскочила с места. — Куда ты собрался, лежи уже, ради Бога! Что сделать? Принести что-то?

— Да, — проговорил Гронский сквозь зубы. — Мою куртку.

Алина быстро вышла в коридор. Там, под вешалкой, бесформенной кучей валялась грязная истерзанная черная куртка Гронского. Алина подняла ее, чувствуя, как та повисла в руке, наполненная странной тяжестью.

Гронский взял куртку, расстегнул молнию на длинном внутреннем кармане, достал оттуда большой увесистый предмет и с тяжелым стуком положил его на столик рядом с аптечкой.

— Вот.

Перед Алиной лежал огромный нож с длинным, широким и чуть изогнутым однолезвийным клинком. На заостренном конце размазалась свежая кровь. Темная металлическая рукоять была выполнена в форме какого-то странного зверя и плавно изгибалась, передавая контуры мускулистого длинного тела, распластавшегося в хищном прыжке. Задние ноги этого существа переходили в клинок, хлещущий в ярости хвост образовывал упор для руки, а навершие рукояти заканчивалось вытянутой, оскаленной мордой. Нож смотрелся дико и странно здесь, на низком журнальном столике, при ярком электрическом свете, словно чужеродный предмет, не принадлежащий этому миру, а созданный руками неизвестных мастеров, чье темное искусство давно забылось и кануло в пучину времени вместе с теми, кто им владел. Алина с содроганием посмотрела на нож и подумала, что сам по себе этот предмет, отчетливо источающий зло и угрозу, мог бы служить доказательством существования хоть оборотней, хоть троллей.

— Сколько времени понадобится, чтобы проверить его как возможное орудие убийства? — спросил Гронский.

Алина пожала плечами, не сводя глаз с ножа.

— Один день. Но мне почему-то сейчас кажется, что ответ очевиден.

— Мне тоже, — кивнул Гронский. — Можешь заняться этим прямо с утра?

Алина оторвала взгляд от оружия и посмотрела на Гронского.

– Да, но для этого мне нужно будет вернуться в Бюро.

Он на секунду задумался.

– Полагаю, что это возможно. Абдулла больше уже никому не сможет причинить вреда. Все или почти все его люди тоже мертвы. Что же до Кобота, то я думаю, у него сейчас есть дела поважнее: люди Кардинала наверняка уже ищут его, если еще не нашли.

– Хорошо. Я сделаю.

– Ну вот и прекрасно. А я, пожалуй, все-таки послушаюсь твоего совета насчет больницы и наведаюсь в один медицинский центр. Хотя теперь в этом вряд ли есть смысл.

В эту ночь Алина спала крепко и без сновидений, просто провалившись в темный, уютный сон, как ребенок, прячущийся под одеяло от ночных страхов.

* * *

На следующий день она вернулась в квартиру Гронского только поздним вечером, едва держась на ногах от усталости.

В Бюро судебно-медицинской экспертизы царил постепенно перерастающий в панику хаос, вызванный одновременным отсутствием начальника Бюро, руководителя отдела экспертизы трупов и двух старших судмедэкспертов, включая Алину. В ее лаборатории оставались только два молодых врача-эксперта и двое еще более молодых интернов, растерянно отбивавшихся от натиска следователей, оперативников и санитаров, подвозивших все новые и новые трупы, которых, как назло, в последние два дня было необыкновенно много, как будто смерть, почувствовав ослабление оборонительных позиций, бросила в атаку резервные отряды мертвецов.

В коридоре у дверей приемной Кобота Алина встретила директора по административно-хозяйственной части, на которого в случае отсутствия начальника Бюро автоматически возлагалось руководство всеми подразделениями. Несчастный суетливо метался по коридору с какими-то бумагами в руках, одышливо пыхтел и потел лысиной. К работе экспертных отделов он не имел никакого отношения и сейчас на ходу силился разобраться в обрушившейся на него массе текущих дел, так что неожиданно появившейся Алине он обрадовался, как радуется кавалерийскому подкреплению безнадежно застрявший в окопах бригадный генерал. Уже через несколько минут он подписывал приказ о временном назначении Алины руководителем отдела экспертизы трупов, на который с кислым лицом шлепнула печать секретарша Кобота, утратившая в отсутствие своего повелителя весь надменный лоск и ставшая просто обыкновенной стареющей некрасивой теткой. Так Алина, едва переступив порог Бюро, неожиданно стала начальником своей лаборатории. «Видел бы это Кобот, – подумала она. – И Эдип, кстати, тоже».

Текущей работы в отделе накопилось столько, что заняться ножом Алина смогла уже только под вечер. Она даже почти забыла про него в привычной рабочей суете, такой нормальной и далекой от всего, что ей пришлось пережить за последние дни. Так что вечером, выложив перед собой нож на лабораторный стол, Алине пришлось не без труда укладывать в голове воспоминания о невероятных обстоятельствах, при которых этот странный и пугающий предмет оказался теперь здесь.

Ей опять понадобилось нанести визит в морг. Доктор Зельц, читавший в своем углу книжку в истрепанной обложке, глянул на нее с испугом, шарахнулся в сторону и куда-то исчез. Алине пришлось ждать, пока он вернется и снова извлечет из морозильной камеры тело несчастной девушки, так и не востребованное родными и не погребенное муниципальными службами. «Привет, Аня, – прошептала она. – Прости, что снова беспокою». Тело все меньше походило на человека, превращаясь в подобие какого-то гипсового муляжа, изображающего человеческое существо, но совершенно чуждое всякой жизни, как будто плоть постепенно забывала когда-то жившую в ней душу. Алина еще раз осмотрела раны, сделала необходимые замеры, потом вернулась к себе и подняла результаты своих исследований еще двух жертв: Марины и девушки-телохранителя. В итоге с работы она уходила последней, пройдя через гулкие полутемные коридоры мимо дремлющего на вахте пенсионера-охранника, похожего на восковую куклу, и вышла через стеклянные двери на улицу, под неприветливый дождь, к ожидающему ее такси.

По дороге Алина заехала в аптеку: нужно было купить для Гронского лекарства и еще пару перевязочных пакетов на всякий случай. После аптеки, немного подумав, Алина сделала еще один небольшой крюк, чтобы зайти в супермаркет. За то время, что она провела в квартире Гронского, Алина успела убедиться практически в полном отсутствии приемлемых продуктов питания: только чай, виски, какой-то человечий сухой корм в нескольких открытых бумажных пачках да притаившийся на полке в пустом холодильнике кусочек чего-то бесформенного, завернутый в заиндевевший целлофан. Алина набрала полный пакет продуктов и с трудом донесла его до такси под становящимся все более холодным дождем.

Так она и подошла к дверям квартиры: промокшая, усталая, с огромным пакетом из супермаркета, еще одним – из аптеки, и с собственной сумочкой, тяжелой от лежащего там ножа, который Алина не стала оставлять в лаборатории. «Как домохозяйка после работы, – подумала она и впервые за сегодняшний день улыбнулась. – Дорогой, я дома».

Гронский открыл ей дверь и молча ушел в комнату. Когда вошла Алина, он уже лежал на диване, глядя в потолок, и что-то подсказало ей, что в такой позе он провел последние несколько часов.

Алина с шумом сгрузила на пол мокрые мешки и быстро подошла к нему.

– Привет, ты как? – спросила она и нагнулась, чтобы расстегнуть ему рубашку на груди. Он поморщился, но позволил прикоснуться к нему – холодными пальчиками к теплой коже.

– Много двигался сегодня? – снова спросила она, осторожно осматривая ушибы и ссадины. – Так, здесь вроде бы ничего... больно вот так? Тут тоже в порядке... хотя надо было все-таки тебя не слушать вчера и в больницу отправлять. Повязка промокла... так много двигался?

Гронский уставился в потолок отсутствующим взглядом. Алина внимательно посмотрела на него.

– С тобой все в порядке?

Гронский кивнул.

– Да. Вполне.

– Ты какой-то странный немного...

– Просто устал.

Алине показалось, что ее еще не согревшимся рукам, касавшимся тела Гронского, стало холоднее. Она поднялась с дивана, одернула юбку и села на стул. Наступило молчание.

– Если хочешь, сделай себе чай, – проговорил Гронский, все так же глядя перед собой.

– Не хочу, – ответила Алина, подумав, что чашка горячего сладкого чая была бы сейчас как нельзя более кстати.

Снова молчание.

– Как прошел день? – спросила она.

Гронский пожал плечами.

– Никак. В «Данко» никого нет, кроме людей Кардинала. Мне пришлось звонить ему и просить разрешения на небольшую экскурсию. Все бумаги из рабочего стола в кабинете Кобота они изъяли. В ящиках пусто, только старые карандаши и кнопки. То же самое в подвальной лаборатории: остались только столы, клетки и закрытые холодильники, а оборудование и рабочий компьютер вывезли. Следов самого Кобота, разумеется, никаких: или его тоже увезли, или он сам узнал о том, что произошло с Абдуллой, и теперь скрывается. Как бы то ни было, для нас он потерян. Вот так.

Гронский чуть пошевелился, поворачиваясь к Алине, и скривился от боли в сломанных ребрах.

– А что у тебя? – спросил он.

– Ну... с высокой долей вероятности можно утверждать, что этот нож и есть то самое оружие, которое использовалось в серии интересующих нас убийств.

– Что значит «с высокой долей вероятности»?

– Процентов восемьдесят.

– Почему не сто?

– Сто может дать только Господь Бог, – несколько резко ответила Алина, которую уже начинала раздражать сегодняшняя манера разговора Гронского и его странная апатия. – У меня было не так много лабораторного материала, только одно доступное тело вероятной жертвы, убитой этим ножом, и два адекватных заключения экспертизы, которые я сама и составляла, так что...

Она покачала головой.

– Алина, – резко сказал Гронский, – я не следователь прокуратуры и не судья. Ты можешь просто сказать: это тот нож? Это орудие убийства?

– Я могу сказать, что форма клинка, его вес и ряд ключевых характеристик полностью совпадают с описанием оружия, которое использовалось... – Она посмотрела на Гронского и осеклась. – Да. Это орудие убийства.

Гронский со вздохом откинулся на спину, и Алине показалось, что она услышала в этом вздохе досаду и разочарование.

Снова наступила тишина. Алина сидела на стуле с прямой жесткой спинкой, в комнате горел яркий свет, и она почувствовала себя крайне неловко, словно вдруг стала лишней, как нежеланный гость или нелюбимая собака. Алина передернула плечами.

– О чем ты думаешь? – спросила она, мысленно тут же отругав себя за нелепый вопрос.

– Я думаю, что тебе можно возвращаться домой, – сказал Гронский. – Абдулла мертв. Кобот или захвачен Кардиналом, или в бегах, так что возможностей причинить тебе сейчас вред у него нет, да и смысла это делать теперь тоже нет никакого. Так что опасности позади.

Алина растерянно смотрела на Гронского.

— И это все? А наше расследование? Поиски того, кто стоял за всем этим, того, кто делает ассиратум... — Она опять почувствовала, что и говорит, и ведет себя нелепо и что лучше, наверное, действительно встать и уйти.

— Все закончилось, — устало отозвался Гронский. — Организатор преступлений мертв и даже успел немного разложиться. Исполнитель тоже погиб, и все, что от него осталось, это орудие убийства. Распространитель бесследно исчез. Три основных звена этой цепи разорвались разом. Нет больше никого, кто мог бы вывести нас на производителя. Впрочем, мы же добились того, чего хотели, верно? Злодеи наказаны. Убийца твоей мамы мертв. Правда, мы, видимо, так никогда и не узнаем, почему она была убита и почему Марина погибла в середине месяца, а не в новолуние. Но тут уж ничего не поделаешь.

— То есть... все, конец истории? — спросила Алина.

— Наверное, да, — ответил Гронский.

— И что мне теперь делать?

Он снова пожал плечами.

— А что ты делала до этого? Жить своей жизнью, я думаю.

Алина почувствововала, что в голове у нее зашумело. Как странно: еще несколько дней назад она с досадой думала о том, как неожиданно и неудобно ворвались в ее размеренное существование необъяснимые события, Гронский с его странными историями, загадками и туманными намеками. Но теперь Алина вдруг осознала, что уже не представляет себе иной жизни, кроме той, в которой она преследует неведомого убийцу в лабиринте ночных дворов, проникает в таинственные подвалы, разговаривает с почти всесильным главой секретной шпионской организации или идет по следу, оставленному на страницах манускриптов таинственными средневековыми некромантами. Каким-то удивительным образом все это успело стать ее настоящей жизнью, полной опасностей, приключений, тайн, жизнью, которую открыл для нее Гронский и которой сейчас так спокойно ее лишал.

— Тогда я пойду? — спросила она. Говорить вдруг стало трудно, в горле как будто стеснилось что-то неприятное.

— Да. Пока, — сказал Гронский, по-прежнему лежа на спине и не меняя позы.

Алина еще немного посидела на стуле, словно чего-то ждала. Капли дождя стучали по мокрому стеклу как чьи-то злые слезы.

— Я тебе лекарства купила, — сказала она. — И еще продукты... там, в пакете.

Она резко поднялась и пошла к дверям. Ей вдруг захотелось уйти очень быстро, пока то, что мучительно стеснилось в горле, не вырвалось наружу.

— Алина, — окликнул ее Гронский. Она стремительно обернулась, но он смотрел на нее все тем же равнодушным и немного печальным взглядом.

— Спасибо тебе большое. За все, — сказал он.

— Ага, — отозвалась Алина. — И тебе.

Она кивнула, вышла в коридор, торопливо оделась и почти выбежала из квартиры. В горле застыл комок, и мир дрожал и расплывался во влажной пелене.

Она вышла на проспект, совершенно не чувствуя ледяного злого дождя и промозглого ветра, поймала такси и поехала домой.

Квартира встретила ее тишиной, темнотой и холодом. Алина зажгла свет и осмотрелась, на мгновение внутренне вздрогнув: воображение нарисовало ей распухшие трупы бандитов, так и оставшиеся лежать там, где их настигла смерть. Конечно, ничего подобного не было. Чистильщики Кардинала сделали все аккуратно, не оставив ни тел, ни малейших следов крови, ни пуль в стенах и дверных косяках, на месте попадания которых теперь зияли отверстые раскуроченные дыры. Впрочем, ремонт и уборка не входили в перечень оказываемых людьми Кардинала услуг: пол был по-прежнему засыпан бетонной крошкой, щепками и осколками разбитых зеркал. «Семь лет несчастий», — подумала Алина.

Она прошлась по квартире. Знакомые вещи, лежавшие на тех же местах, где она оставила их в памятное утро, только подчеркивали неприятное ощущение чужой пустоты, словно то живое, что делало это место домом, умерло, расстрелянное автоматными очередями.

Мысль о том, чтобы остаться тут на ночь, вызвала страх. Алина зажгла свет во всех комнатах, коридоре, на кухне и даже в ванной, взяла большую дорожную сумку и стала собирать вещи, вначале стараясь складывать их аккуратно, а потом уже заталкивая торопливо и кое-как. Иногда она оборачивалась: ей казалось, что за спиной, в залитом ярким желтым светом коридоре, она увидит человека с глазами, как у печальной собаки, или другого, с оскалом хорька и ножом в руке.

Алина закончила сборы, застегнула молнию, вынесла сумку в коридор и, когда стала одеваться, обнаружила, что забыла в своей сумочке маленький пистолет, который дал ей Гронский. «Надо вернуть», – мелькнула мысль, но тут же исчезла, оборванная другой, прозвучавшей зло и резко: «Черта с два!»

Она повесила сумочку на плечо, достала телефон и набрала номер. Ей ответили почти сразу.

– Папа? – сказала Алина в трубку. – Папа, можно я к тебе приеду? Да, сейчас. Нет, ничего не случилось. Ничего страшного. Правда. Просто… я хочу к тебе приехать.

Через минуту она уже выходила из квартиры и запирала дверь, сомневаясь в том, что когда-нибудь захочет сюда вернуться.

* * *

Я слышу, как хлопает входная дверь и с лязгом защелкивается замок. По пустынной лестнице стучат каблучки, а потом внизу гулко ахает дверь подъезда.

Становится очень тихо. Ну вот и все.

Звонок мобильного телефона звучит неожиданно громко. Я беру трубку, смотрю на экран и чувствую, как сердце сильнее ударяется о раненые ребра. Я уже набирал этот номер сегодня, когда вернулся домой после визита в разоренный медицинский центр Кобота и когда понял, что все нити расследования безнадежно оборваны раз и навсегда. Тогда на вызов никто не ответил, и я лежал на диване, подпевая гудкам, пока они не прекратились. И вот теперь мне возвращают звонок.

– Привет, вы мне звонили.

Мягкий, глубокий женский голос.

– Возможно, – отвечаю я. – Я звонил одной прекрасной девушке, которая написала мне свой номер на салфетке, а потом таинственно исчезла.

Она смеется, как будто кто-то играет дивную мелодию на неведомых человеку музыкальных инструментах.

– Родион, рада вас слышать. Извините, что пропустила звонок, я просто не могла тогда разговаривать.

– Понимаю.

– Чем вы занимаетесь?

– Созерцанием и размышлением.

В груди у меня стало тепло и становилось все теплее и теплее, как будто разливались горячее молоко и нежный мед.

– Как интересно, – говорит она. – Впервые слышу такой изящный эвфемизм для безделья.

– Впервые слышу, как девушка использует в речи слово «эвфемизм», – отзываюсь я. – Леди прекрасно образована.

– У леди было много времени и возможностей заняться своим образованием, – улыбается она.

Я слышу эту улыбку так же ясно, как если бы видел ее в эту самую минуту.

– И как долго джентльмен собирается созерцать и размышлять?

– Честно говоря, это занятие уже мне наскучило.

– Тогда, может быть, мы увидимся? Скажем, завтра... если ты не очень занят, конечно...

– Я совершенно не занят, – отвечаю я.

И тоже улыбаюсь ей в ответ.

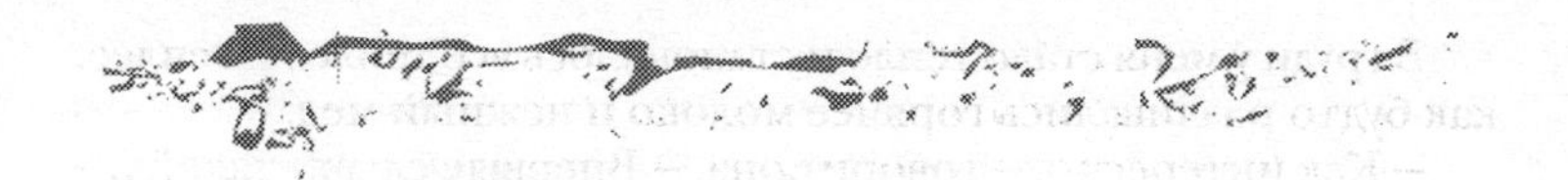

# Часть III
# Сера

## Хроники Брана

*Часть четвертая*

### СМЕРТЬ В ВЕНЕЦИИ

В первые дни нашего пребывания в Венеции леди Вивиен почти не выходила из дома, упорно продолжая трудиться и переписывать книгу своего отца.

Мы сняли две большие смежные комнаты на втором этаже дома в Кастелло, на узкой полутемной улице, куда почти не заглядывало солнце, недалеко от церкви Санта-Мария Формоза. Леди большую часть времени проводила у себя в комнате, за закрытой дверью, только один раз в день спускаясь вместе со мной на первый этаж, где мы обедали на просторной кухне, отдавая должное гостеприимству и поварскому искусству хозяйки дома, добродушной и многословной, как и все жители этого города. Я тоже не покидал комнаты, оставаясь на месте и оберегая покой моей госпожи. Спал я по-прежнему мало: привычка бодрствовать по ночам укоренилась во мне за время нашего странствия, полного тревог и волнений, и хотя сейчас мы, по-видимому, были в безопасности, я все же не мог заставить себя сомкнуть глаз, подолгу сидя у окна и глядя в черноту тихой ночи. Из-под двери комнаты леди Вивиен пробивалась полоска теплого мягкого света; я же сидел в темноте, и мысли мои, свободные от суеты и тревожных забот, вольно бродили, то возвращаясь в прошлое, то пытаясь проникнуть сквозь туманную пелену, скрывающую грядущее. Ночь за окном плескалась, как темная вода; в ней поблескивали редкие фонари на стенах домов и жили своей жизнью причудливые тени чужого города, да появлялась иногда в тесном пространстве меж высоких крыш тусклая стареющая луна. Порой налетевший ветер вдруг резко качал фонарь над входом, и тогда тени вздрагивали и приходили в движение, а я начинал всматриваться в них внимательнее, невольно пытаясь разглядеть признаки возможной опасности. И хотя, как я уже упоминал выше, у нас не было резонных оснований опасаться того, что соглядатаи лорда Марвера выследили нас и в этом убежище, порой в ночных скрипах и вздохах, наполнявших старый дом, мне слышался зловещий шепот заговорщиков и убийц.

Однажды ранним утром, когда я забылся тонким сном после бессонной ночи, леди разбудила меня легким прикосновением. Я проснулся и увидел, что моя госпожа стоит передо мной в своем багровом платье, держа в руках дорожную сумку, с которой не расставалась с самого первого дня нашего путешествия.

– Пойдем, Вильям, – сказала она. – У нас есть в городе одно важное дело.

Я без лишних слов поднялся и последовал за леди. Мы направились к рынку Риальто, где недалеко от широкого деревянного моста через большой канал нашли книжную лавку с множеством книг и свитков на потемневших от времени полках, а при ней – контору переписчика. И там леди Вивиен отдала писцу толстую пачку испещренных ее аккуратным мелким почерком пергаментных листов, попросив, чтобы он сделал с них семь точных копий, а затем оправил в переплет так, чтобы получилось семь отдельных книг. Переписчик же стал было отказываться, ссылаясь на большую занятость и другие заказы, но леди Вивиен пообещала ему заплатить вдвое против его обычной цены за такую работу, подкрепив свои слова щедрым задатком, так что разом преисполнившийся воодушевления писец пообещал отложить все свои дела и не есть, не пить и не спать, пока не выполнит поручение леди.

Мы вышли из книжной лавки и направились к набережной Гранд-канала. В высоком радостном небе ярко светило солнце, и блики его рассыпались по воде, как капли живого золота. Венеция предстала перед нами во всей пышной красоте и великолепии одного из самых прекрасных и богатых городов мира: яркие фасады высоких домов вырастали, казалось, прямо из золотых, сверкающих вод, множество пестрых лодок суетливо рассекали волны канала, как шумная толпа на ярмарке, повсюду были люди, лавки, мосты, торговцы, воры, монахи, солдаты, церкви, дворцы, и всего этого было в таком избытке, что по сравнению с этим городом английский Дувр показался бы тихой рыбацкой деревней.

Леди молчала, погруженная в задумчивость. Я же, как бы ни был поражен окружающим нас великолепием, все же мучился вопросом, который в конце концов решился задать моей госпоже, спросив, зачем ей понадобилось заказывать семь копий книги своего отца, которая и без того уже послужила причиной множества смертей и несчастий и из-за которой мы сами, словно какие-то преступники, были вынуждены бежать через всю Европу, скрываясь от зловещего Некроманта.

– Что же, мой добрый Вильям, – сказала леди Вивиен, – конечно, ты можешь и должен быть посвящен в мой план. Как ты знаешь, лорд Марвер преследует нас по одной причине: он должен завладеть вторым экземпляром книги и расправиться со мной затем, чтобы более никто в мире не был посвящен в тайну создания ассиратума, и он остался бы единственным, кто может изготавливать этот чудодейственный и страшный эликсир. Сейчас мы с тобой – его главная цель. Но что, если таких целей вдруг станет гораздо больше? Что если он узнает, что та самая книга существует уже не в одном, а в семи экземплярах, каждый из которых отправлен в странствие по миру и может быть прочитан и переписан еще десятки, а то и сотни раз? Будет ли он и тогда разыскивать нас с таким же рвением, или ему придется рассредоточить свои силы на весь мир с Запада до Востока, чтобы предотвратить распространение этого сокровенного знания? Я хочу, Вильям, разослать семь экземпляров этой книги с торговыми судами в разные концы света – и для этой цели Венеция подходит как нельзя лучше. Пусть они уйдут в самые дальние уголки Европы, Азии и Африки, и тогда лорд Марвер, вынужденный нагонять не одну, а восемь целей, уж точно оставит нас в покое или, во всяком случае, не сможет преследовать, как прежде.

Признаться, я пришел в ужас от слов моей госпожи.

– Моя леди, – сказал я, – эта чудовищная книга и так уже наделала немало бед. Разумно ли распространять ее по всему свету? Можно ли допустить, чтобы мрачная тайна обретения бессмертия через человекоубийство стала доступна многим? Что тогда станет с этим миром? И не будет ли он неминуемо низвержен в такой кровавый хаос, по сравнению с которым все библейские казни покажутся лишь детскими проказами?

Но леди Вивиен только рассмеялась в ответ.

– Не волнуйся, Вильям. В книге моего отца девять частей. В первых восьми изложены итоги его ученых изысканий: о видимом и невидимом мире, взаимосвязи материи и духа, об устройстве мироздания, о том, как с удивительной красотой и гармонией все законы высшего порядка воплотились в человеке, его душе и теле. Это те знания, которые он привез когда-то с Востока, и те, до которых дошел сам в процессе своих занятий; те знания, опираясь на которые он и создавал эликсир. Но то, как именно приготовляется ассиратум, описание кровавой внешней стороны этого процесса и, самое главное, его внутренней составляющей, основанной на заклинаниях черной магии и дьявольском искусстве некромантии, изложено в последней, девятой части, а ее я не переписывала. Без нее эта книга опасна не более, чем змея без ядовитых зубов. Пусть те, кто будет читать книгу моего отца, сохранят память о нем как о мыслителе, достигшем вершин духовного познания, а не как о кровавом убийце, подпавшем под влияние темных сатанинских чар проклятого Некроманта.

Я увидел, как на прекрасное лицо леди Вивиен набежала тень, и глаза ее чуть затуманились.

– Но как лорд Марвер узнает о том, что копии книги отправились по всему свету? – спросил я. – И разве, найдя один неполный экземпляр, он не прекратит поиски остальных, догадавшись о вашей хитрости, и не станет снова преследовать нас?

– Он узнает, Вильям, – ответила мне леди. – Он связан с этой книгой, а она связана с ним. К тому же я думаю, что найду способ передать ему эту весть, и совершенно уверена, что он не сможет обрести покоя, пока не найдет все семь экземпляров и не убедится, что ни один из них не является полной копией книги. В любом случае это даст нам время и возможность отступить и собраться с силами, чтобы рано или поздно воздать за зло и предательство справедливым возмездием, а в том, что мы это сделаем, мой храбрый Вильям, я не сомневаюсь ни на миг.

Итак, нам оставалось только ждать, когда щедро вознагражденный леди Вивиен переписчик закончит свои труды. Время шло, и эти дни, проведенные в Венеции вместе с моей госпожой, я мог бы назвать самыми счастливыми в своей жизни, если бы только не омрачали их мысли и воспоминания о моих родных, да иногда приступавшая к моему сердцу тревога, когда я думал о Некроманте и его лазутчиках, рыскающих сейчас в поисках нас по всей Европе. Теперь, когда труды леди Вивиен были завершены, мы часто и подолгу гуляли по Венеции, иногда пешком, а порой нанимая лодку, ибо в этом удивительном городе каналы были вместо улиц, а гондолы заменяли повозки. Я не уставал удивляться окружающей меня красоте и величию дворцов и храмов, пестроте и яркости жизни, а еще тому особому здешнему духу, который вызывал в памяти старинные легенды о древних городах, погрузившихся в морскую пучину и лишь иногда восстающих из глубоких вод перед изумленными мореплавателями. Таким казался мне и этот город: он словно был построен не людьми и не для людей, а странными и удивительными жителями подводных глубин, и я бы не удивился, если ночами, когда стихает суета человеческого мира, он снова погружался бы в темные таинственные пучины к своим строителям и истинным владыкам. И я вновь не спал ночами и смотрел, как танцуют на стенах причудливые ночные тени, словно призраки тех потусторонних существ.

Переписчик закончил свою работу за три дня до Рождества, как раз в день накануне наступления новолуния. Чем тоньше становился тусклый серп ночного светила, тем все более явными становились признаки того, что скоро он и вовсе исчезнет с небосклона, которые я с грустью и болью замечал в моей леди. Она становилась задумчивой, бледной и казалась словно ослабленной болезнью или сильной усталостью. За время наших странствований луна умирала и возрождалась уже дважды, и вместе с ней умирала и вновь рождалась моя госпожа. Я знал, что уже на следующий день после ночи новолуния она снова будет бодра и полна сил, и гнал от себя мысли о том, чем именно она вынуждена их поддерживать, из чего приготовлено снадобье, содержащееся во фляге, которая висела у леди на груди, а более всего о том, что будет, когда эликсир наконец иссякнет.

Мы отправились в книжную лавку уже под вечер, когда на темнеющем небе зажигались первые серебристые звезды. Леди была слаба, но держалась твердо, тщательно проверила качество работы, пролистала страницу за страницей все семь тяжелых томов, переплетенных в темную кожу, и, уверившись, что все было сделано с надлежащим тщанием, отдала писцу обещанную плату. Я положил книги в две большие кожаные сумки, которые повесил на плечо, перевязав широким ремнем, и мы направились в обратный путь по узким и уже безлюдным улицам, заполненным ночной темнотой.

И когда мы уже подошли к дому и леди ступила на первую ступень лестницы, ведущей к дверям, на нас напали.

Их было четверо, и они кинулись разом со всех сторон бесшумно и стремительно, как будто вдруг ожили те самые ночные тени, на которые я смотрел из окна. На них были черные плащи с капюшонами, делавшие их почти невидимыми во мраке, а лица закрывали железные маски, тускло отсвечивавшие во тьме, подобно ликам призраков, и каждый из них сжимал в руках короткий меч и острый кинжал. Это были профессиональные убийцы, ассасины, ночные охотники.

Я видел, как упала леди: то ли от удара, то ли просто споткнувшись от неожиданности на ступенях лестницы, а один из нападавших занес над нею свое оружие. И тогда я сбросил с плеча тяжелый мешок, выхватил меч и бросился к моей госпоже, но отбить клинок убийцы мне не удалось, и я успел лишь прикрыть леди от удара своим телом и почувствовал, как несколько дюймов смертоносной стали входят мне в левый бок меж ребер. Леди была без оружия, да и сегодня она вряд ли могла бы противостоять напавшим на нас убийцам в полную силу, и я крикнул ей, чтобы она уходила, поднималась наверх, а сам встал у лестницы, развернувшись лицом к врагам.

Четверо убийц разом вскинули оружие, а я устремил им навстречу свой меч, выкованный столетия назад на Святой земле, молясь, чтобы в эти роковые минуты он послужил мне так же верно, как служил до этого моему лорду и другим, неведомым мне, но доблестным рыцарям.

Видимо, мои мольбы были услышаны, потому что первым же ударом мне удалось разрубить горло одному из убийц, и он упал на мостовую, хрипя и захлебываясь кровью. Остальные же трое напали на меня все вместе разом, и, хотя я прижимался спиной к лестнице, чтобы не дать им окружить себя, удары их были столь точными и сильными, что мне с трудом удавалось защищаться. Мои противники были умелыми бойцами, но это не было благородным воинским искусством рыцаря, приобретенным на полях сражений: то были навыки беспощадных и подлых убийц, никогда не сходившихся лицом к лицу в честном поединке, но нападавших внезапно и под покровом ночи. Они теснили меня все сильнее, и я понял, что, лишь обороняясь, мне не выстоять против троих. И тогда я ринулся на них сам, не помышляя более о защите, вкладывая в удары все свое умение, а более всего ярость и праведный гнев, так что не прошло и минуты, как двое из них были уже распростерты на земле, один с разрубленной вместе с железной маской головой, а другой с пронзенным сердцем. Атака эта, хоть и принесла свои плоды, не прошла даром и для меня, так что к тяжелой ране в боку добавились ранения в левое плечо, бедро и шею, и я чувствовал, как кровь струится по всему телу, унося с собой драгоценные и столь необходимые мне сейчас силы.

Оставшийся в одиночестве ассасин и не думал отступать. Он кружил подле меня, подобно хищному зверю вокруг израненной добычи, то отступая, то делая молниеносные выпады, а я чувствовал, что быстро слабею, более всего из-за раны в боку, в которой свистел воздух и клокотала кровь так, что мне уже было трудно дышать и в глазах темнело от боли и подступающей слабости. И я вспомнил своего брата, оставшегося на ступенях замка лорда Валентайна, чтобы ценой собственной жизни спасти жизнь мне и моей леди, вспомнил самого лорда, пронзенного стрелами, но не склонившегося перед темными полчищами Некроманта, и атаковал со всей силой тела и духа, какие только смог собрать в себе в этот миг. Мой враг не ожидал такого нападения, и мне удалось выбить оружие у него из рук, опрокинуть его самого на землю и занести над ним свой меч для последнего удара, как вдруг я услышал у себя за спиной властный и громкий голос:

– Вильям, нет!

Я обернулся. На верхних ступенях лестницы стояла леди Вивиен, но на какое-то мгновение мне показалось, что передо мной возникла ламия или еще кто-то из недобрых порождений ночи. Фигура ее словно бы вытянулась, бледное лицо светилось в темноте, как лик мертвеца, черными провалами на этой маске смерти зияли огромные глаза, а багровое платье казалось снова залитым запекшейся кровью. Но вот она сделала шаг, наваждение прошло, и когда она подошла ко мне, то я снова увидел свою леди: бледную, изможденную, но сильную и властную, как тогда, когда она заклинала морского змея.

– Не добивай его, – сказала она. – Пусть передаст весть своему хозяину.

Леди с усилием подняла одну из лежащих на мостовой сумок и рывком раскрыла ее так, что несколько тяжелых книг со стуком вывалились наружу. Я посмотрел на распростертого у моих ног убийцу: маска слетела с его смуглого горбоносого лица, покрытого каплями пота, в черных глазах отражались злоба и страх.

– Вот что ищет тот, кто послал тебя, – сказала ему леди Вивиен. – Передай ему, что я сняла семь копий с книги, и завтра все они уйдут с торговыми кораблями во все стороны света, и пусть он молится своим темным богам, чтобы те помогли ему найти каждую из них. Скажи ему, что погоня окончена. Я приняла решение и передаю это знание миру. Ты понял меня?

Убийца торопливо закивал, и тогда леди отступила на шаг и промолвила:

— А теперь пойди прочь, пока я не передумала и не заставила тебя заплатить за кровь моего верного слуги, которую ты пролил.

И когда тот поспешно вскочил на ноги и исчез во тьме, я почувствовал, что силы все же оставили меня, и опустился на колено, по-видимому, почти лишившись чувств, потому что не помню, как сумел подняться наверх, как оказался на кровати и как леди перевязала мои раны.

Когда сознание вновь вернулось ко мне, леди Вивиен сидела рядом, и я увидел, что она держит в руках флягу, которую носила на теле. Она открыла круглую крышку и поднесла сосуд к моим губам, и я ощутил явственный и тяжелый запах сырого мяса и словно бы разогретого железа.

— Все хорошо, Вильям, — сказала она. — Слава Богу, у меня еще осталось немного эликсира, и его как раз хватит нам двоим. Он исцелит твои раны и спасет тебе жизнь, мой храбрый друг, и тогда уже ни смерть, ни время не смогут нас разлучить.

И я посмотрел вокруг, на пустую комнату, озаряемую мерцанием свечей, дощатые стены и пол, на ночь за окном, накрывшую покровом тьмы чужой город, в чужой стране, бесконечно далеко от родных мне берегов. Я вспомнил свой далекий дом, мать и сестру, оставшихся в одиночестве, вспомнил своего доблестного брата, и то, как поклялся, что обязательно вернусь домой, чего бы мне это ни стоило, и молился всеблагому Господу, чтобы он дал мне сил исполнить эту клятву. Вспомнил, как надежда на возвращение не оставляла меня и не покидала мое сердце, не давая поселиться там черному отчаянию, ибо когда умирает вера и уходит любовь, надежда пребывает с нами до конца, а если бы не так, то на земле не осталось бы никого из живущих, потому что только надежда помогает нам нести тяжкий крест жизненных скорбей. А потом я вдруг увидел удивительно отчетливо лица матери и сестры, а еще — лицо моего бедного брата в тот момент, когда вокруг кипела битва, а он обернулся, чтобы посмотреть на меня в последний раз.

— Моя леди, — вымолвил я, — в этом нет нужды.

И я сказал ей, что никогда не позволю себе продлить собственную жизнь ценой жизни невинного человека, да даже и ценой любой человеческой жизни, пусть и самого отпетого негодяя. И что не буду пить эликсир, в котором заключена не жизнь, а смерть, лишь призрачно продлевающая земное существование, потому что душа моя несомненно умрет, если я приму ассиратум, а без души что за польза, если останется жить тело.

— Ты осуждаешь меня, Вильям? — спросила леди Вивиен и с болью посмотрела на меня.

— Нет, моя леди, — ответил я. — Я не могу осуждать вас за то, что сделал с вами отец и в особенности проклятый лорд Марвер. У вас не было выбора. Вы впервые приняли эликсир, будучи ребенком, которого обманули те, кому вы доверяли, и я хочу, чтобы вы жили. Но у меня выбор есть, и я не буду спасать свою жизнь такой страшной ценой.

Леди Вивиен стала отчаянно уговаривать меня не отказываться и не оставлять ее одну, и я увидел, как слезы наполнили ее прекрасные серые глаза, так что сейчас она более всего была похожа на слабого и беззащитного ребенка, на девочку, не желающую смириться с жестокостью жизни, столкнуться с которой ей довелось. Лицо ее, и без того бледное и осунувшееся, как и всегда перед новолунием, побелело еще больше, темные волосы в беспорядке разметались по тонким плечам, и сейчас никто не узнал бы в ней ни беспощадную воительницу, ни грозную заклинательницу морских чудовищ. И хотя леди не желала ничего слушать, я твердо стоял на своем решении, так что в конце концов она отступила и замолчала, и лишь смотрела на меня взглядом, в котором было столько отчаяния, что эта немая мольба заставляла меня колебаться сильнее, нежели все сказанные до этого ею слова и доводы собственного эгоистичного рассудка, который, вопреки велению совести, стремился ослабить мою решимость.

— Есть ли что-то, что я могу сделать для тебя, Вильям? — наконец спросила меня леди.

— Да, моя госпожа, — ответил я. — Я прошу вас позаботиться о моей семье, оставшейся без всякого попечения, о матушке и младшей сестре. Дух мой скорбит, и я никогда не обрету покоя, если уйду из этого мира, представляя себе те горести и печали, которые выпадут на их долю.

И леди Вивиен поклялась мне, что разыщет моих родных и сделает все, что будет в ее силах, чтобы они никогда не узнали горькой нужды, прибавив, что пока жива она сама, никто из моего рода не будет оставлен ее заботой и вниманием. А потом она снова спросила:

— Возможно, есть что-то, чего ты хочешь лично для себя, Вильям? Может быть, у тебя есть какое-то желание, выполнить которое я в силах?

И я ответил честно и откровенно:

— Единственным моим желанием было служить вам до конца моих дней, и это желание исполнено. Но для меня было бы еще большим счастьем закончить свое служение в рыцарском звании, к которому я стремился всем сердцем и которое, как я всегда знал, мне вряд ли суждено получить.

И тогда леди Вивиен решительно отерла слезы, встала, выпрямившись во весь рост, так что ее тонкая девичья фигура в один миг обрела вновь почти королевское величие и достоинство. Она взяла мой меч и твердо сказала:

— Поднимись и встань на колено, Вильям.

Я с трудом встал со своего одра и преклонил одно колено. От резкой боли и слабости в моих глазах потемнело, голова закружилась, и я едва не повалился навзничь, но леди поддержала меня, и почувствовал, сколько еще сил сохранилось в ее тонкой руке.

— Вильям Джеймс Бран, — сказала она торжественно, возложив клинок мне на плечо. — Нарекаю тебя рыцарем за твою доблесть и верность, мужество перед лицом смертельных опасностей, наипаче же за благородство и силу духа, коими ты намного превосходишь многих из тех, кто зовутся рыцарями лишь на словах. И я благодарю тебя за все, что ты сделал для меня, и за то, что был рядом со мной, ближе, чем был когда-то кто-либо из моих родных.

Голос ее дрожал. Я стоял, склонив голову и чувствуя тяжесть меча. Потом леди вздохнула и произнесла громко и повелительно:

— Встаньте, сэр Вильям Бран. Встаньте, мой рыцарь.

Я смог выпрямиться на несколько мгновений и встал перед моей леди, а она вложила мне в руки меч и сказала:

— Ты всегда был рыцарем по духу, теперь же стал им и по званию.

Мои пальцы сомкнулись на рукояти меча, и в этот момент силы оставили меня и я упал без чувств.

Я дописываю эти строки при свете свечей и слабых отсветов пламени в очаге. Труды мои завершены, как и моя жизнь. Я ухожу с легкой душой, зная, что до конца выполнил свой долг, в том числе и рассказав о тех многих и удивительных событиях, свидетелем коих я был. Я надеюсь и верю в то, что когда-нибудь эти строки помогут кому-то из благосклонных читателей сделать верный выбор, укрепят дух, а может быть, и послужат искоренению зла.

Засим остаюсь верным слугой моей госпожи, леди Вивиен Валентайн, добрым христианином и другом всем, кто читает эти строки, – я, рыцарь Вильям Бран.

# Глава 15

Я сижу у себя в кабинете, служащем мне по совместительству спальней, а в последние семь дней еще и местом добровольного затворничества. За окном тихо бродит поздняя ночь. Полки с книгами, протянувшиеся вдоль стен от пола до потолка, едва различимы в дымном полумраке. На кровати темнеет сложный рельеф смятого покрывала. Экран ноутбука бессмысленно светится передо мной, как окно в плоский и мертвый параллельный мир. Рядом на старом письменном столе, среди бумаг и пустых сигаретных пачек возвышается, как янтарная башня, наполовину опустошенная бутылка виски. Точно такая же, только уже пустая, стоит на полу; иногда я задеваю ее ногой, и она падает со стеклянным стуком. На дальнем углу стола сбились в тесный круг несколько чашек с вязкими остатками черного кофе на дне. Пепельница похожа на переполненный колумбарий и выглядит так зловеще, что может украсить собой любой постер кампании по борьбе с курением. Застоявшийся табачный дым висит неподвижной голубоватой пеленой, и когда я время от времени открываю окно, он медленно колышется, смешиваясь с воздухом, пахнущим холодом и влагой.

Часы на книжной полке показывают начало третьего часа ночи. Я делаю большой глоток виски и закуриваю очередную сигарету. Отпущенные с привязи мысли бродят сами по себе, то удаляясь, то снова возвращаясь ко мне, и отстраненное сознание лишь фиксирует их вольное перемещение в туманной серой пустоте. Я жду.

Иногда, чтобы решить сложную задачу, нужно перестать о ней думать. Достаточно только правильно ее сформулировать, верно задать вопросы, на которые хочешь получить ответ, и дать подсознанию время поработать без вмешательства докучливого рассудка. Мой опыт показывает, что решение обязательно придет: сном, случайно сказанным кем-то словом, внезапной вспышкой озарения, когда все вдруг окажется ясным и таким очевидным, что останется только удивляться, как же ты не видел этого раньше.

Просто для этого нужно время.

Сейчас у меня нет сомнений в том, кто именно делал ассиратум для Абдуллы и клиентов «Данко». Где-то в сумрачных, обветшалых лабиринтах города угнездился Некромант, подобно большому пауку, невесть как пробравшемуся в дом и притаившемуся в темной сырой щели под ванной: опасный, зловещий, налитый черной злобой и ядом. Цепь, идя вдоль которой я надеялся найти его логово, была оборвана, и ее ключевые звенья распались покрытым плесенью человеческим трупом и обезглавленным телом черного волка. Внешняя сторона событий была для меня ясна и выстраивалась ровно и четко: болезнь Маши Галачьянц, Абдулла, ассиратум, Кобот, «Данко», продажа эликсира и связанные с этим убийства, но внутренние их причины и личность самого Некроманта по-прежнему были тайной. Оставалось только гадать, каким образом бывший охранник Галачьянца сумел не только найти старого упыря, но еще и заставить его работать на себя до тех пор, пока тот не почувствовал угрозу для своей безопасности. Для поисков у меня осталось только то, что было и с самого начала: «Красные цепи» и текст «Хроник Брана». Где-то здесь, между слов, сплетенных в книжные и машинописные строки, должен был быть нужный мне след.

Я смотрю на оборотную сторону последней страницы «Хроник». Там мелким быстрым почерком Мейлаха выведено и несколько раз подчеркнуто слово «*Вопросы*» над несколькими пронумерованными строками. За минувшие дни я выучил их наизусть.

*1. История. Семь книг венецианского списка. Места хранения: специальный фонд Национальной российской библиотеки, Москва (читал лично). Лондонская библиотека Соединенного Королевства (сильно поврежденный экземпляр). Библиотека Медичи Лауренциана, Флоренция. Еще один экземпляр конфискован во время следствия по делу маршала Жиля де Ре в 1440 году (см. протоколы прокурора Бретани Гийома Копельона). Вероятно, уничтожен. Судьба еще трех книг? Проверить, может быть интересно для дальнейших исследований.*

*2. «Rubeus vinculum» венецианского списка. Скверная школьная латынь. Очевидно, что автор книги был сведущ в герметизме, каббале, алхимии и других эзотерических науках, однако уровень владения ла-*

*тынью оставляет желать лучшего. Странно: латынь – основной язык ученых того времени. Глубина мыслей в тексте не соответствует более чем скромному мастерству построения фразы. Подумать.*

*3. «Хроники Брана». Сэр Вильям дописывал сам? Возможно ли при тех ранениях, которые он получил? Мистификация? Провести сравнительный анализ текста.*

*4. Первое датированное издание «Хроник» в 1515 году, Лион, Франция. Повторное издание только в 1891 году, Лондон, Англия, сборник «Старые английские легенды и повести» (мой исходный текст). Кто инициировал первое издание? Противоречит желанию леди Вивиен сохранить тайну происхождения и создания «Rubeus vinculum». Имело ли место хождение «Хроник» в виде более ранних манускриптов? Выяснить.*

Неделю назад я, после некоторого колебания, дописал карандашом несколько слов и от себя. Я не знаю, имеет ли мой вопрос какой-либо смысл, так ли важно получить на него ответ, но он появился в моем сознании и периодически напоминал о себе с упрямой навязчивостью, так что я решил добавить его к списку тех, которыми задавался Мейлах.

*5. Леди Вивиен переписывала «Красные цепи» и потом отдала писцу копию, а не оригинал. Зачем? Скрыть последнюю главу можно было, просто удалив листы. Не хотела рисковать единственным экземпляром? Чтобы не портить книгу? Она могла бы не отдавать вовсе, а переписывать дальше самостоятельно. Фактор времени? Подумать.*

Вот и все. Заметки Мейлаха прочитаны полностью, страница за страницей, включая почти совершенно неразборчивые каракули на салфетках, сигаретных пачках и небогатых кассовых чеках из супермаркета. Машинописные страницы с «Хрониками» аккуратно лежат рядом с невзрачной сизой обложкой «Красных цепей». Я смотрю на нее и думаю, что эта книга похожа на очередное земное воплощение древнего мага, некогда облаченного в приличествующие ему тяжелые кожаные ризы с золотым тиснением, а ныне скрывающего под дешевой бумажной оболочкой грозную силу темной души. И хотя мне уже известны почти все его тайны, пронесенные сквозь столетия, ответом на главные и самые важные вопросы остается немое молчание. Впрочем, я знаю, что все равно получу их, рано или поздно, нужно только набраться терпения, ждать и не думать.

Первые пару дней это было трудно. Мысли упорно возвращались к неоконченному делу, как стрелка компаса по направлению к магнитному полюсу. Но последнее время мне становится все легче и легче не думать о тайне ассиратума, древних манускриптах, о том, что где-то в темных городских катакомбах притаился древний паук, по-прежнему готовый забирать кровь и жизни людей. Потому что теперь в основном я думаю о Кристине.

Первый раз мы встретились почти неделю назад. Я решал, куда ее пригласить: в «Винчестер» после моего последнего визита мне приходить не стоило, во всяком случае, еще некоторое время. Я выбрал «Касабланку», заведение на одной из пешеходных улиц недалеко от Невского проспекта, настоящее городское кафе, из тех близких к абсолютному идеалу уютных заведений, которые можно увидеть в старых черно-белых европейских фильмах. Был уже вечер, помещение наполняли шорох голосов, негромкая музыка 50-х, благородный табачный дым и аромат свежего кофе. Я сел за столик у окна и смотрел, как моросящий дождь и сумерки опускаются на город, который делал вид, что ничего не произошло, словно бы за один день его не покинули опасный головорез и волк-оборотень, потрошивший в ночных дворах запоздалых путниц; а может быть, это безразличие было искренним, потому что за время своего существования этот город повидал и не такое.

Кристина вошла, и все разговоры стихли; даже музыка, кажется, на мгновение смолкла. Она пошла ко мне между маленьких круглых столиков и венских стульев, каблуки легко постукивали по шахматным плиткам пола, и вслед ее движению поворачивались головы, и десятки мужских и женских взглядов провожали ее, словно немой эскорт. Я снова испытал то чувство мгновенного потрясения, как тогда, в доме Галачьянца, когда впервые увидел ее, и как потом, в «Винчестере»: сияющая улыбка, волна черных волос, тепло оливковой кожи, как будто холодный черно-белый мир за окном отдал ей все свои самые яркие и живые, как кровь, краски.

Мы долго сидели, пили кофе, разговаривали и смотрели на капли дождя на оконном стекле, в которых расплывались золотистые огни фонарей. Сумрачный ноябрь вдруг принарядился в хорошее настроение, так что и дождь, и низкое небо, и бесцветные фасады домов внезапно приобрели стиль и шарм, как к месту надетая винтажная вещь из наполненного дохлой молью и нафталином бабушкиного сундука. Я почти не помню, о чем мы разговаривали тогда: кино, музыка, литература — но это и не важно. Я запомнил другое: дурманящий древесный аромат духов, улыбку, которая расцветала так ярко, что я тоже улыбался в ответ подобно тому, как луна светит отраженными лучами солнца. Запомнил то чувство, когда холодные пальцы нежно прикасались к моей руке: волнующее, счастливое и почти забытое, как первый поцелуй. Я берег память об этом чувстве все шесть дней, что прошли до нашей следующей встречи, и каждый раз, закрывая глаза и вспоминая ее, улыбался — ночью, в своем кабинете, среди вороха бумаг, сигаретных пачек, пустых бутылок и разбитых пластинок, откинувшись на спинку стула — улыбался и забывал обо всем, как курильщик опиума в трущобах викторианской эпохи.

Мир иногда возвращает долги. Я вспоминал Кристину и думал, что судьба решила вернуть мне то, чего так жестоко лишила со смертью Марины: согревающее тепло разговоров, прикосновение рук и ожидание встречи. Старик в доме престарелых получил обратно свой вырванный с корнем цветок. Несколько раз я ловил себя на мысли о том, что, может быть, моя миссия действительно завершена и больше не надо пытаться преследовать ускользающую от меня зловещую тень древнего вампира. Кем бы ни был тот, кто лишил Марину жизни, — оборотнем, вурдалаком, вервольфом, — я убил его, и ее смерть не осталась неотмщенной. Но вот что странно: теперь, когда мысли упрямо возвращались к неоконченному расследованию, я все чаще видел перед собой не образ растерзанной девушки, лежащей на грязном асфальте двора, а израненного рыцаря на смертном одре и юную девушку в платье цвета запекшейся крови.

Кристина просила не звонить ей днем. Я не спрашивал почему. Скорее всего, из-за Галачьянца, ведь так или иначе, но она была связана с ним их странными, но, видимо, достаточно прочными отношениями, которые накладывали больше обязательств на него, чем на нее. Я не звонил ей и вечерами: мне не хотелось разменивать драгоценное золото личного общения, в котором самым прекрасным было то, что оставалось за рамками разговора, на мелкое серебро телефонных слов. Пару раз мы обменялись сообщениями и еще один раз созвонились для того, чтобы договориться о следующей встрече.

Вчера мы гуляли. Торопливо выпили кофе в «Касабланке» и вышли на улицу. У меня уже давно не было компании для пеших прогулок, и вначале я беспокоился, что она быстро устанет на высоких каблуках. Но Кристина сказала, что любит ходить пешком, и мы пошли по набережным, иногда сворачивая в узкие боковые улицы, забираясь все дальше в недра города, и я впервые за долгое время не чувствовал промозглого влажного дыхания ветра и не замечал мокрой грязи под ногами. Вначале через прорехи в серых облаках выглядывало видавшее виды линялое небо, словно старуха, уныло подглядывающая за прохожими сквозь щели в ветхих ставнях, но потом ставни захлопнулись тяжелыми тучами и пошел дождь. Кристина открыла большой белый зонт, и мы продолжали идти, отгороженные от всего мира крышей из тонкой полупрозрачной ткани и стенами дождя.

В этот раз я начал рассказывать о себе. Не помню, как это получилось. Наверное, всему причиной то чувство внутренней свободы, которое я испытывал рядом с ней, когда можно просто быть самим собой, таким, какой есть на самом деле, и с радостью ощущать, что именно таким тебя принимают, полностью и без оговорок. Кристина была очень внимательным и благодарным слушателем: большая редкость, когда молчание того, кто слушает, является формой диалога с тем, кто говорит. Незаметно для себя я вдруг начал рассказывать о том, о чем не говорил никогда и ни с кем: для посторонних у нас всегда готовы увлекательные истории о собственной силе, но рассказать о своей слабости и боли можно только близкому человеку, какого, по сути, у меня никогда не было.

Однажды несколько лет назад меня принесли в больницу маленького городка одной из китайских провинций. Три пули, прошившие меня насквозь, каким-то чудом не убили меня, но боль пропитала все тело, а кровь – всю одежду. Я помню то ощущение, когда нежные и заботливые руки девушки-врача слой за слоем освобождали меня от рваных, пропитанных кровью тряпок, и страдание, которым это сопровождалось, обещало облегчение.

Что-то подобное я чувствовал теперь, когда рассказывал Кристине то, о чем раньше не говорил никому: словно меня постепенно освобождали от грязных, окровавленных лохмотьев, налипших на душу. Мы стояли на набережной; когда я замолчал, словно очнувшись от легкого сна, то увидел, что Кристина внимательно смотрит на меня, а в ее черных глазах светятся отражения ночных фонарей в темной глубокой воде. Потом она сделала шаг и легко прикоснулась к моей щеке холодными нежными губами. На душе у меня стало легко и свободно; я чувствовал в своей руке ее нежную ладонь, а еще исходящее от ее тела удивительное тепло, которое явственно ощущалось даже сквозь ткань наших пальто.

Мы бродили по городу еще около часа, а потом она вдруг заторопилась. Я предложил проводить ее до дома на островах, но Кристина сказала, что сейчас ей нужно ехать по каким-то другим делам, а потом она, скорее всего, поедет в свою собственную городскую квартиру, где-то неподалеку, здесь, в центре. Я проводил ее до машины. На прощание она еще раз коснулась губами моей щеки и улыбнулась так, что я долго стоял на набережной, не чувствуя стылого дождя и промозглого ветра, улыбаясь вслед исчезающим красным огням автомобиля.

Я открываю глаза, и воспоминания исчезают, растворяясь, как неуловимые образы прервавшегося сна. Передо мной светится экран с открытой страницей в социальной сети, неизменным ночным спутником моего добровольного безделья. Когда ничем не занят, недели и даже месяцы могут пролететь незаметно, но дни и часы порой тянутся бесконечно долго, и чтобы скоротать время, я ночи напролет таращусь в окно виртуального мира, методично обновляя новости и наблюдая за бесконечными лентами бессмысленных цитат о смысле жизни и достижении успеха, а еще за мельканием фотографий — ярких отражений тусклого реального существования людей, которые оказались в моем списке контактов и по какому-то недоразумению именовались друзьями.

Три дня назад я нашел в сети Машу Галачьянц. Бледная девочка с коротко стриженными взъерошенными волосами смотрела на меня огромными глазами с черно-белой фотографии. Повинуясь какому-то неясному чувству, я послал ей тогда заявку на добавление в список контактов. Сейчас я вижу, что моя заявка принята. Я гашу сигарету, с трудом вдавливая ее в переполненную пепельницу, и набираю сообщение:

«Здравствуйте, Маша. Как ваша бабочка?»

* * *

Алина знала, что лучший способ избавиться от ненужных мыслей, чувств и воспоминаний — это работа. И в последние семь дней работы было столько, что Алине не приходилось прикладывать ровным счетом никаких усилий, чтобы не возвращаться мыслями к тому, о чем думать не хотелось: о Гронском, о событиях прошедших недель, неоконченном расследовании и снова о Гронском.

Хаос, в который погрузилось Бюро судебно-медицинской экспертизы после бесследного исчезновения его руководителя, Даниила Ильича Кобота, и двух ведущих сотрудников, постепенно приобретал несколько упорядоченный характер, и происходило это во многом благодаря деятельности Алины. Ей приходилось в два раза больше, чем обычно, заниматься исследованиями трупов, число которых, как назло, с каждым днем только росло, как будто на небесах объявили дополнительные скидки тем, кто приведет с собой друга; в перерывах между бесконечными аутопсиями она занималась административной работой, управляла отделом, общалась с хмурыми следователями и настырными оперативниками, а еще постоянно помогала решать рабочие вопросы изрядно растерянному бывшему директору по административно-хозяйственной части Бюро, так и не свыкшемуся со своим новым положением руководителя. Алина вихрем носилась по коридорам между лабораториями, секционными залами, своим новым рабочим кабинетом, в котором еще сохранился тошнотворный аромат приторного парфюма Эдипа-Эдуарда, и бывшим кабинетом Кобота. С каждым днем все больше выцветавшая секретарша выучила ее имя и отчество, стала вставать при ее появлении и даже пару раз успела открыть дверь, когда Алина врывалась внутрь некогда величественных апартаментов начальника Бюро, теперь больше напоминавших штаб действующей армии, расположившейся в бывшем дворянском особняке. Собственно, только имена пропавших Кобота, Иванова, Мампории были тем единственным, что в течение рабочего дня напоминало Алине о связанных с ними странных событиях, но и они постепенно стали просто именами, в то время как носившие их люди словно растворились, исчезли за той невидимой гранью, которую провела Алина, закрыв за собой дверь квартиры Гронского. Вместе с ними исчезали и воспоминания, вытесняемые требующими внимания и сил текущими проблемами и задачами, и Алина решала, руководила, составляла отчеты, делала вскрытие за вскрытием, проводя на работе по двенадцать часов и возвращаясь домой поздней ночью, так что даже закрывая глаза в постели перед сном, видела строки экспертных заключений или багрово-сизые внутренности покойников.

Все это время Алина жила у отца. Дом Сергея Николаевича Назарова находился за городом, но не очень далеко от городской черты, так что дорога до Бюро и обратно не занимала у Алины много времени. Преодолев стеснение, она была вынуждена попросить у отца машину. Про свой несчастный «Peugeot», исчезнувший вместе с телами ворвавшихся к ней в дом бандитов, Алина сказала, что его случайно разбили во дворе, и это было почти правдой. Папа не стал задавать лишних вопросов и охотно отдал ей свой новый «BMW M5», тем более что сам он им почти не пользовался, а ездил с водителем на

«Porsche Cayenne», и теперь Алина утром долетала до работы за полчаса, а обратный путь по ночной дороге преодолевала еще быстрее.

Напряженный рабочий график не давал нормально пообщаться с отцом, и Алине было от этого немного стыдно. Когда она приходила домой, у нее хватало сил только на то, чтобы съесть ужин, заботливо разогретый к ее приезду, и упасть в изнеможении в кровать. Но она понимала, и от этого ей было стыдно еще больше, что даже будь у них время поговорить, она не знала бы, что сказать и о чем рассказывать.

Отец очень любил ее, Алина это прекрасно понимала, и, конечно, она тоже любила его. Но как это часто бывает с людьми, близкими друг другу родственно, но далекими по роду занятий и образу жизни и редко выбирающими время для общения друг с другом, темы для бесед можно было найти с большим трудом. Обычно отец и дочь виделись по праздникам: Новый год, Рождество, дни рождения, ну и еще, может быть, несколько раз в году, когда удавалось найти время и силы для того, чтобы побороть подсознательное ожидание неловкого молчания и мучительных поисков слов для продолжения разговора. И в самом деле, что ответить на вопрос «Как твои дела?» человеку, которого видишь так редко, кроме дежурного «Все в порядке, папа»? И что он может ответить на такой вопрос? Когда люди общаются постоянно, находясь в курсе мелких тревог и радостей, маленьких успехов и неприятностей друг друга, можно долго рассказывать о том, что случилось за те два бесконечно длинных дня, что длилась их разлука. А если не общаться два месяца? Три? Полгода, не считая коротких телефонных разговоров, единственная цель которых – удостовериться, что собеседник жив, здоров и в состоянии сказать: «Да, у меня все хорошо»? Даже в тот первый вечер, когда Алина со слезами на глазах приехала к отцу и было совершенно очевидно, что у нее совсем не все хорошо, в их разговоре то и дело повисали неудобные паузы. Отец не спрашивал, хотя очень хотел это сделать, Алина не рассказывала, хотя еще никогда в жизни ей так не хотелось выговориться, и это продолжалось вечер за вечером: каждый искренне, от души стремился к другому, но словно натыкался на какую-то невидимую стену и замолкал на полуслове, так и не сказав чего-то важного для них обоих.

Хотя Алина в суете рабочих будней почти уже забыла о расследовании загадочных убийств, какая-то смутная, едва уловимая мысль время от времени тенью мелькала на периферии сознания, беспокоя и заставляя возвращаться то к воспоминаниям о погоне по проходным дворам, то к растерзанному телу последней жертвы, то к обезглавленному трупу большого черного волка. На седьмой день, когда у нее выпала свободная минута, она заперла дверь в кабинет, открыла ящик стола, где в прозрачном пакете лежал тяжелый изогнутый нож, вынула его и положила перед собой. В мыслях мгновенно закружился хаос образов, звуков, слов, вспышек выстрелов, страха и запахов железа и крови. Алина вынула нож из пакета и прикоснулась кончиками пальцев к стали широкого клинка, все еще хранящего чуть заметные следы крови («Гронский, – вспомнила Алина. – Как он?»), провела по рукояти в виде фантастического и жуткого зверя, на боках которого тускло поблескивал вытертый металл. Алина смотрела на нож, отмечая все, самые незначительные детали: изгиб клинка, несколько потемневших зазубрин на лезвии, чуть заметный скол на острие. У нее возникло и крепло ощущение, что в лихорадке первых дней расследования, за эмоциями, нахлынувшими на нее, когда она узнала раны, подобные тем, что были нанесены ее матери, за разговорами об алхимии и вампиризме, за погонями, опасностями и перестрелками от ее внимания что-то ускользнуло, что-то очевидное, но очень, очень важное. Что-то, что она должна была заметить сразу же после первых проведенных экспертиз, но теперь забыла и не может вспомнить, не может вытащить нужную информацию из своего сознания, как поврежденный файл из памяти компьютера. «Я могу сказать, что форма клинка, его вес и ряд ключевых характеристик полностью совпадают с описанием оружия, которое использовалось… Это орудие убийства». Алина помотала головой, прогоняя странное наваждение. В конце концов, она сама осматривала тело и несчастной Марины, и еще двух жертв и была практически уверена, что все убийства совершались при помощи именно этого оружия. Тогда почему снова мелькает навязчивой серой тенью мысль о том, что она упустила что-то важное?

Алина сняла трубку рабочего телефона, стоящего на столе, и трижды резко ударила по клавишам. В динамике раздались монотонные гудки.

– Лера? – сказала Алина, дождавшись ответа. – Лера, я забыла, уточни, пожалуйста: три недели назад мы подавали на гистологию срезы тканей по собачьим убийствам? Там образцы с трех тел должны быть, одно из нашей лаборатории, одно из морга и еще одно эксгумированное. Узнай, и если есть что-то, скажи мне сразу же.

Алина положила трубку, вздохнула, решительно убрала нож обратно в пакет, сунула его в ящик стола и вышла из кабинета. Она действительно не помнила, отдавала ли образцы срезов с тел на дополнительные исследования, и не была уверена, что, даже если и так, результаты помогут ей прогнать серую назойливую мысль-невидимку.

Но лучше что-то, чем вообще ничего.

Когда Алина уже почти спустилась в лабораторию, в кармане халата зазвонил телефон. Она остановилась на ступенях лестницы, машинально посмотрела на незнакомый номер, высветившийся на экране, и ответила:

– Да, я слушаю.

– Здравствуйте, Алина, – прозвучал знакомый низкий голос с чуть заметной хрипотцой. – Это Кардинал. Вам удобно сейчас говорить?

Алина остановилась. Ощущение было такое, как если бы позвонил персонаж из приснившегося накануне сна. Сердце забилось в груди тяжело и часто.

– Да. Вполне. Говорите.

– Алина, я хочу попросить вас о дружеской услуге, – мягко сказал Кардинал. – Не могли бы вы приехать ко мне поговорить? Есть важная тема для обсуждения, которая, я уверен, будет вам интересна.

Алина взялась за перила. Мимо прошли двое молодых интернов и звонко поздоровались с ней. Она рассеянно кивнула в ответ.

– Да, хорошо. Я приеду. Когда?

– Завтра в девять утра, – ответил Кардинал. – Не очень рано?

– В самый раз, – сказала Алина, подумав, что выезжать из дома придется минимум на полчаса раньше, чтобы пробраться через утренние пробки в центре.

– Договорились. Буду ждать вас с нетерпением, – сказал Кардинал и повесил трубку.

* * *

«Здравствуйте, Маша. Как ваша бабочка?»

Ответ приходит через два глотка виски.

«Здравствуйте, Родион. Бабочка хорошо, сидит рядом со мной, передает вам привет ☺»

«Спасибо ☺ ей тоже привет от меня».

Пауза. Черно-белая девушка на фото смотрит мне в глаза умным и печальным взглядом.

«Вы ведь не врач?»

«Нет», – пишу я, секунду поколебавшись.

«Я так и поняла. А женщина, которая с вами приходила?»

«Она врач. Самый настоящий».

«Ясно. Это я тоже поняла».

«Вы очень проницательны, Маша. Как вы это поняли?»

«У вас другой взгляд. Очень внимательный. Врачи тоже смотрят внимательно, но как будто только сверху, а вы смотрите внутрь. И сразу на всего человека целиком. Если понимаете, о чем я».

«Понимаю. Спасибо ☺»

«Не за что. Просто вы спросили, а я ответила. А кто вы?»

Я снова закуриваю. Мне очень не хочется врать этой девочке, но какую правду я ей скажу? Я похоронный агент? Приходил посмотреть на потенциального клиента? Немыслимо. Бывший наемник, выслеживающий средневекового некроманта, который делает то лекарство, что вы принимаете? Ничуть не лучше.

«Я писатель», – отвечаю я первое, что приходит в голову.

«Круто. А к нам зачем приезжали?»

«Собираю материал для книги на медицинскую тему. Попросил свою знакомую показать мне, как работают настоящие врачи, и вот, оказался у вас в гостях».

«А где сейчас ваша знакомая?»

«Не знаю. А почему вы интересуетесь?»

«С ней все в порядке?»

Что за черт? Я рефлекторно тянусь к телефонной трубке, но потом все же спрашиваю на всякий случай:

«Думаю, да. Маша, а есть причины для беспокойства?»

«Она ведь работает в этой клинике... «Данко», да?»

«Маша, теперь уже и я начинаю беспокоиться о ней из-за ваших вопросов».

«Вот и мой папа тоже беспокоится. Я так поняла, там что-то случилось ☹»

«Почему?»

«Вы же сами сказали, что я проницательная».

Пальцы быстро стучат по клавишам:

«Маша, женщина, с которой я приезжал к вам, действительно очень хорошая моя знакомая и прекрасный врач. Кроме того, она замечательный человек. Я не видел ее уже несколько дней и буду признателен, если вы скажете мне о причинах вашего беспокойства».

На этот раз ответа нет так долго, что я успеваю выкурить сигарету и зажечь другую. Бутылка виски из сияющей янтарной башни медленно, но верно превращается в унылое сооружение из мутного стекла.

«Мария Галачьянц прислала новое сообщение».

«Вы знаете, чем я больна?»

«Да».

«И знаю, почему это произошло, – думаю я. – И что случилось с теми, кто в этом виноват».

«Ну вот. Это случилось два года назад. Сначала все было нормально более или менее. Только из школы пришлось уйти и учиться дома. Папа очень меня берег, я постоянно лекарства пила, целыми горстями. Витамины и что-то для укрепления иммунитета. Потом болезнь обострилась, вошла в активную стадию. Я лежала в клиниках разных, за границей, было много процедур, уколов. Но в конце прошлого года мне все равно стало уже очень плохо. Очень. Я знала, что умираю, но мне не было страшно, только больно. А потом папа привез мне какое-то лекарство в небольшой бутылочке, сказал, что это новое средство от... моей болезни. Попросил выпить. И вот тут мне почему-то стало страшно, хотя я же умирала, чего еще бояться? Я не хотела пить, но папа очень просил. И я выпила. Вкус такой необычный и неприятный. А потом он стал привозить мне такие бутылочки каждый месяц».

«Значит, лекарство помогло?»

«Да. То есть болеть я вообще перестала. Только состояние странное какое-то постоянно, как будто живу не я, а только мое тело... я не знаю, как объяснить».

«Маша, вы мне не поверите, возможно, но я вас понимаю».

Снова пауза. Сигарета, глоток виски. Я открываю окно, в комнату врывается влажное холодное дыхание ночи.

«Я вам верю. Ну так вот. Насколько я понимаю, папа брал лекарство в этом самом медицинском центре, «Данко». Примерно с января к нам домой приезжал врач, один и тот же, каждый месяц, брал у меня кровь. У него логотип был на халате и чемоданчике, поэтому я поняла, как эта клиника называется. И лекарство нам тоже привозили каждый месяц, примерно в одни и те же дни, но я не видела кто».

*«Наверное, Абдулла или кто-то из его людей. Хотя к бывшему шефу из уважения мог бы ездить и сам».*

«А несколько дней назад папа стал очень сильно нервничать. Он вообще часто нервничает, у него работа такая, но обычно по нему это незаметно, только я вижу, что он беспокоится, даже Кристина не замечает. А сейчас на нем просто лица нет. Люди, которые у нас работают, говорят только шепотом и стараются ему на глаза не попадаться. А еще он постоянно заходит ко мне, а если его нет дома, то звонит каждый час и все время спрашивает, как я себя чувствую. Я его таким видела только два раза. Когда я... ну, в общем, заболела, и когда болезнь проявилась. И вот теперь он опять такой. Короче, если сложить все вместе, то ясно, что в этом медицинском центре что-то случилось. Вот я и спросила про вашу знакомую, может, она что-то знает. Или вы».

Я почувствовал, что на душе у меня становится очень паршиво.

«Маша, к сожалению, я ничего не могу вам сказать».

«Не знаете или не можете сказать?»

«Не знаю».

«Ладно».

«А как вы себя чувствуете, Маша?»

«Нормально. Как всегда».

Снова пауза. Пустая бутылка отправилась на пол, звякнув о стеклянный бок своей сестры-близнеца.

«Мария Галачьянц прислала сообщение».

«Я знаю, что лекарства больше не будет. И осталось всего несколько дней примерно. Но мне все равно не страшно почему-то. А вот папу жалко, он очень страдает ☹ Я вижу, как он просто места себе не находит. Постоянно звонит куда-то, ругается на всех, кроме меня, конечно. Кристина, наверное, поэтому вообще четыре дня уже дома не появляется, но папа не замечает словно. А недавно снова звонил тому человеку, который к нам приезжал тогда, когда у меня болезнь проявилась. В прошлом году».

«Какой человек? Ваш бывший охранник? Или кто-то из клиники?»

«Нет, другой. Папа еще его называл не по имени, а как-то странно».

«Как?»

«Кардинал».

Рука вздрагивает так, что я едва не проливаю виски на клавиатуру. Я ставлю стакан в сторону и с трудом набираю текст.

«Маша, а когда к вам домой приезжал Кардинал?»

«Ну, вот когда я заболела... когда начались симптомы. И потом через несколько дней папа дал мне первый раз это лекарство. В конце декабря, кажется, не помню точно».

Нужно только ждать, и ответ обязательно придет. Пусть даже и не на те вопросы, которые я задал после того, как прочитал все заметки Мейлаха, «Красные цепи» и «Хроники». Зато, похоже, это ответ на другой, главный вопрос. Куски головоломки с огромной скоростью стали становиться на места и складываться в четкую и страшную картину. Огромные деньги. Колоссальный ресурс, позволяющий скрыть любую информацию и развалить любое уголовное дело. Старая история с казнью малолетних насильников, увязавшая между собой троих ее участников: Кардинала, Абдуллу, Кобота. Смерть Абдуллы, последовавшая сразу после моего визита к Кардиналу. И вот теперь недостающее звено: встреча Кардинала и Галачьянца за несколько дней до того, как Маша первый раз получила спасительный эликсир. А тот, кто дал ей это лекарство, взамен получил не просто деньги, но и полную власть над ее отцом и его финансовой империей, обеспечивающей своему владельцу стабильное место в первой половине сотни русского «Forbes». Я смотрю на часы: начало четвертого часа утра. Ехать прямо сейчас или все-таки днем? Еще одно новое сообщение.

«А вы его знаете, этого Кардинала? Кто он?»

«Мы знакомы. А вот кто он, я, видимо, не знаю. Но обязательно узнаю, Маша. И очень скоро».

Я поднимаюсь и начинаю ходить по комнате. Голова ясная, словно не было бессонной ночи и того количества виски, которое я в себя влил. Надо все-таки успокоиться и заставить себя уснуть хотя бы ненадолго. Адреналин на некоторое время блокирует усталость и алкоголь, но очень скоро они вернутся, а мне понадобятся силы и сознание чистое настолько, насколько только это будет возможно. Я снова сажусь перед ноутбуком и открываю новое сообщение.

«Знаете, а я тоже пишу. Только не книги про врачей, а стихи. Можно, я вам вышлю что-нибудь свое? Мне интересно ваше мнение».

«Конечно, можно, Маша. Я с удовольствием почитаю. А вы берегите себя, пожалуйста. И бабочку тоже».

«Спасибо. Но если все так, как я думаю, мне не очень долго осталось себя беречь. Лучше вы берегите себя. И Кардиналу привет передавайте. Вы ведь сейчас к нему собираетесь, да?..»

Я качаю головой, невесело усмехаюсь и выключаю компьютер.

# Глава 16

— Полагаю, вы удивлены моим приглашением?

Алина посмотрела на Кардинала. Тот же изысканно-серый кабинет, в котором она была вместе с Гронским несколько дней назад, тот же диван, низкий столик из матового стекла, только как будто что-то изменилось в атмосфере и в самом хозяине кабинета. Кардинал выглядел уставшим, взгляд стал жестче, и хотя манеры оставались по-прежнему безупречно вежливыми, за ними явственно ощущалась твердая сталь, как бывает, когда во время игры вдруг замечаешь, что для кого-то из игроков она превратилась из забавы в принципиальное и бескомпромиссное состязание. Белые изящные чашечки, от которых поднимался тонкий аромат, как и в прошлый раз, стояли на столе, но сейчас Алине почему-то совершенно не хотелось кофе.

— Последнее время меня мало что удивляет, — ответила она. — Я, наверное, скоро вообще утеряю способность удивляться. Но о причине вашего приглашения мне, конечно, хотелось бы узнать.

Кардинал вздохнул и откинулся на спинку кресла. Сейчас он выглядел старше, и Алина снова подумала о том, сколько же ему лет.

— Видите ли, — сказал Кардинал, — у меня есть одна проблема. Возможно даже, что она у нас общая.

— Вот как? — удивилась Алина. — Моя основная проблема сейчас — это множество мертвых тел, куча работы и слишком мало людей, чтобы ее делать.

— Да, мертвых тел и в самом деле получилось как-то слишком много, — согласился Кардинал, — и самое печальное, что появление некоторых из них совершенно не было запланировано. Как вы могли заметить, я живо заинтересовался историей, которую вы рассказали мне во время своего предыдущего визита. Заинтересовался настолько, что захотел получить определенные разъяснения, так сказать, из первых рук, от печально известного вам Абдуллы. Но увы, он покинул этот мир раньше, чем смог что-либо рассказать, получив в грудь арбалетную стрелу, а тот, кто эту стрелу послал, тоже освободился от бремени земного существования стараниями нашего общего друга Родиона.

— Это был оборотень, — сказала Алина. — Стрелок с арбалетом — оборотень.

Ей захотелось, чтобы Кардинал удивился этому слову или

как-то выразил свое недоверие, и тогда она стала бы спорить и доказывать ему то, с чем сама и не думала соглашаться раньше. Как странно: с тех пор, как она рассталась с Гронским – она думала про это именно так: *рассталась,* – Алина чувствовала, что готова защищать все те его идеи, которые так непримиримо отвергала раньше.

Но Кардинал и бровью не повел.

– Оборотень, – легко согласился он. – Но это сейчас не очень важно. Как бы то ни было, и он, и Абдулла мертвы и уже не смогут поведать ничего, что облегчило бы поиск того или тех, кто стоит за ними обоими. Того, кто делает эликсир из человеческой крови и плоти.

Кардинал внимательно смотрел на Алину. Она вспомнила, как во время их прошлой встречи Гронский старательно избегал упоминания обо всем, что касалось алхимии, ассиратума и книги «Красные цепи».

– Не понимаю, чем могу вам помочь, – ответила она.

Кардинал чуть улыбнулся, и Алина почувствовала, как между лопатками пробежал неуютный холод.

– Видите ли, – сказал он голосом доброй змеи, – я совершенно уверен в том, что Родиону известно о сути этого дела гораздо больше, чем он счел нужным мне рассказать. Даже если не учитывать того обстоятельства, что он явно лгал в ответ на некоторые вопросы, мне слишком хорошо известны его аналитические способности и обстоятельный подход к любому делу, которым ему приходится заниматься. Так что я очень хотел бы знать то, что знает он.

– Так и спросите его самого, – ответила Алина, и слова ее прозвучали чуть более резко, чем она того хотела. – При чем тут я?

– Он не скажет, – быстро отозвался Кардинал. – Предполагаю, что это расследование имеет для него какое-то личное значение и он хочет добиться результатов, явно отличных от тех, к которым стремлюсь я. К тому же Родион – одиночка, он упрям, иногда даже слишком, и не желает иметь со мной дел, разве только его вынудят к тому крайние обстоятельства. Такое отношение не может меня не огорчать, но я смирился с этим еще два года назад. А вот что действительно печально, так это то, что мне сейчас нужна его помощь, ну или хотя бы информация, которой, как я убежден, он располагает. К сожалению, мои собственные усилия в течение последней недели ни к чему не привели. В «Данко» пусто, охраны нет, девочки с ресепшена разбежались, врачи тоже; двоих из них мы не нашли, а те, с которыми удалось поговорить, не сообщили решительно ничего важного или нового. В итоге мы обнаружили только забитые никчемным оборудованием складские помещения, подвальную лабораторию с препаратами из человеческих органов, а в кабинете Кобота — большое количество записей с результатами химических и микробиологических исследований. Видимо, он пытался самостоятельно получить эликсир, но потерпел в этом полную неудачу. Сам Кобот тоже пропал; его ищут и, конечно, рано или поздно найдут, но не думаю, что от него будет какой-то прок. Изъятые истории наблюдений пациентов «Данко» тоже оказались бесполезны: одни только результаты диагностики и заключения о безупречном здоровье. Мои люди даже поговорили с каждым из тех, кто был клиентом медицинского центра. Разумеется, все эти люди сообщили только, что получали раз в месяц свою порцию напитка, которую привозил им курьер. В общем, мне не оставалось ничего другого, как законсервировать «Данко» до поры до времени и оставить там пару человек для охраны и наблюдения.

Кардинал чуть нагнулся вперед.

— Дорогая Алина, — голос его был негромким и проникновенным, — признаюсь, я в тупике. И буду очень признателен вам, если вы поможете мне из него выйти. Родион наверняка делился с вами своими идеями и умозаключениями, о которых вы оба умолчали прошлый раз, — я ведь видел, как он бросал тогда на вас эти свои взгляды. Мне пригодится сейчас что угодно, любая версия, гипотеза, даже самая странная и невероятная. В конце концов, разве вам самой не интересно будет узнать истинного виновника тех преступлений, расследование которых едва не закончилось для вас трагически? Окажите мне любезность, и поверьте, я умею быть благодарным.

Алина покачала головой.

— Я действительно ничего не могу вам сказать, — твердо произнесла она. — Гронский не посвящал меня в свои теории или что там еще. Он предложил мне сотрудничество, на которое я сама не понимаю, как согласилась, порекомендовал устроиться на работу в «Данко», потом попросил организовать ему встречу с Галачьянцем и сделать анализ крови Маши, только и всего. Потом я решила действовать сама, пробралась ночью в пустой дом, а об остальном вы знаете.

Алина помолчала.

— Последний раз я видела его неделю назад, — добавила она,

секунду поколебавшись. – Он сказал, что наше расследование закончено, и... в общем, я ушла. Вот и все.

Кардинал кивнул и задумчиво посмотрел перед собой.

– Что ж, – негромко сказал он. – Значит, некоторые вещи в этом мире не меняются. Как это похоже на Родиона: использовать людей, а потом избавляться от них, когда они перестают быть нужными.

Алина вздрогнула.

– Что значит «похоже»? – вырвалось у нее.

Кардинал снова улыбнулся.

– Моя дорогая Алина, а что вы вообще знаете про человека по имени Родион Гронский? Он вам рассказывал про себя хоть что-то?

Алина сглотнула вдруг невесть откуда взявшийся комок в горле и кивнула.

– Рассказывал... про работу наемником... агентом... про Восток...

– И вы, наверное, представили себе нечто благородное и романтическое, да? Или полагали, что он трудился послом доброй воли по всему миру?

Алина молчала. Противное ощущение комка в горле нарастало.

– Если бы Родион действительно рассказал вам правду о том, кем был и чем занимался, то вас не удивили бы слова о том, что он привык манипулировать людьми и использовать их в своих собственных целях. Собственно, это была и есть самая сильная его черта как профессионала. И кому, как не мне, это знать: ведь он был моим воспитанником с тех самых пор, как его отец и мать погибли в шторме на Северном море; он был моим учеником, одним из лучших, заметьте, а потом – одним из лучших агентов. Полагаю, он не захотел распространяться о некоторых подробностях своей бурной биографии, а вы, будучи очарованы его несомненным обаянием – очарованы, не спорьте! – и не спрашивали ни о чем, дорисовав образ при помощи собственной фантазии. В этом нет ничего странного или стыдного: поверьте, не вы одна слушали его, затаив дыхание и веря каждому слову. Оказывать на людей подобное влияние есть часть его профессиональных компетенций, таких же, как стрелять без промаха или за пару секунд убить человека голыми руками – а в его высоком профессионализме вы имели случай убедиться.

Знаете, существуют определенные психологические принципы подбора кадров для различных видов специальных подразделений и служб. Например, для диверсионных групп или коммандос лучше всего подходят юноши из социально неблагополучных семей, прошедшие уличную школу выживания, склонные к жестокости, с развитым стайным инстинктом и интеллектом, достаточным для выполнения поставленных оперативных задач, но не слишком высоким, чтобы задумываться о сути и смысле полученных приказов. Для тайного агента, действующего в одиночку и выполняющего задания, подобные тем, которыми занимался Гронский, действуют совсем другие критерии отбора. И он им как нельзя лучше соответствовал. Интеллигентный мальчик из хорошей семьи, но не слишком избалованный родительским вниманием, с показателем умственного развития намного выше средних значений для своего возраста; гордый, высокомерный, склонный к мизантропии, с данными неформального лидера и стремлением быть не таким, как все, отличаться и превосходить других, но не по общепринятым в социуме критериям, а вести другую жизнь, вне общественной системы ценностей, – все это идеальные данные для профессионала такого рода.

Кардинал покачал головой и печально улыбнулся нахлынувшим воспоминаниям.

– Я гордился им, Алина. Да что там, я до сих пор им горжусь. Это умный, тонкий, расчетливый и безжалостный городской охотник, избегающий лишнего шума и насилия, но в то же время ни на секунду не задумывающийся, если это насилие становится необходимым. Некоторые агенты работают в группах: небольшие такие хорошо сработанные мобильные отряды с распределенными ролями. Но Гронский всегда работал только один. Во время каждой своей миссии он находил себе помощников, какие только могли понадобиться для дела: от финансовых менеджеров высшего уровня до горничных в отелях, от ученых и компьютерных специалистов до бандитов и проституток. Он заводил друзей, подружек, манипулировал человеческими слабостями, желаниями, потребностями, пороками, амбициями и искренностью. Каждая его операция была маленьким шедевром, когда искомую цель ему едва ли не вкладывали в руки, так что оставалось только взять ее или нажать на курок. Люди даже не подозревали о том, что работают на него, причем, как правило, совершенно бесплатно и по доброй воле, пока он не исчезал, нимало ни беспокоясь о дальнейшей судьбе своих случайных соучастников. За много лет у него не было ни одного промаха, и это именно потому, что он использовал людей без всякой лишней сентиментальности и легко расставался с ними, оставляя на недолгую, как правило, память одну из своих многочисленных масок.

– Меня он на произвол судьбы не бросил, – глухо сказала Алина. Говорить было трудно и больно.

Кардинал невесело рассмеялся.

– Вы о том, что он примчался к вам на помощь и спас от громил Абдуллы? Не обольщайтесь, дорогая Алина. Он не вас спасал – он ликвидировал тех, кто мог получить от вас опасную для него информацию. И защищал вас, только как до поры и до времени необходимый ему ресурс.

Наступила пауза. Алина тихо вращала на блюдце чашечку с остывшим кофе.

– А что... как получилось, что это все... эта его деятельность закончилась?

Кардинал поморщился.

– Мне неприятно об этом вспоминать. Это печальная история: и для меня, потому что я недооценил некоторых особенностей его личности и потерял прекрасного сотрудника, и для Родиона, потому что он, как я считаю, потерял себя. Главное про него я вам уже рассказал, так что представление о том...

– И все-таки я бы хотела услышать, – твердо сказала Алина. – Что случилось?

Кардинал пожал плечами, встал, достал из хьюмидора сигару, закурил, сел обратно и снова заговорил.

– Родион всегда прекрасно владел одним из самых полезных навыков для человека его рода занятий – навыком одиночества. Никаких привязанностей, никакой эмоциональной зависимости, ничего, что может помешать в случае необходимости встать, взять заранее собранную сумку и исчезнуть, чтобы появиться в другой стране с новым именем, новой личностью и новой биографией. Одиночка практически неуязвим; но если рядом появляется кто-то еще: близкий человек, друг, любимая женщина, – ты сразу превращаешься в малоподвижную мишень, которой, к тому же, можно манипулировать, используя твои чувства и слабости. С Родионом произошла как раз такая некрасивая и нелепая история. Однажды он все-таки ошибся. Это бывает даже с лучшими, особенно если эти лучшие десять лет не знали поражений и чрезмерно уверовали в собственные силы. Во время последней миссии его вычислили и послали по следу группу из трех человек, профессиональных ликвидаторов. Я знал об этом и предлагал прервать выполнение задания и уехать из страны, но он не согласился. Ну как же, ведь это значило бы признать свою неудачу. В итоге его настигли, и он получил три пули, но каким-то чудом остался в живых. Мы потеряли его из виду в одной из провинций южного Китая, а когда снова нашли, дело было уже очень плохо. Он умудрился влюбиться: в девушку, врача, которая его лечила и помогла выжить. Мне надо было тогда силой вывозить его оттуда, но я даже предположить не мог, насколько эти внезапные чувства были серьезными и какими последствиями обернется его неожиданный романтический порыв. Его самой страшной ошибкой в той ситуации было то, что он по-прежнему и не думал отказываться от задания, а после его выполнения остался в Китае. Насколько я помню, у той девушки было какое-то европейское имя, кажется, Эвелин... или Лилиан... да, точно, Лилиан Линь. Действительно очень хорошая девушка, милая, искренняя, добрая. И бесконечно далекая от той жизни, которую вел Родион. Они даже жили вместе, примерно полгода, и все это время он продолжал работать. Разумеется, те, кто когда-то послал по его душу группу ликвидаторов, в конце концов узнали о том, что он выжил, и поспешили исправить допущенную ошибку. Исполнителями были все те же трое, что один раз уже сумели его накрыть, только теперь они оказались еще и несколько раздосадованы своей оплошностью, так что дело для них приняло личный характер и просто убить его им показалось мало. Они расстреляли несчастную Лилиан из дробовика на пороге их дома, среди бела дня и на глазах у десятков прохожих. За несколько минут до этого убийцы позвонили Родиону и сказали о том, что собираются сделать. Он не успел ни предупредить ее, ни спасти. Она умерла у него на руках.

Кардинал глубоко затянулся, и сигара отозвалась легким потрескиванием. Алина замерла, глядя на поднимающиеся к серому потолку синеватые ленты дыма.

– И он сорвался. Начал мстить и множить ненужные смерти по всей Юго-Восточной Азии. Стал совершенно неуправляем, не шел на контакт, постоянно уходил из-под наблюдения, и иногда найти его снова удавалось только по кровавым следам то в одном, то в другом городе. Нам пришлось прекратить всякую поддержку, заморозить все его счета, но и это его не остановило. Где-то в середине этой вендетты он попал в тюрьму, одну из самых страшных и неприступных во всем Китае. Я уже готов был вытащить его оттуда, но он успел сбежать и снова исчезнуть. Это продолжалось почти год, до тех пор, пока не погиб последний из тех, кто был причастен к смерти Лилиан.

Не представляю, как ему удалось выжить, а тем более вернуться обратно, но три года назад он снова появился здесь, у меня. Конечно, о прежней работе не могло быть и речи, и если бы он не был моим воспитанником, думаю, что мне пришлось бы расстаться с ним каким-то радикальным способом, но... В общем, я помог ему, насколько это было возможно. Устроил на работу в службу безопасности одной крупной компании. Но знаете, моя дорогая Алина, люди не меняются, во всяком случае, не меняются радикально. Так что пусть вас не обнадеживает рассказанная мной сентиментальная мелодрама о любви и смерти. Образ жизни и принципы поведения человека практически не поддаются корректировке. И вполне естественно, что Родион не смог работать от звонка до звонка пять дней в неделю и два раза в месяц приходить в кассу за зарплатой. Как вы знаете, он предпочел уйти с работы, разорвать со мной все отношения, перебиваться случайными заработками, хоронить мертвецов, но зато оставаться хозяином самому себе, каким был всю свою жизнь. И как хорошо видно на вашем примере, он остался самим собой и в том, что касается отношения к людям и их использования в собственных целях.

– Вы, вероятно, думаете, что очень хорошо разбираетесь в людях, – медленно сказала Алина, глядя перед собой. Все то время, пока Кардинал говорил, она чувствовала, как комок в горле камнем спускается ниже, наливаясь в груди темной тяжестью, готовой прорваться наружу.

– Я рассказал вам все это лишь с одной целью, – сказал Кардинал, – чтобы вы поняли, с каким человеком имеете дело. Только и всего. Считайте это дружеским одолжением с моей стороны.

– Спасибо. Я поняла, с кем имею дело, – сказала Алина, и голос ее зазвенел. – Я имею дело с человеком, который при его роде занятий не потерял способности любить. Который, ради того, чтобы отомстить за смерть любимой, не побоялся лишиться всего, что имел. Который и сейчас ведет свое дело и рискует жизнью не из корыстных интересов, а ради справедливого возмездия и стремления защитить тех, кто нуждается в защите.

Кардинал молча смотрел на Алину.

– Возможно, вы правы, – продолжала Алина, глядя на Кардинала сквозь застилающие глаза злые слезы. – Возможно, он спас мне жизнь только потому, что я могла еще оказаться полезна. Возможно, когда он выгнал меня, как собаку, под дождь несколько дней назад, сказав, что наше сотрудничество окончено, он поступил так, как поступал со всеми и всегда. Но вот только меня никто не использовал и в неведении не держал, и мы с самого начала вместе обсуждали все версии, предположения, все теории и все материалы по этому делу, так что я прекрасно знала...

Алина резко замолчала, прикусив язык, и почувствовала, что стремительно краснеет. Кардинал смотрел на нее жестким немигающим взглядом.

– Я рад, что ошибся насчет степени доверительности ваших отношений с Родионом. Теперь, когда мы это выяснили, давайте вернемся к самому началу разговора и моей небольшой просьбе. Я очень хочу услышать от вас о том, что известно нашему общему другу по этому делу, и обо всех тех его версиях, предположениях и теориях, которые вы сейчас так кстати упомянули.

В глазах Кардинала блеснула вороненая сталь. Алина почувствовала себя как кошка, загнанная в угол большим и опытным псом. Она встала и решительно выпрямилась во весь свой небольшой рост.

– Я уже ответила вам, что ничем не могу помочь, – отчеканила Алина, изо всех стараясь унять дрожь в голосе. – Если вас интересует что-то, связанное с вашим воспитанником, спросите его об этом сами. Извините, но мне пора, меня ждет работа.

Кардинал тоже поднялся.

– Пожалуйста, сядьте, – сказал он негромким голосом, который вполне мог бы пригнуть к земле небольшую рощу. Алина села. – Я настоятельно рекомендую вам не пренебрегать моим гостеприимством и хорошим к вам отношением.

Алина вдруг отчетливо вспомнила про лимонную косточку. Сердце неприятно заныло. Кардинал тоже сел было в кресло, но тут раздался тихий мелодичный сигнал стоящего на рабочем столе телефона. Алина сидела неподвижно и смотрела, как Кардинал плавно пересекает кабинет, подходит к своему столу и берет трубку.

– Говорите, – сказал он голосом недовольного тигра, которого отвлекли от трапезы.

Несколько секунд он молчал, слушая своего невидимого собеседника, а потом произнес:

– Хорошо. Пусть поднимается.

Кардинал положил трубку и повернулся к Алине.

– Вам придется задержаться. Подождут ваши покойники. Не стоит торопиться к ним раньше времени.

И увидев, как Алина побледнела – резко, сильно, до шума в голове, – улыбнулся и добавил:

– Похоже, у меня сегодня день визитов. Пожаловал герой моих рассказов собственной персоной.

* * *

Хмурая утренняя суета и раздраженное гудение машин, теснящихся в пробке на Большом проспекте, остались за спиной. Гронский припарковал джип напротив единственной двери в серой стене высокого узкого дома и вышел под легкий, как паутина, моросящий дождь. Рядом стоял еще один автомобиль, новый черный «BMW M5», а значит, у Кардинала были гости: он сам и все сотрудники его штаб-квартиры ставили свои машины за железными воротами, в закрытом дворе. Гронский нажал на кнопку звонка, и на этот раз ему пришлось ждать почти минуту, пока дверь открылась. Не очень хороший знак.

Он быстро поднялся по лестнице, перешагивая через две ступени. Как и неделю назад, здесь было пустынно и тихо, но Гронский чувствовал странное напряжение, как будто за каждой дверью кто-то стоял, замерев в ожидании, а на него самого смотрели разом десятки внимательных глаз.

Дверь на пятом этаже была открыта, но его никто не встречал. Гронский миновал коридор, прошел через пустую приемную и толкнул дверь в кабинет Кардинала.

Алина обернулась. Гронский стоял у входа, такой, каким она увидела его в первый раз – сейчас казалось, что с тех пор минула целая эпоха: белая рубашка, черное пальто, немного помятый, немного растрепанный, с темной тенью щетины на лице. И даже выражение лица было то же, холодное, непроницаемое, за которым чувствовалась скрытая сила и, как сейчас понимала Алина, опасная угроза. Под расстегнутым пальто на поясе, совсем рядом с опущенной правой рукой, виднелась чуть заметная кобура.

– Родион, мой мальчик, рад тебя видеть, – Кардинал остался сидеть в кресле, внимательно глядя на своего гостя. – Ты какой-то раскисший, как будто не спал всю ночь и пил.

– Алина, встань, пожалуйста, и выйди отсюда, – сказал Гронский, так же не сводя пристального взгляда с Кардинала.

Алина встала.

– Алина, сядьте, пожалуйста, – спокойно сказал Кардинал. – Вы моя гостья, и только мне решать, когда ваш визит можно будет считать оконченным.

Алина села обратно.

Некоторое время двое мужчин продолжали молча смотреть друг на друга.

— Послушай, Родион, — миролюбиво произнес Кардинал, — если уж мы все собрались здесь, не лучше ли присесть и обсудить наши общие дела конструктивно и в тоне более приемлемом, нежели тот, который ты задал? Мне начинает казаться, что у тебя ко мне есть какие-то претензии, что было бы более чем странно.

— У меня есть вопросы, — сказал Гронский.

— Какое совпадение, — отозвался Кардинал. — Представь себе, и у меня тоже. Мы как раз обсуждали их с твоей милейшей напарницей. Может быть, все-таки присядешь и мы поговорим?

Гронский секунду поколебался, а потом все-таки сел на противоположную от Алины сторону дивана.

— Ну вот, — развел руками Кардинал. — Уже похоже на начало диалога. Кофе?

Гронский подумал и молча кивнул. Через несколько минут в кабинете появилась все та же стройная девушка с красивым строгим лицом, поставила перед Гронским чашку кофе, бросила на Кардинала быстрый вопросительный взгляд, в ответ на который тот едва заметно покачал головой, задержалась на секунду и вышла.

— Так какие у тебя ко мне вопросы?

— Ты не сказал мне, что встречался с Галачьянцем незадолго до того, как его дочь впервые получила лекарство от своей болезни. Я думаю, что это слишком хорошо для простого совпадения.

— Ну да, — Кардинал улыбнулся. — И ты, конечно, решил, что эликсир для несчастной Маши Галачьянц раздобыл я. Так?

— Недостающее звено, — ответил Гронский. — Тот, кто использовал Абдуллу как прикрытие и связывал его и производителя эликсира.

— Мой дорогой Родион, — сказал Кардинал. — Если бы это было правдой, неужели ты думаешь, что я стал бы вести с тобой все эти разговоры? Задавать вопросы любезнейшей Алине, да и помогать вам в решении той проблемы, которая возникла в результате ее опрометчивого любопытства и твоей блестящей огневой подготовки? Устраивать целую войсковую операцию с целью захватить Абдуллу, который, увы, теперь уже никому и ничего не сможет рассказать? Зачем мне это?

— Абдулла погиб во время захвата, — сказал Гронский. — И это уж точно не было случайностью. Кто-то очень не хотел, чтобы он заговорил.

– А при чем тут я? – развел руками Кардинал. – Если бы мне нужно было его убить, поверь мне, я бы не стал утруждать себя такой масштабной и затратной акцией. И раз уж ты упомянул об этом, то я точно так же могу заподозрить тебя в его смерти: ведь тела стрелка мы так и не обнаружили, верно? Я имею в виду, человеческого тела. Зато нашли тебя, как раз рядом с брошенным арбалетом.

Гронский промолчал. Кардинал взял потухшую сигару, тщательно раскурил ее при помощи длинной кедровой спички и затянулся. Витой синий дым как призрачный крылатый змей поднялся вверх и лениво поплыл к вентиляционному окошку.

– А если ты хочешь обсудить вопрос нашей взаимной откровенности, – продолжил Кардинал, – то разве ты сам не скрыл от меня многое из того, что тебе известно об этом деле? И не просто скрыл, а еще и солгал в ответ на прямой вопрос – а ведь тебе известно, как я не люблю ложь. Однако я не являюсь к тебе домой с обвинениями и оружием за поясом, как в каком-то дурном вестерне, нет. Я даже не стал тебя беспокоить и просить немного помочь мне разобраться в нашем теперь уже общем деле, просто потому, что не хотел выслушивать твой отказ. И вместо этого мне пришлось побеспокоить уважаемую Алину, отвлечь ее от работы, и с прискорбием убедиться, что своим упрямством и скрытностью ты успел заразить и ее. И у кого в этой ситуации должно быть больше поводов для претензий и обид?

Гронский мрачно смотрел перед собой и молча пил кофе.

– Что ты предлагаешь? – спросил он.

– Я предлагаю сотрудничество, – ответил Кардинал. – Основанное на взаимной открытости и доверии. Ты же знаешь, я никогда не обманываю.

– О да.

– Тебя я никогда не обманывал, – уточнил Кардинал с ударением на первом слове. – И я уверен, что, если ты хочешь в этом деле пойти до конца, тебе обязательно понадобится моя помощь. Так почему бы нам не поработать снова вместе? Когда-то у нас это очень хорошо получалось.

Алина тихонько сидела, прижавшись к спинке дивана, и только молча посматривала то на Гронского, то на Кардинала.

– Предлагаю для начала обменяться информацией, – сказал Гронский, немного помолчав. – А там посмотрим.

— Хорошо, — легко согласился Кардинал. — Начнешь первым?..

Гронский кивнул.

— Извините, — подала голос Алина, — можно я сделаю один звонок? Предупрежу, чтобы на работе меня не ждали в ближайшее время. Чувствую, мы здесь надолго.

К тому моменту, как Гронский закончил свой рассказ, минутная стрелка на часах Алины успела сделать полный круг, на столе появились и опустели еще несколько чашек с кофе, а сигара Кардинала догорела, и только маленький ее кончик возвышался, как коричневый пенек среди толстых поваленных стволов из серого пепла. Кардинал слушал очень внимательно, изредка задавая уточняющие вопросы: про «Красные цепи», «Хроники Брана» и в особенности про свойства ассиратума. Наконец наступило молчание.

— Блестяще, — сказал Кардинал и с уважением взглянул на Гронского. — Правда, очень неплохо. Ты проделал хорошую работу, мой мальчик.

Гронский пожал плечами.

— Только, похоже, бессмысленную. Множество теоретических сведений и ничего такого, что могло бы указать на того, кто делает ассиратум.

— А как ты думаешь, кто это? — спросил Кардинал.

— Есть только два человека в мире, которым известна тайна эликсира, — медленно проговорил Гронский. — И один из них находится сейчас в нашем городе. Скорее всего, это сам Некромант, тот самый лорд Марвер из «Хроник Брана».

Он помолчал и добавил с неохотой:

— Или леди Вивиен.

— Может быть еще третий вариант, — добавила Алина, удивляясь сама себе. «Господи, я действительно обсуждаю это всерьез?». — Мы не знаем, что могло случиться с этими двумя за шестьсот лет. Их могли убить, они могли погибнуть в войнах... не знаю, но ведь что-то могло оборвать их жизнь. Оставалось еще два целых экземпляра манускрипта, один у Марвера и один у леди Вивиен. Почему бы не предположить, что кто-то совершенно случайно мог завладеть неповрежденной книгой и узнать тайну приготовления ассиратума?

— Предположить можно, — кивнул Кардинал. — Но я склонен согласиться с первой версией Родиона. И сейчас расскажу почему.

Он встал, подошел к шкафу, взял из хьюмидора еще одну сигару и достал бутылку виски с тонкими рукописными строчками на маленькой бумажной этикетке.

– Составите мне компанию?

Гронский, поколебавшись, отрицательно покачал головой. Алина тоже отказалась.

– Спасибо, но я все-таки надеюсь добраться сегодня до работы.

– А я, пожалуй, выпью.

Кардинал плеснул в тяжелый стеклянный бокал немного дымного напитка и сел обратно в кресло.

– Не уверен, что мой рассказ будет так же интересен и полезен, как твой, Родион, – начал Кардинал, – но мы договорились о том, что ответим на вопросы друг друга, так что откровенность за откровенность. Ты хотел узнать о моей встрече с Галачьянцем в прошлом году? Ну так слушай.

Он пригласил меня к себе примерно в конце ноября, почти ровно год назад. Сказал, что дело очень важное, не терпящее отлагательств и что только я могу ему помочь. Мы сидели вдвоем в его большом каминном зале, и он очень долго молчал, не решаясь начать разговор. Я знаю Германа достаточно давно, и хотя мы никогда не были приятелями, мне приходилось видеть его и в горе, и в радости, но таким подавленным и встревоженным я не видел его никогда. Он был похож на старого обеспокоенного грача: то сидел, то вставал и расхаживал по залу, высокий, сутулый, черный, чуть покачиваясь вперед, словно пытался разглядеть что-то у себя под ногами. Наконец он остановился и спросил:

– Ты знаешь, что моя дочь умирает?

– Да, – ответил я.

Кто же об этом не знал?

– Ничего не помогает, – сказал он. – Ничего. Ни врачи, ни лекарства. Вчера мне сказали, что счет идет на недели, а может быть, и на дни.

Я молчал. Он сел и уставился на меня глубоко запавшими черными глазами.

– Можешь сделать для меня кое-что?

– Говори.

– Это прозвучит очень странно, но я хочу, чтобы ты нашел для меня одного человека. Здесь, в городе. Мне неизвестно о нем ничего, даже имени, которым он может себя сейчас называть. Я только знаю, что он живет тут очень, очень долго, возможно, сто лет, а может быть, и больше. У него есть то, что может спасти мою дочь.

Ты знаешь, Родион, что я не люблю недосказанности, особенно в том, что касается работы. Поэтому естественно, что я попросил Галачьянца объяснить его действительно более чем странную просьбу, сказав, что мне нужно знать все подробности и детали того дела, которым я, возможно, займусь. Он снова замолчал, опять поднялся из кресла и стал расхаживать взад и вперед, пока наконец не уселся обратно и начал рассказывать.

Семейные легенды – удивительная вещь. Иногда рассказанные прабабкой случайные истории, которые все считают небылицами безграмотной старухи, могут таить в себе такие глубины бесценного знания, что и вообразить сложно. Сейчас уже мало кто может их вспомнить, и предания, передававшиеся как драгоценное родовое наследие из поколения в поколение, забываются и исчезают из этого мира, вымываемые из памяти людей шумным и мутным информационным потоком, подобно тому, как запруженная современными плотинами электростанций река с ревом сносит старинные церкви и древние кладбища. Но Герман Андреевич Галачьянц помнил свои семейные легенды, и когда не осталось никаких шансов на спасение единственной дочери, обратился к ним, как к последней надежде.

Дед Галачьянца в смутные годы русской революции был красным комиссаром. Он командовал специальным карательным отрядом Петроградского ЧК, и на его руках было столько крови, что, вздумай он их помыть в Неве, она бы покраснела от Ладоги и до самого Финского залива. Умер он уже наполовину выжившим из ума глубоким стариком, которого медленно убивал рак, и думаю, что не раз и не два бывший начальник расстрельной команды пожалел о том, что не может пустить себе пулю в затылок так же, как сам он проделывал это сотни раз с теми, кто попадал под тяжелую и горячую руку пролетарского гнева. Вот тогда, практически на смертном одре, мучительно выкашливая вместе с гнилой кровью остатки почерневших легких, он и рассказал своему внуку историю о бессмертном докторе Мазерсе. По его словам, в первые годы большевистского террора в подвалах штаба ЧК в доме на Гороховой улице находилась тайная лаборатория, где этот самый доктор со своими подручными кромсал на куски несчастных жертв, которых исправно поставляла ему карающая машина революции, и делал из их крови и плоти некий эликсир для вождей новой диктатуры в Смольном и в Москве. В рассказе старика было много чудовищных подробностей, среди которых уже трудно различить правду и вымысел. Он говорил про дьявольскую ассистентку доктора Мазерса, затянутую с ног до головы в черную кожу, которая насиловала едва ли не до смерти пленных обоего пола, а потом лично отрубала им головы или перерезала горло и жадно пила хлеставшую кровь. Про то, что сам доктор постоянно ходил по своему подвалу в кожаном фартуке и высоких сапогах, потому что кровь пенилась и плескалась у него под ногами. Про еще одного помощника Мазерса, огромного, молчаливого, звероподобного, который выслеживал и настигал жертв в лабиринтах городских дворов. А еще про то, как однажды один бывший офицер, захваченный боевиками старого Галачьянца и приведенный на кровавую расправу к Мазерсу, сумел обезоружить конвой и всадить в грудь доктора несколько пуль из нагана и штык от винтовки, что не причинило тому совершенно никакого вреда. Как бы то ни было, главным в этих рассказах был сам факт существования этого изуверского доктора, его реальное или мнимое бессмертие и то, что он владел тайной создания эликсира, исцеляющего любую болезнь и дарующего бесконечно долгую жизнь.

Старый большевик рассказал об этом своему внуку в надежде, что тот отыщет доктора Мазерса и раздобудет снадобье, способное победить пожирающий легкие рак. Он очень не хотел умирать, и последнее дыхание испустил, объятый смертельным ужасом, не без оснований полагая, что за порогом земного существования его ждет не очень-то теплый прием. И вот теперь, спустя много лет, с просьбой разыскать этого инфернального врачевателя ко мне обратился Галачьянц, цепляющийся за кровавую легенду, как за последнюю надежду для своей дочери.

– И что ты ему ответил на это?

– Я согласился. Герман был уверен, и мы теперь знаем, не без оснований, что старый упырь не покинул город, а по-прежнему скрывается где-то в трущобах, храня мрачную тайну вечной жизни. Конечно, к этому можно было отнестись как к горячечным галлюцинациям выжившего из ума старика, которого перед смертью мучают страшные и кровавые видения, питаемые тяжелыми воспоминаниями. Или как к отчаянному бреду отца, доведенного до исступления осознанием скорой и неизбежной смерти своей дочери: в самом деле, было жутковато слышать просьбу найти бессмертного доктора и чудодейственный эликсир от человека, который своим умом и железной волей создал одну из крупнейших бизнес-империй страны. Но в отличие от ограниченного в суждениях большинства наших современников, полагающих себя более просвещенными, чем их предки, лишь на том основании, что умеют вертеть руль автомобиля и тыкать пальцами в экран телефона или планшета, набирая безграмотные сообщения, я серьезно отношусь к вещам подобного рода. К тому же некоторые исторические факты позволяли предположить, что в рассказе Галачьянца может быть весомая доля истины.

— Какие факты? — поинтересовалась Алина.

— Вы слышали что-нибудь об ученом по фамилии Богданов? Нет? Ну как же так, Алина Сергеевна, дипломированный специалист, кандидат наук, а не в курсе работ одного из самых интересных исследователей человеческого организма первой четверти прошлого века.

— Не ехидничайте.

— И не собирался. Увы, но я и не ожидал другого ответа. Как правило, все самое яркое и необычное в мире науки быстро становится объектом умолчания. По разным причинам: порой потому, что определенные силы берут под свой контроль исследования в некоторых областях, вслух объявляя об их несостоятельности, — так было, например, с оккультным отделом КГБ, занимавшимся изысканиями в таких сферах, существование которых напрочь отвергалось материалистическим мировоззрением. Но чаще умолчание связано с тем, что посредственности неприятно напоминание о гениальных прорывах человеческой мысли, на фоне которых унылое большинство выглядит еще более жалким. Переломные моменты истории — время ярких личностей. Во времена стабильности бал правит обыватель.

Александр Богданов в двадцатые годы занимался исследованиями крови. Интересно то, что исследования эти власти признали столь важными, что в Москве был создан Институт переливания крови, директором которого и стал Богданов, вплоть до своей загадочной смерти в 1928 году. Еще до революции он слушал лекции Штайнера по оккультизму, а в 1908 году написал роман, так себе, фантастика про марсиан, самое интересное в котором — это детально описанная операция по омоложению организма путем переливания крови от одного человека к другому. Сейчас я думаю, что такой неожиданный интерес к работам Богданова возник после того, как доктор Мазерс вместе со своими помощниками вдруг исчез из подвальной лаборатории и из поля зрения новой власти — внезапно и без объяснения причин. Дед Галачьянца рассказывал, что его долго и безуспешно искали, а в сам подвал невозможно было войти, и его в итоге пришлось замуровать, такой там был тяжелый дух от пролитой крови, распотрошенных тел и сгустившегося в воздухе предсмертного ужаса.

Как бы то ни было, я допускал вероятность того, что подобный персонаж может скрываться в Петербурге, потому что во всем мире не найдется, наверное, места, более подходящего для того, чтобы в нем мог спрятаться старый упырь. Судите сами: кровавый хаос революции начала прошлого века, затем последовавшие за ним репрессии, перестройки и перепланировки старых квартир и домов; потом война и ледяной кошмар блокадной зимы, бомбардировки и артобстрелы, а после войны – снова перепланировки и восстановление разрушенных домов. Добавьте к этому нынешнюю неразбериху в социальных и прочих государственных службах, и вы поймете, что в этом городе впору открывать приют для престарелых вурдалаков, потому что отследить тот факт, что некий гражданин живет тут сто или более лет, практически невозможно. Тем не менее я согласился выполнить просьбу Галачьянца. Думаю, если бы вы были на моем месте и видели его глаза, то тоже согласились, даже если бы ни секунды не верили в историю про бессмертного доктора. Я назначил цену, вполне приемлемую в данных обстоятельствах, Герман без лишних слов принял мои условия, и я уехал. Не успел я еще добраться до дома, как деньги уже поступили ко мне на счет.

– И что было дальше?

– А вот дальше произошло самое интересное. На следующее утро Галачьянц позвонил мне и отменил свой заказ. Сказал, что был не в себе, извинился и предложил мне оставить всю перечисленную им сумму в качестве компенсации за неудобство. С тех пор я его не слышал и не видел.

Кардинал пригубил виски и продолжил:

– Деньги я, конечно, вернул. Ты знаешь, что не в моих правилах брать плату за невыполненную работу. Я даже решил, что, любопытства ради, сам попробую разыскать этого загадочного доктора Мазерса, если он, конечно, существует. Но потом возникли проблемы в одном из наших европейских филиалов, затем на Ближнем Востоке появились дела, требующие безотлагательного вмешательства, и я совершенно забыл про всю эту историю. Как выясняется, очень зря.

– Значит, Галачьянц получил помощь из других рук, – заметил Гронский.

– Совершенно верно. И помощь, прошу обратить внимание, очень своевременную, как раз тогда, когда я уже был готов перетряхнуть весь этот город, как сундук старьевщика. Кто-то очень не хотел, чтобы это произошло.

– Кто-то, кому не было раньше никакого дела до умирающей Маши Галачьянц.

– Да. И кто-то, прекрасно осведомленный о моем визите к ее отцу.

Наступило молчание.

– Итак, – произнес Кардинал, – теперь, когда мы закончили с обменом информацией, может быть, вернемся к вопросу о сотрудничестве?

Гронский закурил и посмотрел на Кардинала.

– Что ты предлагаешь?

– Я предлагаю тебе помощь, мой мальчик.

Гронский покачал головой.

– А почему ты думаешь, что она мне понадобится?

– Потому что я видел тебя после схватки с оборотнем, – ответил Кардинал, – и отделал он тебя, как Бог черепаху. А ведь это, поверь мне, не самый страшный из врагов, с которыми ты можешь столкнуться на той скользкой и темной тропинке, что ведет к Некроманту. Один раз тебе повезло, но это совершенно не значит, что удача будет продолжать улыбаться, как начинающий торговый представитель после тренинга по успешным продажам. Рано или поздно на твоем пути встретится такой противник, справиться с которым одному будет не под силу. Это дело не для одиночки, Родион. Я предлагаю своих людей, оружие, ресурсы, вообще все, что может понадобиться в дальнейшем.

– Так почему бы тебе самому не воспользоваться всем этим? Зачем нужен я?

Кардинал улыбнулся.

– Не хотелось об этом говорить, но я до сих пор считаю тебя лучшим из всех, кто когда-либо работал со мной. Даже если ты рассказал мне сегодня все, что знаешь, то все равно погружен в это дело гораздо глубже, чувствуешь его куда полнее, чем кто угодно еще, даже вооруженный твоими знаниями. Думаю, у тебя больше шансов на то, чтобы выйти на след этого доктора Мазерса, или лорда Марвера, или Некроманта, Мастера – как бы его ни называть. Но помощь моя обязательно потребуется, если ты действительно хочешь довести дело до конца. И я с радостью ее предоставлю.

Гронский на секунду задумался.

– Предположим, – сказал он. – Чего ты хочешь?

– Я полагаю, – проговорил Кардинал, – что это дело носит для тебя личный характер. Не хочу ничего спрашивать и ничего знать, чтобы не расстраиваться. Наверняка ты знал кого-то из несчастных убитых девушек и опять затеял акцию отмщения. Я не буду обсуждать твои мотивы, мы в свое время достаточно говорили об этом. Также я полагаю, что если ты найдешь Мастера, то захочешь его убить. Пусть так. Я готов посодействовать тебе исполнить твое намерение. Но взамен я хочу получить целый и невредимый экземпляр «Rubeus vinculum», который, как мы знаем, принадлежит этому старому некроманту. Если же это по каким-то причинам будет совершенно невозможно, меня устроит порция ассиратума, одна или две. Это все.

Кардинал откинулся на спинку кресла. Гронский молчал. Алина беспокойно заерзала на диване, глядя то на одного, то на другого собеседника, и, видя, что оба хранят молчание, спросила:

– А зачем вам это? Я имею в виду книга или ассиратум?

Кардинал удивленно поднял брови.

– Как это зачем? Даже не знаю, как и ответить на этот вопрос, Алина. Добавить способ приготовления эликсира в свою книгу рецептов вечной молодости, наверное. Ну а если, вопреки ожиданиям, окажется, что манускрипт испорчен или утрачен, то попытаться восстановить способ его изготовления по образцу. Конечно, я знаю, что ваш знакомый Кобот потерпел в этом совершенное фиаско, но в конце концов, он ведь только хирург, пусть и талантливый, а не ученый-биохимик. Насколько я могу судить, ассиратум действует на генном уровне, осуществляя в организме нечто вроде трансгенной мутации, устраняя заложенную программу старения и смерти. Кобот вряд ли был профессионалом в такой специфической области, а я могу привлечь к делу лучших ученых мира, работающих на самом совершенном оборудовании, так что вероятность успеха будет очень высока.

Алина помотала головой.

– Я это понимаю. Но меня интересовал ответ на другой вопрос: зачем вам вообще нужен этот эликсир?

Кардинал серьезно посмотрел на нее.

– Моя дорогая Алина, – сказал он, – ассиратум – это мощнейший инструмент влияния, орудие, которое при умелом использовании открывает такие возможности, которые вы даже и представить себе не можете. Это ключ к власти в истинном значении этого слова.

– Вот, значит, как, – произнесла Алина. – Как все просто. Власть. Не самая высокая и благородная цель.

Кардинал издал звук, который можно было бы назвать фырканьем, если бы подобное слово могло быть применимо к такому человеку.

– Алина, вы меня огорчаете. Это только в представлении недалеких обывателей власть предстает в образе тирана, восседающего на престоле из черепов и отбирающего у стенающих порабощенных народов еду, женщин и их жалкие жизни. Но власть – это прежде всего возможность создавать ключевые события и влиять на их ход. И совершенно не нужно для этого заливать весь мир кровавым эликсиром или создавать транснациональные корпорации по его производству и продаже, что, вероятно, собирался сделать наш недалекий и потому уже окончательно мертвый друг Абдулла. Я вовсе не намерен ничем торговать, организовывать лагеря смерти, что, возможно, могло нарисовать вам воображение, или терзать на улицах девичьи тела. Для того, чтобы реализовать ту власть, о которой я говорю, достаточно будет, если ассиратум получат два, может быть, три десятка людей в мире. Только и всего. Ваши мирные сограждане, сидящие в домах перед телевизорами, даже не заметят, как изменился расклад сил на такой высоте, которая недосягаема не только для их глаз, но и для мыслей.

– Три десятка порций ассиратума, насколько я могу судить, это одна человеческая жизнь. Двенадцать жизней в год. Вы уже решили, у кого будете их забирать?

Кардинал поморщился.

– Алина, я вас прошу, оставьте этот пошлый морализаторский пафос, не разочаровывайте меня окончательно. Мне странно слышать это из уст человека, каждый день видящего перед собой десятки нелепо оборвавшихся жизней, чаще всего бессмысленных. А если так хочется занять себя решением нравственных ребусов, то подумайте о том, что уже через... – Кардинал посмотрел на часы, – через семнадцать дней в городе оборвутся двадцать четыре жизни бывших пациентов медицинского центра «Данко», одна из которых – шестнадцатилетняя девочка. Эти люди не знали, что они принимают и из чего делают то лекарство, которое им любезно продавал доктор Кобот. Включите их в свои арифметические расчеты.

Алина промолчала.

– Итак, – Кардинал обратился к Гронскому, – что ты решил, Родион?

Гронский медленно кивнул.

– Мы договорились.

Алина бросила на него быстрый удивленный взгляд.

– У меня есть одно условие, – продолжил он. – Твои люди

держатся от меня подальше. Мне не нужна ничья помощь, я хочу все сделать сам. Когда мне понадобятся какие-либо технические средства или оружие, я об этом скажу. С остальным я согласен. Ты получишь манускрипт, или ассиратум, или и то, и другое.

Гронский встал. Кардинал и Алина поднялись следом.

– С возвращением, – сказал Кардинал и протянул Гронскому руку. – Ты не представляешь, насколько я рад твоему согласию.

Гронский криво усмехнулся и тоже протянул руку в ответ.

– Только в этот раз.

Все трое подошли к дверям кабинета. Кардинал предупредительно открыл перед Алиной дверь, а когда она сделала шаг за порог, вдруг сказал:

– Алина, простите меня, ради Бога, совсем забыл уточнить с Родионом один вопрос. Вы подождете в приемной, буквально пару минут?

И не дожидаясь ответа, закрыл дверь перед ее носом. Алина недовольно пожала плечами и уселась на диван.

Кардинал прикрыл дверь и подошел к своему рабочему столу. Гронский смотрел, как он открывает нижний ящик и достает оттуда небольшую картонную коробочку.

– Маленький жест доброй воли, – сказал Кардинал.

Он подошел к Гронскому и протянул ему картонную упаковку. В ней были патроны с пулями серо-серебристого цвета и со странными насечками, похожими на буквы арамейского алфавита.

– Насколько я помню, ты пользуешься своим старым «Walther P99» сорокового калибра. – Он кивнул на кобуру, под расстегнутым черным пальто. – Возьми. Сделано специально для тебя. Думаю, что рано или поздно пригодится.

Гронский взял патроны и вопросительно посмотрел на Кардинала. Тот наклонил голову и немного развел руками, как отец, надевающий на шею сына старинный семейный талисман и словно просящий его извинить за некоторую долю простительного родительского суеверия.

– Ты же знаешь, я всегда проявлял интерес к некоторым специальным областям знания, – сказал Кардинал. – Здесь особые пули, специально подготовленные для... возможных непредвиденных обстоятельств, с которыми ты можешь столкнуться. Я использовал такие, когда вышел на встречу с Абдуллой, и они тогда сослужили хорошую службу.

– Спасибо, – сказал Гронский и убрал патроны в карман. – Я оценил.

Кардинал внимательно посмотрел на своего воспитанника.

— Родион, — спросил он, — я могу тебе верить? Ты все сделаешь так, как мы договорились?

— Да, — ответил Гронский, глядя Кардиналу в глаза. — Я все сделаю. А ты?

— Разумеется.

Кардинал снова протянул руку, и они снова обменялись крепким рукопожатием.

— Береги себя, мой мальчик.

Гронский кивнул и вышел из кабинета.

Алина ждала его в приемной. Они молча прошли по коридору, спустились по лестнице — Гронский чуть впереди, Алина на пару шагов сзади — и вышли под тусклый моросящий дождь. Некоторое время они стояли рядом, не говоря ни слова, глядя в серое небо и на фасады домов, уныло уставившихся друг на друга, как опостылевшие дальние родственники.

— Ты действительно отдашь ему книгу? — нарушила молчание Алина.

— Да, — ответил Гронский. — Если сумею найти. Мы же договорились.

— Понятно.

Снова молчание.

— Ну, я поехала, — сказала Алина, достала ключи и нажала на кнопку. «BMW» бесшумно мигнул фарами, негромко щелкнули, открываясь, замки.

— Новая машина? — спросил Гронский.

— Да, взяла у папы. К счастью, никто еще не скинул на нее труп, — неловко пошутила она и тут же пожалела об этом. — Ты куда сейчас?

«Зачем я спросила, какое мне дело?»

Гронский пожал плечами.

— Не знаю. Думаю, вечером поговорю с Кристиной, может быть, она знает что-то о том, кто мог так быстро среагировать на визит Кардинала и предложить Галачьянцу ассиратум для Маши. Хотя ей вряд ли что-то известно.

«Ничего себе», — подумала Алина и спросила:

— Вы с ней общаетесь?

— Да, мы встречаемся... иногда.

— Понятно, — снова повторила Алина.

Она повернулась и решительно направилась к машине.

— Удачи.

— Ага. Пока.

Гронский, перешагивая через лужи, тоже пошел к своему джипу. Дважды хлопнули, закрываясь, дверцы автомобилей. Алина тронулась с места и посмотрела в зеркало заднего вида. Гронский некоторое время ехал за ней, а потом свернул в боковой переулок, и она потеряла его из вида.

# Глава 17

– С этого момента я хочу знать каждый его шаг, – сказал Кардинал. Он обвел взглядом сидящих перед ним *пятерых*, встретившись глазами с каждым из них.

– Каждое его перемещение и каждое сказанное им по телефону слово, – продолжил он. – Скорее всего, он использует хорошо защищенную телефонную линию. Алекс, ты должен найти возможность ее вскрыть.

Алекс кивнул.

– Попробую.

– Пожалуйста, не просто попробуй, а сделай, и чем скорее, тем лучше. И время устаревания информации должно быть минимальным, опоздание на час может сделать прослушивание бессмысленным. Хлоя, на тебе наружное наблюдение. Задействуй столько мобильных групп, сколько будет нужно, но они должны быть рядом с ним день и ночь, куда бы он ни направлялся, и при этом ни в коем случае не обнаруживать себя. Предупреди людей, которые будут этим заниматься, что они имеют дело с профессионалом очень высокого класса. Пусть проявят максимум внимания и осторожности.

– Сделаю, – сказала Хлоя. – И лично тоже поучаствую при необходимости.

– Хорошо. Карл, сколько человек мы потеряли во время последней операции?

Старый байкер хрипло откашлялся.

– Шестерых, Карди. Знаю, много, но проклятый стрелок на крыше смешал нам все карты. Трое были зарезаны им наверху, и еще трое погибли внизу, когда эти дьяволы полезли на нас из автобуса. И еще одиннадцать раненых, двое тяжело.

Кардинал поморщился. Он не любил нести потери. Во время четко спланированной акции их не должно быть вовсе, и все его люди прекрасно знали о том, что работа с Кардиналом обычно сопряжена с минимальным риском. И вот, пожалуйста, семнадцать бойцов вышли из строя.

— Да, это плохо. Ты можешь отобрать из оставшихся человек десять и подержать их в состоянии боевой готовности столько, сколько будет нужно?

— Запросто, — отозвался Карл. — Парни сейчас на загородной базе, пробудут там, пока в этом есть необходимость. Постараюсь, чтобы они не слишком расслаблялись.

— Отлично.

Кардинал взглянул на Лорен. Женщина смотрела на него своими чистыми добрыми глазами и слегка улыбалась, светло и безмятежно.

— Лорен, как долго ты еще можешь оставаться в городе?

— Карди, я пока никуда не тороплюсь, но... через неделю хотелось бы уже уехать. К тому времени в моем присутствии уже не будет необходимости, в клинике, где находятся наши раненые, прекрасные специалисты. Но в моем институте много работы и пару важных исследований пришлось пока приостановить, так что...

Она с сожалением покачала головой.

— Хорошо. Я надеюсь, что недели хватит. Думаю, что ты не пожалеешь о потраченном времени. Если все пройдет так, как нужно, очень скоро у тебя будет материал для такого исследования, что все остальные по сравнению с ним покажутся анализами в районной поликлинике.

— Какая интрига, — улыбнулась Лорен. — Не беспокойся, в крайнем случае я могу слетать к себе на пару дней и вернуться обратно.

Кардинал кивнул.

— Договорились. Виктор, ну а нам с тобой придется вернуться к старым поискам, которые, как ты помнишь, прервали год назад. Только сейчас все будет еще сложнее. Объект или затаился, или, наоборот, попробует уйти из города. Необходимо взять под контроль все пути отхода, которые только возможно: аэропорты, паромные станции, железнодорожные и автобусные вокзалы. Подключите дорожную полицию на трассах и пошлите своих людей на посты ДПС. Конечно, вероятность успеха мала, но мы не должны упускать ни одной возможности.

Виктор покачал головой.

— Карди, это бессмысленно. У нас нет ни имени, ни изображения, ни даже сколь-либо приемлемого словесного описания.

Кого мы будем искать? Пожилого человека? На его месте, если бы я хотел покинуть город, то раздобыл бы спецовку и попросился в кабину какого-нибудь трактора, едущего в область. Если он захочет уйти, он уйдет, и мы ему не помешаем.

— Я знаю, — мрачно ответил Кардинал. — Поставь там, где я сказал, самых рослых, заметных и устрашающих из твоих агентов. Пусть не скрываются, пусть торчат посередине вестибюлей и залов ожидания так, чтобы все их видели и понимали, что они кого-то разыскивают. Если наш объект выберется на разведку, чтобы определить пути отхода, то я хочу, чтобы он знал: его ищут. Может быть, так мы заставим его еще какое-то время оставаться в городе. Других вариантов все равно нет.

Он помолчал.

— Но самое главное сейчас — это Гронский. Наблюдение и готовность к мгновенному оперативному реагированию, как только он начнет действовать. Возможно, он и обратится ко мне за поддержкой, но вероятнее, что нет, так что будем надеяться на нашу разведку и ждать. У меня все.

Когда *пятеро* вышли из кабинета, Кардинал подошел к большому окну из толстого дымчатого стекла и посмотрел на погруженный в сумерки город. Вид напомнил ему интерактивную картину, на которой сменяются времена суток, но все остальное остается прежним, и даже машины и мелкие фигурки пешеходов передвигаются с одинаковой скоростью и по одним и тем же маршрутам.

Удивительно, как прихотливо выстраивает свои запутанные сюжеты судьба. Разве мог он предположить, к чему приведет оформленная чуть больше двадцати лет назад опека над долговязым молчаливым юношей, внезапно оставшимся сиротой? Его воспитанник и ученик, затем прекрасный агент — Кардинал нисколько не лукавил, когда называл его одним из лучших среди всех, кто когда-либо на него работал; потом этот катастрофический срыв, который, казалось, поставил точку в их отношениях, и вот теперь — возвращение, давшее начало, вероятно, самой важной в карьере Кардинала миссии. Миссии, могущей изменить мир.

А если бы он тогда отказался?

Кардинал покачал головой. Лишь ему одному были известны обстоятельства того давнего опекунства, но даже он не знал причин, по которым оно состоялось. Кардинал никогда не был знаком ни с отцом Гронского, ни вообще с кем бы то ни было из членов его семьи. Он даже не слышал об их существовании до того момента, пока один из его ключевых, но при этом совершенно анонимных заказчиков не высказал в очередном письме этой странной просьбы: оформить опеку над осиротевшим подростком. К письму прилагалась подробная информация о семье и указание суммы, которая намного превосходила ту, что можно было ожидать в качестве оплаты за выполнение подобной услуги. И Кардинал согласился. В конце концов, не было ничего сложного в том, чтобы пару лет побыть опекуном у вполне самостоятельного молодого человека. Но он и предположить не мог, какими глубокими и доверительными станут их отношения, во что они разовьются и что в итоге, через двадцать два года, принятое тогда решение обернется возможностью обрести истинный Священный Грааль, в котором слились воедино достижения алхимической науки и зловещей кровавой магии.

Но как это ни парадоксально, главным препятствием на пути обретения Грааля мог стать как раз тот, кто открыл этот путь. Кардинал ни секунды не сомневался в том, что Гронский будет и дальше самостоятельно распутывать клубок древних загадок и что когда он настигнет Некроманта, то менее всего будет думать о соблюдении сегодняшних обязательств. Вероятнее всего, он просто убьет старого упыря, возможно, теми же самыми пулями, что получил сегодня от Кардинала, а потом уничтожит и манускрипт, и все запасы ассиратума, если таковые обнаружит. Все эти сегодняшние ритуалы с рукопожатиями и обещаниями только укрепили Кардинала в уверенности, что его бывший воспитанник будет действовать на свое усмотрение и интересы Кардинала будут заботить Гронского в последнюю очередь.

Что ж, он это предвидел. Специально подготовленные патроны помогут Гронскому выжить, если вновь придется столкнуться с врагами, подобными тому, что встретился на заброшенном заводе. Это гарантирует высокую вероятность успешного выполнения миссии. А соблюдение интересов Кардинала обеспечит круглосуточное наблюдение и контроль перемещений Гронского, так что каждый необычный маршрут будет немедленно отслеживаться, фиксироваться, и чем ближе он станет подбираться к своей цели, тем ближе к самому Гронскому будут находиться бойцы Кардинала, чтобы в решающий момент на только уберечь манускрипт, но и не дать уничтожить самого Некроманта. Без него могут оказаться бесполезны и книга, и эликсир.

«Прости, Родион, – подумал Кардинал. – Придется тебе отложить свою вендетту до лучших времен».

Он посмотрел в окно и улыбнулся дождю и сумраку.

* * *

Этот город никогда не спит. Глубокой ночью он порой проваливается в тяжелое темное забытье, вздрагивая от тягучих кошмаров, а днем дремлет вполглаза, и тогда сознание его бродит в тусклых серых сумерках, подобно человеку, измученному бесконечной бессонницей. В потемневших от времени старинных домах светятся редкие грязно-желтые окна; но за непроницаемой чернотой тех, где свет не горит, нет места спокойному сну, и обитатели каменных склепов тяжело дышат, придавленные наваливающимся на город низким небом и вечным холодным дождем. Да, этот город никогда не спит, но и не бодрствует; он замер на тонкой грани бытия между сном и явью, и жутковатые порождения сумрачной дремоты неотличимы в нем от реальности.

Сильный ветер хлещет тяжелым дождем в окно, налетает, стучится раз за разом, и это неприятно напоминает осмысленное поведение какого-то живого существа, выскакивающего из мрака ночи и бьющегося о стекло в стремлении ворваться в дом. Лихорадочно болтающийся на ветру уличный фонарь, как зеркальный шар под потолком инфернального дискоклуба, порождает множество дергающихся в ломаном танце причудливых теней, и, когда я смотрю на террасу, время от времени мне кажется, что там кто-то стоит, то проявляясь на мгновение, то снова исчезая среди дикой пляски тьмы и дождя.

Мне неуютно и тревожно. А еще не отделаться от ощущения, что я не один в квартире: отвратительное, параноидальное чувство, которое при всей своей бессмысленности запросто может лишить сна и помешать выключить настольную лампу перед тем, как ложиться в постель.

Это просто хроническое недосыпание, дружище, говорю я себе. А еще усталость, переутомление, ну и ожидание неизбежного наблюдения со стороны людей Кардинала. В том, что теперь каждый мой шаг будет внимательно отслеживаться, я не сомневаюсь.

В общем-то, это справедливо. Я не собираюсь отдавать ему манускрипт и эликсир, а он попробует помешать мне убить Некроманта. Наши сегодняшние обещания и рукопожатия имели только одно значение: Кардинал действительно поможет мне при необходимости всеми своими ресурсами, а я, как и обещал, продолжу свои поиски. Но когда они завершатся, каждый постарается взять себе все и не отдать ничего другому.

Оседлавший ветер дождь бьется в стекло все сильнее и яростнее. Я думаю о Кристине. Она нужна мне. Пожалуй, я бы променял магические патроны Кардинала на то, чтобы она была сейчас здесь, со мной. Последнее время в мутной от недосыпания голове клубится какой-то серый туман бессвязных мыслей, тревожных чувств и ощущений, в которых я не могу толком разобраться, но я знаю, что рядом с Кристиной туман растает, голова прояснится, и я снова смогу думать, жить и свободно дышать светлым воздухом, а не стылой влажной дымкой, пропитанной бессонницей, табаком и алкоголем. Может быть, она сможет подсказать мне, кто так быстро отреагировал на разговор Кардинала и Галачьянца и дал последнему спасительный эликсир для его дочери. А может быть, мой прояснившийся рассудок сам найдет ответ на этот вопрос, а заодно еще и на несколько других, которые последнее время не идут у меня из головы.

*«Rubeus vinculit» венецианского списка. Скверная школьная латынь. Очевидно, что автор книги был сведущ в герменевтике, каббале, алхимии и других эзотерических науках, однако уровень владения латынью оставляет желать лучшего. Странно: латынь – основной язык ученых того времени. Глубина мыслей в тексте не соответствует более чем скромному мастерству построения фразы».*

*«Леди Вивиен переписывала «Красные цепи» и потом отдала писцу копию, а не оригинал. Зачем? Скрыть последнюю главу можно было, просто удалив листы. Не хотела рисковать единственным экземпляром? Чтобы не портить книгу? Она могла бы не отдавать вовсе, а переписывать дальше самостоятельно. Фактор времени?»*

Скверная латынь. Немыслимо, чтобы лорд Валентайн плохо владел языком, на котором написано абсолютное большинство научных трудов того времени. Тогда в чем причина? Может быть, при переписывании леди Вивиен не следовала строго тексту, а просто пересказывала содержание своими словами, пропуская сложные для ее понимания места. Но зачем понадобилось бы леди искажать изначальный текст? Или это тоже было частью ее замысла, вызванного желанием максимально затруднить поиск рецепта приготовления ассиратума будущим читателям?

Я чувствую, что эти вопросы связаны между собой одним ответом, и не понимаю, почему мне кажется настолько важным его получить. Кардинал был прав, когда говорил, что я погружен в изучение «Красных цепей», и в особенности «Хроник», глубже, чем кто-либо, как будто за прошедшую неделю, в течение которой я не прикасался к этим книгам и старательно не думал о них, они проникли в меня через тайные двери подсознания, и моя интуиция лишь является отголоском чьих-то слов, направляющих меня на верный путь. Когда сегодня Кардинал изложил условия нашего предполагаемого сотрудничества, я ни на секунду не задумался о том, чтобы отдать ему роковой манускрипт и ассиратум. И дело тут совершенно не в каких-то морализаторских аргументах или гуманизме, не в моем упрямстве и уж конечно не в личных планах на эликсир. Просто в тот момент в моем сознании совершенно четко возник уже знакомый образ: израненный умирающий рыцарь и юная леди, возлагающая меч на его плечо, так что сама возможность передать в чьи-то руки тайну ассиратума, которую эти двое так тщательно оберегали, показалась мне совершенно немыслимой.

Я закрываю глаза и мысленно снова задаю мучающие меня вопросы, направляя их туда, откуда приходят ко мне образы рыцаря и его леди. Становится очень тихо, словно я погружаюсь в иное, мысленное пространство, куда не долетает вой ветра за окном и шум дождя, бьющегося об оконное стекло. «Леди Вивиен, – шепчу я, и эти непроизнесенные слова возникают в моем сознании как строки, начертанные на пергаменте причудливой вязью. – Леди Вивиен, это я. Помогите немного. Я не прошу многого, только направьте меня в нужную сторону. Обещаю, что не подведу».

Слова растворяются. Меня окружает абсолютная тишина пустоты. Но в тот миг, когда я приподнимаю веки, в это краткое мгновение перед тем, как снова впустить в свое сознание звуки и образы внешнего мира, я вдруг отчетливо вижу перед собой тоненькую темноволосую девушку в платье цвета запекшейся крови, ее бледное лицо, на котором лежит теплый отсвет свечей, и большие серьезные глаза.

– Встаньте, мой рыцарь.

Слова звучат так отчетливо, как будто произнесены здесь, в комнате. И я чувствую, как к моему плечу на мгновение прикасается твердая тяжесть холодного клинка.

Я вздрагиваю и открываю глаза. Наверное, я уснул на несколько секунд. Да, так и есть, это был тонкий сон, вот только видения в нем были что-то уж очень яркими и живыми.

Рыцарь. Моя леди.

Что там говорил старый библиограф Роговер о гримуарах? Вы читаете эти книги, а они в это время читают вас, кажется, что-то в этом роде. Я бросаю взгляд через окно на террасу, и мне опять кажется, что в темном углу рядом с перилами возвышается неподвижная фигура. Как тот большой черный пес, который преследовал несчастного Мейлаха. Теперь я знаю, кто это был, и преследовать кого-либо ему серьезно помешает отрубленная голова, но... Кто знает, вдруг иногда они возвращаются?

Видение исчезает. Впрочем, хорошо, что я вспомнил про Мейлаха. Надо будет позвонить ему и снова договориться о встрече. В конце концов, если он задавался теми вопросами, что записал на оборотной стороне последней страницы «Хроник», то, возможно, у него есть если уж не ответы, то предположения, которые могут быть полезны.

Я смотрю на часы. Полночь. Не лучшее время для звонка, но Мейлах не производит впечатления веселого жаворонка, засыпающего на закате, а потом радостно встречающего новое утро с восходом солнца. Я беру телефон и набираю номер.

* * *

На северной окраине города, посреди бесконечного и плоского, как доска, пустыря, недалеко от неровной черной кромки леса, возвышается холодной бетонной плитой громада многоэтажного дома. Злобный ветер яростно налетает на серые стены, и тысячи ледяных сквозняков, как змеи, проникают через щели между плитами и неплотно прикрытыми рамами, расползаясь по темным закоулкам огромного человеческого улья. Ветер завывает на разные голоса в широких вентиляционных шахтах, так, что кажется, будто дом осаждают незримые сонмы привидений и нежити, стремящиеся выгнать наружу его обитателей, где они станут легкой добычей кошмарных порождений ночи и дождя.

В одной из квартир дома гремит в темноте телефонный звонок, перекрывая зловещее завывание ветра. Тревожные дребезжащие трели отражаются от голых стен. Лежащий на кровати в темной полупустой комнате человек беспокойно заворочался и проснулся, глядя в непроницаемую тьму. Жаркие простыни прилипли к взмокшему от испарины телу, как плащаница, пропитанная отравленной кровью Несса. В комнате душно и жарко, и даже холодный воздух, проникающий сюда через приоткрытую форточку, не приносит свежести, словно мгновенно задыхаясь в спертой удушливой атмосфере. Телефонный звонок дребезжит, доносясь в комнату через черный прямоугольник дверного проема.

Мейлах смотрит в сторону двери, и, как всегда, ему на мгновение кажется, что там стоит чья-то неподвижная фигура, стоит и ждет, когда же он выдаст себя неосторожным движением. Он застывает от страха, слушая назойливо громкие звонки и с ужасом представляя себе, что сейчас их звук начнет приближаться и он увидит того, кто так настойчиво зовет его оттуда, из темной пустоты. Наконец звонки обрываются так же неожиданно, как и начались, и в квартире снова наступает тишина, нарушаемая лишь воем ветра, и сгущается вязкое чувство страха, вызванное мыслями о том, кому он мог понадобиться в глухую полночь.

Мейлах боялся телефонных звонков, особенно тех, что порой звучали среди ночи, и ни разу он не нашел в себе сил, чтобы поднять трубку и ответить, боясь услышать нечто, что совершенно точно сведет его с ума: голос погибшего сына, умершей жены или просто глухую тишину с треском помех, за которыми притаилось нечто жуткое, от чего невозможно ни спрятаться, ни скрыться. Но еще больше он боялся ночных звонков в дверь и думал, что если сейчас раздастся громоподобный звук дверного гонга, то сердце его не выдержит и разорвется от нахлынувшего ужаса.

Но было тихо. Мейлах, застыв, ждет, и минуты медленно тянутся одна за другой, исчезая во тьме. Постепенно он успокаивается. Тело его расслабляется, голова тихо опускается на смятую подушку, и он затихает, погружаясь обратно в вязкую трясину сна, в глубинах которого его поджидают пугающие беспокойные видения.

* * *

Кобот никогда не подходил к окну, когда в комнате был включен свет. Но даже и в темноте он не раздвигал жалюзи, а только осторожно выглядывал между полосками сероватой ткани, осматривая пустынные ночные тротуары.

Про эту маленькую квартиру из двух тесных смежных комнат на втором этаже неприметного дома на Каменноостровском проспекте не знал никто. За последние дни Кобот много раз благодарил себя за предусмотрительность и чутье, которые подсказали ему в конце прошлого года снять это жилье на чужое имя, оплатив сразу на год вперед. Весь год квартира стояла закрытая, и он уже начинал думать о том, нужно ли оставлять для себя этот резерв еще на один год, как вдруг оказался здесь, словно в спасательной шлюпке, в которую успел в последний момент прыгнуть с борта тонущего корабля.

С той самой ночи, когда он узнал о гибели Абдуллы и услышал несколько обрывочных, противоречивых, но чрезвычайно тревожных известий о подробностях произошедшего, Кобот почти не выходил на улицу. Он бежал сюда из дома, не рискнув появиться в «Данко», выключил и разобрал мобильный телефон и ни разу не воспользовался банковской картой. К счастью, в этой квартире был небольшой запас наличных денег, и два раза за прошедшую неделю глубокой ночью Кобот выходил из квартиры и спускался вниз, в супермаркет, расположенный на первом этаже дома, где торопливо закупал продукты и снова поспешно поднимался к себе, с облегчением запирая на несколько замков массивную стальную дверь. Он понимал, что если его найдут, то никакие двери и запоры не помогут, но все-таки испытывал странное чувство спокойствия, когда задвигал массивный засов и поворачивал ключи в замках. Кобот даже продумал альтернативный путь отступления: через окно, по расположенному под ним козырьку над офисом какого-то банка, но эти планы тоже носили характер психотерапии, как и старательное лязганье замками, и позволяли самого себя убедить в безопасности и контроле над ситуацией. Посмотреть в глаза страшной реальности он не решался.

Кобот прекрасно осознавал, что случилось нечто ужасное и катастрофическое. Что те люди, которые так умело и безжалостно расправились с Абдуллой, рано или поздно найдут и его, Кобота, как бы ни был он осторожен и как бы тщательно ни скрывался. Это был лишь вопрос времени. Но самым страшным было понимание того, что время самого Кобота на исходе и счет идет уже на недели. И что если он не найдет в себе сил вернуться в «Данко», то эти недели будут последними в его жизни.

За декоративными панелями его роскошного кабинета, между раскаленной батареей центрального отопления и внешней стеной здания находился тщательно спрятанный сейф. В свое время Кобот подошел к его устройству с особым тщанием и теперь надеялся, что эти старания обеспечили сохранность содержимого. Даже сняв стенные панели, сейф невозможно было увидеть, замки на нем были механические и к ним не вели никакие провода сигнализации или питания для сложной электроники, а металлический корпус был обработан таким образом, чтобы его нельзя было обнаружить при просвечивании стен различными лучевыми приборами. Найти сейф можно было, только последовательно просверливая стены кабинета через каждые полметра, и Кобот искренне надеялся, что этого не произошло. Потому что иначе последние надежды на выживание рухнут.

В сейфе были деньги и с десяток маленьких темных бутылочек с ассиратумом. Как любой наемный менеджер, Кобот был склонен к мелкому жульничеству, и у него образовался свой, совсем небольшой, впрочем, список личных клиентов, которым он отдавал эликсир за половину, а в некоторых случаях и за треть цены. Ассиратум для этих поставок он списывал на потери во время проведения своих экспериментов. Эти сделки нигде не проводились, пациенты не наблюдались в «Данко», и все были довольны – клиенты результатами, а Кобот – дополнительным доходом. Сейчас в сейфе находилось порядка полутора миллионов долларов наличными, сумма, с которой вполне можно начать новую жизнь. Но деньги не были тем главным, ради чего Кобот должен был вернуться в «Данко». Ему был необходим ассиратум. Потому что однажды он имел неосторожность принять его сам.

Это было в начале года, когда все только начиналось. Удивительные свойства напитка были очевидны, и Кобот выпил его, отчасти потому, что, как хороший врач и продавец, хотел сам проверить на себе его действие, отчасти потому, что не устоял перед удивительной перспективой обрести совершенное здоровье и бесконечно долгую жизнь. И только через месяц после этого, когда Кобот безуспешно пытался диагностировать причину внезапного резкого недомогания, мерзавец Абдулла с хохотом сообщил ему, что прием эликсира каждое новолуние не просто рекомендован, но и жизненно необходим. И это было чистой правдой: Кобот хорошо помнил, как в мае один из клиентов «Данко» не смог оплатить очередную порцию ассиратума. Несмотря на увещевания Кобота, Абдулла не захотел ни отпускать эликсир в кредит, ни снижать цену, что было бы разумно, и в результате на второй день новолуния Кобот уже читал сообщение о скоропостижной смерти несчастного пациента в ленте новостей. Конечно, это не было проблемой, пока зловещая парочка каждый месяц появлялась в подвале заброшенного дома, принося очередную партию напитка. Даже когда Кобот приступил к своим самостоятельным изысканиям способов приготовления ассиратума, им двигало в большей степени научное любопытство, азарт исследователя, ну и свирепая настойчивость постоянно подгоняющего его Абдуллы. Возможно, знай он, что от успехов его работы будет зависеть напрямую и собственная жизнь, результаты были бы более весомые.

Но теперь нет ничего. Ни работы, ни лаборатории. Есть только десять порций эликсира и полтора миллиона долларов, чтобы попробовать менее чем за год все же отыскать секрет этого чертова снадобья. Он еще может выжить. Но для этого нужно выйти из своего убежища и отправиться в «Данко».

Кобот снова осторожно выглядывает сквозь жалюзи. По мокрому блестящему асфальту проспекта с широким шорохом проскальзывают редкие машины. Да, ему нужно будет выйти из укрытия, и не раз. Надо будет провести разведку, подумать о путях проникновения в медицинский центр, и чем скорее он этим займется, тем больше будут шансы на успех.

* * *

Если бы этой ночью запоздавший путник прошел по набережной одного из многочисленных каналов, над черной маслянистой водой которого нависают угрюмые фасады, а в самой воде дрожат отражения ночных фонарей, словно неведомые обитатели темных глубин зажгли огни по случаю какого-то мрачного празднества; если бы он, преодолев мгновенный инстинктивный страх, свернул в кромешную тьму одной из низких арок и вошел во дворы; если бы, осторожно и поспешно ступая, словно опасаясь привлечь к себе внимание того, что скрывается за покосившимися рассохшимися дверями, в закоулках заплесневевших стен, в сараях из досок и листового железа, он шел дальше и дальше через запутанные зловещие лабиринты; если бы, дойдя до конца и оказавшись в самом сердце каменных катакомб, наш путник подошел к дальнему углу небольшого двора и, изогнув шею, посмотрел бы в узкую щель между двух вздымающихся вверх неровных стен, то он увидел бы слабый желтоватый свет, сочащийся сквозь грязное стекло незаметного окошка. Что бы подумал этот случайный запоздалый прохожий? Каких обитателей, бодрствующих в столь поздний час в этом трущобном чреве города, нарисовало бы ему его воображение? Но подчас реальность оказывается страшнее и удивительнее самых смелых взлетов бойкой фантазии. Ибо вряд ли он бы догадался о том, что за этим окном скрывается от мира древний упырь, некромант, хранящий зловещую тайну кровавого эликсира бессмертия.

Ему не спится. Сон вообще был редким гостем для Некроманта и приходил к нему лишь как краткое тяжелое забытье, в которое он проваливался, словно в глубокий мрак сырой могилы, без сновидений и мыслей. Но сейчас он не может уснуть потому, что его терзает тревога.

Его дни в этом городе сочтены. Место, насиженное в течение почти двух столетий, придется покинуть и искать себе новое пристанище, что совсем непросто в нынешнем мире, который стал в последнее время таким тесным, шумным, суетливым, что искать в нем убежище ничуть не легче, чем найти укромный угол пауку, оказавшемуся посреди оживленного проспекта.

Однажды он уже чуть было не покинул этот город. Тогда, почти сто лет назад, он, впервые за много веков вновь предпринял попытку сотрудничества с властью. Новые правители этой многострадальной страны были столь чудовищными, столь откровенно порочными и беспринципными, что представлялись идеальными союзниками, которые помогли бы ему вновь обрести былую силу и могущество и нанести ответный сокрушительный удар по той, которая столетиями преследовала его по всему миру, сделавшись из беспомощной загнанной жертвы безжалостной и умелой охотницей. Казалось, что еще немного, и новая власть превратит всю страну в одну огромную адскую армию живых мертвецов, которая, подобно монгольским ордам, темной волной обрушится туда, куда ее пошлет направляемая Некромантом воля вождей. И вначале все шло вполне неплохо. Сотни и тысячи жертв, кровавое пиршество революции, ничем не ограниченное поле для любых экспериментов, восторженно приветствуемых его богохульными и безбожными союзниками. Эликсир творил чудеса, и вскоре очень многие из правящей верхушки стали зависеть от снадобья, что готовил для них тот, кого они знали как доктора Мазерса. Но увы, он просчитался, недооценив всю глубину поистине дьявольской низости и порочности своих новых друзей. Вместо того чтобы следовать его воле, они решили подчинить его своей: заключить в тюремную камеру, надеть кандалы и превратить в раба, исправно делающего для них эликсир бессмертия. Как-то очень быстро для безбожников и материалистов они сообразили и про осиновые колья, и про свойства серебра, и даже вспомнили про кресты, которыми быстро увешали стены подвалов и которые смотрелись особенно кощунственно на дверях, ведущих во владения Некроманта, где он совершал черные мессы и кровавые магические ритуалы. Некоторые особо пугливые красноармейцы, перед тем как спуститься к нему в лабораторию, надевали поверх шинелей сорванные с убитых священников наперсные кресты и панагии, из которых штыками были грубо выковыряны драгоценные камни. Некромант только головой качал, наблюдая такие формы пробудившейся религиозности.

Как бы то ни было, свободу его, пока еще вежливо, но твердо, они ограничили, а в перспективе маячила реальная перспектива лишиться ее вовсе.

К счастью, тогда ему удалось вовремя бежать. Не последнюю роль в успехе этого предприятия сыграл верный Вервольф, разорвавший в клочья охрану из десятка солдат, выставленных караулом у подвала дома на Гороховой, и еще *она*, его новая и преданная союзница, примкнувшая к нему в те лихие и кровавые годы, которая заставила одного из руководителей ЧК выписать всем троим какие-то невероятные мандаты и документы, прежде чем перерезала горло и жадно вылакала бьющую фонтаном из рассеченных артерий горячую большевистскую кровь.

Но тогда они все-таки не уехали. Вначале удалось затеряться среди вакханалии последовавших вслед за революцией репрессий, а потом война и блокада и вовсе превратили этот город в идеальное место для нежити, расплодившейся среди смерти, голода, цепенящих морозов и ослабленных беспомощных людей. Но иметь дело с власть предержащими Некромант с тех пор зарекся раз и навсегда, предпочитая оставаться в тени, храня свои тайны, и спокойно коротать бесконечность жизни в надежном убежище, которым стали для него гнилые трущобы центра.

Однако теперь ему все же придется исчезнуть. Он ждал и боялся этого с того самого дня, когда *она* пришла к нему с предложением пойти на сотрудничество с каким-то местным бандитом и продавать тому эликсир. Некромант никогда бы не позволил начать эту рискованную авантюру с Абдуллой, если бы не дал себя убедить в том, что это поможет избежать внезапно возникшей реальной угрозы для них всех и для той тайны, что он хранил почти шестьсот лет. Да, *она* была очень убедительна, и Некромант, пусть и нехотя, но все же согласился.

С тех пор его старое черное сердце не знало покоя. Деньги, которые теперь лились бесконечным сияющим потоком, его мало интересовали. Да и зачем они были ему нужны? Древний упырь, он не нуждался ни в человеческой пище, ни в новых вещах, ни уж тем более в дорогих игрушках, которым, как девочка, так искренне радовалась *она* и которые мгновенно выделили бы его из того серого болота, в котором он скрывался. Он не верил людям, которые, по *ее* словам, обеспечивали безопасность их деятельности, и каждый раз, когда Вервольф выходил на свою теперь уже ежемесячную охоту, сердце его ныло от дурных предчувствий. Потом Абдулла, этот жалкий, злобный и жадный субъект, вопреки его воле опрометчиво обращенный *ею* в вампира, стал все более настойчиво требовать увеличения объемов поставок, а когда Некромант категорически запретил ему даже думать об этом, то и вовсе вышел из-под контроля, умножая жертвы с тем, чтобы самому найти способ приготовления эликсира. Ситуация становилась все более угрожающей, и пусть сам Некромант не имел дела ни с кем из тех, кто стал звеньями в этой кровавой цепи, беспокойство не оставляло его ни на миг. Смертный приговор распоясавшемуся Абдулле и его подручному, этому трусливому доктору из фальшивой клиники, за фасадом которой они вдвоем организовали лавочку по торговле драгоценным эликсиром, был делом времени, но тут случилась новая беда: появился тот человек, высокий, молчаливый, умный и очень опасный. Сначала он показался в доме Галачьянца, потом вплотную приблизился к самому Некроманту, затем помешал Вервольфу в его последней охоте, а в конце концов и вовсе убил несчастного оборотня как раз тогда, когда тот навсегда избавил их от проблем с Абдуллой – увы, избавил слишком поздно, потому что ситуация и без того уже вышла из-под контроля. В этом человеке чувствовалась сила, природу которой Некромант не мог распознать, странная, но почему-то казавшаяся очень знакомой, и то, что он сумел в одиночку убить Вервольфа, служило ее доказательством. В довершение ко всему, в игру активно вступил еще один человек, грозный и могущественный, тот самый, от происков которого они пытались защититься, затеяв всю эту представлявшуюся такой хитроумной комбинацию с Абдуллой. И вот теперь верный слуга Некроманта мертв, таинственный незнакомец продолжает идти по следу, словно гончий пес, преследующий тщетно пытающуюся ускользнуть дичь, а тот, другой, обложил их со всех сторон, как загонщик обносит красными флажками территорию, где мечется загнанный волк. Было от чего потерять покой; было от чего не спать долгими ночами, тщетно пытаясь занять мысли страницами старинных инкунабул.

Впрочем, за свою долгую, очень долгую жизнь старый чернокнижник выходил и из более опасных ситуаций. Не раз и не два его чудом миновал костер инквизиции, не единожды посланцы мстительной девчонки, которой он когда-то позволил ускользнуть, подбирались к нему на расстояние удара серебряным клинком. Но он всегда выживал. Выживет и теперь.

Кем бы ни был тот мрачноватый субъект, так бесцеремонно нарушивший покой старого Некроманта, жить ему осталось совсем недолго. Несчастный даже не подозревает о том, что уже попал в искусно расставленную ловушку, которая только ждет подходящего момента, чтобы захлопнуться и раздавить его, как не в меру любопытного грызуна. Что же до другого врага, чьи люди сейчас рыщут по городу, то надо просто подождать: месяц, два, может быть, три, а потом спокойно уехать отсюда туда, где их никто не будет искать. Денег у них теперь более чем достаточно; благодаря своим связям *она* сможет выправить им любые документы и визы, и кто тогда обратит внимание на пожилого человека с молодой женщиной, отправляющегося за границу самолетом, поездом, паромом? Даже если те, кто его ищет, будут наблюдать за аэропортами и вокзалами, искать, скорее всего, будут его одного, а не пару: отца и дочь, деда и внучку, пожилого бизнесмена и его любовницу. Так что нужно только подождать, затаиться на время и бежать, но до этого избавиться от назойливого преследователя с его неудобными вопросами и опасными подозрениями.

Старый Мастер, доктор Мазерс, Некромант, лорд Марвер, кивает седой головой, словно соглашаясь со своими мыслями, и возвращается к чтению. Он по-прежнему может делать ходы первым, нити игры в его руках, а значит, нужно просто пережить этот неприятный момент, как он пережил смерть своего верного волка, оплакав того выступившей из поблекших глаз мутной стариковской слезой, и потом снова все станет как прежде. И это «потом» будет бесконечно долгим, еще более долгим, чем было невероятно долгое «прежде».

* * *

Вязкий земляной пол проседает под ногами, как болотная почва. Полукруглый потолок такой низкий, что я едва не касаюсь головой грубой кирпичной кладки. Здесь душно и тесно: со всех сторон меня мягко сдавливают тела, множество тел людей, медленно бредущих в узком коридоре между холодных каменных стен. Я слышу испуганное перешептывание, чей-то негромкий плач, глухой кашель, далекие причитания, хриплое дыхание, стоны и шарканье десятков подошв. С каждым вдохом я вбираю в себя воздух, побывавший в чужих легких, запахи несвежей одежды, пота, теплой кожи, вонь кишечных газов, иногда неожиданно резкий аромат духов и густого, тяжелого страха. В полумраке различимы лица: мужские, но чаще женские, детские, бледные, с блестящими глазами и почти одинаковым выражением испуганного ожидания, в котором еще не до конца растворилась крупица надежды. Мы идем медленно, продвигаясь маленькими шажками, и иногда откуда-то сзади доносятся грубая брань и жалобные крики, полные обиды и боли, когда отстающих подгоняют штыками или ударами прикладов.

Коридор кажется бесконечным. В плотной сдавленной человеческой массе передо мной мелькает лицо девушки: растрепанные светлые косы, перепуганный взгляд, большие голубые глаза, потрепанная гимназистская форма. Я понимаю, что она что-то спрашивает у меня, но не словами: вопрос звучит у меня в голове, и я не могу разобрать его смысла. Вместо ответа я нахожу ее руку, нежные, теплые пальчики, и пытаюсь ответить, что все будет хорошо, но слова не звучат, и мне остается только крепче взять ее за руку и смотреть в испуганные глаза, которых она не сводит с меня.

Далеко впереди раздается хищный металлический лязг. Я приподнимаю голову, упираясь в низкий свод потолка, и вижу в дальнем конце коридора большую двустворчатую железную дверь, покрытую ржаво-бурыми пятнами. На обеих ее створках кто-то криво и грубо приколотил два наперсных креста, словно в злобной попытке еще раз распять Того, Кто один раз уже был распят. На одном из крестов я вижу пулевую отметину и запекшуюся кровь.

Шаг за шагом теснимая невидимыми конвоирами толпа приближается к железным дверям. Я не выпускаю руку девушки, и она уже идет рядом со мной, прижатая к моему плечу плотной человеческой массой, и я чувствую, как дрожит ее худенькое тело. С грохочущим лязгом распахиваются ржавые железные створки. Из открывшегося проема бьет яркий багряный свет, словно отсветы раскаленных углей из отверстой дверцы печи. Несколько человек разом исчезают в этом дрожащем огненном мареве, и дверь снова с лязгом захлопывается, как жадная пасть, поглотившая своих жертв. Неожиданно я оказываюсь совсем близко к ней, словно вся стоявшая впереди толпа разом расступилась и исчезла, но задние ряды по-прежнему напирают, подгоняемые штыками и прикладами, так что я упираюсь каблуками в пропитанный кровью земляной пол подвала, чтобы не уткнуться лицом в покрытые ржавчиной двери. Прямо перед собой я вижу распятие. На мягком металле косыми отметинами зияют следы множества ударов штыком, как будто нынешние легионеры, подобно сотнику Лонгину, пытались пронзить Распятого, повторяя от злобы и ненависти то, что тот сделал ради милосердия.

Рука девушки холодеет от страха и дрожит в моей ладони. Я смотрю влево и тоже вздрагиваю. По правую сторону от двери стоит Вервольф; он неподвижно глядит поверх голов, лицо его все так же похоже на нелепую и страшную маску, а в черных провалах глаз отражается пустота абсолютного небытия. Я поворачиваюсь вправо, и вначале мне кажется, что слева от двери тоже стоит оборотень. Очертания его колышутся и дрожат в мареве, скрывающем истинный облик, но чем дольше я смотрю на эту странную тварь, похожую то на гигантскую кошку, то на змею, тем больше я понимаю, что передо мною Женщина, но не человеческое существо, а принадлежащая совсем к другому, иному роду. Внезапно она обнажает ослепительно белые острые клыки в оскале хищной ухмылки, одним молниеносным броском разрывает горло одному из стоящих рядом людей и нависает над телом, жадно высасывая кровь и превратившись вдруг в некое подобие смертоносного насекомого, самку гигантской саранчи, пожирающей жизнь. Я не могу оторвать от нее взгляд. Она ужасна и восхитительна одновременно, она вызывает дрожь омерзения, но к ней необъяснимо влечет, она отвратительна, но ее чудовищная красота превосходит красоту всех женщин, когда-либо живших на земле, в ней нет ничего человеческого, но все в ней — совершенная и желанная женственность.

Железная дверь снова распахивается. Я вижу кряжистую, невысокую фигуру в кожаном фартуке и высоких сапогах, окутанную багровым дымом и кровавым клубящимся жаром. Я шагаю вперед, чтобы увидеть его лицо, но в этот момент из багряных клубов появляется сильная рука, и пальцы смыкаются безжалостной хваткой на руке стоящей рядом со мной девушки. Одним движением человек в кожаном фартуке отрывает ее от меня, а девушка отчаянно кричит, но я не слышу ее крика, а только понимаю, что она зовет на помощь. Моя правая рука рефлекторно тянется к левому боку, и я чувствую, как ладонь охватывает плотную рукоять меча. Я пытаюсь выхватить клинок из ножен, но он выходит очень медленно, очень туго, и в этот момент женщина-кошка-змея-саранча поднимает ко мне свое окровавленное отталкивающе-человеческое лицо, шипит, оскалив несколько рядов острейших клыков, и прыгает вперед...

Я вздрагиваю всем телом и просыпаюсь: с больно бьющимся, сжавшимся в комок сердцем, широко распахнутыми глазами, устремленными в потолок, и стиснутой в кулак правой рукой.

Когда ты читаешь книги, они тоже читают тебя. И похоже, что кроме славных героев «Хроник Брана» меня пролистал и кто-то еще.

На столе горит предусмотрительно не выключенная на ночь лампа. Я не стал ее гасить. Пусть светит до утра.

* * *

Алина отложила в сторону книжку и посмотрела в окно. Яростный ветер раскачивал голые ветки, которые неистово метались за темным стеклом спальни на втором этаже, как будто какие-то злые духи вселились в оставленные на зиму тела деревьев и теперь исступленно беснуются среди тьмы и проливного дождя. На обложке книги изображен зловещий желтый глаз с вертикальным зрачком, но повествование о таинственных убийствах, совершаемых в катакомбах старинного музея древним чудовищем, не казалось сейчас Алине ни удивительным, ни страшным.

Сегодня она все-таки успела побывать на работе. Анализы гистологического исследования образцов тканей трех жертв ночного потрошителя («оборотня, – повторила себе Алина, – это был оборотень, черт его побери») были готовы, и то, что она там увидела, не давало ей покоя. Результаты по одной из жертв, той самой Марине, трагическая смерть которой послужила поводом для знакомства с Гронским, не укладывались в общую картину. «Можно с высокой долей вероятности утверждать, что это орудие было использовано во всех случаях аналогичных преступлений...» Теперь эта вероятность уже не была высокой. Более того, заключение экспертизы поставило под сомнение ответ на другой, самый главный для Алины вопрос. Вопрос о том, кто убил ее мать и был ли ее убийцей тот, чье обезглавленное тело она увидела в цеху заброшенного завода среди россыпи осколков разбитого стекла. И для того, чтобы удостовериться в этом, был только один способ, неприятный настолько, что она не могла найти в себе сил на него решиться.

Наконец она поднялась с кровати, набросила поверх ночной пижамы халат, сунула ноги в домашние тапочки и открыла дверь спальни. Внизу горел приглушенный мягкий свет. Алина тихо спустилась по ступеням лестницы. Она должна сделать это. Не для Гронского, не ради поисков зловещего Некроманта, она должна это сделать для себя. А еще ради памяти матери и для своего отца.

Алина вошла в кухню. Отец сидел за столом; перед ним стояла большая кружка с дымящимся чаем и лежала раскрытая газета.

– Привет, пап, – сказала Алина и тоже присела за стол.

Отец слабо улыбнулся, щуря усталые глаза.

– Привет, дочка. Тоже не можешь уснуть? Наверное, ветер разбудил?

Алина покачала головой.

– Нет, пап. Я вообще не спала.

Отец молча смотрел на Алину.

«Соберись с духом и скажи. Ты сильная девочка, ты можешь».

Алина глубоко вздохнула.

– Папа, мне нужно твое разрешение на эксгумацию останков мамы. Я должна знать правду о том, кто ее убил.

# Глава 18

Я не дозвонился Мейлаху ни утром, ни днем. В трубке звучали длинные, безнадежные гудки, как сигналы, посылаемые на обезлюдевшую арктическую станцию. В принципе, меня это не очень удивило. Несчастный ученый мог снова уйти в запой, мог оказаться в больнице, быть задержан полицией за пьяный дебош, в конце концов, мог остаться ночевать у друга или подруги, хотя в наличии у него последней я сильно сомневаюсь. Я решил, что вечером, перед встречей с Кристиной, съезжу к нему домой, благо его адрес был мне любезно предоставлен Селеной еще на заре моего расследования, ну а если не застану дома, то тогда уже начну поиск по больницам и отделениям полиции. А пока я могу обратиться еще к одному человеку, который разбирается в вопросах, касающихся редких книг, никак не хуже старины Мейлаха.

Роговер отвечает на звонок довольно быстро, если учесть, что для этого ему пришлось вылезти из своей жаркой тесной кельи и пройти по длинному коридору до висящего на стене древнего телефонного аппарата. Несколько секунд у меня уходит, чтобы напомнить старому библиографу о том, кто я такой, но потом разговор идет уже лучше, и он охотно соглашается встретиться со мной днем и поговорить. Конечно, можно прямо сейчас. Да, он ничем не занят и будет только счастлив побеседовать. Наверное, старику смертельно скучно в его коммуналке, и он рад любому гостю, а тем более такому, который проявляет интерес к делу, которое когда-то было его любимой работой, а теперь стало единственным доступным в старости хобби. Я быстро собираюсь и выхожу из дома.

Слежку за собой я замечаю минут через двадцать.

Справедливости ради нужно сказать, что если бы я не был готов к такому повороту событий, то не заметил бы ничего вовсе. Но после вчерашнего разговора с Кардиналом и наших клятвенных заверений в честном и открытом сотрудничестве я бы не удивился, если бы мою машину сопровождало звено вертолетов. Поэтому, выезжая из дома в гости к старому библиографу, я на всякий случай решил немного покружить по улицам, не особенно усердствуя в проверке на предмет наблюдения, но и не упуская случая это наблюдение обнаружить.

Что и произошло, как я уже сказал, буквально через двадцать минут.

Неприметный серый «Ford Focus» аккуратно держался в двух-трех машинах за мной, сохраняя индифферентный вид праздношатающегося прохожего и почти неразличимый в однообразном потоке машин. Я провел его через три поворота; он все так же спокойно плыл за мной с напускным равнодушием, разве что только не вертел решеткой радиатора по сторонам, делая вид, что любуется архитектурными памятниками. Я подпустил его поближе, запомнил номера, увидел, что в салоне сидят двое мужчин, а потом резко свернул направо в боковую улицу, проехал метров сто и остановился. «Ford» появился через несколько секунд и тоже встал у тротуара метрах в ста от меня. Оба его пассажира вышли из салона, оживленно переговариваясь, разглядывая номера домов и создавая видимость того, что никак не могу определиться с нужным им адресом. Я посмотрел немного на это представление, потом тронулся с места и выехал из боковой улицы, повернув налево. «Ford» остался стоять на месте, зато минут через десять в зеркале заднего вида стеснительно замелькала серебристая «Toyota Corolla», с водителем и пассажиром на переднем сиденье. Я снова закружил по улицам, проведя ее через три поворота, а потом свернул в переулок с односторонним движением и нагло поехал по встречной, с любопытством оглядываясь назад. «Toyota» пропала, зато через некоторое время ко мне прилипло какое-то отечественное вишневое недоразумение, тоже с двумя пассажирами в салоне.

Через полчаса я насчитал уже пять экипажей наружного наблюдения: все на неброских автомобилях, старательно пытающиеся не обнаружить себя, уходящие в сторону после трех-четырех поворотов и все, как на подбор, с двумя мужчинами на передних сиденьях. Последний факт я искренне посчитал для себя обидным. При серьезном подходе к делу следовало бы использовать семейные пары на минивэнах, желательно еще и с бабушкой в салоне, если уж так хочется оставить в тайне свои маленькие шпионские игры. Впрочем, держали они меня цепко; время уже поджимало, и мне вовсе не хотелось устраивать ревизию всему обширному автомобильному парку, имеющемуся в распоряжении городской разведки Кардинала. Поэтому я объехал нужный мне квартал со стороны, противоположной набережной канала и входу во дворы, ведущие к дому Роговера, резко затормозил у арки и почти бегом выскочил из машины. Шедший за мной следом серебристый «Nissan» мгновенно ускорился, пролетел вперед метров пятнадцать и тоже затормозил у обочины. Уже вбегая в арку двора, я услышал, как дважды хлопнули дверцы автомобиля и застучали по асфальту торопливые шаги.

Они не хотят слишком явно обнаруживать слежку, поэтому у меня есть несколько минут форы. Я на ходу разбираю мобильный телефон, убираю корпус в один карман, засовываю аккумулятор в другой и оглядываюсь. Двор небольшой, почти квадратный, с тремя покосившимися хлипкими дверями черных лестниц и одной низкой аркой в углу. Я быстро подхожу к одной из дверей, толкаю ее и вхожу.

Сырой полумрак, пропитанный запахами плесени, хлорки и крысиного яда. Из узкой черной двери подвала сочится вонючий удушливый пар. Стены покрыты густыми зелеными разводами грибка, лестница покосилась, на месте некоторых ступеней чернеют провалы. Я осторожно преодолеваю первый пролет, стараясь держаться поближе к стене: так меньше вероятности рухнуть вниз, если гнилая лестница под ногами вдруг решит обвалиться именно в этот момент. На узкой площадке первого этажа стоит почерневший то ли от ржавчины, то ли от копоти остов детского трехколесного велосипеда. За двумя распухшими от сырости и времени толстыми дверями квартир первого этажа мертвая тишина. Я аккуратно придвигаю велосипед ногой к самому краю лестницы и поднимаюсь выше. Расшатанная рама на площадке между вторым и третьим этажом приоткрыта, и я как раз успеваю занять рядом с ней наблюдательную позицию, когда во двор вбегают два человека. Я вижу их сквозь грязное стекло, покрытое пылью и дождевыми потеками, держась чуть в глубине полутемного помещения, чтобы меня нельзя было заметить снаружи. Двое быстро оглядываются, перебрасываются несколькими негромкими словами, потом один из них устремляется к арке, ведущий в другой двор, а второй решительно направляется к двери, в которую две минуты назад вошел я.

Снизу доносится тихий скрип. Потом осторожный, почти

совершенно бесшумный шаг, еще один, и человек замирает, прислушиваясь к вязкой липкой тишине, насыщенной подвальными испарениями. Я перестаю дышать и немного отклоняюсь в угол между окном и стеной, чтобы он не заметил меня снизу через лестничный пролет. Снова осторожные шаги. Секунды ползут, словно с трудом преодолевая сопротивление удушливой атмосферы. Внезапно раздается дребезжащий жалобный грохот – это, задетый ногой моего преследователя, рухнул предусмотрительно поставленный на самый край верхней ступени остов детского велосипеда. Снизу доносится шипящая брань, потом торопливые шаги и раздраженный удар захлопнувшейся двери. Я выглядываю в окно: человек быстрым шагом пересекает двор, направляясь к другому черному ходу.

Времени у меня немного. Я не знаю, какие инструкции есть у этих парней на случай, если они меня потеряют, но почти не сомневаюсь, что скоро сюда подтянутся остальные группы и начнут прочесывать квартал вдоль и поперек. Впрочем, для того чтобы обойти полностью все местные дворы и закоулки и проверить каждую квартирную нору, им потребуется весь день. Но все же медлить не стоит. Я быстро поднимаюсь наверх, мимо грязных стен, покосившихся дверей с гроздьями засаленных звонков, перешагиваю через порванные пакеты с мусором, добираюсь до конца лестницы и открываю низкий чердачный люк. Осторожно ступаю, стараясь не задевать ногами скромную утварь отсутствующих днем обитателей чердака: почерневшую кастрюлю, скомканный грязный ватник, разбухшее от грязи и насекомых одеяло Еще несколько шагов в пыльной темноте в сторону пробивающейся через щель полоски тусклого серого света, и я выхожу на крышу, вдыхая полной грудью мелкий моросящий дождь и серый влажный воздух низкого неба.

Два века назад дома в центре строились без всякого генерального плана, ориентируясь только на большие проспекты и улицы, проведенные, словно по линейке, под прямыми и острыми углами и расчерчивающие ровные пространства болотистой почвы, слегка прикрытой песком и булыжниками мостовых да застроенной кое-где низкими деревянными зданиями. Обычно подрядчик возводил четыре стороны дома, выходящие на проспекты или стихийно образовавшиеся в результате застройки переулки, которые были снабжены *парадными* подъездами разной степени благоустроенности в зависимости от предполагаемого уровня достатка жильцов. В центре образовавшегося четырехугольника располагался двор, куда выходили двери черных ходов, ведущих в кухни и предназначавшихся для прислуги. Получалось некое подобие средневекового замка: четыре стены, закрытый воротами двор и множество внутренних ходов, лестниц, коридоров и переходов. Потом к такому дому пристраивался еще один четырехугольник, потом еще и еще; дворы соединялись сквозными арками, образуя запутанные каменные лабиринты. Места для застройки в городе постепенно становилось все меньше, четырехугольники становились треугольниками, дворы уменьшались в размерах, все больше напоминая мрачные сырые колодцы, куда никогда не проникали солнечные лучи. Иногда дома неплотно соединялись друг с другом, и между ними образовывались пустоты, щели и каменные мешки, в которые тоже подчас вели арки и проходы, а иногда выходили лишь окна квартир, годами смотревшие друг на друга и на грязные стены с расстояния всего в пару метров. Так вырастали целые кварталы, похожие на беспорядочно набитую мебелью комнату, где между огромными шкафами и шифоньерами оставались узкие пространства, в которые забивалась сначала пыль и грязь, а потом появлялись и те существа, для которых грязь, сырость и мрак были лучшей средой обитания.

Сейчас я смотрел на такой квартал сверху. Иногда крыши над городским центром сравнивают с железным морем, то поднимающимся крутыми волнами, то опадающим до едва заметной ряби. Но я думаю, что это сравнение неверно. Скорее они походят на унылую череду могильных холмов, под которыми томятся заживо погребенные среди заплесневелых стен мертвые души и нездоровые тела. Холмы эти то вздымаются крутыми блестящими боками высоких курганов, то тянутся однообразными рядами, в которых то и дело зияют каменные ямы дворов-колодцев, которыми они изрыты, словно разверстыми могилами, ожидающими своих мертвецов. Поверхности крыш блестят от оседающей небесной влаги и угрожающе наклоняются в стороны: одно неосторожное движение, и от стремительного скольжения по мокрому металлу, а потом и от падения в темный провал не удержит ничто — ограждения здесь, как правило, отсутствуют.

Я определяю направление и начинаю двигаться по крышам в сторону нужного мне дома, пробираясь мимо грубой кирпичной кладки старинных печных труб, мимо массивных каменных горловин вентиляционных шахт, натянутых проводов и покосившихся ржавых антенн, установленных, похоже, в те времена, когда Попов и Маркони еще только пробовали послать в эфир первые радиосигналы. Иногда то слева, то справа отвесно поднимаются высоко вверх глухие кирпичные стены домов, в которых торчат редкие грязные окна. Плоские и широкие металлические поверхности сменяются угрожающе наклонными узкими тропами из скользкого железа, зажатыми между отвесной стеной и каменной пропастью, как дороги на горных перевалах. Чахлые деревца и целые кусты растут прямо из сырых, потрескавшихся кирпичей. Показываются и снова скрываются из вида, заслоняя друг друга, башни и башенки с узкими окнами, оскалившимися разбитым стеклом, и какие-то странные самодельные строения из листового железа, обмотанного ржавой проволокой. На одном из них белой краской поверх порыжевшего металла крупными буквами грубо намазана надпись: «На этой крыше живет не Карлсон! Уходи домой, пока живой!» В одном месте часть крыши отсутствует вовсе: неровный прямоугольник провала затянут запотевшим изнутри мутным и грязным полотнищем плотной пленки, под которой смутно виднеется огромная кухня: от множества плит валит вонючий пар, мелькают человеческие тени и слышится бранчливое многоголосие.

От узкого и вытянутого вдоль крыши провала несет невероятным зловонием. Я осторожно заглядываю туда и вижу, что входа в эту каменную щель нет вовсе, зато в стенах есть несколько окон, а дно устлано толстым, метра в полтора, слоем слежавшегося, гниющего мусора, киснущего под моросящим дождем. Должно быть, жильцы тех квартир, окна которых выходят в эту клоаку, годами сбрасывают туда отходы своей жизнедеятельности, нимало не беспокоясь об удушающем смраде и расплодившихся крысах.

Я сворачиваю в сторону, обхожу провал в крыше кухни и вонючую мусорную щель, и, стараясь держаться выбранного направления, осторожно иду по узкому гребню, прямо вровень с мансардными окнами дома, расположенного на другой стороне широкого двора. Из окна одной мансарды высовывается толстая девица с желтыми волосами и пускает мыльные пузыри: целое облако ярких радужных шариков медленно плывет над серыми крышами, постепенно истребляемое каплями дождя. Девица провожает взглядом пузыри, потом видит меня и одним движением опускает вниз глубокое декольте линялой растянутой майки, демонстрируя вывалившуюся на грязный подоконник огромную грудь и одновременно высовывая изо рта обложенный бело-желтым налетом язык.

До нужного мне дома остается меньше полусотни метров. К чердачной двери ведет плоская крыша шириной в несколько шагов, с одной стороны которой расположена высокая глухая стена, а другая продолжается резким, почти отвесным уклоном, чей крутой скат обрывается провалом узкого двора. Я осторожно заглядываю вниз и поспешно отшатываюсь: на этот раз внизу настоящий каменный мешок, в котором нет не только арки, но даже и ни одного окна – только серые потрескавшиеся стены в широких бурых потеках. Далеко внизу виден покрытый жидкой грязью прямоугольник дна, на котором белеют обрывки каких-то картонок да мокнет под дождем полуразложившийся кошачий трупик.

Я прохожу через чердак на черную лестницу. Под ногами хрустят засохшие белесые комочки крысиного яда. Пахнет протухшей едой и мочой. Я спускаюсь, отсчитывая этажи.

Потрескавшаяся деревянная дверь черного хода, ведущая в кухню, заперта изнутри на железный крюк. Некоторое время я раздумываю, но в конце концов соображения тактичности берут верх, и я решаю не входить без приглашения, а иду дальше вниз по узким стертым ступеням до первого этажа, прохожу мимо последнего, короткого лестничного марша, ведущего к запертой на навесной замок подвальной двери, и выхожу в уже знакомый мне двор.

На кнопку дребезжащего звонка квартиры № 22 я аккуратно жму один раз, как и предписано визитерам Якова Самуиловича Роговера. На этот раз дверь распахивается почти сразу же, без преамбул в виде долгого шарканья старческих тапок в гулкой тишине.

Передо мной возник бледный, высокий и очень худой юноша, сильно сутулящийся, словно его хрупкий скелет, почти лишенный мышц, с трудом удерживает тяжесть большой головы с взлохмаченными живописными космами. На нем длинный свитер крупной вязки, который как балахон свисает с худых узких плеч. Юноша бросает на меня горящий от нетерпения взгляд, говорит: «Давайте быстрее, все уже собрались!» и скрывается за дверью комнаты Каина. Оттуда слышны голоса, шум и скрип передвигаемой мебели.

Роговер уже стоит в глубине полутемного коридора на пороге своей комнаты и приветственно машет мне рукой. На нем все тот же грязно-зеленый длиннополый лапсердак и короткие тяжелые сапоги. Вероятно, старый библиограф страдает ревматизмом, если нуждается в теплой обуви, находясь в своей удушливо-жаркой комнате, где вечно топится печка-буржуйка и воздух слежался от густой книжной пыли. Кажется, что с моего последнего визита в обители Роговера стало еще теснее: вытертая красная обивка кресел, тяжелая ткань драпировки на окнах, книжные полки, книги, стеклянные сосуды и артефакты, высокий деревянный пюпитр все с тем же раскрытым массивным манускриптом, столы, стулья, столики, табуреты, снова книги, громоздящиеся на всех поверхностях вперемешку с матерчатыми грязными перчатками, тюбиками с клеем, кисточками и большими старомодными лупами на длинных медных рукоятях. Роговер снимает с одного из стульев перемотанную бечевкой высокую пачку потрепанных старых газет, отодвигает на край низкого столика несколько книг в ветхих линялых переплетах, названия которых давно истерлись и канули в небытие вместе с именами их авторов, и знаком предлагает мне сесть. Я аккуратно опускаюсь на краешек стула, а хозяин комнаты тяжело усаживается на скрипнувшее пружинами кресло, от которого в воздух поднимается облачко пыли.

– Чем обязан вашему визиту на этот раз, молодой человек?

– Яков Самуилович, – говорю я, – мне нужна консультация. Уверен, что только вы, с вашим опытом, проницательностью и колоссальными знаниями можете мне помочь.

Роговер щурится на меня сквозь дряблые веки и криво усмехается, становясь похожим на старого змея.

– Ах, юноша, – отвечает он, и в голосе его слышна легкая усталая укоризна, – я старый человек и давно уже невосприимчив к лести. Если мне не изменяет память, в прошлый раз вы интересовались этой книжкой, «Красные цепи», и высказывали предположение, что некто очень близко к сердцу воспринял то, что там написано. Так близко, что даже начал реализовывать на практике некоторые спорные теоретические постулаты этого сомнительного гримуара. Все так?

Я киваю.

– Да, все так.

– И конечно, вы не послушались моего совета и продолжили заниматься своим расследованием, невзирая даже на то, что несчастного Мишу Мейлаха подобные изыскания довели, по вашим словам, до нервного срыва?

Я снова кивнул. Роговер вздохнул и развел руками.

– Ну и как же мне давать советы, о которых вы просите, если вы ни в малейшей степени не хотите им следовать?

Я молчу. Некоторое время Роговер ворчливо кряхтит, а потом произносит скрипучим голосом сварливого старика:

– Ну задавайте уже свои вопросы. Но предупреждаю, я не

специалист в алхимии и прочих науках такого рода. Я всего лишь изучаю историю книг, так что не обессудьте, если не смогу помочь...

У меня есть только два вопроса, один из которых записал в своих заметках к «Хроникам Брана» Мейлах, и второй, который задал я сам. Те самые вопросы, которые не дают мне покоя уже неделю и которые почему-то кажутся такими важными.

Роговер внимательно слушает, задумчиво глядя перед собой и поджимая тонкие белесые старческие губы. Потом примерно минуту он молчит, качает головой и наконец говорит:

– Не понимаю, почему вы вообще обратили внимание на такие частности. При всем уважении к Мише и его таланту ученого, нужно признать, что по большей части все то, о чем вы говорите, относится к области его домыслов и предположений, основанных на двух текстах сомнительного происхождения. Что мы имеем в реальности? Скромный алхимический трактат неизвестного автора и небольшую повесть, которая могла быть написана кем угодно и во времена гораздо более поздние, чем те, в которые происходили описываемые там события. «Красные цепи» могут принадлежать перу какого-нибудь полуграмотного компилятора, прочитавшего пару-тройку книг по алхимии и решившего, что ему открылась истина о способе создания эликсира. Не будем забывать, что большинством авторитетных ученых эта работа не была принята всерьез, а напротив, удостоилась резких критических замечаний, в частности, от Парацельса. Так что, если отвлечься от легенды про лорда Валентайна и загадочного Некроманта, вполне может статься, что ее написал какой-нибудь подмастерье, едва владеющий письмом, – отсюда и корявая латынь оригинального текста. И это лишь одно из возможных объяснений. Что же до того, зачем упомянутая в «Хрониках» леди Вивиен переписывала книгу своего отца, прежде чем отдать ее писцу для снятия копий, то не надо забывать, что мы имеем дело с художественным вымыслом, и все подробности событий, описанных в этой повести, остаются на совести ее автора. Зачем переписывала? А какими заклинаниями остановила морского змея? Таких вопросов можно задать множество, и я совершенно не понимаю, как они могут помочь в поисках того, кто, по вашим словам, пытается в наши дни и в этом городе изготавливать кровавый эликсир. Кстати, а что говорит по этому поводу сам Мейлах? Не лучше ли было бы задать эти вопросы ему, коль скоро уж вы так уверены в справедливости его гипотез?

– Я непременно спрошу у него об этом, – отвечаю я, с трудом

пытаясь скрыть разочарование. – Не мог до него дозвониться в последнее время, но обязательно найду и поговорю. Просто хотел услышать и ваше мнение тоже: в конце концов, он указал вас в сносках к своей работе как одного из консультантов.

Роговер махнул рукой.

– Это громко сказано – консультант. Так, рассказал немного об истории книжного дела и дал пару советов, главным образом о том, что лучше держаться подальше от таких книг. Даже если «Красные цепи» написаны каким-нибудь дилетантом, но они остаются при этом настоящим гримуаром, который тем опаснее, чем менее был сведущ его автор в предметах, которыми занимался, и чем меньше понимал, какие силы мог случайно вызвать по собственной неосторожности и невежеству.

Старик опять покачал головой и вздохнул.

– Вот я и вам снова советую: оставьте это занятие. Вы молодой человек, у вас впереди еще вся жизнь, а такие вещи могут оставить в ней след, который никогда не исчезнет. К тому же, как я вижу, вас уже коснулись какие-то неприятности.

Цепкий внимательный взгляд Роговера почти ощутимо касается заметного следа от кровоподтека на моем лице, оставшемся после схватки с оборотнем. Вероятно, то, что я стараюсь беречь левую руку, неосторожное движение которой вызывает боль в сломанных ребрах, тоже не укрылось от его внимания. Я смотрю в прищуренные желтоватые глаза старика и думаю, каким он был во времена своей молодости: сильным, проницательным, настойчивым. А еще, наверное, опасным. Что пришлось ему пережить за свои долгие годы? Войну, блокаду? А может быть, и тюремные лагеря?.. Вряд ли эти глаза всю жизнь смотрели только на книжные страницы, разбирая сложную вязь рукописных строк, а узловатым крепким пальцам явно приходилось держать предметы и посерьезнее, чем кисточку с клеем или увеличительное стекло.

Я встаю.

– Что ж, спасибо за беседу. Не буду больше злоупотреблять вашим гостеприимством.

Роговер тоже поднимается из кресла. Образ опасного старика мгновенно куда-то исчез, и передо мной снова стоит дряхлый пенсионер, коротающий свой век среди книжных раритетов, ветхих и пыльных, как и он сам.

– Не стоит благодарности, юноша, не стоит благодарности. Как говорится, чем мог, тем помог. Когда вы думаете навестить Мишу Мейлаха?

Мы выходим из комнаты. После душной пыльной жары в обиталище старого библиографа затхлый и вонючий воздух коридора кажется напоенным горной свежестью.

— Думаю, сегодня или завтра, — отвечаю я. — Передать ему привет?

— Непременно, непременно передайте!

Я протягиваю руку и Роговер с энтузиазмом сжимает ее своей сильной жесткой ладонью.

Со стороны кухни слышатся чьи-то торопливые шаги, и из-за угла коридора появляется молодой человек, похожий на того, что открыл мне дверь, как брат-близнец: тощий, бледный, всклокоченный, в длинном свитере, болтающемся на худом теле. В руках он с видимым усилием тащит большой потемневший металлический чайник, из широкого носика которого вырывается пар. Молодой человек протискивается мимо нас, поднимает глаза и смотрит на меня. В тот же миг он шарахается в сторону так резко, что металлическая крышка чайника дребезжит, и кипяток выплескивается на бесформенные серые штаны. Взъерошенный юноша подпрыгивает и прижимается к стене, не сводя с меня дикого взгляда округлившихся глаз. Лицо его, и без того не отличающееся здоровым румянцем, приобретает какой-то зеленоватый оттенок. Возможно, на кого-то мой внешний вид действительно может произвести несколько спорное впечатление, но этот парень ведет себя так, словно увидел выходца с того света. Он пятится, с шорохом обтирая ветхие обои коридора шерстяной тканью свитера, потом резко разворачивается и скрывается за дверью комнаты Каина, откуда тут же доносится его громкий голос, неразборчивый, но чрезвычайно возбужденный.

Я вопросительно смотрю на Роговера, внимательно наблюдавшего за разыгравшейся странной интермедией.

— Что тут у вас происходит? — спрашиваю я.

Роговер пожимает плечами.

— У соседа, художника, очередное сборище. К нему время от времени приходят молодые дарования, раз в месяц, иногда чаще, что-то вроде семинаров или мастер-классов. Не обращайте внимания, они все немного странные. Да и как тут не стать странным, если целыми днями рисовать мертвецов, да таких, что один страшнее другого. Они уж и сами мало чем отличаются от своих натурщиков, прости Господи. А ведь среди них и девушки есть, представляете?..

Из-за дверей Каина слышен уже не один голос: к нему присоединяется целый хор, что-то возбужденно бубнящий, словно гудят потревоженные в гнезде осы. Я прощаюсь с Роговером, пообещав ему непременно передать Мише Мейлаху привет и наилучшие пожелания, и иду по коридору в сторону выхода.

За дверью комнаты Зельца мертвая тишина. Я останавливаюсь, раздумывая, не постучать ли к нему, как в прошлый раз, чтобы проверить, кого мог притащить к себе в гости доктор, но тут, слегка скрипнув, приоткрывается расположенная напротив дверь Каина. В узкую щель между дверью и притолокой высовываются, одна над другой, три бледные физиономии, нижняя из которых обрамлена жидкими белесыми косицами, свидетельствующими о половой принадлежности. Мы молча смотрим друг на друга, а потом физиономии, не отрывая от меня вытаращенных глаз, начинают шепотом переговариваться:

– Говорю же, это он!

– Точно!

– Точно, он!

Последнее, к чему я стремлюсь в жизни, это обретение популярности среди юных художников-авангардистов, и поэтому эта странная радость узнавания меня тревожит. Я делаю шаг к двери, и три физиономии мгновенно скрываются в комнате. Я открываю дверь и вхожу.

Комната Каина забита людьми. Не менее полутора десятков молодых людей в потертых джинсах, длинных свитерах и шарфах сидят на полу, табуретках, и столах. У многих в руках раскрытые альбомы для рисования. Все как один смотрят на меня глазами, полными ужаса и изумления.

Сам Каин стоит посередине комнаты рядом с мольбертом, на котором установлена какая-то картина. Он видит меня, тоже бледнеет и бормочет:

– О боги... а я думал, откуда мне знакомо это лицо...

Он молча приподнимает руку и жестом указывает на свое полотно.

Я подхожу ближе и смотрю.

Огромная кровать, настоящее ложе, застеленное смятыми простынями. Пространство вокруг ложа теряется во мраке, но в мазках багровых и золотых сполохов красок угадывается богатое убранство комнаты. Поверх простыней, когда-то белых, а теперь залитых кровью, распростерто обнаженное тело человека. Руки и ноги вытянуты к краям кровати и видимо, привязаны. Мне требуется несколько секунд для того, чтобы узнать в лежащем человеке себя. Я различаю следы темного кровоподтека на ребрах, там, куда пришелся сокрушительный удар Вервольфа. Вижу зашитую рану на плече. Даже старые пулевые шрамы хорошо заметны на бледной коже. Лицо запрокинуто назад, губы растянуты в предсмертном оскале. Вдоль груди, от горла до живота, тянется длинный и глубокий кровоточащий разрез. Струйки крови стекают по бокам, собираясь в багряную лужу под телом. Не знаю, сколько времени я смотрю на эту потрясающе реалистичную картину, но потом опускаю взгляд чуть ниже, и тут в ушах у меня резко шумит, а мгновенное головокружение заставляет покачнуться. На полу у кровати лежит еще одно тело. Ее я узнаю сразу. Длинные черные волосы разметались по темно-красному ковру, руки безжизненно раскинуты в стороны, смуглая кожа обнаженного тела еще не успела подернуться мертвенной бледностью, но черты лица уже застыли, встретившись с ликом смерти. На животе зияет дыра пулевого отверстия со следами порохового ожога. Еще одна такая же рана разорвала левую грудь.

– Простите, – слышу я дрожащий голос Каина, – мне очень жаль... Очень жаль.

Я не помню, как оказался на лестнице. Перепрыгивая через три ступеньки, я несусь вниз, одновременно набирая номер Кристины. Я выбегаю из дверей подъезда, подношу телефон к уху и слышу, что на мой вызов ответили.

«Аппарат вызываемого абонента выключен или находится вне зоны действия сети».

# Глава 19

– Алина Сергеевна, начинаем?..

Холодный и безжалостно яркий свет хирургической лампы заливает большой металлический стол, с бесстрастной детальностью опытного эксперта отчетливо освещая каждую кость потемневшего человеческого скелета, разложенного на ослепительно белой поверхности. Алина смотрит на то, что лежит перед ней, и молчит, не в силах отвести взгляд.

Удивительно, как быстро удалось оформить разрешение и провести эксгумацию. Во многом этому способствовало обретение Алиной нового и неожиданного статуса неофициального руководителя Бюро: директор, не вдаваясь в подробности и без лишних вопросов, подписал необходимые бумаги; в Следственном комитете тоже пошли ей навстречу — все уже были прекрасно осведомлены о том, кто теперь фактически руководит главной судебно-медицинской лабораторией города, и к тому же имели все основания быть благодарны Алине за оперативное решение множества вопросов, которые в ситуации хаоса и неразберихи последних дней могли бы ожидать решения неделями. Кроме того, дело об убийстве тринадцатилетней давности так и не было закрыто, находилось в архиве, и поэтому для обоснования необходимости эксгумации останков не пришлось искать надуманных причин или заново возбуждать дело: формулировки «в связи с вновь открывшимися обстоятельствами» оказалось более чем достаточно. В итоге уже во второй половине дня специальный закрытый автомобиль привез в морг Бюро большой черный пластиковый контейнер, пахнущий химией, тлением и сырой потревоженной землей. Алина назначила исследование на конец рабочего дня, попросив задержаться свою ассистентку, а еще коллег из гистологической лаборатории: ей не хотелось отвлекаться на текущие дела, которые имели свойство возникать стихийно в форме срочных и неотложных вопросов. «Знаете, у меня одно важное вскрытие сегодня вечером, нужна ваша помощь...» — говорила она, и люди сразу соглашались остаться и помочь, даже не дослушав до конца. Алина никому не сообщала, чьи именно останки окажутся сегодня на лабораторном столе, но каким-то непостижимым образом все это знали. И ни о чем не спрашивали.

К шести часам вечера все было готово. Алина заняла место у стола и ждала. Ассистентка Лера молча стояла рядом. Через пару минут двойные двери лаборатории распахнулись, санитары вкатили носилки с пластиковым контейнером, открыли его и стали быстро и аккуратно выкладывать содержимое на белую металлическую поверхность.

Скоро скелет цвета старой пожелтевшей бумаги уже лежал перед ней. При поступлении в морг его тщательно очистили от земли и грязи. Некоторые суставы и сочленения распались, и в этих местах кости были аккуратно приложены одна к другой. Фаланги пальцев темнели прямыми пунктирными линиями. Зиял чернотой приоткрытый оскал. Выпавшие зубы, тщательно собранные работавшей на кладбище бригадой, лежали рядом с черепом, уставившимся провалами огромных глазниц в слепящие хирургические лампы. Металлические скобы, когда-то скреплявшие разрубленную грудину, проржавели и распались от времени, и грудная клетка была распахнута настежь, выставив вверх обломки ребер. На предметный стол рядом легли фрагменты истлевшей одежды и изъеденные насекомыми, покоробившиеся и почерневшие туфли. Алина помнила их, эти туфли: белые, на низких каблуках. Теперь они были грязно-коричневого цвета. Рядом с обрывками вылинявших ветхих лоскутов печально и тускло блестела золотая цепочка с маленьким крестиком. Ее Алина тоже помнила очень хорошо: цепочка была короткой и часто выскакивала из-под одежды, а крестик легонько задевал ее по носу, когда мама наклонялась к ней, чтобы поцеловать перед сном.

«Привет, мам. Прости, что побеспокоила».

«Милые кости», – вспомнила Алина название когда-то прочитанной книги. Там рассказывалось о девочке, изнасилованной и убитой маньяком, которая потом, из запредельных небесных сфер, многие годы наблюдает за жизнью оставшихся на земле родных, как на протяжении долгих лет страшная рана, нанесенная ее смертью, постепенно затягивается, и память о ее гибели из навязчивых кошмаров воспоминаний превращается в светлую грусть. Но некоторые раны имеют свойство открываться и кровоточить даже спустя десятилетия, особенно если боль, которую они причинили, превратилась за это время в желание возмездия, холодное и неподвижное, как спящая змея, готовая пробудиться и сделать один стремительный и смертоносный бросок.

– Алина Сергеевна, с вами все в порядке?

Алина тряхнула головой и оторвала взгляд от того, что когда-то было ее мамой.

– Да, Лера, все в порядке. Работаем.

Она глубоко вздохнула и начала говорить.

– Судебно-медицинское исследование скелетированных останков женщины; точный возраст на момент наступления смерти сорок лет, рост сто шестьдесят восемь сантиметров. Останки были эксгумированы из могильного захоронения тринадцатилетней давности в рамках постановления... по уголовному делу... в связи с вновь открывшимися обстоятельствами и принадлежат Назаровой Татьяне Константиновне, 1955 года рождения. Идентификация личности произведена на основании свидетельства о смерти № ..., выданном ..., и на основании документов о погребении ..., а также подтверждена показаниями мужа покойной, Назарова Сергея Николаевича, и дочери, Назаровой Алины Сергеевны.

«Какой бы ты стала сейчас, мама? Я помню, какой ты была: сильной без грубости, строгой без жестокости, любящей без сентиментальности. Странно, я не помню, чтобы за семнадцать лет мы хоть раз поссорились. Конечно, в детстве я обижалась на тебя, если ты что-то запрещала, в юности спорила, если считала, что я права, но мы никогда не ссорились, потому что только ты умела удивительно тактично справляться с трудным характером упрямой маленькой рыжей девчонки, зануды и перфекционистки, принципиальной, неуступчивой, умела уважать желание независимости и понимать стремление к справедливости в том радикальном ее понимании, какое только и возможно в подростковом возрасте. Какой бы стала? И какой бы стала я, будь ты рядом? Умнее? Мягче? Счастливее?»

– Целью проводимого исследования является установление идентичности имеющихся повреждений ранее описанным в судебно-медицинских заключениях № ..., № ..., № ..., а также определение приобщенного к материалу исследования однолезвийного ножа, являющегося вещественным доказательством по делу № ..., как орудия, использовавшегося при совершении преступления тринадцатилетней давности и аналогичных по образу действия убийствах в августе–октябре текущего года. Для решения этой задачи со скелетированных останков будет произведен срез костной ткани вдоль раневых каналов в районе грудной кости и ребер в целях получения образца для микроскопического (гистологического) анализа.

«Все, что я могу сделать для тебя сейчас, это установить истину. Узнать, кто виноват в твоей смерти. Узнать, а потом предпринять все для того, чтобы тот, кто сделал с тобой это тогда, ранним счастливым утром весеннего дня, тот, кто искромсал тебя и бросил, как разорванную куклу, у дверей твоего дома, чтобы этот человек, или люди, или нелюди, кто угодно – чтобы они заплатили полной и суровой мерой справедливости».

Марину убил не оборотень. Та самая несчастная девушка-бармен, смерть которой свела их с Гронским в этом странном расследовании, погибла от другого ножа, а значит, скорее всего, и от другой руки. Вчера, получив результаты исследования тканей трех жертв, которые Алина попросила сделать еще три недели назад и про которые благополучно забыла среди стремительного потока событий последних дней, она поняла, что же именно упустила в самом начале, когда еще только проводила первые вскрытия жертв загадочного потрошителя. Будь она тогда чуть внимательнее, будь у нее больше времени, не поддайся она эмоциям – вначале шокирующему узнаванию почерка убийцы ее матери, а потом возмущению и гневу, вызванному давлением со стороны Кобота, – возможно, ей не потребовались бы дополнительные лабораторные исследования. Смутные догадки начали обретать форму, когда ей в руки попал кривой тесак Вервольфа, с его тяжелой, темной энергетикой, причудливой рукоятью, а еще – мелкими зазубринами на лезвии и небольшим застаревшим сколом на самом острие. Эти почти незаметные дефекты клинка неизбежно должны были оставить следы на костях, разрубленных мощными ударами, – и эти следы там действительно были. На грудине и ребрах двух жертв оборотня четко различались характерные линии от зазубрин и заметные при микроскопическом исследовании вдавления костной ткани от скола на острие. Но на срезах, взятых с тела Марины, таких следов не было. Девушка была убита оружием, которое было точной копией тесака Вервольфа, если только такое было возможно. Совпадало все: длина и кривизна клинка, даже возможный вес и особенности заточки лезвия, все, кроме небольших зазубрин. Как будто кто-то имитировал почерк убийцы, ухитрившись раздобыть такой же нож или сделать его копию, и нанес свой удар в неурочный день, между двумя новолуниями, когда его совершенно не ожидали те, кто прикрывал ежемесячные вылазки инфернального ночного охотника.

Это открытие мгновенно порождало множество новых вопросов. Кто? С какой целью? Будут ли еще и другие жертвы этого зловещего имитатора? Жив ли он сам и скрывается где-нибудь в городских трущобах, или, может быть, погиб вместе с Абдуллой и его людьми в кровавой бойне на заброшенном заводе?

Первым побуждением Алины было позвонить Гронскому и сказать ему, что обезглавленный им в рукопашной схватке оборотень не имеет отношения к смерти Марины. Но потом она решила отложить этот разговор до того момента, когда получит ответ на другой вопрос, самый важный для нее лично. Был ли Вервольф убийцей ее матери?

Пальцы двигались быстро и привычно, губы начитывали текст протокола исследования, деловито позвякивали инструменты, а еще чуть скрипели кости скелета под нажимом блестящих никелированных лезвий.

– Лера, отнеси, пожалуйста, образцы в гистологию. Хотя нет, давай лучше я сама.

Алина взглянула на часы. Анализ не будет долгим. Очень скоро она узнает ответ. А пока у нее есть время подумать, что она станет делать, если ответ будет отрицательным и вся погоня за древними призраками окажется напрасной.

* * *

Трамвай прогрохотал по невидимым в темноте рельсам и, тоскливо завывая мертвым жестяным голосом, скрылся во мраке, укатив в сторону чернеющей кромки леса. Мейлах немного постоял на краю бесконечного пустыря из жидкой грязи, ежась под промозглым дождем, а потом медленно побрел по едва различимой тропинке. Дом впереди надвигался, закрывая темно-серое небо в клочьях мятущихся туч: огромная бетонная плита высотой в двадцать пять этажей, утыканная сотнями светящихся окон, как сотами ласточкиных гнезд, за каждым из которых теплилась чья-то жизнь. Мейлах нагнул голову, пряча лицо от холодного влажного ветра, и ускорил шаг. Огни в окнах дома почему-то казались тревожными и были похожи на далекие маяки, указывающие на опасность, но он, как безрассудный мореход, шел прямо на них. Шел домой.

Весь день он не мог отделаться от липкого ощущения чужого пристального взгляда или пугающего присутствия, преследующего его повсюду. Может быть, всему виной были бессонные ночи с изнуряюще кошмарными сновидениями, из числа тех, в которых невозможно отличить сон от реальности, когда, стремясь вырваться из поглощающей сознание тьмы давящего страха, пытаешься проснуться, с трудом открывая непослушные веки и преодолевая оцепенение неподвижного тела, и вдруг понимаешь, что все еще спишь и вместо пробуждения только переходишь из кошмара в кошмар, как в бесконечном аттракционе ужасов.

Весь день и начало вечера Мейлах провел вне дома. Находиться в квартире даже днем было неприятно: тишина давила, звуки пугали, и не давало покоя все то же чувство постороннего присутствия, незримого, но ощутимого, словно тебя окружает толпа бесплотных невидимок, которые только и ждут... Только и ждут. Чего? Когда ты отвернешься? Или, наоборот, обернешься и вдруг увидишь одного из них, и тогда сердце твое разорвется напополам от ужаса?

Он немного поездил в метро, просто так, без цели, от одной конечной станции до другой. Там было не так страшно: кругом толпились люди, поезда шли по неизменным маршрутам, и можно было сидеть в углу вагона и дремать, иногда открывая глаза для того, чтобы убедиться, что все в порядке. Потом зачем-то зашел в университет, на кафедру. Его встретили без удивления и без радости, так, поздоровались да перебросились парой незначащих слов. Начало вечера он провел в дешевой рюмочной у метро, пил резко бьющую в нос сивушной вонью водку, запивая разбавленным пивом, и думал о том, что рано или поздно ему придется вернуться домой.

Гудящий лифт со скрипом и стонами поднял его на восемнадцатый этаж. В коротком желтом коридоре, ведущем к двери квартиры, было пусто. Мейлах открыл дверь и вошел.

Квартира встретила его неприятной тишиной. Конечно, когда ты только приходишь домой, там всегда тихо, но обычно этого не замечаешь. А тут тишина вдруг стала заметной, как будто в ней притаился кто-то, поджидавший его возвращения.

Он поспешно щелкнул выключателем. Свет зажегся, желтый, унылый, тусклый. Тишина быстро перебежала из прихожей в комнату и спряталась в темном дверном проеме. Мейлах сбросил грязные стоптанные башмаки и быстро прошел по квартире, включая свет в комнате, кухне, ванной, туалете. Странно, но ощущение было такое, что светлее не стало, наоборот, электрический серо-желтый сумрак как будто скрыл что-то, прячущееся в нем не менее успешно, чем во тьме.

Да, оно прячется. И ждет.

Он вернулся в комнату и включил телевизор. Это хорошо, это помогает: пусть будут чьи-то голоса, смех, звуки далекой реальной и веселой жизни. Да, это хорошо.

Теперь нужно поставить чайник. Такие простые, бытовые действия, они успокаивают, придают уверенности, и самое главное, что те, кто наблюдает за тобой, спрятавшись в желтом электрическом свете, не догадаются, что ты знаешь об их присутствии.

Краем глаза он видит, как метнулась серая тень. Даже не тень, так, призрак тени, как бывает, когда резко повернешь голову и что-то мелькнет на самой периферии зрения. Там постоянно что-то мелькает. Мейлах замер, держась за ручку стоящего на плите металлического чайника. Когда ты один в квартире, когда вдруг чувствуешь страх, главное — не оборачиваться. Чтобы не увидеть того, чего боишься. Лучше не видеть. Но ведь и не оборачиваться тоже страшно, потому что очень скоро почувствуешь чье-то приближение, все ближе и ближе, так, что даже волосы на затылке начнут ощущать скорое прикосновение.

Он осторожно зажег газ. Тот сердито расцвел ядовитым синим цветком. Кажется, что и газ, и чайник, и стол, и табуретка все знают. Они знают, кто ждал его в пустой квартире, и теперь тоже ждут того, что будет дальше.

Из комнаты доносятся приглушенные звуки телевизионной передачи, музыка, смех, разговоры. Мейлах прислушался. На мгновение ему померещилось, что к голосам из телевизора присоединился еще один, низкий, что-то бубнящий на одной ноте, но звучащий не из динамиков старинного «Panasonic», а прямо из комнаты.

Надо посмотреть в окно. Это тоже помогает: видишь машины, светящиеся окна домов, видишь окружающую тебя жизнь и понимаешь, что ничего страшного не может случиться в этом привычном мире, где ездят машины и люди сидят дома, пьют чай и смотрят телевизор.

Есть только одна проблема. Чтобы посмотреть в окно, нужно отдернуть занавеску. Когда ты один в квартире и тебе страшно, не стоит отодвигать занавеску на окне. Потому что можно увидеть прижавшееся с обратной стороны к оконному стеклу чье-то лицо.

Из комнаты донесся детский плач. Четкий, громкий, сразу перекрывший звук телевизора, и прозвучавший невероятно близко, как будто прямо в ушах. Ребенок заплакал – и сразу замолчал.

Мейлах почувствовал, как волосы дыбом поднялись на затылке, сердце застыло в груди от удара адреналина, а потом снова начало биться, медленно, тяжело и неохотно.

На негнущихся ногах он вошел в комнату. Ничего. Желтый свет заливает пространство. Кровать, шкаф, телевизор. Люди на экране выглядят зловещими клоунами. Пустые углы комнаты словно затянуты паутиной: ее там нет, но зато есть ощущение какой-то сосульками свисающей черноты. Страх пропитывает убогие сероватые обои, сочится с низкого потолка, лезет в душу липкими пальцами.

На кухне закипает чайник. Мейлах машинально выходит в коридор, идет на кухню, выключает газ и вдруг слышит, как из комнаты доносится женский смех. Громкий, потерянный смех душевнобольной.

Он издает короткий стон и замирает. Женщина перестает смеяться. Мейлах стоит неподвижно, прислушиваясь и надеясь, что это просто какая-то иллюзия. Обман слуха. Померещилось. Или просто телевизор вдруг зазвучал так громко и чисто.

Всегда все можно объяснить и успокоиться. Сказать, что показалось. Или померещилось. Потому что иначе грань безумия придется перешагнуть.

Мейлах снова входит в комнату и нажимает кнопку на пульте. Тишина. Звенящая тишина, наполненная ярким электрическим светом. И вдруг смех повторяется вновь, короткий, истеричный хохот сумасшедшей, прямо здесь, в комнате, рядом, и несется он из верхнего угла комнаты, как раз над кроватью.

Мейлах опрометью выскакивает в коридор. Дверь за его спиной вдруг резко захлопывается, с треском ударяя по хлипким косякам. За обоями шуршит осыпавшаяся штукатурка. Через несколько секунд дверь распахивается снова, таким же резким, злым рывком. Снова звучит смех из верхнего угла. В комнате включился телевизор. Мейлах слышит, как меняются голоса и звуки – кто-то переключает каналы. Кто-то включил телевизор и теперь переключает каналы.

Ему нужно выйти из квартиры. Здесь оставаться нельзя. Куда угодно, в ночь, под дождь, в грязь, только прочь от этого кошмара.

Над головой прогрохотал звонок в дверь. Еще один. И еще. Там, всего в нескольких сантиметрах от него, отделенный тонким дверным полотном из дерева и прессованных стружек, кто-то стоял и настойчиво просил пустить его внутрь.

Не смотреть в глазок. Только не смотреть.

Снова переключился канал телевизора. Засмеялась женщина. Наверное, снова из того же верхнего угла. Только бы не увидеть ее, не увидеть, как она висит там, под потолком, скрючив ноги и растопырив худые руки, и рваная ночная рубашка свисает с костлявого тела, а пегие волосы закрывают лицо...

Видение мелькнуло в сознании и исчезло. Дверной звонок гремел снова и снова, настойчиво перекликаясь со звуками, несущимися из комнаты. Мейлах едва дышал. Он не хотел открывать дверь, потому что знал, что там, снаружи, стоит то, что пришло за ним, что не сравнится ни с какими кошмарами внутри квартиры. Но ему нужно было выйти. Во что бы то ни стало нужно было выйти.

Штора на кухонном окне приподнялась немного и осталась в таком положении, как будто придерживаемая кем-то, стоящим за ней.

Мейлах издал звук – не крик, не стон, что-то среднее между всем этим, резко повернул ключ и дернул ручку двери.

В сознание разом рванулось все: все ночные кошмары, алкогольные галлюцинации, все страхи отчаяния и одиночества. Все это стало одним большим сгустком неизбывного, превосходящего сознание ужаса, принявшего форму человеческой фигуры, стоящей на пороге.

– Ох... – только и успел сказать он, и тут человек резко вскинул руку.

«Город забрал меня, папа. Город забрал меня», — промелькнули в памяти предсмертные слова его сына, и это была его последняя мысль перед тем, как сознание заскользило все быстрее и быстрее в холодное и темное небытие.

* * *

Алина устало потерла глаза. Три часа ожидания тянулись бесконечно долго. Несколько раз она порывалась снять трубку внутреннего телефона, позвонить, спросить, узнать, как продвигается работа и когда все будет готово, но каждый раз одергивала себя и продолжала ждать. Руководитель гистологического отделения Генрих Осипович Левин был одним из самых старых и уж точно самым заслуженным сотрудником Бюро, и она понимала, что итоги исследования она получит не раньше, чем он сам будет совершенно в них уверен. А ведь именно это и было ей нужно: уверенность, абсолютная и стопроцентная.

Первые часа полтора Алина пыталась занять себя работой, разбирая документы и планируя завтрашний день, но постоянно ловила себя на том, что смотрит на исписанные листы бумаги, совершенно не воспринимая их содержания, а мысли ее упорно возвращаются к изогнутому тяжелому кинжалу и потемневшим костям скелета, ожидающим ее этажом ниже, на белом столе лаборатории.

Милые кости.

Резкий звук телефонного звонка заставил ее вздрогнуть и очнуться от глубокого транса раздумий и воспоминаний.

— Алина Сергеевна, ты у себя?

— Да. — Голос вдруг сел от волнения, и Алина откашлялась. — Да, Генрих Осипович, я в кабинете. А вы уже закончили?

— Сейчас подойду.

— Не надо, что вы, я бы сама...

Но в трубке уже звучали короткие гудки.

Алина откинулась на спинку кресла, чувствуя, как сильно бьется сердце. Вот и все. Через несколько минут она получит ответ на тот вопрос, который так хотела разрешить. Ее долгое ожидание наконец закончилось, только почему-то сейчас она совсем не была этому рада.

Генрих Осипович вошел в кабинет, держа в руках тонкую прозрачную папку; он сел напротив Алины, вздохнул, пригладил редеющие седые волосы и посмотрел на нее грустным взглядом бледно-голубых глаз.

— Ну вот, — сказал он. — Готово.

Алина кивнула. Он еще раз вздохнул и положил папку на стол.

— Вот тут полная информация. Мы сделали несколько тестов, разные окраски, ну на всякий случай. Здесь подробные описания анализов, ну и результат, конечно. Можешь ознакомиться.

Алина прикоснулась кончиками пальцев к прозрачному пластику.

— Генрих Осипович, — сказала она, — а вы можете мне просто в двух словах описать результат?

— Ну, если в двух словах... судя по тому, что я увидел после обработки среза и вторичной окраски...

— Генрих Осипович, — перебила Алина. — Просто скажите мне: это тот же нож?

Левин кашлянул и бросил на Алину быстрый взгляд.

— Устала, Алина Сергеевна?

— Безумно, Генрих Осипович.

— Ну что ж, — пожилой эксперт поднялся и пожал плечами, — если так, то... Да, это тот нож. Лично у меня нет ни малейших сомнений. Это орудие убийства.

Алина прерывисто вздохнула и на мгновение прикрыла глаза. Она почувствовала опустошающее облегчение, к которому почему-то примешивалась отчетливая и горьковатая нота разочарования.

— Спасибо огромное, — сказала она с чувством. — Вы мне очень помогли. Правда.

— Рад, если так. — Генрих Осипович подошел к двери, обернулся и снова посмотрел на Алину долгим печальным взглядом человека, мудрость которого рождена многим и прискорбным жизненным опытом. — Тебе бы отдохнуть, Алина Сергеевна.

— Да. Обязательно. Непременно. Спасибо еще раз.

Левин кивнул на прощание и вышел.

Ну вот и итог. Это тот нож. А значит, и тот убийца, голова которого была отсечена, словно гильотиной, огромным стеклом. Возмездие, более суровое и справедливое, чем человеческое правосудие, свершилось. Только откуда тогда это чувство странной неудовлетворенности?..

Алина открыла ящик стола, на мгновение задержала взгляд на завернутом в прозрачный пакет огромном кривом тесаке, который притаился там, как уснувшее, но все еще опасное гигантское насекомое, положила поверх него пластиковую папку с результатами анализов и вышла из кабинета.

В большом холодном зале лаборатории по-прежнему горел

яркий свет, но хирургическая лампа была уже выключена, а останки прикрыты белой плотной тканью. Ассистентка сидела в углу и читала. Увидев Алину, она закрыла книжку и встала.

– Лера, спасибо большое, ты можешь идти.

Алина подошла к столу и остановилась, глядя на белое полотно. Лера неуверенно шагнула в сторону выхода, потом повернулась, посмотрела на Алину и осторожно спросила:

– Алина Сергеевна, все в порядке?

Алина подняла голову и заставила себя улыбнуться. Улыбка вышла слабой и вымученной.

– Да, конечно. Результаты анализов я получила, общее заключение доделаем завтра. Спасибо тебе еще раз. Да, и когда будешь выходить, скажи санитарам, что мы закончили, пусть перенесут останки в морг. Повторным захоронением я потом займусь лично.

Лера кивнула и вышла. Каблучки звонко простучали по плиткам пола, хлопнула дверь, и наступила тишина, только лампы слегка гудели, заливая помещение бесстрастным неживым светом.

Алина еще минуту молча постояла рядом с накрытым простыней столом, потом осторожно откинула ее край. Череп взглянул на нее черными провалами глазниц. Алина протянула руку и бережно прикоснулась кончиками пальцев к потемневшим костям.

– Прощай, мама, – чуть слышно прошептала она.

Потом решительно накинула обратно белое покрывало и, не оборачиваясь, вышла из лаборатории.

Коридоры морга в этот поздний час были пустыми и гулкими. Санитар из ночной смены в распахнутом синем халате катил перед собой дребезжащие трясущиеся носилки, на которых покачивалось тело, накрытое серой простыней. В районе груди на ткани проступали бурые пятна.

– Добрый вечер, Алина Сергеевна!

– Привет, Слава, – Алина остановилась и кивнула в сторону носилок. – Кто тут у тебя?

– Да вот, привезли только что. Криминальный. Ночь еще толком не началась, а уже пожалуйста... А ведь сегодня даже не выходные.

Алина откинула покрывало. На носилках лежало тело немолодого мужчины, по виду похожего на бродягу: бледное лицо покрыто редкой седоватой щетиной, длинные волосы спутались в сивые неопрятные космы, грязный поношенный свитер покрыт крупными свалявшимися катышками. На груди серая шерстяная ткань была прорвана с левой стороны и обильно пропитана кровью. Рядом с телом лежали заполненные от руки бумаги. Алина машинально взяла их и стала бегло просматривать протокол первичного осмотра.

– Одним ударом закололи, – где-то рядом бубнил санитар. – Не так часто увидишь такое. Обычно привозят всех изрезанных, исколотых, ну, вы знаете, а тут кто-то профессионально бил, раз, и сразу в сердце...

– Слава, тебе бы экспертом быть, – рассеянно произнесла Алина.

Так, что тут... осмотр проведен специалистом районного бюро... время обнаружения... колотая рана в левой области грудной клетки, других повреждений и следов, свидетельствующих о предсмертной борьбе, не обнаружено... личность потерпевшего...

– А я бы мог, – охотно продолжал говорить санитар Слава. – Я за три года уже столько насмотрелся, что с ходу могу определить, криминальный или нет. Вот недавно привезли одного, синюшный, во рту пена засохла, и пальцы скрючены, так я сразу сказал, что передоз, да, и потом...

Личность потерпевшего установлена: Мейлах Михаил Борисович.

Алина вздрогнула, положила назад листы протокола и стремительно пошла по коридору, на ходу вытаскивая мобильный телефон.

Гронский ответил после второго гудка.

– Привет, это я, – сказала Алина. – Не разбудила, конечно?

– Привет. Конечно, нет.

– Слушай, один вопрос. Имя Мейлах Михаил Борисович тебе о чем-нибудь говорит?

Пауза.

– В общем, да. – В голосе Гронского Алина отчетливо слышала напряжение, только не могла понять, вызвано оно ее вопросом или чем-то другим. – Оно и тебе знакомо, если ты не совсем забыла еще. Ученый. «Красные цепи». «Хроники Брана». Я рассказывал.

– Черт, точно! – Алина обернулась. Санитар все еще стоял в конце коридора рядом с носилками, в растерянности глядя на Алину. – Родион, послушай... я сейчас на работе... в общем, его сейчас к нам привезли. Мейлаха. Он мертв.

– Что случилось? – быстро спросил Гронский.

– Криминальный. В смысле, он убит. Ударом в сердце, ножом или чем-то в этом роде.

– Понятно, – сказал Гронский.

И замолчал.

Алина некоторое время слушала шуршащую тишину в динамике. Вдалеке санитар Слава переминался с ноги на ногу рядом с каталкой.

– Родион? Ты меня слушаешь?

– Да, – отозвался Гронский. – Я все понял. Мейлах убит. Спасибо, что позвонила.

«Вот и поговорили», – подумала Алина. Что там опять у него происходит? Алина вдруг вспомнила, как совсем недавно разговаривала с Гронским, когда рядом с ней в комнате находились трое бандитов, и как отчаянно пыталась дать понять, насколько нуждается в помощи. Наверное, тогда у нее был вот такой же голос: напряженный, как натянутая струна.

– У тебя все в порядке?

– Да. Все хорошо.

Алина немного подумала и спросила:

– А с Кристиной удалось поговорить? Помнишь, ты собирался...

– Нет.

Снова пауза.

– Но я обязательно с ней поговорю. Очень надеюсь, что в самое ближайшее время.

И опять шелестящая тишина в трубке, подчеркивающая неловкое молчание.

– Ну ладно, – сказала Алина. – Тогда пока.

– Пока.

Алина посмотрела на мигнувший и погасший экран телефона, покачала головой и убрала трубку в карман. У нее не было сейчас ни сил, ни желания беспокоиться, думать и пытаться разгадать очередные недомолвки. Все в порядке – значит, все в порядке. А с нее на сегодня хватит.

И уже выходя из Бюро в ненастную темноту холодной ночи, морщась от летящих в лицо капель дождя и идя к машине, Алина вспомнила, что так и не сказала Гронскому о том, что несчастная Марина погибла от другого ножа и убитый им оборотень не имел отношения к этой смерти.

* * *

Жаркое солнце заливает тихую улицу ослепительным светом. Невысокие опрятные дома с разноцветными фасадами выстроились по обе стороны аккуратными рядами. У ступеней крыльца одного из них лежит молодая девушка. Побелевшее лицо обращено вверх, к яркому солнце и синему небу, раскосые глаза закрыты, на дрожащих губах пузырится кровавая пена. Белая блузка разорвана на животе и груди в кроваво-черные клочья, и сквозь них виднеется столь же безжалостно растерзанное залпами картечи окровавленное тело. Удивительно, но она еще жива, и когда я обнимаю ее, приподнимая голову, она открывает глаза. Мои руки сразу становятся теплыми и липкими от крови, а она пытается что-то сказать мне сквозь мучительные хрипы и кровь, заливающую легкие и горло. Я прошу ее молчать, ведь ей нельзя сейчас говорить, прошу держаться, произношу еще какие-то слова, ненужные и бессмысленные, а кровь растекается по белой ткани, распускаясь цветами смерти. Она смотрит мне в глаза, продолжая что-то шептать, и вместе с ее последним вздохом, который касается моего лица, легкий, как крыло бабочки, до меня долетает слово: «Прости...» Глаза ее слегка затуманиваются и продолжают смотреть, но уже не на меня, а туда, за порог этой жизни, куда отправилась сейчас ее душа. Я продолжаю держать ее в объятиях, чувствуя, как кровь пропитывает мою рубашку, пока издалека не доносятся звуки полицейских сирен. И тогда я отпускаю ее. Навсегда.

Серое небо низко нависло над квадратным двором, и мелкий дождь оседает на землю, как равнодушные холодные слезы. Серые, облупившиеся каменные лики домов стеснились вокруг и смотрят пустыми глазами грязных темных окон. Растерзанное тело на мокром асфальте распластано, как кусок остывшего мяса на разделочной доске живодера, как разорванная оболочка человеческой души. Почерневшие клочья одежды, разрубленная грудь, торчащие осколки ребер, волосы, слипшиеся от крови в ведьминский колтун, и лицо, покрытое темно-красной запекшейся коркой. Изящная кисть руки лежит на грязной земле, как сорванный белый цветок. Я стою в проеме задней двери бара и смотрю, как люди серыми тенями обступают ее тело, как они ходят, разговаривают, как руки в резиновых перчатках быстро пробегают по зияющим ранам. «Тебя проводить? — Не надо. Я такси вызову». Тогда я тоже отпустил ее. Навсегда.

Холст, покрытый точными, быстрыми мазками кисти. Яркие краски на темном фоне, как отблеск проклятых сокровищ: золотой, рубиновый, багряный. Обнаженное тело лежит на полу рядом с большой кроватью, руки раскинуты в стороны, густые волны черных волос неподвижны, словно воды мертвого моря. На нежной оливковой коже две раны, снова два выстрела, в грудь и в живот. И хотя в этот раз я вижу перед собой картину не прошлого, а будущего, которое еще можно изменить, я чувствую, что нахожусь в шаге, в половине шага от того, чтобы снова отпустить ее. Навсегда. Я как кровавый Мидас, настоящий похоронный агент смерти, приношу гибель всему, к чему прикасается моя душа. Впрочем, есть и хорошие новости: если мне не удастся предотвратить то, что изобразил Каин на своей последней картине, то не придется терзаться раскаянием и бросаться в погоню запоздалой мести — во всяком случае, не в этой жизни. Потому что я тоже есть на этом полотне, мое тело распростерто рядом с Кристиной, и похоже, что смерть наконец дала бессрочный отпуск своему верному агенту. Хотя собственная судьба меня сейчас заботит менее всего.

Я только теперь осознал, что мне неизвестна ни фамилия Кристины, ни ее возраст, что у меня нет ни одной ее фотографии, и вся информация, которой я располагаю, это имя и номер мобильного телефона. На последний я возлагал самые большие надежды, но тут же выяснилось, что он зарегистрирован на Галачьянца, что, впрочем, можно было предположить с самого начала. Сам телефон по-прежнему не отвечал, и только вежливый мертвый голос сообщал мне, что аппарат выключен, и предлагал оставить сообщение. Селена, все еще чувствующая себя виноватой за свой прошлый, столь роковой, промах, вопреки своему обыкновению даже слова не сказала, когда я попросил ее найти в городе девушку, о которой практически ничего не знал, и прочесывала информацию обо всех Кристинах в возрасте от двадцати (слишком мало, но возможно) до тридцати пяти лет (очень вряд ли, но тоже вероятно), периодически скидывая мне их фотографии. Время шло, лица на экране моего ноутбука сменялись одно за другим: красивые и не очень, молодые и зрелые, блондинки, брюнетки, рыжие, совсем не похожие и имеющие некоторое сходство, но ни одно из них не было тем, которое я так хотел сейчас увидеть. Изучение баз данных визовых служб тоже ничего не дало: удивительно, но получалось, что за последние годы Кристина вообще не покидала страну. Вскоре фотографии стали черно-белыми и менее высокого качества: Селена поднимала архивы паспортных столов, полиции, вооруженных сил и Бог знает, каких еще ведомств. Она очень старалась, эта тоненькая и хрупкая девушка-хакер, но чем дальше, тем больше я понимал, что ее поиски вряд ли принесут результаты. Через некоторое время Селена спросила, может ли она привлечь к поискам помощников, и я, подумав, согласился, добавив, что буду должен им дружескую услугу в случае успеха. Ближе к вечеру среди сотен тысяч снимков светской хроники и репортажей о клубной жизни за последние три года Селена и ее люди нашли наконец изображение Кристины: она стояла рядом с Галачьянцем на фоне какого-то светлого баннера, пестревшего логотипами разных торговых марок, а подпись под фотографией сообщала: «Герман Галачьянц («Алеф Групп») со спутницей». И все. Теперь у нас была ее фотография, но, как и прежде, ничего больше.

Здравый смысл подсказывал мне, что, возможно, в сложившейся ситуации лучше вовсе не вести никаких поисков: ведь на картине Каина было два мертвых тела, и одно из них принадлежало мне. Не означало ли это, что опасность угрожает нам обоим только тогда, когда мы вместе? Не следовало ли мне просто держаться от Кристины подальше для ее и для собственного блага? Точность зловещих пророчеств художника-некрореалиста не вызывала сомнений и уже подтвердилась однажды самым страшным образом, но я не был фаталистом; к тому же кто знает, какие варианты гибельных сценариев есть в запасе у смерти и не придется ли мне снова, уже в который раз, сознавать, что я мог, но не предотвратил опасность, грозящую дорогому мне человеку?

Оставалось два способа найти Кристину, которые казались одинаково эффективными и были столь же одинаково нежелательными. Первый — обратиться за помощью к Кардиналу. У него есть достаточно ресурсов, чтобы как минимум поднять на обход всех участковых полицейских города, задействовать специальные службы и собственные силы. Но для этого нужно было бы объяснить, зачем мне вдруг понадобилось искать подругу влиятельного бизнесмена, а хуже того, информация о поисках такого масштаба могла бы дойти и до него самого. Вторым вариантом было пообщаться с Галачьянцем лично. Мне не составило бы труда найти повод для личной встречи в его резиденции, но пришлось бы изобретать чертовски веские и убедительные причины, почему я в принципе интересуюсь местонахождением Кристины и какое отношение к ней имею, не говоря уже о том, что полный осмотр дома я смог бы провести, только нейтрализовав хорошо вооруженную и прекрасно обученную охрану. Поразмыслив, я решил прибегнуть к первому варианту и обратиться к Кардиналу, но не раньше, чем все остальные попытки найти Кристину самостоятельно не принесут результата. А у меня оставалась еще одна возможность узнать хотя бы о том, находится ли она в доме на островах и когда ее видели там в последний раз.

Я открываю свою страницу в социальной сети и жду. Примерно через полчаса отметка online появляется рядом с именем Маши Галачьянц.

«Здравствуйте, Маша».

«Добрый вечер. Рада вас видеть ☺»

Я невольно улыбаюсь.

«Я тоже. Как вы?»

«Все так же. Ничего не изменилось. Только время прошло. Но когда ничего не происходит, кажется, что оно стоит на месте: время ведь измеряется событиями, а у меня их нет. Как будто едешь вдоль дороги, а за окном одно и то же, столбы и редкий лес. Замечаешь, сколько часов или дней прошло, лишь по тому, насколько приблизился к пункту назначения. А я к нему уже совсем близко, наверное».

Мне становится очень неловко спрашивать о чем-то эту девочку, так спокойно ожидающую собственную неизбежную смерть. Но нужно попытаться спасти другую жизнь, и поэтому я все-таки пишу:

«Маша, а Кристину вы давно не видели? В прошлый раз вы говорили, что она совсем не появляется у вас дома».

«А почему вы спрашиваете?»

Еще никогда в жизни я не испытывал такого отвращения от необходимости врать.

«Просто беспокоюсь о вас. И о вашем отце: мне кажется, она могла бы помочь ему и поддержать. Это очень важно – поддержка близких людей в трудную минуту».

Пауза. Напряженное ожидание. Собственная ложь кажется мне настолько вопиющей, что я не удивился бы, если бы вовсе не получил никакого ответа, но он приходит:

«Спасибо, что беспокоитесь. Кристина заезжала как-то на днях, но потом снова пропала. Знаете, у нее с папой странные отношения, я их не понимаю. А со мной вообще отношений нет. Так что вряд ли она тот человек, который мог бы нас поддержать».

Итак, Кристины там нет. Я закуриваю и откидываюсь на спинку стула, жалея, что так опрометчиво прикончил все запасы виски. Хотя, может быть, это и к лучшему.

«А вы сейчас не очень заняты?»

«Нет, Маша. Сейчас я совершенно свободен».

Я беру телефон и еще раз набираю номер. Вне доступа.

«Помните, я говорила вам про стихи? Ну, что я пишу, а вы сказали, что можете почитать при случае?»

«Конечно, помню, Маша. С удовольствием посмотрю».

Если до утра Селена не сможет найти ничего полезного, а телефон Кристины так и останется выключенным, я позвоню Кардиналу и попрошу его о помощи в личном деле. Других вариантов просто не остается.

«Вообще, я не столько сама пишу, сколько занимаюсь переводами. Перевожу разные стихи на русский язык. Это очень интересно. Сейчас я занимаюсь моим любимым Эдгаром По. Вам нравится его поэзия?»

«Да, мы уже говорили с вами про него, помните? Когда я приезжал к вам домой».

«Ах, точно, вы же видели книжку. Ну так вот, я перевожу «Ворона». Мне кажется, это его лучшее произведение».

Впрочем, Кардиналу можно сказать, что поиски Кристины как-то связаны с моим расследованием: ассиратум, Маша Галачьянц. Да, так будет лучше всего: драгоценному опекуну совершенно необязательно знать об обстоятельствах моей запутанной личной жизни, да и результаты будут получены значительно быстрее, если он решит, что помогает таким образом найти Некроманта и его проклятый эликсир.

«Вы, наверное, знаете, что существует очень много переводов «Ворона». Я нашла девятнадцать. Удивительно, как разные авторы переводят стихи, исходя из собственных взглядов на жизнь, на искусство, как по-разному чувствуют и понимают. Изначальный текст становится совсем другим. Иногда кажется, что вообще читаешь совершенно разные произведения: по настроению, ритму, даже по смыслу».

А что я буду делать, когда Кристину найдут? Привезу ее к себе, как Алину, предварительно выбросив все, отдаленно напоминающее кровать на картине, и запру дверь? Как долго мне придется держать эту осаду, и самое главное, от кого или чего придется обороняться?

«Вот, например, самое начало стихотворения. На английском оно звучит так:

> Once upon a midnight dreary, while I pondered, weak and weary,
> Over many a quaint and curious volume of forgotten lore –
> While I nodded, nearly napping, suddenly there came a tapping,
> As of some one gently rapping, rapping at my chamber door –
> "This some visitor," I muttered, "tapping at my chamber door –
> Only this and nothing more."

Вы же знаете английский?»

«Знаю. И не только английский».

«Здорово! Вы молодец. Тогда вы хорошо поймете, что я хочу сказать. Смотрите, какие непохожие переводы, даже какое совсем разное видение этих первых строк у разных поэтов. Например, Мережковский:

> Погруженный в скорбь немую
> и усталый, в ночь глухую,
> Раз, когда поник в дремоте
> я над книгой одного
> Из забытых миром знаний,
> книгой, полной обаяний, –
> Стук донесся, стук нежданный
> в двери дома моего:
> «Это путник постучался
> в двери дома моего,
> Только путник –
> больше ничего».

Чувствуете разницу с текстом По?»

«Да, Маша. Разумеется».

«Ворона» я знаю наизусть. Хотя бы в этом я не соврал несчастной, обреченной на смерть девушке, разговаривающей со мной о поэзии в ночной тиши. Сейчас, разделенные темнотой, дождем, черными лентами рек и строгими деревьями парка, коротая одиночество каждый в своей комнате, мы и сами похожи на героя «Ворона», погруженного в немую скорбь, уставшего от тяжелых раздумий и пытающегося прогнать их чтением старинных стихов.

«А вот другой перевод. Мне, кстати, он больше всех нравится:

> Как-то в полночь, в час угрюмый, утомившись от раздумий,
> Задремал я над страницей фолианта одного,
> И очнулся вдруг от звука, будто кто-то вдруг застукал,
> Будто глухо так застукал в двери дома моего.
> "Гость, – сказал я, – там стучится в двери дома моего,
> Гость – и больше ничего"».

«Это Зенкевич. Мне он тоже больше всех нравится».

«Точно!»

Мне кажется, что я вижу, как Маша улыбается. Так могла бы улыбнуться дождливая ночь за окном, уходящая осень, засыпающая черная бабочка.

«А вот совсем непохожий на остальные перевод, это Геннадий Аминов, современный автор:

Полночь мраком прирастала; одинокий и усталый,
Я бродил по следу тайны древних, но бессмертных слов.
Усыпляя, плыли строки; вдруг раздался стук негромкий,
Словно кто-то скребся робко в дверь моих волшебных снов.
“Странник, – вздрогнув, я подумал, – нарушает сладость снов,
Странник, только и всего”.

Здесь больше метафор, а еще чего-то очень личного, как мне кажется. Личного переживания стихов. Вот и я так хочу, выразить себя через перевод. Знаете, как я понимаю это стихотворение? Герой очень долго бился над мучающими его вопросами, пытался найти ответ в древних книгах, но ответ был очевиден и заключен в нем самом. И тогда ворон прилетел к нему, чтобы напомнить о том, что он знал и без того. Что же это? – Ничего! Ворон – вестник смерти, ему ведомы все тайны другой стороны бытия. Но ответы на все вопросы есть в самом человеке, потому что на самом деле нет ничего, кроме тебя самого, ну и смерти, конечно. И вот мои стихи.

Как-то полночью бессонной
В зале мрачном, полутемном,
Погрузился в изученье
Манускрипта одного –
Книги, полной темных знаний,
Необузданных желаний,
Тайн бессмертия, которых
Разгадать мне суждено.

Я – и больше никого.

Тихий стук в окно раздался,
Кто-то в дом войти пытался,
И стучался в тьме кромешной
В двери дома моего.
Кто там? Путник запоздалый,
Странник бедный и усталый,
Дева, что бежать стремится
Злого рока своего?

Я – и больше никого.

Может, этот гость мой странный
Мне открыть поможет тайну,
Может, послан небом
Он мне в помощь для того,
Чтобы тайны мне открылись
И загадки разрешились?
Кто войдет ко мне,
Открой я двери дома моего?

Я – и больше никого...»

Телефонный звонок раздается, как тревожный стук в дверь. Странник? Запоздалый путник? Селена? Или вестник смерти?

– Привет, это я, – слышу я голос Алины. – Не разбудила, конечно?

– Привет. Конечно нет.

– Слушай, один вопрос. Имя Мейлах Михаил Борисович тебе о чем-нибудь говорит?

Почему-то мне нужно несколько секунд, чтобы прозвучавшее имя совпало в моем сознании с конкретным человеком. Мейлах, о котором я совсем забыл сегодня. Человек, который мог ответить на мои вопросы, связанные с двумя старинными книгами, и пропавший едва ли не так же бесследно, как и Кристина. Почему Алина спрашивает о нем?

– В общем, да, – отвечаю я, насторожившись. – Оно и тебе знакомо, если ты не совсем забыла еще. Ученый. «Красные цепи». «Хроники Брана». Я рассказывал.

– Черт, точно! Родион, послушай... я сейчас на работе... в общем, его сейчас к нам привезли. Мейлаха. Он мертв.

Значит, все-таки вестник смерти.

– Что случилось?

– Криминальный. В смысле, он убит. Ударом в сердце, ножом или чем-то в этом роде.

– Понятно.

Мейлах мертв. Последняя нить, ведущая к разгадкам секретов «Красных цепей» и «Хроник Брана», оборвана, и последний человек, предметно изучавший эти тексты, мертв. Не просто мертв: убит, и именно тогда, когда он был так нужен. Кто-то счел его настолько опасным, что уничтожил так же, как до этого руками Вервольфа устранил Абдуллу. Кто-то, стремящийся любой ценой сохранить тайну ассиратума. Но откуда Некромант мог знать об ученом? Или в самом деле прав Роговер, говоривший, что изучение гримуаров не проходит даром для тех, кто рискнул обратить к ним свое любопытство? Неужели сама книга имеет столько могущества, что каждое прикосновение к ней становится известно ее зловещему автору?

– Родион? Ты меня слушаешь?

Голос Алины доносится как будто из другого мира.

– Да. Я все понял. Мейлах убит. Спасибо, что позвонила.

Зловещее визионерство Каина приобретает новый смысл. Несчастный Мейлах был все-таки не последним, кто так глубоко погрузился в изучение этих книг. Последний – это я, когда-то так опрометчиво пообещавший убитому ученому довести его исследования до конца, и теперь именно я являюсь следующей целью Некроманта. Кристина может быть просто случайной жертвой, которой суждено погибнуть только потому, что в роковую минуту оказалась рядом со мной. А значит, мне ни в коем случае не нужно пытаться ее найти. Где бы она ни была сейчас, там она в большей безопасности, чем рядом со мной. Мне остается только готовиться к неизбежной встрече с тем, кто погубил беднягу Мейлаха, и что бы там ни предвещали картины Каина, я, пожалуй, поспорю с его пророчествами.

– У тебя все в порядке? – снова подает голос Алина.

– Да. Все хорошо.

Я смотрю на лежащий на краю стола пистолет и коробку с патронами, которые дал мне Кардинал. Пожалуй, стоит зарядить их сейчас.

– А с Кристиной удалось поговорить? Помнишь, ты собирался...

– Нет.

Потому что я ее не нашел. И уже не буду искать, пока не пообщаюсь кое с кем другим.

– Но я обязательно это сделаю. Очень надеюсь, что в самое ближайшее время.

– Ну ладно, – говорит Алина, как мне кажется, немного обиженно. – Тогда пока.

– Пока.

«Мария Галачьянц прислала новое сообщение».

«Ну как вам? Не молчите, если плохо, то так и скажите, я не обижусь».

Я перечитываю стихи. Манускрипт. Книга, полная темных знаний и тайн бессмертия. Дева, что бежать стремится злого рока своего. Как будто кровавый эликсир дарует не только исцеление и бессмертие, но еще и приобщает к странному, интуитивному знанию о своем происхождении.

«Очень хорошо, Маша. Правда. Мне кажется, что вам удалось передать свои личные переживания этих строк, как вы и хотели».

Ворон прилетел ко мне, но, как и положено вестнику смерти, принес только известия об очередной трагически оборвавшейся жизни. Вопросы так и остались без ответа, и они снова возникают у меня в памяти, как эпитафия: *«Rubeus vinculum» венецианского списка. Скверная школьная латынь. Очевидно, что автор книги был сведущ в герменевтике, каббале, алхимии и других эзотерических науках, однако уровень владения латынью оставляет желать лучшего. Странно: латынь – основной язык ученых того времени. Глубина мыслей в тексте не соответствует более чем скромному мастерству построения фразы. Подумать»*. А еще: зачем понадобилось леди Вивиен переписывать книгу своего отца?

«Спасибо! Я очень рада, если вам и правда понравилось, а не просто успокаиваете меня. Конечно, каждый автор по-своему передает дух и смысл стихотворения, но тут очень важно не сделать его хуже. Потому что неумелый переводчик может самый прекрасный текст превратить в плохой пересказ на уровне школьного изложения».

Я чувствую, как сердце вдруг забилось в груди, будто охотничья птица на привязи, когда чует добычу. Кровь с шумом прилила к голове.

Плохая латынь. Переписывала. Форма не соответствует глубине мысли.

Леди Вивиен не просто переписывала манускрипт. Она переводила его с другого языка. Оригинальные «Кра́сные цепи» были написаны вовсе не на латыни. Это был язык, которым дочь лорда Валентайна владела несравненно лучше.

* * *

Кардинал не любил спать по ночам. Дело было даже не в многолетней привычке обходиться минимальным количеством сна – а ему достаточно было четырех-пяти часов, чтобы полностью восстановиться после любого, даже самого напряженного дня, – а в его личном отношении к ночи. Это было время особой тишины, когда шум суетливого дня не мешает услышать другие, более тонкие созвучия мира. Ночное небо представлялось Кардиналу открытыми вратами вселенной, и даже тяжелые плотные облака не могли помешать улавливать малейшие колебания мирового эфира, и в них слышались предзнаменования грядущих событий, тонкие незримые нити которых ткались именно по ночам.

И сейчас, сидя без сна в своем кабинете, он снова интуитивно ощущал неясные, но тревожные предвестья. Днем ему сообщили, что Гронский обнаружил установленное наблюдение и ушел от слежки где-то в запутанных лабиринтах городских дворов. В этом не было ничего особенно удивительного или вызывающего беспокойство. Кардинал даже улыбнулся, услышав эту новость: значит, его воспитанник не растерял еще чутье и навыки, которые были выработаны годами, и это внушало уверенность в успешном завершении его миссии. И хотя на Хлое, которая лично пришла к нему с извинениями за промах, допущенный ее людьми, не было лица от досады и злости, а ее глаза, ярче и холоднее обычного сверкавшие серебристым блеском, не предвещали виновникам случившегося ничего доброго, Кардинал просто махнул рукой и распорядился снять наблюдение вовсе. Обнаружив, что за ним следят, во второй раз, Гронский может и вовсе аннулировать их и без того символическое соглашение о сотрудничестве. Кардинал решил ждать. Почему-то сейчас, в тишине наступившей ночи, он был уверен, что его бывший воспитанник очень скоро попросит о помощи. Но к этой уверенности примешивалось безотчетное беспокойство; где-то там, на недоступном чувствам человека надмирном уровне ясно звучал сигнал тревоги, как будто предупреждение о надвигающейся опасности.

Мелодично пропел сигнал телефона. Кардинал взглянул на имя, высветившееся на мерцающем экране, и кивнул. Ночь не обманула и на этот раз, и он по-прежнему мог слышать и понимать ее послания.

– Доброй ночи, мой мальчик,

– Доброй ночи, Карди. Мне нужна твоя помощь.

* * *

Через час все куски головоломной мозаики сложились наконец в единую картину, сюжет и образы которой могли бы заставить побледнеть самого Иеронима Босха. Оставалось только удивляться, как я мог так долго и безуспешно терзаться вопросами, ответы на которые в буквальном смысле слова держал в руках.

Маша была права. Для того, чтобы распутать казавшиеся такими сложными узлы дьявольского клубка, мне не потребовалось обращаться к древним манускриптам или искать подсказки в потустороннем. Знание того, что леди Вивиен переводила книгу своего отца на латынь с другого языка, оказалось ключом к последней закрытой двери, и открылась она после нескольких запросов поисковым системам в Интернете.

На часах полночь. Хорошее время для того, чтобы отправиться на охоту за нежитью. Я могу выйти прямо сейчас, но, учитывая все обстоятельства, мне надо запастись чем-то большим, чем пистолет и серебряные пули.

Я набираю номер. Кардинал, верный своей привычке отходить ко сну под утро, не спит и отвечает почти сразу же.

– Доброй ночи, мой мальчик.

– Доброй ночи, Карди. Мне нужна твоя помощь.

– Я весь к твоим услугам.

– Мне нужен огнемет, – говорю я. – Армейский. Лучше всего «Шмель», РПО-З, с зажигательным боеприпасом.

– Вижу, тебя можно поздравить с успехом, – замечает Кардинал. – Когда понадобится огнемет?

– Сейчас.

Кардинал недовольно покашливает.

– Родион, вообще-то я не храню подобных вещей у себя в кладовке. Мне потребуется время.

– Сколько?

Пауза. Я уверен, что сейчас Кардинал просчитывает возможные варианты развития событий и то, как заполучить Некроманта, книгу и ассиратум до того, как из раструба огнемета с ревом вырвется смертоносный заряд.

– Дай мне час, – говорит он. – Устроит тебя такой срок?

Меня устроит. Час – это ничто по сравнению с потраченными на пустые поиски днями и неделями.

– Да, вполне. Куда мне подъехать?

– Просто позвони мне через час, и я уточню.

– Карди, – говорю я, – ты помнишь, о чем мы с тобой договаривались?

– Конечно, – отвечает он. – И, как видишь, я свои обязательства выполняю и оказываю тебе посильную помощь, причем среди ночи и по первому требованию.

– Спасибо, но я о другом. Мы договаривались, что твои люди будут держаться от меня подальше, когда я пойду за Некромантом.

– Так и будет, мой мальчик. Так и будет.

– Сегодня я стряхнул чье-то чертовски грамотно организованное наружное наблюдение. Не меньше пяти мобильных экипажей, представляешь? Парни вели меня так деликатно, словно прошли специальное обучение в школе хороших манер для шпионов. И не говори мне, что это были не твои люди.

Кардинал печально вздыхает.

– Увы, Родион. Это действительно были мои люди. Я сожалею о случившемся, но поверь мне, все это было сделано только ради твоей безопасности. Они просто присматривали за тобой. Я бы не простил себе, если бы с тобой что-нибудь случилось в ходе твоих... изысканий.

– Я очень тронут, но больше присматривать за мной не надо. Если сегодня я опять замечу наблюдение, то буду считать, что все наши договоренности утратили силу. Карди, помни: теперь я знаю, где Некромант. Я знаю, кто он. И если твои люди попробуют помешать мне, я скроюсь в этом городе так хорошо, что тебе придется сровнять его с землей, чтобы меня найти, но за это время я успею достать этого упыря, и ни манускрипта, ни эликсира ты уже не получишь.

Я знаю, что говорю сейчас в тоне, совершенно недопустимом в общении с Кардиналом. Но мне важно донести до него серьезность своих намерений, и он терпит мою грубость, потому что понимает: сейчас я единственный человек в этом мире, который может привести его к искомой цели.

– Родион, не нужно столько громких слов. Я и так прекрасно тебя услышал. Мы договорились. Пойду искать для тебя огнемет. Может, завалялся где-нибудь в кухне. Позвони через час.

Разговор закончен. Час пройдет быстро, но мне кажется, что теперь минуты тянутся бесконечно долго и что когда этот час наконец пройдет, за окном уже проснется хмурое утро. Надо начать собираться, это поможет скоротать время. Я беру пистолет, вынимаю обойму и начинаю заряжать ее патронами с серебристо-серыми пулями, на каждой из которых виднеется отчетливая насечка в виде буквы древнего алфавита. Двенадцать смертоносных зарядов укладываются плотными шахматными рядами. Я защелкиваю обойму, досылаю патрон в патронник и достаю еще одну, запасную. Скорее всего, все дело обойдется парой выстрелов, больше мне просто либо не понадобится, либо не удастся сделать, но опыт подсказывает, что есть две вещи, которые имеют свойство заканчиваться некстати и неожиданно, – сигареты и патроны, и я методично снаряжаю вторую обойму.

На экране ноутбука по-прежнему открыта страница в социальной сети. Маша все еще там. Я открываю окно диалога и пишу:

«Маша, спасибо вам большое. Вы мне очень помогли».

Патроны защелкиваются один за другим: пять, шесть, семь...

«Я рада ☺, хотя и не понимаю, в чем могла вам помочь».

«Скажем так, в решении одной очень сложной творческой задачи. Теперь я ваш должник».

Восемь. Девять. Десять.

«Вряд ли я успею воспользоваться этим обстоятельством. Впрочем, если так, то вы можете мне ответить на один вопрос».

Последние патроны входят в обойму.

«Разумеется, Маша. Спрашивайте».

«Что за лекарство я принимала? Что это такое?»

Я жалею, что согласился ответить. На мгновение мне кажется, что самым лучшим было бы солгать, сказать ей, что я понятия не имею о том, какое снадобье давал ей ее отец каждое новолуние. Как я отвечу этой девочке, что эликсир, поддерживавший ее жизнь, был создан из крови и плоти невинных жертв, принявших страшную смерть в лабиринтах темных дворов?

«Почему вы решили, что мне это известно?»

Жалкая попытка тянуть время. Глупый, слабый вопрос.

«Потому что это очевидно, разве нет? В начале нашего знакомства вы пришли ко мне со своей знакомой, чтобы взять кровь, – и это был единственный раз, когда это делал не тот врач, который приходил обычно, а сразу после этого в клинике, в «Данко», возникли проблемы, и стало понятно, что лекарства больше не будет. Потом вы зачем-то нашли меня здесь. Представились писателем, хотя я не нашла ни одной вашей книги и ни одного упоминания о вас как об авторе, и я не думаю, что вы пишете под псевдонимом. Когда я рассказала вам об этом человеке, Кардинале, вы сразу помчались к нему, потому что связали его визит в наш дом и то, что сразу после него я впервые получила лекарство. Однажды вы сказали, что я очень проницательна, но, по-моему, не нужно особой проницательности, чтобы понять: вас интересует именно то средство, которое избавило меня от болезни, и вы что-то о нем знаете. Что-то, чего не хотите мне сказать».

Когда-то давно, много веков назад, один человек, движимый, вероятно, самыми благими побуждениями, дал своей дочери выпить эликсир, приготовленный из крови убитых людей, и тем самым обрек ее на вынужденное бессмертие. «Я не могу осуждать вас за то, что сделал с вами отец и в особенности проклятый лорд Марвер. У вас не было выбора. Вы впервые приняли эликсир, будучи ребенком, которого обманули те, кому вы доверяли», – кажется, так сказал сэр Вильям Бран своей леди. У Маши тоже не было выбора: ее отец, в стремлении спасти единственную дочь от неизбежной смерти, тоже дал ей кровавый напиток, и ее вины не было в том, к каким последствиям это привело. Так что если она хочет знать правду, я не могу отказать ей в этом так же, как нельзя отказать умирающему в последней просьбе.

«Это называется ассиратум, Маша. Своего рода эликсир бессмертия; способ его приготовления описан в средневековом трактате, в котором сочетаются алхимия, красная вампирическая магия и некромантия. Ассиратум делают из крови и внутренних органов убитых людей. И с начала года таких людей уже больше десятка».

Молчание. Большие черные глаза Маши пристально смотрят на меня с черно-белой фотографии. Я курю и думаю, что, пожалуй, не зря зарядил две полные обоймы: дело не обойдется парой выстрелов, и перед тем, как спалить проклятого Некроманта в его логове вместе с запасами чертова эликсира, я с удовольствием всажу в него с десяток пуль и постараюсь сделать это так, чтобы смерть наступила не сразу.

Следующее сообщение приходит только через несколько минут.

«Эти люди были убиты ради меня?»

«Нет. Вы не одна, кто принимает ассиратум. Несколько не в меру предприимчивых людей продавали его через «Данко» всем, кто мог заплатить».

«Это средство действительно исцеляет от всех болезней?»

«Да. А еще дарует практически бесконечно долгую жизнь. Долгое существование. Только есть одно важное условие: принимать его нужно каждое новолуние. Вот почему папа приносил его вам каждый месяц».

«А какое вы имеете отношение ко всему этому?»

«Одна из девушек, которая погибла ради этого снадобья, была мне очень дорога. Я приложил немало усилий к тому, чтобы найти ее убийц и того, кто варит это зелье. Признаться, у меня это не слишком хорошо получалось до сегодняшнего вечера, но случилось так, что вы невольно помогли мне понять, кто является истинным виновником этого кровавого кошмара».

«Вы убьете его?»

«Да».

«И тогда все те, кто, как и я, принимали этот ассиратум, тоже умрут?»

«Да. Это так».

«Что ж. Вы сказали, что я помогла вам понять, как найти того, кто делает эликсир. Значит, я помогла вам убить и меня тоже».

Я с силой вдавливаю окурок в пепельницу так, что серая пыль сыплется через край, будто могильный прах. Что сказать на это? Да, Маша, сейчас я разговариваю с вами про поэзию, про Эдгара По, обсуждаю переводы, но через несколько минут встану и поеду, чтобы покончить с Некромантом и тем самым отобрать у вас последнюю надежду на жизнь? Но как поступить иначе? Отобрать у древнего упыря его манускрипт и самому начать делать ассиратум, чтобы спасти эту девочку? Бродить по ночному городу в поисках жертвы, рыскать по трущобам, решать, кто заслуживает смерти, потрошить их, сливать кровь, чтобы потом у себя в квартире готовить зловещее снадобье? Или удивить Кардинала соблюдением наших договоренностей и отдать все в его руки с тем, чтобы этой грязной работой занялись его люди?

«Мария Галачьянц прислала новое сообщение».

«Вы не волнуйтесь. Я уже смирилась, вы же знаете. Странно: когда папа впервые принес мне этот эликсир, я не хотела его пить. Почему-то боялась. Умирала, но все равно боялась выпить эту жидкость из темной бутылочки. Знай я тогда о том, что вы мне рассказали, то никогда не согласилась бы жить такой ценой. Мне кажется, если бы я сознательно сделала этот выбор, убивать других, пусть и чужими руками, чтобы самой оставаться в живых, то никогда бы уже не стала прежней. Это изменило бы меня навсегда. А я хочу оставаться собой, пусть уже совсем недолго».

Я думаю о том, что силы воли, мудрости и самообладания в этой совсем юной девушке больше, чем во многих из тех, кто считает себя мужчинами. Не нужно быть сильным человеком для того, чтобы ударить; принять удар и устоять на ногах – вот в чем настоящая сила.

Мне пора собираться. Скоро наступит время для звонка Кардиналу, и нужно быть готовым к выходу. Я надеваю бронежилет поверх рубашки, затягиваю ремни на липучках. Пистолет с легким щелчком входит в пластиковую кобуру на поясе справа. Запасная обойма вложена в узкий кармашек. На левое плечо я креплю вертикальные ножны. В прошлый раз, отправляясь на заброшенный завод, я совсем забыл про свой старый боевой нож, но это и неудивительно: я не пользовался ни им, ни пистолетом почти три года, и всего месяц назад пребывал в уверенности, что мне больше никогда не придется использовать оружие. Но теперь нож со мной, крепко сидит в потертом чехле рукояткой вниз, чтобы можно было выхватить его одним движением, направляя вороненый клинок точно в горло. Или в сердце: почерневшее, подгнившее и сморщенное от времени, как упавшее на землю яблоко, сердце старого упыря.

Я набрасываю пиджак поверх бронежилета и опускаю в карман новую пачку сигарет. Их тоже должно быть с избытком, как и патронов.

Остается еще несколько минут. Я присаживаюсь перед ноутбуком и вижу последнее сообщение.

«Я тут посмотрела, что новолуние будет через две недели. Не так уж и плохо. Но мне все-таки лучше поторопиться с переводом, если я хочу успеть его закончить. Не стоит оставлять после себя незавершенных дел. А вам я желаю сегодня удачи. И еще раз прошу, не переживайте за меня. Не каждую заколдованную принцессу можно спасти, даже если перебить всех драконов».

# Глава 20

К полуночи похолодало, и моросящий дождь превратился в снег, частый и мелкий, как крупа. Серое косматое небо посветлело, как будто темная стылая влага, которой набухали тяжелые низкие тучи, замерзла в сыплющееся сверху плотное ледяное крошево. Черная мокрая полоса трассы постепенно белела, застилаемая снегом, и Алина еще раз порадовалась тому, как хорошо держит дорогу ее новый автомобиль и как безупречно слушается руля, проходя повороты извилистого шоссе.

Алина свернула с трассы на боковую дорогу, ведущую к коттеджному поселку, где находился дом ее отца, который вот уже неделю был и ее домом. Она знала, что папа не спит и ждет ее, сидя у себя в кабинете или на кухне. Сегодня им предстояло о многом поговорить, и прежде всего о том, зачем потребовалась Алине эксгумация останков ее матери и к каким результатам привело это исследование, ради которого пришлось потревожить мирно покоившиеся под надгробной плитой милые кости.

Снег стал таким густым, как будто белесые тучи осели на землю, и большой двухэтажный дом был едва виден во тьме и клубящемся снежном тумане. На первом этаже тепло и приветливо светилось одинокое окошко. Высокие металлические ворота открылись в ответ на нажатие кнопки пульта, вспыхнули синеватым таинственным светом фонари, и Алина поехала по подъездной дорожке мимо темных величественных силуэтов молчаливых деревьев. Газон, покрытый хрусткой коркой опавших листьев, уже прихваченных первым морозом, поседел, припорошенный снегом, как рассыпанной солью. Плохая примета.

Алина поставила машину на площадке у гаражных ворот и вошла в дом.

Ее встретила теплая уютная тишина. Алина сняла пальто, стряхнула с золотистых волос блестки подтаявших снежинок и прошла на кухню. Отец сидел за столом перед безмолвно мерцающим экраном телевизора, на котором неторопливо сменяли друг друга яркие пейзажи далеких стран и о чем-то с энтузиазмом рассказывали люди в одежде путешественников. Открытая бутылка «Brunello di Montalcino» была пуста наполовину, рубиновым светом сияла в высоком бокале драгоценная кровь благородного винограда.

– Привет, папа, – сказала Алина.

– Привет, дочка. Будешь ужинать?

Алина подумала и покачала головой.

– Нет, спасибо. Если честно, я что-то так устала сегодня, что есть совсем не хочется.

– Тогда вина?

Алина кивнула и села рядом. Отец поднялся, достал из кухонного шкафчика еще один бокал и налил вино, которое, словно радуясь свободе, засверкало глубокими оттенками красного.

Некоторое время они сидели молча: отец и дочь, наедине друг с другом и своими мыслями, на тихой светлой кухне, время от времени отпивая из бокалов терпкий осенний напиток и глядя в окно, за которым металась темнота ненастной ночи и проносились подхваченные ветром снежные облака, мелькая в свете уличного фонаря, как тысячи мятущихся белых мошек.

– Как дела? – нарушил молчание отец.

– Все хорошо.

– Ты как будто разочарована чем-то.

– Наверное, это просто усталость. Знаешь, столько всего накопилось за последнее время.

– Удалось узнать то, что ты хотела?

— Да. Удалось.

Сергей Николаевич замолчал, вопросительно глядя на Алину. Она вздохнула. Откладывать разговор было бессмысленно и несправедливо: отец имел право знать правду, и Алина понимала, что он хочет этого так же, как хотела она сама. Но что она может ему рассказать? Про тайны средневековых алхимиков, обернувшиеся кровавым безумием, про мистический ассиратум, старинные манускрипты, про медицинский центр «Данко», его зловещие подземелья, про девочку, умирающую в огромном, похожем на замок доме на островах, и самое главное, про волка-оборотня, который и оказался тем убийцей, который тринадцать лет назад отнял у них жену и мать? Она сама не до конца могла уложить в сознании явления и события последнего месяца своей жизни, которые так противоречили всему, что она успела узнать и, как полагала, понять про этот мир за почти тридцать лет своей жизни. Возможно, она бы и могла объяснить все это отцу, может быть, даже смогла бы его убедить в реальности таких явлений, в которые не до конца верила сама, но сейчас она чувствовала себя слишком усталой, слишком измученной для того, чтобы не только говорить, но даже думать обо всем этом. К тому же у нее уже была готова история, предназначавшаяся для этого разговора, и Алина спокойно поведала отцу ту версию событий, которую он мог принять как истину и которая теперь станет для него таковой на всю оставшуюся жизнь.

Она рассказала о серии страшных и таинственных убийств, совершенных в центре города в течение этого года неизвестным злодеем. Рассказала, как, приехав по вызову на очередной труп, сразу узнала те раны, которые когда-то были нанесены ее матери, и как приложила множество усилий к тому, чтобы связать воедино эти преступления с событиями тринадцатилетней давности. Как один удивительно проницательный следователь установил, что характер повреждений, нанесенных несчастным жертвам, схож с описанием оккультных ритуалов в одной не очень известной, но, к сожалению, общедоступной книжке. Не слишком вдаваясь в подробности, она рассказала, как благодаря детальному изучению всех, кто мог предметно интересоваться этой книгой, опасный безумец, повредившийся рассудком от чрезмерно глубокого изучения мистической литературы, был найден, а потом и убит при попытке его задержать. И как после того, как в ее руках оказался кинжал зловещего потрошителя, она была обязана убедиться в том, что это именно то оружие, которое когда-то оборвало жизнь мамы.

Отец внимательно слушал, и Алина очень надеялась на то, что он не станет задавать уточняющих вопросов, на которые она не была готова ответить. Но Сергей Николаевич дослушал до конца, а когда Алина наконец закончила рассказывать о том, как окончательно убедилась, что виновник смерти ее матери мертв, лишь молча кивнул и сделал глоток из бокала.

– Значит, это был маньяк? – спросил он.

– Да, папа, – устало ответила Алина. – Совершенно сумасшедший тип.

– Как странно, – заметил отец. – Он совершил свое первое убийство тринадцать лет назад, затих на долгие годы, а потом вдруг начал убивать направо и налево, как будто окончательно обезумел.

Алина пожала плечами.

– Так бывает, – сказала она. – Я не очень хорошо разбираюсь в судебной психиатрии, а у самого преступника, увы, уже ничего не удастся спросить, так что кто знает, что творилось у него в голове.

– Как я понимаю, его убили при аресте?

– Это была случайность, – немного поколебавшись, ответила Алина. – Меня там не было, но, насколько я знаю, он пытался бежать через окно и ему отрезало голову разбившимся стеклом. Вот такая нелепая смерть.

– Разве ты не видела тела? – быстро спросил отец.

– Видела, конечно. – Перед глазами Алины ясно возник образ обезглавленного черного волка, лежащего среди сверкающих осколков стекла. – Видела. Голова была отрезана начисто, как гильотиной.

Сергей Николаевич кивнул.

– Значит, – медленно проговорил он, – ты совершенно уверена, что именно этот сумасшедший убил маму? И причиной всему было его безумие?

– Да, – твердо ответила Алина. – Я совершенно уверена в этом, папа.

Отец со вздохом откинулся на спинку стула.

– Слава Богу, – вырвалось у него, и он замолчал.

Он молча сидел рядом с Алиной с бокалом вина в руке, и она вдруг почувствовала, что тишина на кухне перестала быть спокойной. В воздухе повисло странное напряжение.

– Папа? – позвала Алина.

– Да?

– Ты ничего не хочешь мне сказать?

– Что именно?

– Не знаю. Наверное, про маму. Про то, что случилось тогда.

Сергей Николаевич снова вздохнул, поставил бокал на стол и провел рукой по лицу. Напряжение стало еще более отчетливым, и Алина поняла, что подсознательно ощущала эту повисшую между ней и отцом недосказанность с того самого момента, как приехала к нему домой, и даже раньше: в его коротких телефонных звонках, его молчании, в том, как он, осторожно постучавшись, входил иногда перед сном в ее комнату для того, чтобы обменяться ничего не значащими вопросами и пустыми словами. Но если раньше она думала, что это связано с ней, с тем, что она, вот уже месяц занимаясь своим расследованием, ничего не рассказывает отцу о поисках убийцы и связанных с этим событиях, то теперь стало ясно, что и он сам все это время хранил в себе нечто, что не давало ему покоя, что-то, о чем он хотел рассказать, но не находил нужного времени, нужных слов, а может быть, и достаточно сил.

– Так о чем ты хотел сказать мне, папа?

– Видишь ли, – начал отец, глядя перед собой, на ненастную ночь за окном, – все эти годы мне не давала покоя мысль, что в смерти мамы прямо или косвенно виноват я. Это было маловероятно, но, постоянно думая о причинах, по которым она была убита, я не мог найти иных, кроме тех, что были связаны со мной, с тем, что я тогда сделал. Но если ее убийство было просто случайностью и все это дело рук какого-то сумасшедшего, то...

– Подожди, – перебила Алина. – О каких причинах ты говоришь? И что такое ты сделал? Это как-то связано с бизнесом? Ты думал, что это что-то вроде заказного убийства или мести?

– Нет, – ответил Сергей Николаевич. – Я думал, что причиной смерти мамы могли стать некоторые обстоятельства личного характера.

Он повернул голову и взглянул на Алину. Дочь смотрела ему в глаза твердо и строго.

* * *

Густые облака мелкого снега оседают на землю, как замерзающее на холодном ветру дыхание низкого неба. Снежная крупа тучами злобной ледяной мошкары бьет в лобовое стекло, мгновенно примерзая и образуя тонкую корку наледи, по которой со скрежетом елозят раздраженные дворники. Я еду быстро, но спокойно и уверенно, стараясь не привлекать внимания: так и следует ездить по городу, когда на поясе у тебя пистолет, в ножнах на плече боевой нож, а на заднее сиденье или в багажник скоро ляжет тяжелый вьюк с огнеметом.

По телефону Кардинал сказал мне, что я могу забрать оружие у человека, который будет ждать меня на Выборгской стороне, рядом с проходной какого-то завода, Бог знает, действующего или уже заброшенного. Придется сделать небольшой крюк; впрочем, лишние десять минут езды по пустым дорогам ночного города не сыграют никакой роли.

Я проехал половину пути, когда телефон в нагрудном кармане пиджака ожил, заерзал и заголосил настойчивым сигналом звонка. Я немного сбрасываю скорость, достаю трубку, смотрю на экран и едва удерживаюсь от того, чтобы не ударить по тормозам. На этот номер я безуспешно пытался дозвониться весь день и весь вечер, слушая раз за разом бесстрастно-вежливые ответы механического голоса. И вот теперь ответный звонок, и его звук, раздавшийся в ненастной ночи, кажется сигналом тревоги. Странно, но я не чувствую ни радости, ни облегчения, только нарастающее ощущение случившейся беды. Я отвечаю, но не успеваю ничего сказать, как слышу голос Кристины: она говорит путано, быстро и неразборчиво, задыхаясь от рыданий, и слова звучат нечетко, словно размытые слезами:

– Родион... приезжай скорее, пожалуйста... помоги мне... мне страшно... они приехали за мной...

На заднем плане я слышу монотонно повторяющиеся звуки дверного звонка и глухие удары.

– Что случилось?

Она почти кричит, захлебываясь плачем:

– Это Герман... он все узнал про нас... тут его люди, они сейчас выломают дверь... я не думала, что он... мне не объяснить им...

Сильный удар звучит из динамика телефона неожиданно громко и так близко, словно что-то тяжелое ударилось в лобовое стекло машины. Я резко торможу, потом разворачиваюсь так, что джип несколько метров скользит юзом по побелевшему от снега и льда асфальту, и до упора вдавливаю в пол педаль газа. Двигатель отзывается азартным ревом.

– Молчи и слушай меня. Отойди от входной двери. Если есть возможность, запрись в комнате или в ванной, где угодно, и жди меня, я уже еду. Говори адрес.

– Кирочная улица, – рыдает она и называет номер дома и квартиры. – Пожалуйста, приезжай! Сделай что-нибудь!

– Просто дождись, – говорю я.

Кровавые пятна расплываются на белой блузке, как распускающиеся под ярким жарким солнцем алые цветы. Едва слышный предсмертный шепот: «Прости...» Серое небо плачет стылым моросящим дождем, и его слезы оседают на развороченную багрово-черной раной грудь, и белая рука лежит на грязном асфальте, как мертвый цветок. Лихорадочные мазки золотого, красного и черного образуют картину: обнаженное тело на полу, волна темных волос, губы растянуты в мучительном оскале. Две огнестрельные раны: в грудь и живот.

Судя по тому, что я слышал только что в телефонной трубке, у меня осталось совсем немного времени для того, чтобы или предотвратить мрачное пророчество художника смерти, или воплотить его в полной мере.

* * *

Алина слушала отца и думала, что семейные могилы могут скрывать не только останки давно ушедших из этого мира родных. Иногда из подземного мрака под потревоженной надгробной плитой вместе с тяжелым духом тления и сырой земли могут вырваться наружу печальные призраки старых фамильных секретов. Они, как неупокоенные привидения, годами бродят в наглухо заколоченных уголках души, бередя сердце и напоминая о себе щемящей тоской и страхом, и для того, чтобы избавиться от них, нужно открыть могилу, войти в душный сумрак закрытых комнат и встретиться с ними лицом к лицу, имея мужество не дрогнуть перед этими скорбными тенями прошлого.

Он познакомился с ней случайно, если, конечно, считать, что в этом мире вообще есть место случайностям. Тогда, в конце уходящего века, он уже был первым по значению и объемам продаж импортером элитных вин в этом городе. С боем прорвавшись сквозь пахнущий пороховым дымом бурлящий хаос начала девяностых, пройдя путь от бутлегера, торговавшего алкоголем из багажника подержанной машины рядом с финской границей, до владельца крупной дистрибьюторской компании, сохранив благодаря сочетанию силы и дипломатического чутья жизнь, здоровье и свободу, Сергей Николаевич Назаров подошел к порогу нового тысячелетия уважаемым бизнесменом, состоятельным человеком, любящим мужем и счастливым отцом. Он регулярно ездил во Францию, Италию, Испанию, где владельцы и управляющие крупнейших винодельческих компаний с удовольствием принимали умного, обаятельного, образованного, а главное, очень перспективного партнера. Они тоже стали довольно частыми гостями в его городе, холодном и надменном, как труп обедневшего аристократа, что и в гробу сохраняет несколько чопорное выражение лица. Сергей Николаевич встречал иностранных друзей со всем возможным радушием, днем знакомил с выставленными напоказ потертыми городскими достопримечательностями, похожими на поношенные фамильные реликвии, а потом до утра водил их сквозь яркие сполохи бесконечного данс-макабра ночной жизни. И вот тогда, когда он в очередной раз приехал с парой гостей из Италии в один из ночных клубов, он и встретил ее.

Кажется, никто не заметил, как она вошла: просто появилась у барной стойки, как будто скинула скрывавшую ее от глаз незримую пелену, но стоило ей появиться, и краски мира сразу померкли, словно все самое живое и яркое, что только было вокруг, стало принадлежать ей. Странно, но двое итальянцев вроде бы так и не увидели ее, лишь равнодушно скользнув взглядом, а он даже потерял на время дар речи и мысли, не в силах оторвать от нее глаз. Высокая, невероятно красивая странной, экзотической красотой, с длинными черными волосами, грацией большой кошки, пластикой змеи, возбуждающая, опасная, тревожащая, привлекающая... Она посмотрела на него, чуть улыбнулась и приподняла свой бокал. А потом, проходя мимо, легким незаметным движением положила перед ним белый квадратик свернутой салфетки, на которой был написан номер телефона.

Он позвонил ей на следующий день, а уже через неделю понял, что его жизнь теперь разделилась на неравномерные по времени и не равные по ценности отрезки: тусклые, бессмысленные дни и часы на работе и дома без нее и лихорадочно яркое, полное неистовой яростной жизни время, которое он проводил с ней. Обычно они встречались у нее в квартире, в старом высоком доме в самом центре города: высокие стрельчатые окна, старинная лепнина на потолках, множество комнат, анфиладой уходящих словно в зеркальную бесконечность, из которых он был допущен всего в одну, с огромным ложем и глубокими толстыми коврами, покрытыми странными орнаментами. Она никогда ни о чем его не просила, но он сам дарил ей все самое дорогое, роскошное и прекрасное, что только мог счесть достойным ее красоты, и если бы она только пожелала, то он продал бы все, что имел, чтобы положить к ее ногам все сокровища мира.

Через месяц он принял решение уйти из семьи, хотя правильнее было бы сказать, что он был вынужден принять такое решение, потому что физически не мог уже существовать без нее. Это было болезненное, мучительное ощущение зависимости, сродни чувству наркомана, понимающего, что пагубное пристрастие губит и разрушает его жизнь, но не находящего в себе сил избавиться от него, потому что это пристрастие само уже стало его жизнью; не та созидательная любовь, которая строит планы на будущее, рождая новый союз, а страсть, не принимающая ни планов, ни рассуждений, не терпящая сопротивления, сжигающая и разрушающая все, что могло бы ей противостоять. Возможно, какая-то часть его существа хотела бы избавиться от этого чувства, но он не мог это сделать, потому что его рассеченная напополам личность не обладала для этого достаточной силой.

И тогда эта сила была ему дана другим человеком.

Какой реакции можно ожидать от женщины, когда ее муж, отец ее ребенка, любимый мужчина, с которым они вместе прожили восемнадцать лет, разделяя на двоих беды и радости, говорит, что оставляет ее и уходит к другой? Слезы? Гнев? Поток обвинений и упреков? Но жена, выслушав сбивчивую, лихорадочную речь, только посмотрела в блестящие покрасневшие глаза мужа, обняла его и прошептала:

— Бедный мой... как же тебе тяжело. Чем я могу помочь?

Его словно окатило светлой водой. Он почувствовал себя как засидевшийся в казино игрок, едва не проигравший в карточном поединке с чертом свою душу, который вышел наконец на улицу и увидел, что кроме игорных столов и рулетки в мире есть еще свет дня, яркое солнце и чистое небо. Они говорили несколько часов: не о его измене, не о той, другой женщине, нет. Они говорили о себе, об их жизни, вспоминали прошлое, а потом и вовсе разговорились вдруг на самые разные темы, так, как говорили в первые месяцы и годы их совместной жизни и как могут говорить друг с другом только по-настоящему близкие люди. Его жена как будто вынула из его души что-то темное, горячее, враждебное, пожиравшее его изнутри. Она излечила его.

В тот же вечер он позвонил своей любовнице и сказал ей, что они больше никогда не увидятся и он остается с той, которую действительно любит. Ответом ему были вопль разъяренной кошки и угрожающее шипение змеи. Весь следующий день он не отвечал на ее звонки.

А еще через день его жена была убита в подъезде собственного дома.

Конечно, он не предполагал, что подобное зверство могло быть делом рук женщины, пусть даже и такой, какой была его бывшая любовница. Но тем не менее он раз за разом поневоле связывал события и думал о том, что, возможно, именно он сам явился причиной смерти своей супруги. Похороненный вместе с телом любимой женщины под толстой могильной плитой, запертый наглухо в опустевшей комнате его души, призрак чувства вины все эти годы давал о себе знать то щемящей тоской, то горьким и не находящим выхода раскаянием.

И вот теперь этот тяжкий груз упал с его плеч. Если это дело рук маньяка, безумца, повинного еще в десятках смертей, и если теперь этот опасный сумасшедший убийца мертв, значит, трагическая гибель жены была просто страшной случайностью, и он может, наконец, вздохнуть спокойно, выпустив прочь из души терзающих ее призраков.

Отец замолчал. Молчала и Алина. Она не знала, что сказать. Она вообще больше не хотела ни говорить, ни слушать, а просто молча встать, уйти наверх в свою комнату и проспать там целые сутки, чтобы потом поехать на работу и навсегда забыть и никогда не вспоминать этот разговор.

Но отец смотрел на нее печально и ожидающе, как после долгой и трудной исповеди, и что-то сказать было все-таки нужно. Только что? Она не знала, каких слов ждет от нее папа. И просто для того, чтобы чем-то заполнить пустоту молчания и не делать паузу слишком долгой и неловкой, Алина спросила:

– Кто была эта женщина?

Отец пожал плечами.

– Ее звали Кристина. Я не знаю, чем она занималась, я вообще очень мало что про нее знал...

Алина похолодела. Видимо, что-то изменилось у нее в лице, потому что взгляд отца стал вдруг встревоженным.

– Папа, – сказала она, – а ты можешь еще раз ее описать?

– Дочка, мне не хотелось бы...

– Прошу тебя.

– Ну, хорошо. Высокая, очень стройная, сильная и гибкая, как стальной хлыст. Чуть раскосые темные глаза, похожие на азиатские, смуглая кожа, высокие скулы, длинные черные волосы.

Алина почувствовала, как сердце сжимает ледяной холод.

– И знаешь, я ведь видел ее еще один раз. Совсем недавно, где-то год назад, на «Марии Селесте». Так странно, она совсем не изменилась с тех пор. Прошло тринадцать лет, и ей уже должно быть под сорок, а она до сих выглядитит как юная девушка, даже как-то посвежела немного. Наверное, пластика. Или просто такой тип внешности. Она даже не поздоровалась: стояла рядом с Германом, и пока мы с ним разговаривали, смотрела куда-то в сторону, как будто меня вообще там не было...

– С каким Германом? – Алина слышала свой голос как будто со стороны сквозь обволакивающий голову шум прилившей крови.

– С Галачьянцем. Думаю, они...

Алина вскочила и молча бросилась в коридор. Она рывком открыла сумку, выхватила оттуда телефон и дрожащими пальцами набрала номер.

«А с Кристиной удалось поговорить? Помнишь, ты собирался... – Нет. Но я обязательно с ней поговорю. Очень надеюсь, что в самое ближайшее время».

Телефон Гронского был выключен.

* * *

Огромный дом похож на старинный каменный замок; шесть этажей стрельчатых окон и лепных барельефов возносятся к бурному небу, безмолвные каменные статуи на крыше призрачными силуэтами замерли в мятущейся снежной мгле. В темных оконных стеклах вспыхивают золотистые блики уличных фонарей.

Я останавливаю джип у высокой двустворчатой двери подъезда. Позеленевшая от времени скульптурная маска над нею похожа на лик мертвого ангела.

Улица пустынна, и я не вижу ни одной машины, на которой могли бы приехать те, кто так яростно ломился к Кристине. Неужели я опоздал и все уже кончено?..

Цифры на табличке у входа сплетены в привычный запутанный шифр: 1, 17, 18, 24. Нужная мне квартира под номером два на последнем, шестом этаже.

Я распахиваю тяжелые деревянные двери. Широкая пологая лестница уходит в темноту. Справа в стене огромный холодный камин, заложенный кирпичом. Искрошившиеся остатки лепнины на стенах. Торжественно-печальный запах тлена, сырых стен и затхлого воздуха встречает меня, как мертвый дворецкий в истлевшем от времени фраке.

Я бегу по лестнице, перескакивая через пологие ступени. Под моими шагами хрустит крошево осыпающегося праха со стен и потолка, и этот тихий звук отдается эхом в гулкой тишине темных каменных коридоров. Я взлетаю с этажа на этаж, распугивая привидений и заставляя шарахаться серые тени в углах, мимо потемневших деревянных дверей квартир, мимо уходящих вдаль длинных переходов с истертыми мозаичными полами и стрельчатых окон с остатками ярких витражей, вспыхивающих во мраке, как призраки дьявольских арлекинов. Изнутри дом кажется еще больше, чем снаружи, и в какой-то момент я начинаю опасаться, что потеряюсь в переплетении лестниц и коридоров. Откуда-то сверху несутся далекие крики, разносимые призрачным эхом, похожие на тоскливые вопли проснувшейся голодной нежити.

На пятом этаже лестница неожиданно заканчивается просторной площадкой. Я вижу перед собой широкую галерею, висящую над пустынным двором. Старинные двери покосились на заржавленных петлях, деревянный пол усыпан осколками стекол из разбитых окон, сквозь которые с воем проносится ледяной ветер. Я пробегаю через галерею, битое стекло трещит и скользит под ногами, скрипят и жалобно стонут рассохшиеся половицы паркета, справа и слева видны темные мансарды и соседние горбатые крыши. Снова сломанные двери, окно с витражом и лестница на последний этаж.

Площадка перед квартирой Кристины скрыта густой темнотой и забрана железной решеткой, на которой висит цепь с открытым тяжелым замком. Я делаю глубокий вдох и на мгновение останавливаюсь, чтобы дать успокоиться лихорадочно бьющемуся сердцу, потом удобнее перехватываю теплую пластиковую рукоять пистолета и осторожно поднимаюсь по ступеням. Тишина. Я поднимаюсь еще выше и вижу, что дверь квартиры приоткрыта.

Опоздал.

Сердце не унимается и колотится в груди часто и болезненно, отмеряя последние мгновения умирающей надежды. Я присматриваюсь: на двери нет следов взлома, язычок простого замка утоплен в металлический паз. Темное деревянное полотно ровное и гладкое, как будто никто не бился в него с неистовой силой всего несколько минут назад. Неужели она открыла им сама?.. За первой дверью я вижу вторую. Она закрыта, но не заперта.

Я толкаю ее и вхожу в жаркий полумрак квартиры. Душный воздух пропитан странными тревожными ароматами горячего дерева и пряного дыма. Тесную прихожую тускло освещает полоска мерцающего желтовато-багрового света из-под тяжелой темно-красной драпировки, закрывающей вход в комнату напротив. Слева сквозь остроконечную арку я вижу анфиладу пустых темных комнат, бесконечную, как зеркальный лабиринт.

– Кристина? – Мой голос звучит глухо и тускло в горячей густой тишине. Из глубины темной анфилады доносится далекий звонкий звук, как будто что-то твердое и стеклянное упало и покатилось по каменному полу. Я поднимаю пистолет и делаю несколько шагов в сторону арки. Теперь мне кажется, что я слышу доносящееся оттуда чье-то всхлипывающее прерывистое дыхание.

Еще два осторожных шага. Дыхание затихло, а потом снова прозвучало из сумрака совсем рядом со мной.

– Кристина? – опять зову я.

И она откликается.

Красная ткань драпировки у меня за спиной с резким шорохом отлетает в сторону. Я быстро поворачиваюсь, успеваю увидеть стремительно мелькнувшую тень, а потом наступает тьма, как будто кто-то выключил свет.

* * *

Когда ламия приходит в мир людей, она должна обрести плоть и родиться в теле человека, ибо таковы законы этого тварного мира. Ее темная сущность мгновенно изменяет человеческое естество, сообщая ему свои свойства, и тогда на свет появляется новый родовой вампир, лишь внешне походящий на человека.

Она появилась на свет почти две с половиной тысячи лет назад в семье простого крестьянина в Междуречье. В ночь, когда она родилась, ее отец увидел сон: он выкапывал из земли огромный кожаный черный сундук, наполненный горящим сиянием золотых монет. Толстая кожа сундука была теплой и как будто живой на ощупь, золото сверкало потусторонним светом, и голос, раздавшийся словно внутри него, произнес: «Ты ни в чем не будешь нуждаться». Почему-то это столь радостное на первый взгляд обещание наполнило его таким ужасом, что в тот момент он скорее согласился бы прожить в горькой нужде остаток своей жизни, нежели позволить сбыться этим соблазнительным посулам. Несчастный крестьянин проснулся в холодном поту, и вопль ужаса, возвестивший о его пробуждении, слился с криками его жены, испытавшей первые муки родовых схваток.

Жизнь его семьи изменилась в тот же день, когда родилась маленькая Лилит. Без всякой видимой причины все жители маленького селения вдруг возненавидели их. Никто более не хотел сказать с ними ни слова, соседские дети перестали играть с его детьми, взрослые отворачивались при встрече, а женщины плевали на их следы и кричали проклятия в спину. Но в то же время никто и помыслить не мог, чтобы причинить им вред, потому что безотчетный страх, который испытывали перед ними люди, был еще сильнее, чем ненависть.

Лилит росла на удивление здоровым и красивым ребенком, и даже сторонившиеся их соседи признавали, что никто из них никогда не видел девочки более прекрасной и смышленой. Обещание, данное ее отцу во сне таинственным голосом, сбылось совершенно: беды и болезни обходили его дом стороной, и даже когда эпидемия смертоносной заразы выкосила половину селения, никто из его семьи не заразился и не заболел. Его урожай всегда был богатым, торговля и хозяйство шли хорошо, и они если и не разбогатели, то жили в достатке и уж точно ни в чем не нуждались.

Когда Лилит достигла возраста, в котором девочки в те времена считались совершеннолетними, она ушла из дома: без слов, прощаний и сожалений, не взяв с собой ни одной монеты, ни вещей, ни одежды, словно бабочка, вылетевшая из ветхой скорлупы куколки. На следующий же день вся ее семья, отец, мать, братья и сестры, была перебита жителями деревни, дом сожжен и даже сама земля, на которой он стоял, перекопана и обнесена оградой, за которую не смели ступать ни человек, ни животное. Саму же Лилит, шедшую по пыльной дороге куда глаза глядят, подобрал проезжавший мимо местный вельможа, привлеченный юностью и красотой.

Так начался ее путь длиной в тысячи лет, сотни стран и сотни тысяч погубленных жизней. Смертные не могли противостоять темной силе истинной ламии, сокрытой в совершенном теле молодой и прекрасной женщины. Самые сильные, властные и умные мужчины становились для нее легкой добычей, и она забирала у них все: деньги, могущество, разум, а в конце концов, когда очередной покровитель становился лишь слабой тенью самого себя, отнимала и жизнь. Время было не властно над ней, и века проходили мимо, обжигая дыханием войн, срываясь в бездну забвения грохотом павших империй, а Лилит оставалась все той же, жадной до жизни, ненасытной и гибельной, как смолистое пламя лесного пожара. Она никогда не строила планов, не думала о будущем, не делала накоплений и ничего не создавала: она просто жила, перелетая с место на место, как огромная самка адской саранчи, пожирающая все на своем пути. Ее нельзя было назвать злой, как нельзя обвинять в жестокости хищника, раздирающего на части и пожирающего свою добычу, ибо она просто стихийно следовала своей природе, не делая никакого нравственного выбора, брала то, что хотела, делала то, к чему стремилась ее натура, нисколько не задумываясь о чужих страданиях и боли. Иногда, когда она вдруг начинала чувствовать себя одинокой и страсть к очередному объекту охоты превращалась в подобие искренней любви, Лилит инициировала несчастного избранника силой древней ламии и превращала его в вампира, делая своим спутником на долгие годы, а иногда даже на столетия. «Ты ни в чем не будешь нуждаться», — шептала она, и так оно и было, до тех пор, пока он не надоедал ей, и она не прекращала призрачную жизнь бедняги так же, как и даровала ее.

Недостатка в жертвах она не испытывала даже во времена строгого и благочестивого Средневековья: вечные человеческие слабости и пороки являлись для нее открытой дверью в чужие души. Не было и острой нехватки в пище, которой становились то несчастные крестьяне очередного попавшего в ее сети барона или лорда — а иногда баронессы или герцогини, ибо страстная натура Лилит не ограничивала себя в выборе одними мужчинами — то младенцы, купленные за несколько мелких монет в кварталах городской бедноты, то жертвы кровавых мистерий, адепты которых с радостью и благоговением принимали в свой круг настоящую родовую вампирессу. Ей не приходилось терпеть поражений и очень редко встречалась серьезная опасность: как правило, она исчезала с насиженного места до того, как дворянский замок начинал полыхать, подожженный с четырех сторон обезумевшими от страха и ярости жителями окрестных деревень, или власти предавали суду и смерти последователей очередного дьявольского культа, так что пока ее бывшие любовники и покровители умирали под пытками, ударами топоров или в огне с ее именем на устах, Лилит уже благополучно устраивалась на новом месте, в другом городе или другой стране. Только дважды она сама почувствовала дыхание смертельной угрозы: в шестнадцатом столетии, когда не в меру бдительная и проницательная жена одного бургомистра маленького немецкого городка едва не отправила Лилит на костер, пустив по ее следу ищеек из «Огненной палаты», и столетие спустя, в Париже, где ей с трудом удалось ускользнуть во время внезапного ареста аббата Гибура, несколько лет верно служившего ей и снабжавшего кровью и плотью младенцев, которых он приносил в жертву во время черных месс, используя ее живот как дьявольский алтарь.

Примерно пару столетий назад Лилит, никогда не ощущавшая хода времени, вдруг стала чувствовать те изменения, которые происходили в окружающем мире. С одной стороны, новая эпоха была словно создана для таких, как она: провозглашенный приоритет рационального знания сделал ее персонажем страшных сказок, полностью защищая от неприятностей, грозивших костром или осиновыми кольями, падение религий открыло путь к человеческим сердцам, где пороки и страсти резвились, словно бесы в заброшенных храмах. С другой стороны, добывать пищу было труднее с каждым годом, и несмотря на то, что население этого мира росло и люди все теснее населяли города, сбиваясь в плотные серые массы, найти человеческую кровь и плоть для пропитания стоило все больших трудов и денег. Поэтому, когда в далекой и мрачной северной стране загорелось кровавое зарево великой революции, Лилит метнулась туда, как черная бабочка на свет ночного фонаря. Очень скоро она уже стала боевой подругой красного революционного командира, и именно там, среди кровавой вакханалии насилия и смерти, она и познакомилась с Мастером. Он тоже увидел в представителях новой власти, отмеченных знаком пентаграммы, перспективных союзников, а древняя ламия обрела в созданном им эликсире источник жизни и силы. Ассиратум не требовал ни рискованной охоты, ни еженедельных забот о том, где найти подходящую жертву, но питал призрачное существование вампира не хуже, а может, и лучше, чем настоящая живая кровь. С тех пор Лилит стала спутницей Мастера, присоединившись к нему и его верному оборотню.

И вновь прошли годы и десятилетия. Теперь они летели так стремительно, словно все события, предназначенные для нескольких сотен лет, вдруг стали ускоренно перематывать вперед, как кинопленку, как будто время торопилось как можно скорее привести этот мир к неизбежному концу. Впрочем, Лилит это не тревожило: ассиратум поддерживал ее силы, а она помогала Мастеру деньгами, которые продолжала успешно получать от жертв своего непобедимого темного обаяния. Все шло как и раньше, пока однажды ей единственный раз за свою бесконечно долгую жизнь не пришлось почувствовать горький вкус поражения. Жена одной из ее жертв, мужчины, сердце и разум которого были уже целиком и полностью опутаны ее черной паутиной, каким-то немыслимым образом смогла разрушить ее чары. Лилит не верила своим ушам, когда тот вдруг объявил ей, что оставляет ее. Оставляет ее! Это было настолько дико и непостижимо, так сильно уязвило ее гордость, что она даже заплакала от злости и обиды, совсем как какая-нибудь обычная женщина или девочка. В сердцах она рассказала обо всем Вервольфу, который к тому времени стал ее добрым и верным другом, из тех безнадежно влюбленных друзей, для которых дружба с объектом обожания является формой пожизненного рабства, и он, желая сделать приятное Лилит, взял да и зарезал ее счастливую соперницу едва ли не среди бела дня на пороге ее дома. За это он получил в награду нежный взгляд и легкое прикосновение к широкой косматой груди, а сама Лилит забыла об этом досадном событии, как забывала почти обо всем, что случалось за долгие века ее жизни. И теперь, несколько лет спустя, когда все вдруг пошло не так и созданная ею же ситуация, казавшаяся такой благоприятной, стала выходить из-под контроля, когда бедняга Вервольф погиб, а Мастер, все больше обуреваемый беспокойством и страхом, велел ей избавиться от того, кто был причиной этого беспокойства, она совершенно не связывала давний мимолетный эпизод с трудностями сегодняшнего дня. Может быть, от того, что не привыкла вспоминать и раздумывать над причинами и следствиями происходящих событий, а может быть, потому, что вновь почувствовала себя одинокой и ощутила в глубине своей черной души страсть, подобную искренней любви...

* * *

— Ты ни в чем не будешь нуждаться...

Я скорее чувствую, чем слышу ее жаркий шепот. Горячее дыхание обжигает мне шею.

— Ты ни в чем не будешь нуждаться...

Пылающие мягкие губы касаются моего уха, и я уже не хочу отворачиваться. Или просто не могу этого сделать.

Я не знаю, сколько прошло времени. Час? Два? Наверное, не меньше, потому что руки и ноги, растянутые в стороны и крепко привязанные ремнями к опорам широкой кровати, уже совершенно затекли, и я не чувствую их, когда пытаюсь пошевелить пальцами. Зато все остальное тело стало как будто особенно чувствительным, и горячий густой воздух обжигает обнаженную кожу, как пар в раскаленной бане. Сквозь колышущееся жаркое марево и пряный тяжелый дым благовоний я с трудом различаю очертания комнаты, а причудливые узоры толстых ковров на стенах дрожат и шевелятся, как обретающие плоть бредовые видения. Вот жрецы с длинными остроконечными бородами поклоняются женщине с телом змеи, восседающей на престоле из черепов; раненая львица присела на задние лапы, готовясь к последнему прыжку, а из-под левой лопатки по оранжевой шкуре обильно струится багряная кровь; странные узоры, похожие на тибетские мандалы, разбегаются круговыми лабиринтами, втягивая в себя взгляд, а вслед за ним и сознание. На массивных полках горят толстые черные и красные свечи и масляные светильники, дымятся удушливыми ароматами медные курительницы, блестят тусклым золотом причудливые статуэтки.

Она выпрямляется, плавно выгибаясь, и я чувствую влажный жар ее тела там, где она сидит, прижимаясь к моему животу. Бархатистая кожа отсвечивает смуглым золотом, узоры татуировок змеями извиваются на руках, боках, бедрах. Ослепительно белые острые зубы хищно поблескивают меж полных влажных губ. Раскосые глаза сияют как темные ночные изумруды. Густые волосы черной мантией ниспадают на плечи и спину. Она проводит по моей груди длинными пальцами с острыми ногтями, и я чувствую, как мое тело против воли снова напрягается, не в силах противиться власти, заключенной в ее движениях.

– Ты ни в чем не будешь нуждаться, – повторяет она, как мантру.

– Спасибо за предложение, – говорю я, – но я бы предпочел как-нибудь перекантоваться в нужде.

Мой голос звучит хрипло и незнакомо, отказываясь повиноваться, и застревающие слова приходится выталкивать из горла. Надо заставлять себя думать и разговаривать, потому что иначе вслед за телом откажут разум и воля. Кажется, я и так уже периодически теряю сознание, проваливаясь в какую-то черную тесную тьму, полную молчания и забвения.

Она запрокидывает голову и смеется, весело и мелодично. У нее такой красивый смех.

– Какой упрямый! Сильный, упрямый мальчик... смелый... я знала, что не ошиблась, когда выбрала тебя. Надо же, убил бедняжку Вервольфа! Не то чтобы я очень расстроилась, но так удивилась! Я знала всего двух... нет, наверное, трех человек, которые могли бы одолеть настоящего оборотня в рукопашном бою, и только одного, который это сделал. А ты победил его, один на один, пусть даже тебе и повезло немного с этим упавшим стеклом.

– Откуда ты это знаешь? Не помню, чтобы во время нашего боя трибуны ломились от зрителей.

Она снова смеется и игриво хлопает ладошкой меня по груди.

– Шутник! Такой смешной, нам будет очень весело вместе! Глупый, те зрители, которых ты не видишь, там несомненно были, а я умею с ними общаться. Я и тебя научу со временем, а у нас будет много, очень много времени впереди.

Она гладит меня по груди, по животу, нагибается и снова обжигает шею губами. Я чувствую, как соски ее упругой груди нежно касаются моей кожи.

– Знаешь, ведь он просил тебя убить. Да, убить, и я могла бы это сделать уже очень давно, если бы захотела...

Мысли еле двигаются в голове, наполненной какой-то вязкой сладкой мутью, как рыбы, попавшие в кисель. Мне приходится совершать усилие, чтобы просто связать пару слов, даже мысленно, но нужно говорить. За тело я уже перестал бороться. Отдал ей этот рубеж после того, как она первый раз довела меня до оргазма яростными, неистовыми движениями бедер. Но за свой разум я еще поборюсь.

– Кто – он? – спрашиваю я. – Кто просил меня убить?

Я знаю ответ на этот вопрос. Но сейчас мне просто не придумать ничего другого. Никогда не предполагал, что будет так чертовски трудно найти тему для беседы с девушкой.

– Мастер, конечно же. – Она снова выпрямляется. – Он так напуган и рассержен, дорогой. А после того, как ты погубил его волка, и вовсе стал сам на себя не похож. Я ведь знаю его почти сотню лет и никогда не видела таким беспокойным.

– Это он послал оборотня убить Абдуллу?

– Ну а кто же еще? Хотя вот тут я ним была полностью согласна. Наверное, есть и моя вина в том, что Абдулла стал таким... неуправляемым. Не нужно мне было делать его одним из нас, хватило бы ему и одного ассиратума. Мастер сказал мне, что я плохо разбираюсь в людях, представляешь? Ха! Я в них разбиралась еще тогда, когда его предки даже не заселили тот остров, с которого он родом. Я просто не удержалась. В этом Абдулле было столько силы, столько животной энергии... Но не ревнуй, милый, ты все равно лучше...

Ее губы скользят по моему телу, и я чувствую, как оно подается ей навстречу, повинуясь животному магнетизму. Я очень устал. Надо закрыть глаза и немного поспать. Это ведь не означает, что я сдался. Нет, просто небольшой тайм-аут. Провалиться туда, в темноту и покой, и отдохнуть.

Она впивается в меня ногтями, и в груди у нее клокочет глубокое урчание, как будто кошка медленно вонзает когти в неподвижную добычу.

– Не так быстро, дорогая, куда нам спешить... Давай поговорим еще немного.

Кто-то из античных ораторов учился риторике, пытаясь говорить с набитым камнями ртом. Кажется, Демосфен. Уверен, что этому парню было легче сказать целую речь с ракушками и галькой во рту, чем мне сейчас вытолкнуть из себя эти несколько слов.

Она поднимает лицо и смотрит мне в глаза. Черные густые волосы касаются моего лица и груди, окружая, как мягкие стены темного шатра.

– О чем ты хочешь поговорить, милый?

– Это ты свела Абдуллу и Мастера?

Она вздыхает.

– Какой ты любопытный. И занудный, да. Мне больше нравится, когда ты шутишь.

Она выпрямляется с гримаской досады на лице. Да, вот так. Может быть, обидится и уйдет? Ничего, можно даже не развязывать ремни, спасибо, я сам справлюсь...

– Разумеется, я, – говорит она. – А что еще было делать? Герман был сам не свой от того, что эта девочка, его дочь, умирает. Надо было убить ее раньше, но я все как-то не решалась: сейчас все очень серьезно стали относиться к убийствам. Расследование и все такое. Да и кто мог знать, что Герман откуда-то слышал про Мастера и ассиратум? Я и сама удивилась его осведомленности, когда он разговаривал с тем человеком, Кардиналом. О, я сразу поняла, что этот Кардинал тот еще старый лис! Очень опасный тип. Конечно, мне бы он ничего не смог сделать, но вот найти Мастера ему вполне было по силам. И кто знает, чем бы это могло закончиться? Хорошо, если бы он отдал старика Герману, а если нет? Запер бы его где-нибудь и заставил работать на себя, и как бы я тогда получала свой эликсир? Прикинулась бы больной, чтобы Герман и мне покупал ассиратум за деньги? Или вместе с Вервольфом принялась бы ходить ночью по улицам и ловить прохожих? Надо было заставить Германа прекратить эти поиски, но и идти к нему с ассиратумом самой было бы странно, да и небезопасно. Вот и пришлось привлечь Абдуллу. Это было несложно, так что на следующий день он уже был мой и отправился к Герману с эликсиром для его дочки. Такой глупый! – Кристина снова рассмеялась. – Попросил у Германа миллион долларов. Наверное, не мог представить себе суммы больше. Мастер сначала согласился продавать ассиратум, все-таки это немаленькие деньги, а они сейчас все решают в мире, ведь так? Да и опасность того, что Кардинал будет его искать, таким образом устранялась. А потом Абдулла, к сожалению, вошел во вкус. Этот медицинский центр, этот его доктор, который там сидел и продавал ассиратум, как будто это аспирин какой-нибудь... Я знаю, что он даже воровать ухитрялся, представляешь? Воровал ассиратум и сам его продавал, да еще и прятал запас там где-то у себя. Но Абдулла ничего не замечал, только думал, как бы еще побольше денег заработать. Ну а после того, как он стал похищать людей и убивать их у себя в подвале, стало понятно, что от него нужно избавляться. Жаль, что мы так опоздали с этим. Ну ничего, зато теперь все в порядке, правда? Абдулла умер, девочка Германа тоже скоро умрет, так что ему не придется просить кого-то искать Мастера, а ты, мой дорогой, присоединишься к нам. Я знаю, Мастер будет недоволен, очень недоволен, что я не убью тебя полностью, но уж придется ему с этим смириться. Нам так будет хорошо вместе...

Она снова гладит меня. Ее тело скользит по мне горячим бархатом нежной кожи.

— Мы подождем немного, пока все утихнет, — шепчет она, — а потом уедем отсюда, навсегда. С теми деньгами, что есть сейчас у меня, мы поселимся где захотим, будем жить так, как захотим... Мастер станет делать для нас свой эликсир, а мы будем вдвоем, только вдвоем...

Ее движения учащаются, дыхание становится тяжелым, руки жадно двигаются по мне, и я даже не ощущаю боли, когда они прикасаются к сломанным ребрам.

— Меня не устраивают условия брачного контракта. — Мой голос едва слышен. — Может быть, нам не стоит торопиться? Мне кажется, нужно узнать друг друга получше...

Ее веселый смех звучит, как будто звенят серебряные украшения на танцовщице, кружащей вокруг жертвенника.

— О, у нас будет много, очень много времени, чтобы узнать друг друга. И ты ни в чем, ни в чем не будешь нуждаться. А теперь хватит разговоров, мой дорогой. Нам пора.

Она приподнимается, разведя в сторону колени и опираясь на ступни, и ее смуглое стройное тело на мгновение нависает надо мной. Я смотрю на нее и в дрожащем мареве горячего воздуха и дурманящего дыма вдруг вижу перед собой гигантскую самку какого-то инфернального насекомого, огромной саранчи, которая цепко держит меня острыми колючими лапами. Я вздрагиваю и выгибаюсь из последних сил, чтобы стряхнуть с себя эту страшную тварь, но ее рука скользит вниз, она берет меня и вводит в себя, сильно и плавно опуская бедра с протяжным стоном. Я чувствую, как проваливаюсь в жаркую, влажную глубину ее тела, которая вбирает меня всего без остатка.

– Мой, – хрипло шепчет она, – только мой... навсегда.

Она садится на колени, выпрямляется и нараспев произносит какую-то фразу на незнакомом языке, от звуков которого начинают трепетать огоньки свечей и дрожит пламя масляных ламп. Тяжелые пологи дыма взвихряются в призрачном танце. Она опирается одной рукой мне на грудь, высоко поднимает другую, и я вижу, что она держит в ней длинный кинжал с тонким прямым клинком. Я снова вздрагиваю, в последней в своей жизни рефлекторной попытке освободиться, но ремни держат крепко, а длинные сильные ноги сжимают меня, как стальные обручи.

– Ты на пороге новой жизни, – говорит она, – сейчас все закончится и все начнется...

Длинное лезвие легко скользит вдоль моей груди, оставляя за собой кровавую полосу тонкого разреза. Боли нет, или я просто не чувствую ее сейчас.

Она нагибается и проводит по ране трепещущим, жадным горячим языком, слизывая выступающую кровь, потом снова выпрямляется и выкрикивает окровавленными губами распевные слова заклинания. Движения ее бедер ускоряются, становятся сильнее и настойчивее, и я чувствую, как в низу живота рождается клубок жидкого пламени, готового извергнуться в любой миг.

Ее рука поднимается вверх, занося кинжал для удара.

Я содрогаюсь в долгой, томительной конвульсии, и ее тело начинает дрожать вместе с моим, а бедра сжимаются все сильнее и сильнее.

Последние слова заклятья звучат пронзительным воплем. Я открываю глаза и вижу, как длинное лезвие стремительно опускается вниз.

* * *

Отрывисто громыхнул выстрел.

Алина стреляла навскидку, целясь в обнаженную спину Кристины, и промахнулась, но, видимо, где-то очень высоко, за плотным пологом снежных туч, нависших над городом, счастливая звезда Гронского сияла сегодня особенно ярко. Девятимиллиметровая пуля попала в длинное лезвие ножа и обломила его у самой рукояти за мгновение до того, как острие должно было пронзить сердце. Обломок клинка с силой ударился в грудь, оставив на ней неглубокую кровавую вмятину.

— А ну-ка слезь с него, дрянь, — сказала Алина и снова навела пистолет.

Лилит яростно взвизгнула и стремительно обернулась. Алина увидела горящие глаза с черными полосками вертикальных зрачков, длинные белые клыки между окровавленных губ, и выстрелила еще раз. Она отчетливо видела, как на этот раз пуля ударила Кристине в бок, оставив круглое темное входное отверстие, которое мгновенно исчезло, как будто тело ламии поглотило смертоносный свинец.

Лилит оскалилась, зашипела и прыгнула на Алину. То ли ярость помешала ей рассчитать прыжок, то ли ноги неловко оттолкнулись от мягкой кровати, но она только врезалась в Алину по касательной и тяжело ударилась о стену, повалившись на бок. Алина тоже упала, но мгновенно перекатилась, встала на ноги и вскинула пистолет. Лилит стояла перед ней на четвереньках и скалилась Алине в лицо: неистово злобное, смертельно опасное существо, паучиха в собственном логове, у которой посмели отобрать добычу. Алина выстрелила еще раз, прямо в оскал. Ламия мотнула головой, подпрыгнула и сделала молниеносный выпад. Алина успела только чуть откинуть голову, спасая глаза, и длинные когти скользнули по ее лицу, оставив три глубокие царапины, кровь из которых тут же залила правую щеку. Алина отступила на шаг, снова наводя на ламию бесполезный пистолет, а та уже выпрямилась во весь рост и наступала на нее, грозная, как древняя воительница, и опасная, как разъяренный хищник.

— Мое оружие! По правую руку! — крикнул Гронский.

Алина дважды выстрелила, заставив Лилит на мгновение отступить, и одним прыжком перемахнула через кровать, упав на лежащую там скомканную в беспорядке одежду. Лихорадочными движениями она нащупала кобуру, выхватила оттуда «Walther» и успела подняться как раз тогда, когда ламия уже шла на нее, занося руку для удара.

Алина выстрелила. Тяжелая пуля из серебристо-серого металла с насечкой в виде буквы забытого алфавита попала Кристине в живот, отбросив к стене, на которой висел ковер с изображением львицы. На этот раз рана не исчезла. Из круглой кровавой дыры на смуглой коже бежала темная струйка, стекая по длинной ноге.

Кристина прислонилась к ковру и чуть согнулась, глядя на

рану со страхом и недоумением. Алина подняла пистолет на вытянутой руке и сделала шаг вперед.

Кристина подняла голову, и их взгляды встретились. Алина вздрогнула. Древняя ламия исчезла. Зрачки больше не напоминали глаза хищной кошки и расширились от боли в широко раскрытых темных глазах. Клыки не торчали меж растянувшихся в страдальческом оскале полных дрожащих губ. Перед Алиной стояла раненая девушка, совсем юная, беспомощная, прижимая одну руку к кровоточащей ране на животе, а другую вытягивая вперед, словно пытаясь защититься от неизбежной смерти.

– Пожалуйста... – прошептала она, и голос ее дрожал и срывался от боли и страха, – пожалуйста... не стреляйте...

Алина чуть опустила ствол пистолета.

– Пожалуйста... прошу вас...

Раненая девушка умоляюще смотрела Алине в глаза. Рука с пистолетом вдруг задрожала и стала опускаться все ниже.

Гронский видел, как Кристина чуть отвела правую ногу назад, к стене, ища опору для прыжка. Алина стояла как завороженная, продолжая смотреть в полные страдания и слез глубокие, черные и такие прекрасные глаза.

– Стреляй! Стреляй, она убьет тебя!

Алина вздрогнула и очнулась. Она вновь вскинула оружие, и теперь рука ее не дрожала.

– За маму, – сказала она и нажала на спусковой крючок.

Ударил выстрел. Вылетевшая гильза звонко стукнулась в один из светильников и погасила огонек задымившегося фитиля.

Пуля вошла Кристине под левую грудь, и ее тело, ударившись о стену, безжизненно осело на пол у самых лап раненой львицы, вытканная кровь которой смешалась с черными брызгами, попавшими на ковер вместе с прошедшей навылет пулей.

Стало очень тихо. Огоньки свечей испуганно выпрямились и старались не трещать, ярко и ровно освещая завешанную коврами тесную комнату в старой квартире. Густой и тяжелый дым благовоний рассеивался, вытекая в холодную черноту зияющего дверного проема, как будто следуя за духом погибшей ламии. Алина обессиленно присела на край кровати и наклонила голову. Рука с пистолетом свешивалась между колен.

– Алина, – негромко позвал Гронский, – ты не могла бы...

Алина обернулась. Совершенно обнаженный Гронский лежал на кровати, крепко привязанный к высоким металлическим столбикам по краям, на его груди расходились края длинного пореза, из которого сочилась кровь, а тело еще хранило следы возбуждения. Алина покраснела и вскочила на ноги.

– Ой! Прости, я сейчас...

Она заметалась, схватила с пола пиджак и накинула его на Гронского.

– Спасибо, конечно, – ответил он, – но я имел в виду другое.

Он чуть пошевелил связанными руками. Алина покраснела еще больше и подхватила с кровати сломанный клинок.

– Да, да, я уже... сейчас все сделаю...

– Порежешься, брось! – крикнул Гронский. – Руками.

Алина отшвырнула лезвие, успевшее перемазать ее пальцы кровью, и принялась распутывать тугие кожаные ремни. Через минуту она сломала себе ноготь и освободила правую руку Гронского.

– Все, спасибо. Дальше я сам.

Скоро он уже сидел на кровати, которая едва не стала его смертным одром, и, болезненно морщась, растирал затекшие руки и ноги. Алина снова села и искоса посматривала на него.

– Извини, – наконец сказала она. – Кажется, я испортила тебе свидание.

– Ничего страшного, – отозвался он. – Я уже и сам собирался уходить. Сегодня мое представление о том, что такое романтический вечер, несколько изменилось.

Алина почувствовала, как к горлу подбирается то ли плач, то ли смех. «Тише, дорогая, тише. Не время для истерик». Она отвернулась от Гронского, который уже встал и одевался быстрыми, точными движениями, бросила взгляд на тело Кристины и содрогнулась. На полу, скрючившись, подобно жертве пожара, лежало иссохшее, потемневшее тело мумии. Истончившаяся, как пергамент, коричневая кожа прилипла к костям, оскал безглазого черепа блестел сквозь спутанные черные космы, свисающие с остатков скальпа.

– Мерзость какая. – Алина передернула плечами, встала и сорвала с кровати окровавленную простыню. – Прикрою эту гадость, смотреть тошно.

Она набросила простыню на то, что всего несколько минут назад было цветущим телом молодой женщины, и посмотрела на Гронского.

– Не понимаю, что ты в ней нашел.

– А как ты меня нашла?

– Папа сказал адрес. Он с ней встречался когда-то. Тринадцать лет прошло, а он помнил, представляешь?

– Твой отец?

– Не говори. Сама в шоке. Особенно теперь.

– Значит, мама?..

– Да. Это из-за нее. Она виновата. А я ее застрелила. Взяла и застрелила.

Алина почувствовала, что начинает дрожать. Дрожь становилась все сильнее, колени тряслись, даже зубы начали выбивать какую-то несусветную дробь. Гронский присел рядом и обнял ее за плечи. Алина дернулась было в сторону, но он привлек ее к себе, прижал, и она ткнулась носом ему в плечо, а потом обхватила руками и замерла.

Они сидели так несколько минут, пока Алина не почувствовала, что дрожь унялась, и сердце успокоилось, словно отдышавшись после стремительного забега.

– Я в порядке, – сказала она. – Правда, в порядке.

Гронский встал. Кровавая полоса проступила сквозь ткань белой рубашки. Он накинул сверху бронежилет и стал затягивать ремни.

– Подожди, – сказала Алина, – надо бы перевязать...

– Тебя тоже, – ответил Гронский. – Но на это нет времени.

Алина прикоснулась пальцами к лицу, поморщилась и отдернула руку: глубокие царапины болели и кровоточили.

– О, черт. – Она посмотрела на окровавленные кончики пальцев и перевела взгляд на Гронского. – Ты сказал, нет времени... У нас еще есть какие-то планы на этот вечер?

– Да. Я еду за Некромантом.

– Я с тобой, – быстро сказала Алина. – И даже не думай возражать.

Гронский кивнул.

– И не собирался. Но для тебя есть особое поручение. Как насчет того, чтобы навестить свое прежнее место работы?..

Они вышли из квартиры через несколько минут и стали спускаться по пустой, гулкой лестнице. Коридоры и галереи были тихи и молчаливы, призрачные тени больше не таились в пыльных углах, витражи стали просто кусочками разноцветного тусклого стекла в треснувших окнах, тут и там темнели кучи мусора на грязном полу и кляксами расплылись по стенам нелепые граффити вперемешку с бранными надписями.

– Подожди, – сказал Гронский, когда они уже спустились на один пролет. – Надо закрыть за собой дверь.

Он вернулся, повернул колесико замка, язычок которого с тихим лязганьем выскочил из паза, постоял пару секунд и с силой захлопнул дверь. Легкая дрожь пробежала по деревянным дверным косякам и старым стенам квартиры, и ее оказалось достаточно, чтобы иссохшее тело под окровавленной простыней рассыпалось серым прахом.

# Глава 21

– Родион, где тебя черти носят? Мой человек примерз к мостовой, пока ждал. Ты в порядке?

– Пришлось решать один личный вопрос.

– Ты исчез почти на два часа. Еще немного, и я начал бы уже очень серьезно беспокоиться. И искать.

– Знаю. Прости. Наша договоренность еще в силе?

– Разумеется. Можешь забрать зажигалку там, где я тебе говорил.

– Планы немного изменились, Карди. За огнеметом приеду не я.

– А кто же тогда?

– Алина. Ты ее знаешь. Собственно, она уже едет и, думаю, будет на месте минут через десять.

– Ну и ну. А ты сам что собираешься делать?

– Карди, мы же все обсудили: ты даешь то, что мне нужно, ни о чем не спрашиваешь и не мешаешь. А я выполняю свою часть нашего соглашения.

– Хорошо. Пусть так. Ей все передадут.

– Отлично.

– Удачи тебе, мой мальчик.

Кардинал положил трубку. Карл и Хлоя сидели перед ним за столом в напряженном ожидании. Кардинал посмотрел на них, вздохнул, провел рукой по лицу и сказал:

– У нас небольшие изменения. Зажигалку будет забирать его напарница. Это даже облегчает задачу, потому что ее вести гораздо проще, чем Гронского. Что бы там у них ни происходило, я уверен, что в итоге она должна передать огнемет ему, а сам он, скорее всего, к тому времени уже планирует взять старика, ну или, во всяком случае, быть там, где тот прячется. Гронский сказал, что она приедет за оружием через десять минут, так что вы должны быть на месте через восемь. Ведите аккуратно, но можете особо не шифроваться: если она вас и обнаружит, то оторвется вряд ли.

– Пусть попробует, – проворчал Карл. – Интересно будет посмотреть.

Бледное лицо Хлои чуть порозовело, как будто восходящее солнце коснулось первым лучом ледяной пустыни.

– Все будет в порядке, – быстро сказала она, взглянув на Кардинала. – На этот раз.

Кардинал кивнул.

– Я надеюсь. Потерять Алину вы не должны. Даже заметив слежку, она не прервет операцию и все равно приведет вас к Гронскому, потому что не сможет оставить его без оружия. На самый крайний случай в рукоятке огнемета установлен маркер, это если вы каким-то образом ее упустите.

Карл закряхтел.

– Мы не упустим, – сказала Хлоя.

– Хорошо. Обе группы готовы?

– Уже ждут в машинах, – ответила Хлоя. – Два автомобиля, по четыре человека в каждом, считая нас с Карлом.

– Тогда в путь. Вы знаете, что делать.

Карл поднялся и, прихрамывая на механической ноге, молча вышел из кабинета. Хлоя последовала за ним, но на секунду задержалась в дверях и обернулась.

– Карди?

– Да?

– Я не подведу. Ты знаешь.

Кардинал слегка улыбнулся.

– Я знаю. Береги себя, девочка-скаут.

Строгое холодное лицо Хлои на мгновение расцвело яркой и теплой улыбкой. Она быстро отвернулась, кивнула и вышла.

В темноте за окном то ли в ярости, то ли в ужасе метались тысячи мелких снежинок. Кардинал посмотрел на затерянный среди белого бурного марева город за толстым стеклом, покачал головой и негромко повторил:

– Удачи тебе, мой мальчик...

* * *

Алина сбросила скорость и посмотрела в боковое окно. Она неплохо знала этот район, но сквозь снежную мглу, обрушившуюся на город, сейчас с трудом различала темные приземистые здания, призрачные очертания недостроенных исполинских корпусов и низкий кирпичный забор. Кажется, где-то здесь.

Она остановила машину и дважды мигнула фарами. От стены из грубого красного кирпича отделилась длинная тень.

«Тебе передадут огнемет, армейский “Шмель”, – вспомнила она слова Гронского. – Он похож на обычный гранатомет, только стреляет зажигательными зарядами. Во вьюке два выстрела, то есть два металлических цилиндра, уже снаряженных. Пользоваться просто...»

Высокий мужчина в пальто и бейсболке, с длинным мешком на спине подошел к машине и постучал в окно. Алина опустила стекло, в салон ворвался холодный ветер, колючие снежинки хлестнули в лицо.

«Ты поедешь в “Данко”, – Гронский говорил быстро, и Алина слушала его, стараясь не пропустить ни слова. – Где-то там Кобот хранит личный запас ассиратума. Видимо, спрятан он очень хорошо, потому что люди Кардинала его еще не нашли, но после сегодняшней ночи они по кирпичам разберут все здание и непременно его найдут. Этого допустить нельзя».

Человек нагнулся к открытому окну. Лицо его было скрыто в тени козырька, и Алина видела только тяжелый подбородок, заросший седеющей щетиной, и тонкие губы.

«Выжги там все, Алина. Одного залпа будет достаточно, чтобы создать пожар, который уничтожит даже камни. Скорее всего, Кобот прячет эликсир у себя в кабинете, поэтому выстрели туда один раз, сразу уходи и приезжай ко мне. Я буду рядом, там не больше километра по прямой. – Он назвал адрес, и Алина несколько раз проговорила его про себя, запоминая улицу, дом, квартиру. – Дальше действуй по ситуации. Я постараюсь тебя дождаться, но если поймешь, что меня... что у меня что-то пошло не так, делай то же, что и в “Данко”: стреляй и уходи. И не рискуй напрасно».

– Алина? – спросил незнакомец. Голос у него был низкий и хриплый.

– Да, – сказала Алина.

Мужчина кивнул и снял с плеча большой продолговатый вьюк с двумя цилиндрическими предметами внутри.

– Вот. Дверцу откройте, положу сзади.

Щелкнул замок. Вьюк тяжело лег на заднее сиденье автомобиля.

– Обращаться умеете?

– Что?.. – Алина мысленно уже была где-то там, впереди, в темных коридорах опустевшего медицинского центра, а потом в старом доме, рядом с Гронским, который сейчас...

– Да, – ответила она. – В общих чертах.

Тонкие губы незнакомца скривились в усмешке.

– Понятно. Постарайтесь быть как можно дальше от того места, куда будете стрелять. Потому что на несколько секунд там будет ад.

Он распрямился и сделал шаг, отойдя от машины.

– Спасибо! – сказала Алина и начала поднимать окно и выворачивать руль, готовясь начать движение.

– Запомните! Ад! – успела услышать она, и в следующее мгновение «BMW», резко взревев в ответ на утопленную в пол педаль газа, вильнул и рванулся в белесую снежную мглу.

Через несколько секунд в сотне метров позади вспыхнули фары, и два тяжелых черных джипа полетели следом за ее машиной, как гончие псы.

* * *

Пустынный переулок был похож на декорацию к страшной сказке. Редкие фонари тускло светили сквозь тьму и метель, черные арки проходных дворов зияли как зевы подземных пещер, стены домов стеснились и нависли над головой, вытаращив блестящие глаза темных окон. Грязная проржавевшая колымага, на которой привез его сюда такой же изъеденный грязью водитель, мигнула разбитыми красноватыми фонарями и скрылась за поворотом. Кобот вздохнул с облегчением: всю дорогу шофер вел долгие разговоры по телефону на хриплом каркающем языке, пугающе напоминая покойного Абдуллу, так что пару раз Кобот со страхом всматривался в тускло освещенное огоньками приборной доски небритое горбоносое лицо, боясь увидеть трупные пятна и пустые глаза покойника, который везет его сквозь пургу в их бывшие владения.

Сегодня ночью он наконец решился на вылазку. Не было никакого смысла откладывать это на последний день перед новолунием, и не было больше сил прятаться, изнемогая от неизвестности и томительного ожидания развязки. Нужно было действовать. За пару дней до этого Кобот уже приезжал сюда ночью, проходил мимо, осматривался, наблюдал, несколько часов просидев в вонючем подъезде дома напротив и не сводя взгляда с дверей медицинского центра. Здание оставалось пустым, темным и молчаливым, и, глядя на него, Кобот испытывал щемящее чувство грусти и то ощущение потери, какое бывает, когда видишь разоренный и заброшенный дом твоего детства.

Но здесь это чувство было еще сильнее: «Данко» был его детищем, его штабом, символом жизненных достижений и успехов, и теперь стоял перед ним, опустошенный, холодный и мертвый, как будто неизвестный вивисектор выпотрошил медицинский центр изнутри в поисках драгоценной жизненной силы.

Что ждет его там? Что, если этим чужакам, бесцеремонно вторгшимся на его территорию, удалось найти сейф в кабинете? Как быть, если он увидит сейчас раскуроченные стены и открытую металлическую дверцу, за которой чернеет пустота?

Кобот помотал головой, прогоняя ненужные панические мысли. Через несколько минут все выяснится. Надо думать о лучшем: о терпеливо ожидающих своего хозяина деньгах и нескольких темных бутылочках с эликсиром. Кобот сосредоточился и представил себе теплые тяжелые пачки купюр, перехваченных резинками, и нагретое стекло спасительных склянок. Да, вот так. Теперь гораздо лучше.

Кобот поднял повыше воротник пальто и заспешил к знакомым высоким дверям. Вьюга мгновенно заметала чернеющие мокрые пятна следов. Он подошел к входу в «Данко», достал пластиковую карточку ключа и огляделся. Никого. Кобот с замиранием сердца вставил карточку в электронный замок. Через мгновение тот пискнул и подмигнул зеленым огоньком. Отлично!

Кобот потянул на себя тяжелую дверь и замер на пороге. Длинная лестница была едва различима в полумраке. Тусклая лампочка дежурного освещения горела у самого входа в вестибюль. Золоченые львы у подножия лестницы равнодушно глядели перед собой пустыми глазами. Тяжелое стекло поста охраны было темным, и в нем отразились приоткрытая дверь, мелькание снега на улице и сам Кобот, неясной тенью маячащий на пороге.

Тишина. Только подвывает ветер, рвущийся в щель между тяжелыми створками. Снежинки влетали вовнутрь и ложились на каменный пол.

Кобот вздохнул и шагнул за порог.

* * *

Некромант, дрожа от ярости, стоял посреди комнаты, и сполохи багрового пламени выхватывали из тьмы его кряжистую фигуру. Но еще ярче, чем пламя, горели яростной, неукротимой злобой его глаза.

Смерть Вервольфа несколько дней назад была для него тяжелой потерей. Волк верно служил ему несколько столетий, и старый упырь привязался к нему, как только может привязаться одинокий старик к своему любимому псу. Кроме того, оборотень был прекрасным охотником, во многих случаях незаменимым слугой и даже защитником, хотя защитить себя Некромант вполне мог и сам. Когда Вервольфа не стало и голова его, отсеченная огромным куском разбитого стекла, полетела во тьму, старый чернокнижник почувствовал, как будто острое лезвие полоснуло его по черному и давно уже мертвому сердцу. Это было мгновенное и болезненное ощущение потери, словно внезапно отсекли палец. Он испытал скорбь, но не почувствовал страха.

А сейчас страх терзал его изнутри. Это было давно забытое, темное и жуткое чувство, от которого он так долго и так хорошо прятался в сырых грязных трущобах, держась подальше от людей, жадных до древних секретов, от их алчных властителей, от других, таких же, как он, упырей, которые рады были бы завладеть его тайнами, и самое главное, от нее, дочери своего бывшего товарища по магическим опытам. Смерть Лилит отозвалась в нем вспышкой боли и ужаса: нет, он не сожалел о ней так, как скорбел о гибели верного волка, но связь его темной натуры с душой родовой вампирессы была прочной и глубокой, и ощущение было таким, словно у него изнутри вырвали клок старческой плоти. Кроме того, убить ламию было делом куда более невероятным и трудным, чем даже одолеть оборотня, и ее смерть означала, что тот человек, который уже доставил столько проблем и неприятностей, который сразил Вервольфа, теперь погубил и Лилит, и что противник он куда более серьезный и опасный, чем это можно было представить. А еще что сейчас он, скорее всего, едет к нему, Некроманту, чтобы завершить начатое.

Надо уходить. Когда-то давно, много столетий назад, когда он был совсем другим, Некромант и не подумал бы бежать, но вступил бы в бой и сразил врага, опрометчиво решившегося бросить ему вызов. Но с тех давних пор прошло слишком много лет, и он стал мудрее и осторожнее. А еще он постарел. Не внешне: тело его по-прежнему оставалось крепким и жилистым, как в те времена, когда он силой черной магии преобразил себя, превратив в бессмертного вампира. Он состарился внутренне. Кто может сказать, что произойдет с душой, мыслями и чувствами того, кто когда-то был человеком, но прожил дольше, чем несколько поколений людей? Каким станет он через шесть веков, если на исходе пятого десятка лет жизни многие из живущих начинают терзаться ощущением бессмысленности своего существования, называемым кризисом среднего возраста? И как не ощутить бесцельность собственного бытия старому вампиру, если единственный смысл его жизни состоит только в том, чтобы сохранять и продлевать ее еще и еще? Но никакого другого смысла и быть не может, когда прочитаны все книги, изучены науки, когда старое наскучило, а новое не будоражит разум и не волнует тягучую холодную кровь. Остается только тянуть бесконечную лямку земного бытия, со страхом думая о том, что ждет его за гранью этого мира, если вдруг его жизнь оборвется. А он знал слишком хорошо, кто поджидает его рядом с выходом отсюда.

И теперь, хотя ярость, боль и ненависть душат его, сжимая костлявое горло, хотя более всего на свете ему сейчас хочется вырезать сердце у самоуверенного наглеца, заставившего его испытать страх за собственную жизнь, он уйдет. Но перед этим даст почувствовать и зарвавшемуся юнцу, и всему этому гнусному, пропитанному холодом и мертвечиной городу, что такое сила настоящего Некроманта.

Он прикрыл глаза, поднял вверх голову, медленно развел руки в стороны, растопыривая узловатые пальцы, и замер на несколько долгих мгновений, словно прислушиваясь. В груди его завибрировал низкий, странный звук, который мгновенно стал сообщаться окружающим предметам, стенам, самому воздуху, заставляя их отзываться на это гудение мелкой дрожью. Звякнули и дрогнули на кухонных полках чашки, карандаши покатились по грязной неровной столешнице, зашуршали ветхие обрывки обоев, беспокойно заметались в подвалах крысы, и тараканы в панике нырнули в темные щели. Низкий звук нарастал, и вот уже задрожали оконные стекла в ветхих рамах, посыпалась пыль со стен и дверных косяков и распахнулась, хлопая на ветру, неплотно прикрытая форточка. Некромант зашевелил растопыренными пальцами, как будто вбирая в себя всю тьму и страх, все разложение и мерзость, какие только мог взять из окружающего мира, накапливая их в себе, как в гнусной сокровищнице, и сплавляя в кипящую массу мрачным подземным пламенем, что горело в его душе. Он разжал тонкие бескровные губы, и низкое утробное гудение, вырвавшееся из его глотки с каплями ядовитой слюны, стало воем, в котором слышались слова длинного, тягучего заклятия на неизвестном никому из живущих языке, созданном для выражения самых страшных тайн, чувств и стремлений. Завывание нарастало крещендо, и вот на самой громкой и высокой его ноте Некромант резко свел руки, хлопнув большими ладонями и давая сотворенному заклинанию жизнь.

Мир дрогнул. Незримая черная волна пробежала по городу, расходясь из центра к окраинам, как круги по воде, неся с собой ледяное дыхание смерти. Заметались, не находя себе места, животные; спящие провалились в черные глубины цепенящих кошмаров, а те, кто не спал, в страхе озирались вокруг, почувствовав, как померк электрический свет и замаячили в углах комнат серые тени. Хлопнули незапертые двери, неплотно прикрытые окна зазвенели разбитыми стеклами, открывая путь тьме и холоду в тепло человеческих жилищ, и долгий вой пронесся в темноте над заброшенными погостами окраин.

Откликаясь на слова заклинания, мрак и грязь зашевелились под городом. Гнездящиеся среди ушедших в болотистые недра кирпичных кладок, под земляными полами подвалов и пластами гниющих нечистот, в заплесневелых распухших стенах, в заколоченных наглухо подземельях, проснулись и ожили те, чьи имена были давно позабыты ими самими: ожили и стали выбираться наружу, скрипя рассохшимся деревом старых дверей, скрежеща рассыпающимися кирпичами, гремя крышками мусорных баков. Порождения страшных снов, эманации кошмаров и неупокоенные мертвецы отозвались на призыв Некроманта, обессиленно уронившего руки после того, как вложил в этот зов всю свою древнюю мощь.

* * *

Город окутан тьмой, непогодой и страхом. Страх сгустился вокруг так, что мне трудно дышать, и каждый вдох питает нарастающее чувство паники, от которого хочется забиться в угол, закрыть голову руками и переждать накатывающий волнами ужас, как застигнутые ураганом люди пережидают в подвалах и погребах буйство яростной стихии. Все вокруг кажется обрывками сна, на которые обрушилась злобная осенняя метель, как будто в стеклянном шаре среди взметнувшихся бутафорских снежинок вместо рождественской деревушки появился вдруг покосившийся темный дом, полный истлевших призраков.

Я гоню машину вперед, с трудом преодолевая желание остановиться или повернуть вспять, и мне кажется, что даже двигатель джипа звучит испуганно, словно ржание боевого коня, которого всадник бросает галопом в дымное пламя пожара. Мимо проносятся темные громады домов, их окна черны и пусты, двери подъездов открыты настежь, будто оттуда разом вырвались все кошмарные сновидения обитателей. Редкие светящиеся окна горят ярким, лихорадочным светом, который наводит на мысли о поспешных сборах, предшествующих паническому бегству. На дорогах не видно машин, пустынные тротуары безлюдны, вывески магазинов и ночных заведений тревожно мерцают над темными витринами и панорамными окнами. Я перелетаю через почти невидимый в ненастной тьме мост и вижу, как черная вода реки внизу как будто кипит и тянется вверх ледяными пальцами волн, оживляемая сознанием сотен утопленников и самоубийц, нашедших последний приют в толще холодного ила.

Ни одна машина не следует за мной во время этой ночной гонки, но я все же делаю небольшой круг, прежде чем остановиться у низкой арки двора. В снежной мгле вокруг ни души. Я вхожу в арку и двигаюсь почти наугад в кромешной темноте, чувствуя, как хрустит под ногами подернутая тонкой коркой льда огромная лужа.

Каменные трущобы ожили призрачными голосами и звуками. Откуда-то несутся далекие завывания, слышны чьи-то шаркающие шаги за углом, грохочет упавшая крышка большого мусорного бака. Ветхая дощатая дверь низкого сарая стучит и вздрагивает, как будто кто-то бьется в нее изнутри. За пыльными стеклами окон мелькают быстрые тени.

Похоже, не у одного меня сегодня выдалась беспокойная ночь.

Я вхожу в последний двор, дверь подъезда со скрипом отворяется, пропуская меня в душный сырой полумрак. С пистолетом в руке я преодолеваю несколько пролетов узкой лестницы. Площадки перед квартирами погружены во тьму, но я вижу, что некоторые двери приоткрыты, а из непроницаемо черных проемов доносятся невнятные звуки: то чьи-то стенания, то странная возня, как будто кто-то тащит по полу тяжелые мешки. Я поднимаюсь еще выше, успевая подумать, сколько звонков придется сделать сейчас и звонить ли вообще.

Мне не приходится делать ни того, ни другого. Распухшая от времени дверь с двумя потемневшими медными двойками распахнута настежь.

* * *

Слежку Алина заметила почти сразу. На пустынных улицах города трудно было бы остаться незамеченными, но преследователи, по-видимому, и не особенно к этому стремились. Два больших черных джипа ровно и мощно шли за ее машиной, сохраняя расстояние в пару сотен метров и идеально держа дистанцию между Алиной и друг другом.

Алина пару раз резко вильнула в сторону, сворачивая на боковые улицы, — автомобили все так же шли за ней ровным уверенным ходом. Свет мощных фар бил в зеркало заднего вида, как лазерный луч целеуказателя. Она прибавила скорость, доведя ее до предельно допустимой при такой погоде, так что «BMW» стал беспокойно и заметно рыскать, как будто встревоженный причинами такой гонки, но расстояние между ней и преследователями осталось прежним, не увеличившись и не сократившись ни на метр. Со стороны они могли показаться машинами сопровождения, аккуратно ведущими своего подопечного. Почувствовав нарастающую панику, Алина резко затормозила: автомобиль метнулся из стороны в сторону, заскользил, оставляя за собой широкую черную полосу на белой от снега дороге, и, наконец, остановился у обочины. Один из джипов, пронзительно просигналив, пронесся мимо, а другой остановился сзади, сохранив все ту же дистанцию.

Кардинал. Некрасиво, но ожидаемо. Сквозь тонкую кожу куртки Алина нащупала в кармане пистолет, с трудом подавив внезапное желание выйти из машины, выхватить оружие и пойти навстречу своим преследователям. А если достать из вьюка огнемет и направить на черный джип? Перед мысленным взором на мгновение возник яркий и отчетливый образ: она лежит на асфальте, изрешеченная автоматными пулями, и мелкий снег ложится на ее лицо, запорашивая широко открытые глаза. Конечно, до этого вряд ли дойдет, но все же...

Надо успокоиться и решить, что делать дальше. Вести их за собой в «Данко» было немыслимо и уж совсем недопустимо позволить им последовать за собой к Гронскому. Но и медлить тоже нельзя. Алина покосилась на лежащий на заднем сиденье тяжелый вьюк защитного цвета и решительно тронула машину с места. Через минуту к джипу за ее спиной снова присоединился его напарник, и они продолжали следовать за ней с холодной и уверенной невозмутимостью.

До «Данко» было еще сравнительно далеко, но по опустевшим улицам, даже с учетом снегопада и льда на дороге, Алина планировала домчаться до медицинского центра минут за пятнадцать, не более. Оставалось только миновать совсем небольшой отрезок набережной, проскочить через мост, и дальше, не снижая скорости, снова по набережным и заснеженным темным проспектам до самого пункта назначения...

Алина подъехала к мосту, исполинской призрачной тенью нависавшему над черной водой, и резко остановилась. Несколько едва различимых среди метели фигур в оранжевых жилетах выставляли барьеры ограждений, перекрывая дорогу. Алина взглянула на часы и едва не застонала от досады. Мост собирались разводить, может быть, последний раз в этом году перед тем, как закончится навигация. Она обернулась: два джипа тоже остановились в двух сотнях метров за ней, тускло поглядывая желтыми фарами сквозь снежную тьму. Где-то вдалеке справа в густой пелене снега и мрака возникали очертания гигантского судна: огромная баржа приближалась к мосту, в темной рубке и палубных надстройках светились редкие огни, и казалось, что ее трюмы наполнены сырой и холодной землей, в которой спит нежить.

Алина погасила фары, давая понять, что смирилась с вынужденным ожиданием. Фигуры в оранжевом исчезли, оставив после себя несколько шатких ограждений. На боковинах моста замигали красные огни. Далеко над водой разнесся низкий потусторонний гул: баржа гудела, предупреждая о своем приближении.

— Карл, может быть, встанем поближе? — прозвучал в наушнике голос Хлои.

Карл, сидевший на переднем сиденье первого джипа, бросил взгляд на стоящий впереди автомобиль с погашенными фарами.

— Не нужно, она и так на нервах, — ответил он. — Никуда ей не деться сейчас, будет ждать, пока...

Алина резко ударила по педали газа, вжимая ее в пол. Четыре сотни вороных лошадей, заключенных в форсированном двигателе, разом рванулись вперед, словно подгоняемые адским возницей, дико взвыла турбина, и автомобиль полетел вперед, прямо на заграждения. Хлипкие барьеры разлетелись в разные стороны, как шрапнель, и машина взлетела на мост. Алина вцепилась обеими руками в руль, ощущая вибрацию приходящих в движение гигантских крыльев моста, и краем глаза заметила, как белыми вспышками засверкали в зеркале фары рванувшихся следом машин.

— Гони! — рявкнул Карл, хватаясь за поручень, а джип уже мчался вперед, и под его тяжелыми колесами жалобно звякнули сбитые Алиной барьеры.

— Не успеем... — начал было сидевший за рулем человек.

— Гони, я сказал! — снова гаркнул Карл, и джип с рычанием стал взбираться на медленно, но верно поднимающийся мост.

Алина чувствовала, как повышается угол наклона, и изо всех сил давила на педаль, будто стараясь придать этим машине дополнительных сил. Боковым зрением она вдруг совсем близко увидела маячащий во тьме силуэт огромной темной рубки и освещенное желтым окно, за которым виднелась крошечная человеческая фигурка. «Если я сорвусь, то эта махина накроет меня сверху», – успела подумать Алина. В нескольких метрах впереди виднелась линия разлома, чернеющий зазор между створками моста, становящийся все шире и шире. Алина невольно зажмурилась, судорожно сжав руль, ощутила бесконечно долгое мгновение полета, а потом «BMW», перемахнув через полутораметровую щель над бездной, резко ударился колесами и, почти потеряв управление, стремительно заскользил вниз.

Тяжелый джип опоздал всего на несколько секунд. Водитель в последний момент затормозил перед разверзшейся пропастью, вывернул руль, и машина юзом стала съезжать обратно по задирающемуся все выше мосту под аккомпанемент яростной брани Карла.

Алина сбросила скорость, кое-как выровняла автомобиль, который швыряло из стороны в сторону по всей ширине моста, слетела вниз, чиркнув при спуске бампером по металлическому основанию, снова сбила ограждения и остановилась, развернувшись, рядом с опешившими людьми в оранжевых жилетах. Мост, кажущийся неправдоподобно огромным в снежной мгле, торжественно и медленно поднимался все выше, отделяя ее от преследователей. Алина немного подождала, пока уймется крупная дрожь в руках, потом вывернула руль и поехала вперед, стараясь не думать о том, что только что сделала.

Карл выскочил из машины и захромал к Хлое. Она стояла рядом с трясущимся человеком в оранжевой спецовке и раздельно говорила, видимо, уже не в первый раз:

– Опусти мост.

Человек затрясся еще сильнее под сверкающим взглядом ее серебряных глаз и, глядя на висящий на боку у Хлои короткий автомат, кое-как выговорил:

– К-к-как?.. К-к-корабль...

Он неловко махнул рукой, указывая на приближающееся исполинское судно, и словно в ответ на его слова баржа снова издала низкое угрожающее гудение.

Хлоя зашипела и отошла в сторону.

– Едем обратно, – бросила она Карлу. – В ту сторону, где эта дрянь уже проплыла. Сведем мосты там.

Резко хлопнули дверцы, и через мгновение два черных автомобиля исчезли среди снега и тьмы.

* * *

Пахнущий старостью душный воздух квартиры полон негромкой невнятицей звуков, словно где-то за кулисами этого мира репетирует грядущий спектакль неведомый хор. А еще скорее ощущалось, чем слышалось, низкое гудение, как будто на угрожающей ноте звучала сама реальность.

Из комнаты Каина доносится монотонное бормотание. Я осторожно толкаю дверь и заглядываю внутрь. В синеватом свечении ночи, проникающем через грязное окно, я вижу хозяина комнаты. Художник смерти стоит на табурете, будто выступая перед незримой аудиторией, и монотонно читает стихи, напевные, странные, состоящие из тягучих слов незнакомого языка. Глаза его закрыты. Вероятно, он спит, а может быть, погружен в тот глубокий транс, в котором ему являются видения его будущих картин.

Я прикрываю дверь и иду дальше по темному коридору. Тихо скрипят старые половицы. Высоко под потолком на невидимых во тьме антресолях как будто возится кто-то, роняя вниз струйки почти незаметной пыли.

На мгновение я останавливаюсь у двери доктора Зельца. Сквозь тонкое дверное полотно слышится негромкое тоскливое подвывание, такое горестное и жалобное, какое может издавать только душа, лишенная всякой надежды.

Из комнаты Роговера не слышно ни звука, лишь слабо потрескивает огонь в печке-буржуйке. Я замираю, останавливая дыхание и замедляя биение сердца. Тишина, только пламя копошится на обугленных поленьях.

Я вхожу. Жаркую тьму едва рассеивает свет нескольких зажженных свечей. Теснятся вокруг книжные полки с тяжелыми ветхими томами, слипшимися в плотные ряды, и небольшими темными сосудами, тускло блестящими в пыльном мраке. Старинная мебель, драпировка, тяжелые портьеры на окнах. Я подхожу к высокому деревянному пюпитру. На нем по-прежнему лежит большая древняя книга, но на этот раз она закрыта. Я опускаю правую руку с пистолетом, а левой осторожно приподнимаю затертый кожаный переплет. На первой странице я вижу надпись, сделанную причудливой, но уже знакомой мне вязью: DEARG CEANGAL. Я переворачиваю еще несколько пожелтевших пергаментных листов, пропитанных временем и тяжестью темного знания, и слышу, как за спиной отчетливо и сухо звучит щелчок взведенного курка.

– Здравствуйте, лорд Марвер, – говорю я и оборачиваюсь.

* * *

Волны адреналина в крови шумели, как штормовое море. Алина резко затормозила у входа в «Данко», выволокла из машины тяжелый вьюк с огнеметом и с трудом повесила его себе на плечо. Широкая лямка больно врезалась в тело.

Дверь в медицинский центр была приоткрыта, и ветер уже нанес снег в узкую темную щель. Алина надавила плечом на массивный створ и вошла.

Тусклая лампочка дежурного освещения едва рассеивала полумрак. Вокруг сгустилась тревожная тишина ожидания. Золоченые львы отрешенно взирали пустыми глазами куда-то вдаль, за границы зримого мира. На ступенях лестницы тускло блестели лужицы жидкой грязи, одна за другой вытягиваясь в тонкую цепочку следов. Кто-то вошел сюда, и минуло достаточно времени, чтобы следы обуви стали просто крупными каплями влаги, но и не так много, чтобы они исчезли совсем. Снова люди Кардинала? Или кто-то другой наведался ненастной ночью в опустевшее здание клиники?

Алина помедлила и достала из кармана пистолет. Сверху, со стороны зияющего дверного проема, по-прежнему не доносилось ни звука. Она прошла вперед и остановилась у сторожевого поста. Темное зеркальное стекло было непроницаемо черным. Алина осторожно подошла к двери и нажала на ручку замка.

Внутри было пусто, только стоял потертый вращающийся стул на колесиках и на столе рядом с телефонами лежал забытый журнал с кроссвордами. В дальнем углу, прислоненный к стене, все так же стоял дробовик. Алина еще раз взглянула на влажные следы на ступенях, подумала и вошла внутрь.

Свет далекой лампы едва проникал сюда сквозь затемненное стекло. Алина убрала пистолет обратно в карман, прошла в угол и взяла стоящее там ружье: восьмизарядный «Mossberg 500» с прикладом из черного пластика. Похожее оружие, только охотничье, она видела у отца во время одной из их поездок на стрельбище. Она подошла к столу и, держа ружье на весу, резко передернула затвор. На столешницу выпал крупный патрон с картечью. Заряжено. Алина еще раз со звонким клацаньем щелкнула затвором, потом еще и еще, пока все патроны не высыпались на стол один за другим из опустевшего магазина, аккуратно собрала их вместе и пересчитала. Все восемь были на месте.

«– Сколько у тебя осталось патронов в пистолете? – спросил Гронский.

– Не знаю... не помню... – Она и правда не знала, а даже если бы знала, то вряд ли смогла бы сообразить после того, как минуту назад всадила пулю в грудь ламии. – Я стреляла два раза на заводе, потом сейчас два раза, и...

– Здесь ты выстрелила пять раз, а всего семь. Значит, осталось еще восемь патронов. У тебя есть запасная обойма?

– Да, – и она похлопала себя по карману, – с собой.

– Заряди полную обойму и запомни, сколько осталось в другой. Всегда считай патроны. Они имеют свойство заканчиваться в самый неподходящий момент».

Пятнадцать в пистолете и еще восемь в запасной обойме. Она это запомнила. А теперь еще восемь в дробовике. Алина аккуратно зарядила патроны с картечью обратно в «Mossberg» и мельком взглянула на свое отражение в темном стекле: в руках помповое ружье, на плече огнемет, из кармана торчит рукоять пистолета. Алина-коммандос. По губам скользнула невольная улыбка.

Она вышла из будки и стала подниматься вверх по ступеням, инстинктивно стараясь не наступать на блестящие влагой следы. Приглушенный звук шагов казался пугающе громким, как будто выдавал ее присутствие тем, кому совершенно не нужно об этом знать. Алина дошла до конца лестницы и оказалась в полутемном вестибюле первого этажа. Сейчас он казался гораздо больше, чем раньше: пустынный, скудно освещенный неживым светом редких дежурных ламп, наполненный неподвижной тишиной. Длинные стойки регистратуры и пустой гардероб вызывали в памяти образы заброшенного отеля из какого-то страшного фильма.

Грязноватые следы вели через ковровую дорожку к широкой лестнице на верхние этажи. Алина прошла через холл и стала подниматься, но вдруг остановилась и замерла, прислушиваясь: откуда-то из гулкой пустоты оставшегося позади вестибюля донесся тихий, но отчетливый звук, как будто что-то легкое и металлическое упало на плиточный пол. Алина стояла, не шелохнувшись. Тяжелые удары сердца шумом отдавались в ушах. Через мгновение звук повторился, а потом вдруг раздался еще один, короткий и отрывистый, словно кто-то толкнул и сразу остановил железные носилки на колесиках, прокатившиеся по керамической плитке. Алина повернулась в сторону холла и направила чуть дрожащее дуло дробовика вниз. Прошла минута, другая, но звуки больше не повторялись, и она снова пошла вверх по лестнице, глубоким дыханием стараясь выровнять бешеное биение сердца.

Следы на лестнице постепенно исчезли. Алина дошла до входа в коридор последнего этажа, где располагались апартаменты ее бывшего шефа. Сквозь густой сумрак вдалеке виднелась приемная, за которой чернел прямоугольник открытой двери. Если выстрелить из огнемета прямо отсюда, с того места, где она стоит, то заряд зажигательной смеси влетит точно в открытый кабинет и разнесет его вместе с приемной, а у нее будет достаточно времени, чтобы уйти до того, как пожар охватит все здание. Алина кивнула и взялась за лямку тяжелого вьюка за спиной.

И остановилась. Из кабинета Кобота донесся едва слышный слабый звук. Алина отпустила ремень огнемета, повесила на другое плечо дробовик – его тяжесть чуть уравновесила давящий груз «Шмеля» – и достала пистолет.

Звук повторился, приглушенный и какой-то живой, как будто нечто невнятно копошилось в кромешной пустой темноте. Потом раздался тяжелый удар падения чего-то мягкого, и снова настала тишина. Алина, стараясь ступать как можно тише по толстому пыльному ковру, медленно пошла по коридору в сторону приемной, перешагнула порог и замерла в нескольких шагах от открытой двери в кабинет. Оттуда снова послышался тот же негромкий звук, похожий на ритмичное приглушенное чавканье. Алина почувствовала, как взмокла ладонь, сжимающая пластиковую рукоять пистолета. Она пересекла приемную и вошла в кабинет, тускло освещенный неверным светом уличных фонарей.

В кабинете было все так же жарко. Разогретый сумрак пропитался странным и смутно знакомым металлическим запахом, смешанным с тонким ароматом алкоголя и каких-то специй, а еще – с тяжелым духом растревоженной сырой земли. Тускло поблескивали стеклянные дверцы шкафов. Мертвые головы животных на противоположных стенах смотрели перед собой, и в блестящем пластике искусственных глаз мерцали недобрые огоньки. Под большим окном справа стенная панель, закрывавшая батарею центрального отопления, была сдвинута в сторону, сама батарея выдвинута наружу и повернута перпендикулярно стене, как открытая дверь, а за нею чернел небольшой распахнутый сейф. Пол вокруг был устлан толстым слоем банкнот, рассыпавшихся из разорванных пачек, светлые прямоугольники купюр покрывали частые темные пятна. Широкая лужа растеклась на полу кабинета, в черной густой жидкости поблескивали осколки разбитого стекла. От лужи исходил тот самый резкий запах: железистый аромат крови, смешанной с вином и еще чем-то, незнакомым и неприятным. Ассиратум, подумала Алина и вздрогнула. За широким письменным столом что-то снова завозилось, и раздалось частое сырое чавканье, прозвучавшее сейчас неожиданно громко и совсем близко. Алина подняла пистолет, сделала несколько шагов вперед и осторожно заглянула за стол.

Наверное, она бы закричала, но ужас ударил внезапно и с такой силой, что из легких мгновенно вышел весь воздух, грудь сжало, а горло перехватило судорожным спазмом. На полу за столом лежал Даниил Ильич Кобот, вернее, то, что от него еще оставалось. Бледное изуродованное лицо было запрокинуто вверх и исполосовано длинными кровавыми царапинами, нижняя челюсть отсутствовала, толстый багровый лоскут языка свешивался на разорванное в клочья горло, а единственный остекленевший глаз вперился в потолок, выпученный в пароксизме боли и ужаса. Остального тела бывшего директора медицинского центра «Данко» и начальника Бюро судебно-медицинской экспертизы видно не было: на нем темными сгорбленными силуэтами восседали какие-то твари, низко опустив головы к его груди и животу и издавая утробное чавканье. Из сведенного судорогой горла Алины все-таки вырвался какой-то звук, похожий на слабый хриплый писк. Твари разом подняли головы, и она увидела их лица.

Три белесые маски боли и страха уставились на нее из темноты. Спутанные длинные волосы, измазанные запекшейся кровью и землей, ниспадали на покрытые трупными пятнами плечи и спины, с которых вместе с кожей свисали лохмотья какой-то тонкой ткани. Мертвые глаза были затянуты мутной пленкой, а в провалах раззявленных ртов торчали почерневшие зубы, сжимающие ошметки окровавленной плоти. Поднятые из глубин подвальных могил заклятьем Некроманта, жертвы Кобота пришли с визитом к своему мучителю и палачу.

Алина с хриплым криком отшатнулась, вскинула пистолет и выстрелила. Грохот и яркая вспышка разорвали тишину и полумрак. Кисловатый запах пороха примешался к тяжелым ароматам разлитого по полу эликсира. Пуля ударила в стену за столом. Нежить зашипела и начала подниматься. Алина выстрелила раз, другой, третий, потом еще и еще, выстрелы грохотали, гильзы падали в кровавую лужу на полу, а яркие вспышки выхватывали из тьмы чудовищно искаженные мертвые лица. Одна пуля угодила в висок одной из покойниц, вырвав клок обесцвеченных длинных волос, и та повалилась на мертвое тело Кобота, накрыв открытым окровавленным ртом его вывалившийся язык в последнем смертельном поцелуе. Остальные пули били в тела носферату, но те продолжали подниматься, не замечая ударов горячего свинца. Одна из них, тоненькая темноволосая девушка в обрывках белой сорочки, стала медленно обходить стол, а другая запрыгнула на него, присела на корточки, зашипела и протянула к Алине скрюченные пальцы с яркими акриловыми ногтями. Алина попятилась, дважды выстрелила покойнице в грудь, сбросив ее со стола, и услышала, как та забила по полу руками и ногами, силясь снова подняться. Алина резко развернулась к двери, и сердце ее, и без того захлебывавшееся в паническом ритме, чуть не разорвалось в груди. В дверном проеме возвышалась высокая обнаженная женская фигура. Голова склонилась набок, свесившись на белой и неестественно длинной шее, покрытая пятнами заострившаяся грудь торчала вперед и вверх, тусклые глаза смотрели с предсмертным страданием. Покойница подняла руки и шагнула к Алине.

«В голову, – промелькнула мысль, – надо бить в голову».

Первая пуля пролетела мимо, выбив щепки из дверного косяка. Носферату продолжала наступать, а сзади уже приближались двое других. Алина выстрелила снова, попав на этот раз точно в середину белого лба, и зомби рухнула на пол, забрызгав содержимым черепной коробки стену у входа.

Алина выскочила из кабинета и оглянулась. Тоненькая девичья фигурка застыла в столбах синеватого света из окон. Толстый длинный шов, заштопанный грубыми нитками, темнел на фоне бледной кожи. Она чуть присела, широко раскрыла черную пасть и исторгла из мертвого тела пронзительный свистящий вой. Он несся вслед Алине, опрометью мчавшейся по коридору, и когда, добежав до выхода на лестницу, она посмотрела вниз, то поняла, что это был вопль призыва.

Снизу по ступеням поднимались мертвые. Их было несколько десятков, тронутых тлением и почти разложившихся, идущих прямо или необычайно быстро карабкающихся на четвереньках, обнаженных и полуодетых в короткие платья, комбинации и бикини, смотревшихся дико и жутко на истерзанных, наспех зашитых телах, перепачканных кровью и землей. Словно армия полночных валькирий, поднимались они по лестнице, шипя, взвизгивая и бормоча на разные голоса.

Алина застыла на секунду, глядя на это инфернальное зрелище, а потом бросилась вперед, к двери в конце коридора, ведущей в заброшенный дом.

Массивный металлический замок был выломан, а сама дверь

выгнута и висела, покосившись, на одной петле, не выдержав напора той силы, что рвалась сюда с другой стороны. Алина не целясь выстрелила в приближающуюся нежить, протиснулась в дверь и бросилась вниз по лестнице.

* * *

— Здравствуйте, лорд Марвер, — говорю я и оборачиваюсь.

Первое, что я вижу, — два черных круглых отверстия ружейных стволов, нацеленных мне в лицо. Яков Соломонович Роговер, библиограф и пенсионер, стоит у дверей комнаты в своем длинном лапсердаке серо-зеленого цвета и держит в руках короткую двустволку. Впрочем, сейчас он мало похож на пожилого знатока старинных книг: кряжистая фигура налита темной силой, толстые узловатые пальцы крепко держат ружье, кустистые брови сдвинулись над пожелтевшими глазами, которые горят такой злобой, что заставили бы отвести взгляд и василиска. Из-за плеча выглядывает рукоять висящего на спине тяжелого меча.

— Литературой интересуетесь?

Низкий и хриплый голос вампира плохо передает интонации.

— В большей степени историей, — отвечаю я. — Особенно средних веков. Примерно конца тринадцатого века.

Пистолет в моей опущенной правой руке смотрит в пол. Мне нужны доли секунды, чтобы вскинуть его и выстрелить, и с расстояния не больше пяти метров, что разделяет меня и лорда Марвера, я не промахнусь. Но нельзя недооценивать скорость реакции старого упыря: ему нужно лишь нажать на спуск, и он тоже вряд ли промахнется, особенно если выстрелит сразу из двух стволов. Мой бронежилет, скорее всего, удержит пулю двенадцатого калибра или картечь, но если Роговер пальнет мне в лицо, то исходом дуэли будет в лучшем случае боевая ничья, а в худшем раненый Некромант уберется отсюда восвояси, оставив посреди комнаты мой труп с начисто снесенной головой.

— Я знал, что этим закончится, — говорит он и горестно покачивает стволами ружья. — С самого начала вся эта история вызывала у меня дурные предчувствия. С того самого момента, как я позволил милой, но — будем откровенны, чего уж там, — весьма недалекой Лилит уговорить меня продавать ассиратум какому-то мелкому проходимцу, я понимал, что в конце концов мне придется покинуть этот город. А жаль: знаете, в моем возрасте довольно трудно даются переезды, особенно если провел на одном месте без малого двести лет. Правда, такого плачевного развития событий я не ожидал. Сначала бедняга Вервольф, а теперь вот еще и Лилит... Вы знали, что она была настоящей, родовой вампирессой?

– Догадался, когда она вознамерилась заколоть меня и превратить во что-то вроде вас. Пришлось отказаться от такого сомнительного удовольствия.

Некромант исторг из сморщенного горла какой-то хриплый кашель. Видимо, это был смех.

– Да, нельзя было поручать ей это дело. Бедная девочка всегда была слишком влюбчива, постоянно норовила обессмертить кого-нибудь из своих кавалеров. Как она умерла?

– Получила две пули в грудь и живот.

Некромант прищуривается и кивает на мой пистолет.

– А, подготовленное серебро. Очень умно, очень. Я все время недооценивал вас, Родион, а жаль. Если не секрет, как вы догадались?..

Я чуть смещаюсь в сторону, не сводя взгляда с желтых глаз упыря. Он не замечает моего движения. Еще немного, и я смогу одновременно с выстрелом попробовать уйти с линии огня. А пока нужно с ним говорить.

– Я же видел книгу, – отвечаю я. – Во время своего первого визита к вам, помните, лорд Марвер? Вы еще рассказывали мне про гримуары.

Он качает головой.

– Это было досадной оплошностью. Но кто знал, что вы так бесцеремонно начнете рассматривать лежащие в комнате вещи в отсутствие хозяина? Да и вас тогда я совершенно не воспринимал всерьез: подумаешь, еще один бездельник, которого праздное любопытство заставило поинтересоваться старинными алхимическими трактатами. К тому же я привык, что могу хранить книгу совершенно открыто. Никто, увидев эту старинную рукопись, не мог бы понять, что она представляет собой на самом деле. А вы вот поняли.

– Не сразу. Ключом к разгадке стали два вопроса, которые не давали мне покоя несколько дней. Первый сформулировал покойный Мейлах: он не понимал, почему венецианский список манускрипта написан на скверной школьной латыни, что совершенно не вязалось с высокой образованностью автора книги. А второй я задал себе сам, когда до конца прочитал «Хроники Брана»: зачем леди Вивиен потребовалось переписывать книгу перед тем, как отдавать ее писцу, сделавшему те самые семь копий? Так получилось, что мне случайно подсказали ответ на оба вопроса:

леди переводила книгу с другого, хорошо известного ей языка, а латынью владела не настолько свободно, чтобы форма соответствовала глубине содержания. Когда я это понял, оставалось только узнать, на каком языке мог быть написан первоисточник.

Я еще чуть сдвигаюсь вправо, одновременно кивая головой назад, в сторону лежащей на пюпитре книги.

— Dearg Ceangal. Так звучит название «Красные цепи» на ирландском, родном языке леди Вивиен и лорда Валентайна. Первоначальный текст был написан по-ирландски, островным минускулом или гиберно-саксонским письмом, особым типом почерка, которым писали в средние века в Ирландии, а потом и в Британии. Его сложно с чем-то спутать. Эта та самая рукописная вязь, которую я видел на страницах вашей книги. После этого все встало на свои места.

Роговер качает головой и цокает языком.

— Знаете, почему я не застрелил вас сразу? — спрашивает он своим скрипучим, как песок склепа, старческим голосом. — Жаль было разбрасываться по комнате такими мозгами. Даже покойный Миша Мейлах так и не смог додуматься до всего этого.

— Вы сделали все для того, чтобы этого не произошло. Сломали ему жизнь, превратили в полубезумного алкоголика, а потом и убили, испугавшись, что с моей помощью он найдет ответы на свои вопросы.

— Мейлах был никчемным и слабым человеком, хотя и талантливым ученым. Конечно, когда вы явились ко мне во второй раз со своими расспросами, я был вынужден подстраховаться. Мне не удалось тогда перехватить нашего пьяницу по дороге домой, так что пришлось немного попугать его, чтобы выгнать из квартиры. Не стоит жалеть: он бы все равно спился и погиб. А вот вы — совсем другое дело. Признаться, мне даже немного жаль, что наш такой откровенный разговор происходит в подобной обстановке. Ведь все могло быть иначе.

— Например?

Еще одно незаметное движение в сторону. Совсем немного, и я буду готов стрелять.

— Например, мы могли бы договориться, — говорит Роговер. — Вы же неглупый человек, Родион, у вас есть сила, характер. Да и лишним гуманизмом вы не отличаетесь и вряд ли станете спорить с тем, что жизнь абсолютного большинства людей в этом мире есть лишь унылое, бессмысленное животное существование, ничем не отличающееся от того, которое ведет на ферме скотина, предназначенная на убой. Вы не можете не видеть, какие огромные перспективы способен открыть перед вами мой эликсир и какой подарок готова сделать вам судьба.

— Не вижу. Наверное, он слишком тщательно упакован.

Некромант усмехается, скаля желтые длинные зубы.

— А зря. Я подозреваю, что вами движет какая-то личная неприязнь, хотя, если посмотреть на ситуацию отстраненно и беспристрастно, я просто безобидный старик. Много ли мне нужно было, пока не началась вся эта свистопляска с продажей ассиратума? Две жертвы в год, только и всего, для меня и моего маленького дружного коллектива. Две глупые, никчемные жизни, все содержание которых до гробовой доски известно наперед, как банальный сюжет бульварного романа, в обмен на собственную блистательную вечность.

Я обвожу взглядом захламленную полутемную комнату.

— Ваша вечность, лорд Марвер, больше похожа на баньку с пауками.

— Моя тайна — это залог моей свободы, — строго отвечает он. — Я старый человек и не нуждаюсь в излишествах. Для меня достаточно моего бесконечного спокойного существования, и мне все равно, где я ее проживу, лишь бы подальше от чужого любопытства и жадности. Но вы, Родион, могли бы выбрать себе любую другую жизнь, устроив ее по своему вкусу и усмотрению, если были бы чуть мудрее и явились ко мне не с оружием в руках, как тать в ночи, а как друг и союзник. А в итоге вместо этого бесславно помрете здесь, в этих трущобах, с сотней граммов свинца во внутренностях. Ваша главная ошибка в глупой принципиальности и странных играх в благородство, которые совсем вам не к лицу.

— А знаете, в чем ваша главная ошибка, лорд Марвер? — спрашиваю я.

Он удивленно поднимает брови.

— В чем же, позвольте узнать?

— В слишком долгих разговорах.

Я вскидываю пистолет, одновременно делая шаг в сторону, и в тот же миг раздается оглушительный грохот ружейного выстрела.

* * *

Темнота ожила и зашевелилась. Пробегая по душному, наполненному висящей в воздухе старой пылью коридору заброшенной квартиры, Алина видела краем глаза мелькание серых теней и черных силуэтов, похожих на отверстые провалы в потусторонюю тьму небытия. На продавленной ветхой кушетке что-то копошилось, как будто пытаясь выбраться из мешанины рваной ткани и ржавых пружин. В пустой кухне рядом с покосившейся плитой, нависая над почерневшей кастрюлей, маячила какая-то согбенная фигура, повернувшая голову вслед промчавшейся мимо Алине.

За спиной глухо стучал по старым полам топот преследующей ее нежити, слышалось злобное шипение и утробное ворчание, как будто бурлили и булькали забродившие в мертвых телах гниющие внутренности. Алина выскочила на черную лестницу и помчалась вниз. Носферату неслись следом неуклюжими прыжками, перелезали через перила, обрушивались с верхних пролетов прямо у нее за спиной. Тяжелый огнемет больно колотился о спину, дробовик то и дело сползал с плеча, но Алина, промахиваясь мимо почти неразличимых во мраке ступеней, ударяясь о грязные стены и несколько раз чудом не переломав себе ноги, опередила своих преследователей на целых два этажа и бросилась к ведущей наружу двери подъезда.

Выход был заколочен. Алина врезалась в двери всем телом, отлетела в сторону, ударила еще раз, но ветхое дерево только трещало и осыпалось облупившейся краской, а дверь оставалась стоять на месте, удерживаемая прибитыми снаружи досками и листами железа.

Сверху на лестничную площадку в одном пролете от Алины выкатилась носферату в обрывках короткого красного платья. Она присела на четвереньки и зашипела, оскалив черные обломки зубов. Алина вскинула пистолет и трижды выстрелила. Пули ударили в гниющую плоть, одна с визгом заметалась рикошетом меж стен. Алина, прицелившись прямо в черный оскал, нажала на спуск четвертый раз. Отрывисто громыхнул выстрел, пуля попала покойнице в шею, а затвор пистолета замер, отскочив назад и оставив торчать наружу стальной вороненый ствол.

Алина бросилась вниз, к двери в подвал, на ходу вытаскивая из пистолета пустую обойму и пытаясь вспомнить, сколько патронов осталось в другой, которую она судорожными рывками пыталась выдернуть из кармана.

Восемь. Да, всего восемь.

Обойма с легким щелчком вошла в черную пластиковую рукоять. Алина опустила длинный рубильник у входа в подвал, прыжками пронеслась по плавно загибающейся пологой лестнице, на последних ступенях подвернула ногу, вскрикнула и упала на земляной пол.

По подвалу как будто прошелся злобный и мстительный вихрь. Железные столы с ржавыми потеками крови были сдвинуты с мест и опрокинуты, тяжелые кожаные ремни растянулись на полу, как мертвые змеи. Дверцы трех холодильников выворочены изнутри и смяты, словно фольга. Из сбитого крана над сорванной раковиной хлестала мутная ржавая вода, темным пятном впитываясь в пол. Сквозь разбитые стекла лаборатории виднелось исковерканное оборудование. Кладка вокруг дыры в дальнем левом углу обрушилась, а земля, усыпанная кирпичным крошевом, была изрыта и истоптана десятками ног.

Сверху слышались звуки приближающейся погони: мягкий топот, шипение, хриплые взвизги, исторгаемые мертвыми легкими. Алина вскочила на ноги, морщась от боли в лодыжке, и, прихрамывая, побежала к низкой железной двери в противоположной стене. Она с усилием навалилась на холодный металл, и на этот раз изнутри не раздалось звяканье засова. Дверь медленно подалась вперед, открывая вход в длинный коридор подземного хода. Алина надавила еще, и в этот момент в подвал, скатываясь по пологим ступеням, одна за одной стала вваливаться нежить. Казалось, что их стало еще больше за время короткой и стремительной погони. Душный спертый воздух подземелья наполнился тяжелым смрадом мертвой плоти. Алина последним усилием распахнула дверь и побежала по узкому коридору.

Редкие тусклые лампы в железной оплетке на низком сводчатом потолке освещали пространство подземного хода. Алина прохромала по утоптанному земляному полу к следующей двери, грубо сбитой из неструганых досок, за которой оказался еще один коридор, похожий на квадратную кирпичную трубу. В сотне метров впереди виднелся неровный пролом в стене, а за ним следующий низкий полутемный ход, ведущий еще дальше, в сырые подвальные подземелья.

Инфернальная погоня не отставала. Изуродованные смертью лики кадавров маячили за спиной, появляясь из-за поворотов, просовываясь сквозь узкие покосившиеся двери, через которые только что пробежала Алина. Она давно уже сбила дыхание, сердце с натугой колотилось в груди, тяжелый вьюк с огнеметом давил на плечо, которое наливалось ноющей болью, ружье билось прикладом о бедро. Если бы не редкие лампы, тонким светящимся пунктиром обозначавшие путь через подземелья, она неизбежно бы сбилась с пути: по сторонам то и дело чернели провалы боковых ответвлений, проржавевшие толстые решетки, из-за которых несло чудовищным зловонием или тянуло могильным холодом, и приоткрытые створки дверей, едва ли в половину человеческого роста, которые вели куда-то еще ниже, в недра осевших в болотистый грунт старинных руин.

Алина почти полностью потеряла чувство времени и пространства и не знала, как долго длится погоня и сколько она уже пробежала по подземному ходу, спасаясь от преследующих ее мертвецов. Она обернулась, бросив взгляд на пока еще пустой коридор низкого подвального лаза за спиной, и посмотрела на часы. С того момента, как она вошла в открытую дверь медицинского центра, прошло чуть больше двадцати минут.

Путь преградила очередная дверь из толстых деревянных досок. Алина с силой толкнула ее, потом дернула несколько раз и услышала, как с обратной стороны лязгает металл засова. Алина устало привалилась к грязным доскам и снова обернулась. Из-за угла покрытой плесенью серой стены, метрах в пятнадцати позади появилась первая носферату: высокая, крупная, грузное тело, рассеченное толстыми швами, покрыто мокнущими пятнами гнили, рыжие космы свалялись в грязные колтуны, один глаз вытек, а другой, подернутый пленкой, уставился на Алину. Покойница открыла рот и издала высокий сиплый визг. Алина подняла пистолет, прицелилась и нажала на спуск, раз и другой. Из толстой шеи выплеснулся сгусток темной запекшейся крови, второй выстрел снес верхнюю половину черепа, и рыжий скальп шлепнулся наземь, как окровавленный многоногий паук. Алина повернулась к двери и выстрелила туда, где должен был находиться засов. Пуля расщепила дерево, но дверь не подалась, а изнутри в ответ на рывки по-прежнему доносился металлический лязг.

В коридор медленно входили и вползали кадавры. Алина увидела ту тоненькую темноволосую девушку, которая терзала тело несчастного Кобота. Покойница уставилась на нее бельмами мертвых глаз, хрипло вскрикнула и подняла руку, как будто указывая остальным на загнанную жертву. Алина в отчаянии ударила по двери ногой и выстрелила пять раз подряд, в щепки измочалив толстые доски, пока пистолет снова не замер в руке, и услышала, как с обратной стороны что-то тяжело упало на земляной пол. Она швырнула ставшее бесполезным оружие в приближающуюся нежить и налегла на дверь. Нижний край толстой деревянной створки уперся в земляной пол, не давая ей открыться. Алину окутало зловоние разложившейся плоти и смрад, вырывающийся из жадно распахнутых ртов. Последним отчаянным усилием она навалилась на дверь, швырнула в образовавшуюся узкую щель вьюк с огнеметом, дробовик и протиснулась следом сама, почувствовав, как рвется тонкая кожа куртки, цепляясь за грубое дерево.

Теплый густой воздух чуть вибрировал от низкого гудения. Пахло маслом и разогретым железом. Высокий потолок скрывался в полумраке. Алина увидела множество толстых и тонких труб, протянувшихся под потолком и вдоль стен в смежное просторное помещение, из которого доносился негромкий гул, какой издает обычно работающее оборудование. Алина пробежала несколько шагов, заглянула туда и остановилась. По всей видимости, она попала в подвальную котельную под старым домом: трубы длинными щупальцами сходились к большим железным прямоугольникам газовых установок, в тусклом свете электрических ламп виднелись вентили, какие-то переключатели, мигали огоньки на старинных потертых панелях управления; здесь же, рядом с газовыми котлами, стоял протертый до дыр продавленный диван, на котором неопрятным комком валялось грязное одеяло и поношенный ватник.

Но не этот убогий колорит привлек внимание Алины. Рядом с котельной она увидела небольшую смежную комнату, дверь в которую была сейчас открыта. Серые неровные стены были густо покрыты грубо намалеванными странными знаками, сплетавшимися в диковатые узоры, вызывавшие приступ безотчетного иррационального страха. На протянувшихся вдоль одной из стен дощатых полках стояли металлические сосуды, а в самом центре помещения в земляной пол врос потемневший от времени широкий деревянный помост высотой примерно в полметра. Алина подошла ближе. Побуревшие и покрытые трещинами доски были исписаны непонятными словами на латыни, из которых Алина смогла прочесть лишь некоторые: «смерть», «кровь», «тело», «жизнь», «жертва»; в углах белели начертанные краской угловатые символы, а в центре был грубо нарисован силуэт человеческого тела, похожий на те, которые иногда наносят на месте преступления криминалисты, обозначая положение трупа. Перед ней было подземное святилище Некроманта, место, где он совершал свои темные ритуалы, изготавливая эликсир из человеческой крови и плоти.

Со стороны входа в котельную донеслись шорох и скрип. Алина выскочила из мрачного капища и посмотрела в сторону приоткрытой двери. В узкую щель протискивалась темноволосая узкоглазая носферату, шипя и оставляя обрывки кожи и гниющей плоти на занозистых шершавых досках.

Алина скинула с плеча дробовик, прицелилась и выстрелила. Раздался грохот, оглушительно раскатившийся меж каменных стен, толстый ствол содрогнулся у нее в руках и изверг горячие брызги картечи. Голова зомби разлетелась, липкие потеки плеснули на стены и вторую носферату, процарапывавшуюся сквозь приоткрытую дверь. Алина с клацаньем передернула затвор и выстрелила еще раз. Картечь разорвала тело покойницы почти напополам, и та рухнула наземь, продолжая скрести мертвыми руками землю и конвульсивно дергать длинными посиневшими ногами. Из-за двери раздался тоскливый многоголосый вой. Алина подождала несколько секунд, а потом повернулась и бросилась вперед, мимо страшного жертвенника, мимо котельной, туда, где коридор заканчивался глухой кирпичной стеной, слева от которой находилась закрытая дверь.

Снова раздался далекий вой мертвецов, и на этот раз он отозвался другими звуками, которые наполнили жаркое пространство подвала. Заскрипели, вылезая из кладки, кирпичи, что-то зашуршало и заскреблось в трещинах на потолке, и с тихим зловещим шорохом пришел в движение земляной пол под ногами.

Они выползали наверх из прогнивших могил среди провалившихся фундаментов давно исчезнувших домов, из болотистой грязи, из груд гниющего в подземельях древнего мусора. Вызванные к жизни темной силой заклинания Некроманта, поднимались из тьмы погребов все те, кто веками соседствовал с живыми, заявляя о себе только ночными кошмарами и кошмарными видениями наяву и лишь изредка являясь человеческому взгляду. Отравлявшие сны и сознание, таившиеся в темных углах пустых квартир, те, из-за кого люди зажигали свет, чтобы пройти из комнаты в кухню, те, что сводили с ума и являлись в горячечных галлюцинациях и алкогольном бреду.

Из дыры у самого пола выползало что-то человекоподобное, похожее на старуху в истлевших лохмотьях, растопырив распухшие руки и вцепляясь в землю корявыми пальцами. Как огромный нарыв, поднимался из земляного пола чей-то горб, а из трещины в стене появились вдруг две тонкие и омерзительно длинные паучьи лапы, которые с шуршанием цеплялись за кирпичи, силясь протолкнуть сквозь щель отвратительное тело. И вместе с ними оглушающей, парализующей волной навалился слепой панический ужас.

Алина закричала и трижды выстрелила в разные стороны,

яростно передергивая затвор. Жуткая старуха на полу разбрызгалась по земле грязными ошметками лохмотьев, замер вздымавшийся из-под земли горб, судорожно дергаясь, упала на пол срезанная картечью паучья лапа. Снова дико завыла нежить, подвал пришел в движение, скрипели и осыпались стены, сквозь которые все новые твари пытались пробраться наружу. Алина бросилась бежать. Деревянная дверь за спиной распахнулась, почти развалившись на части от мощного удара, и в котельную лавиной мертвой плоти ввалились носферату.

Железная дверь в тупике тоже была заперта изнутри и даже не шелохнулась, когда Алина в панике что было сил ударила в нее плечом. Она присмотрелась: стальная створка удерживалась в стене деревянными косяками, и можно было попробовать выбить ее из дверной коробки выстрелами или ударами приклада, но времени на это не было: кошмарные существа, заполнившие все пространство подземелья, приближались к ней, шли, ползли, карабкались по шершавым кирпичам. Алина прижалась спиной к стене и выстрелила в самую гущу надвигавшейся на нее чудовищной процессии. Залп разорвал пополам носферату и снес со стены огромного черного паука. На кирпичи плеснулась желтоватая гниль. Алина передернула затвор, успев заметить, что ноги разорванной покойницы, затянутые в рваные чулки на резинках, продолжают елозить по земле, а верхняя половина туловища ползет к ней, впиваясь в пол скрюченными пальцами с остатками ярко-красного маникюра. Следующий выстрел разнес на куски чью-то голову, темными брызгами разлетелась в стороны сорванная с тела обнаженная грудь. Алина снова перезарядила ружье, и в этот момент почувствовала, как что-то схватило ее за ногу. Она опустила глаза: из-под спутанных волос на нее уставились два мертвых бледно-голубых глаза, острые зубы были готовы вцепиться в лодыжку, а пальцы с красными ногтями цепко сомкнулись на щиколотке повыше ботинка. Алина прижала ствол к голове зомби и следующим выстрелом разметала вокруг себя осколки ее черепа, словно очертив магический круг. Она снова вскинула дробовик, щелкнула затвором, нажала на спуск – и услышала только негромкий щелчок. Патронов больше не было, и смертоносный «Mossberg» в ее руках превратился в дубину из стали и черного пластика.

Алина привалилась к стене и посмотрела перед собой. Иногда, еще в юности, она пыталась представить себе свою смерть, думала о том, какой она может быть, но такой, какая надвигалась сейчас на нее, наползала, приближалась с шипением и хриплым рычанием, она не могла бы вообразить и в самых кошмарных видениях. Если бы у нее была хотя бы минута, чтобы достать огнемет, подготовить и выстрелить в упор, она бы сделала это: лучше исчезнуть в яростном пламени взрыва, чем погибнуть под обломками черных зубов и быть разорванной на части руками мертвецов. Но сейчас у нее не оставалось и нескольких секунд. В памяти на мгновение возник образ растерзанного тела Кобота с языком, болтающимся на месте оторванной челюсти, а потом она вдруг увидела небо: высокое, чистое, ослепительно синее, такое, каким оно бывает в этом городе лишь несколько дней в году.

Алина глубоко вздохнула, покрепче перехватила бесполезный дробовик за ствол и шагнула вперед.

* * *

Тяжелая пуля двенадцатого калибра ударила в жилет, как копыто ломовой лошади. Страшный удар вспышкой боли отзывается в сломанных ребрах и отбрасывает меня спиной на раскаленную печь. Я тоже успеваю выстрелить: короткое рявканье пистолета звучит эхом ружейного залпа, но серебряная пуля разминулась с черепом старого упыря, разорвав ему ухо. Я слышу его вопль, ощущаю спиной огненный жар и перекатываюсь на бок, снова вскидывая пистолет, и тут раздается грохот выстрела из второго ствола. Пуля попадает в печь, разнося в клочья истончившийся и прогоревший металл «буржуйки». Наружу вываливаются раскаленные угли и взметаются вырвавшиеся на свободу языки пламени. Я едва уворачиваюсь от огня, который мгновенно и жадно бросается на пыльные оконные портьеры, толстый ковер, полки с книгами, осветив сумрак комнаты лихорадочно пляшущими темно-красными сполохами. В дверном проеме мелькает спина Роговера. Я стреляю еще раз, пуля попадает в дверь, оставляя в ней неровную большую дыру.

Пламя несется по комнате со скоростью лесного пожара, с гудением пожирая ветхую ткань, старое дерево и сухую бумагу. Я вижу, как оно добирается до ряда небольших темных сосудов на верхней полке книжного стеллажа, и они один за другим с треском лопаются, с шипением извергая свое содержимое в ревущий огонь, наполняя комнату мгновенно улетучивающимися запахами меди и пряностей. В самом центре бушующего пожара возвышается деревянный пюпитр с большой темной книгой, как будто чьи-то руки вздымаются из языков пламени, протягивая на раскрытых ладонях драгоценный манускрипт в последней попытке спасти его от огня. Я стою и смотрю на него, не в силах отвести взгляд. Толстая кожа обложки шипит и потрескивает, загибаясь углами от подступающего жара. Пюпитр шатается, обгоревшие стойки, не выдержав тяжести книги, подламываются и с треском оседают в огонь, увлекая за собой манускрипт, который скрывается в языках пламени и снопах взметнувшихся искр.

Я выскакиваю в коридор. Со стороны кухни слышен тяжелый торопливый топот: Роговер бежит к черному ходу. Он опережает меня на несколько долгих секунд, и стоит ему только вырваться из дома, как он легко затеряется в темном лабиринте дворов, среди знакомых ему проходов, подвалов и стен.

Из комнаты несет жаром и валит густой дым. Я поднимаю пистолет, несколько раз стреляю в потолок и что есть сил кричу:

– Пожар!

За поворотом коридора перед самой кухней открывается дверь. На пороге я вижу старуху Вилу: она все в том же засаленном толстом халате и дырявом платке, скрывающем мертвого, но все еще живущего в ее теле близнеца. Она смотрит на меня пустым остановившимся взглядом.

– Пожар! – кричу я ей в лицо и бросаюсь в сторону двери черного хода. Она открыта, и я вдруг вижу, как совсем близко передо мной мелькает спина Роговера, только не внизу лестницы, а наверху, всего в одном пролете от меня. Я стреляю, но старый упырь несется с редкостной прытью, и пуля ударяется в грязную стену. Удивляться странному маневру Некроманта, решившего искать спасения не внизу, а вверху, мне некогда, и я бросаюсь за ним следом, перемахивая разом через несколько низких истертых ступеней. Откуда-то снизу несется грохот, похожий на выстрелы из ружья, – раз, другой, третий. Наверху хлопает дверь чердака: значит, Роговер решил уходить через крыши.

Светлый прямоугольник открытого чердачного люка светится в нескольких шагах впереди. Тишина. Снизу отчетливо несет гарью и дымом, и дом оживает хором встревоженных голосов. Я осторожно подхожу к открытому входу на крышу и выглядываю наружу: надо мной темное небо в обрывках белесых туч, сквозь которые блестят тусклые редкие звезды. Плоская крыша покрыта тонким нетронутым слоем легкого снега. Я выбираюсь из люка и только тут понимаю, что на белом снегу нет отпечатков следов.

Резко свистит лезвие тяжелого меча. Некромант, стоявший сбоку от люка, занеся оружие, как палач, ожидающий жертву, с силой бьет сверху вниз. В последний миг я успеваю отдернуть голову, и удар приходится по пистолету. Он вылетает у меня из руки и, загремев по крыше, исчезает в темноте. Длинный клинок врезается в тонкое кровельное железо и застревает там на мгновение, достаточное, чтобы я смог кувырком перекатиться вперед и встать на ноги, выхватив из ножен на плече свой нож.

Роговер поворачивается ко мне, держа обеими руками меч. Остатки старческого благообразия, приличествующего образу пожилого библиографа, окончательно оставили его. Передо мной стоит Некромант, лорд Марвер собственной персоной, разрушитель замков и повелитель неупокоенной нежити. Он насмешливо смотрит на нож в моей руке, поднимает свой меч и делает шаг вперед. Я отступаю, осторожно передвигаясь по скользкой железной кровле, покрытой снегом и морозной коркой тонкого льда. В нескольких метрах справа вертикально вверх уходит глухая стена, а слева, за крутым длинным скатом, чернеет провал двора-колодца, каменного мешка, не имеющего ни дверей, ни окон, ни входа, ни выхода. Метрах в пяти у меня за спиной узкий переход, ведущий дальше, на крыши других домов. Чтобы попасть туда, Некроманту нужно пройти прямо через меня. И судя по всему, именно это он и намерен сделать.

Меч с негромким гудением рассекает воздух. Лорд Марвер делает неширокие круговые взмахи, постепенно приближаясь ко мне.

– И как вы намереваетесь повредить мне вот этим? – Он кивает на нож и делает пару мелких шагов вперед.

– Отрежу голову. Мне кажется, это должно подействовать.

– Вы всерьез полагаете, что сможете противостоять мечу с ножом в руке? – спрашивает он.

Я так не полагаю. Ни один здравомыслящий человек не может так полагать. Но выбора у меня нет.

– Надеюсь вас удивить, – отвечаю я и перехватываю нож лезвием к себе.

* * *

Толпа инфернальных тварей остановилась, как будто вдруг охваченная странной неуверенностью. Алина стояла перед ними, сжимая в руках высоко поднятый вверх дробовик. «Ну, давайте, – подумала она. – Чего вы ждете?» Нежить и в самом деле словно замерла в ожидании, и в этот миг Алина услышала далекий человеческий крик, а сразу после из коридора позади котельной прозвучали выстрелы: один, другой, потом глухо громыхнул ружейный залп и затрещала автоматная очередь.

* * *

— Что это такое?! – прорычал Карл, сжимая в руках тяжелый «Jackhammer». – Ради всего святого, что это еще за чертовщина?!

— Мертвые, — ровным голосом отозвалась Хлоя, вскинула автомат и дала короткую очередь. Голова высокой носферату, появившейся из дверного проема, задергалась и разлетелась тяжелыми брызгами.

Они ворвались в «Данко» несколько минут назад: Хлоя, Карл и еще четыре бойца, кроме водителей, оставшихся в стоящих у входа машинах. Сигнал маркера в рукояти огнемета, висящего на плече у Алины, провел их через пустынные коридоры, темноту заброшенной квартиры и подземелья сюда, к двери подвальной котельной. Хлоя увидела, как идущий впереди разведчик из ее группы вдруг остановился, потом вскрикнул и несколько раз подряд выстрелил из пистолета в возникшую перед ним покачивающуюся фигуру в обрывках темного платья. Жуткое существо зашаталось, но шагнуло вперед и вцепилось в стрелка, а из-за разломанной деревянной двери впереди полезли все новые и новые твари, так что через мгновение человек скрылся под навалившимся на него грузом мертвой плоти. Подоспевший Карл снес сразу нескольких кадавров залпом картечи, и тут же тесное пространство подземного хода наполнилось звуками автоматных очередей.

Хлоя взглянула на экран пеленгатора.

— Она в полусотне метров впереди. Стояла, а сейчас снова движется. Пробиваемся к ней.

* * *

Выстрелы, доносящиеся из коридора за котельной, слились в непрерывную канонаду. Нежить, стоявшая перед Алиной и уже готовая было броситься на свою жертву, стала отступать, развернулась и устремилась назад, шурша лапами и тяжело топая неживыми ногами по земляному полу. Перед Алиной осталась только одна носферату, та самая невысокая тоненькая девушка с темными волосами, спутавшимися в длинные жуткие колтуны, и большими глазами, затянутыми белесой пленкой. С расстояния в пару шагов Алина могла рассмотреть каждый стежок толстой нити, схватывающей грубо и наспех заштопанный продольный разрез, видневшийся сквозь порванную грязную ткань ее когда-то светлой одежды. Покойница стояла, слегка покачиваясь, уставившись прямо перед собой. Алина поудобнее перехватила ствол дробовика.

– Ну что, подруга? Остались только мы с тобой, да? Может быть, присоединишься к остальным?..

Неожиданно носферату вскинула руки и бросилась вперед, неестественно широко разевая рот в хриплом, похожем на карканье вопле. Алина размахнулась по широкой дуге и изо всех сил ударила прикладом снизу, точно под нижнюю челюсть. Голова мертвой резко запрокинулась назад, хрустнули, переламываясь, шейные позвонки, и она упала навзничь. Алина шагнула вперед и занесла ружье.

– Спи спокойно, – сказала она, и удар приклада размозжил голову несчастной покойнице, окончательно отправив ее туда, откуда она была насильно призвана темной чужой волей.

На то, чтобы выбить дверь, у Алины ушла примерно минута. Тяжелый пластиковый приклад треснул вдоль, подвижное цевье затвора перекосилось и заклинило, но неожиданное спасение придало Алине сил, и в конце концов дверь распахнулась, с треском вырвавшись из удерживавших ее деревянных косяков. Алина увидела перед собой узкую грязную лестницу, уходящую вверх. Резко пахнуло сыростью, застарелой мочой и крысиным ядом, а еще отдаленным и тревожным запахом гари. Алина отбросила искалеченный дробовик и побежала вверх. Запах дыма стал сильнее, где-то наверху тяжело застучали шаги, которые сначала поспешно приближались, а потом так же быстро стали удаляться, поднимаясь наверх. Где-то вдалеке прозвучали выстрелы, а потом крик:

– Пожар!

Алина узнала этот голос, и дыхание перехватило от неожиданной радости. Гронский здесь, он жив, а она сама оказалась там, где и должна была быть, в доме Некроманта, проделав путь до него через лабиринты подземного хода, соединяющего мрачное капище в котельной с подвалами заброшенного дома и медицинским центром. Алина поправила болтающийся на спине вьюк с огнеметом и поспешила вперед, оставив за спиной несущиеся из подвала частые звуки стрельбы.

* * *

Две фигуры застыли напротив друг друга на заснеженной крыше: коренастый старик с длинным мечом в обеих руках и высокий человек в черном, в сжатом кулаке которого темнела вороненая сталь боевого ножа. Длинные сивые космы старого упыря развевались на ветру, трепавшем полы его лапсердака. Остатки разорванных туч уносились прочь, покидая черное небо, словно гонимые неведомой силой серые призраки. Редкий снег серебрился вокруг, как морозное дыхание ночи. Холодные звезды равнодушно смотрели вниз, безразлично взирая на поединок.

Гронский отразил пару атак Некроманта, стараясь держать нож под углом, чтобы удары меча скользили по чуть наклоненному лезвию. Клинок из вороненой стали мог выдержать нагрузку в сто килограммов и легко пробить кевларовый бронежилет, но не был предназначен для фехтования, и прямой удар тяжелого меча с легкостью переломил бы его. На третий раз, когда наседавший противник широко размахнулся и с силой обрушил сверху длинный клинок, Гронский и вовсе не стал подставлять нож, а просто чуть отклонился назад, и меч ушел вниз, увлекая за собой самого Некроманта. Гронский тут же сделал быстрый выпад, целя в морщинистое горло, но упырь отдернул голову с быстротой, которой позавидовала бы и кобра, и нож прошел в сантиметре от складок пожелтевшей старческой кожи. Теперь лорд Марвер уже не пытался бить, рассчитывая только на силу, и наносил короткие и точные удары, сохраняя равновесие и не подпуская Гронского на расстояние удара ножом. Он наступал, понемногу продвигаясь вперед, и вдруг замер, напряженно прислушиваясь. Гронский тоже услышал шум и бросил быстрый взгляд через плечо Некроманта.

Из низкого чердачного люка на крышу выбиралась Алина. Она выбросила на загремевшую кровлю тяжелый вьюк с огнеметом и на четвереньках вылезла следом сама. Рыжие волосы были растрепаны, лицо перепачкано подвальной пылью и грязью, джинсы снизу и до самых колен забрызганы густыми темными потеками, а куртка изорвана в нескольких местах, так что клочья коричневой кожи свисали, словно нелепая бахрома. Алина посмотрела на замерших напротив друг друга противников, отвернулась и стала молча распаковывать вьюк.

– Почему так долго? – спросил Гронский.

– Пошел ты к черту, – с чувством сказала Алина и с усилием вытянула из плотного чехла длинную металлическую трубу.

Некромант занервничал, переминаясь с ноги на ногу, и облизывая бескровные тонкие губы. В желтых глазах заметалось беспокойство. Гронский не сводил с него пристального внимательного взгляда.

— Как дела в «Данко»? — снова спросил он.

— Прекрасно, — отозвалась Алина. — Обошлись без пожара. Там уже поработали другие чистильщики.

Некромант быстро взмахнул мечом и шагнул вперед, но Гронский был готов к его выпаду и легко уклонился, еще немного отступив назад.

— Алина, — снова заговорил он, — спустись обратно на чердак, там можно будет укрыться от взрыва. Подготовь огнемет к выстрелу, обопрись на крышу и прицелься. И если со мной что-то случится, сожги эту дрянь к чертовой матери.

В желтых глазах Некроманта полыхнул яростный огонь. Он издал вопль, похожий на злобный клекот падальщика, и пошел на Гронского, осыпая его быстрыми сильными ударами. Алина замерла на месте, глядя, как Гронский пятится назад, пытаясь уклоняться и защищаться ножом, а лезвие меча мелькает у его горла, лица, груди, все быстрее и быстрее.

«Ему не выстоять, — подумала Алина и подняла огнемет, забыв о том, что ей нужно отойти на чердак. — Нет, не выстоять».

Клинок меча задел левую руку Гронского и скользнул дальше, окрасившись кровью. Гронский вскрикнул и наклонился, непроизвольно опустив на мгновение руку с ножом. Некромант зарычал, поднял меч и обрушил тяжелый удар, целя в голову склонившегося перед ним человека. В последний момент тому все же удалось поднять свой нож, подставляя его под удар. Меч сломал вороненое лезвие, но чуть отклонился в сторону и прошел в сантиметре от головы Гронского, а Некромант резко наклонился вперед, увлекаемый силой мощного взмаха. Гронский распрямился пружиной, выпрыгнул вверх, стремительно крутанулся в воздухе и резко выбросил вперед левую ногу. Сокрушительный удар пришелся точно в голову старого упыря. Меч вылетел у него из рук и, стуча и подпрыгивая, полетел по крутому скату крыши в сторону черного провала колодца, а вслед за своим оружием последовал и сам Некромант, покатившись вниз рычащим комком тряпья и грохоча сапогами по железу.

Алина радостно вскрикнула и тут же осеклась: Гронский неловко приземлился после прыжка, поскользнулся на заиндевевшей кровле и тоже упал на крутой скат, стремительно заскользив вниз.

Она подбежала к краю крыши. В последний момент Гронскому удалось повернуться на спину и задержать падение, ударившись каблуком в жестяной желоб водостока, как раз в том месте, где в него вцепился скрюченными пальцами повисший над двором Некромант. Тот невероятным усилием подтянулся, почти взлетев в воздух, и обрушился на Гронского сверху. Противники сцепились, лежа на крутом скате крыши. Некромант выхватил из-под полы своего лапсердака длинный кинжал и с воплем ударил, целя в горло, но Гронский успел уклониться, и клинок, пробив, как консервную банку, ветхое железо, по самую рукоять вошел в деревянную балку крыши. В следующий миг узловатые пальцы вцепились Гронскому в шею. Упырь давил и рычал, а человек изо всех сил пытался оторвать его от себя, и ему удалось отодвинуть Некроманта ровно настолько, чтобы просунуть между ним и собой согнутую в колене ногу. Цепкие руки продолжали хвататься за шею и одежду, но Гронский оперся спиной о крышу, резко выпрямил ногу и с силой отбросил от себя Некроманта, как человек стряхивает с одежды омерзительное насекомое. Тот отлетел, на мгновение завис в воздухе, хватая пустоту растопыренными пальцами, и с пронзительным криком полетел вниз.

Гронский перевел дыхание и посмотрел во тьму, туда, куда рухнул старый вампир. Далеко внизу, на глубине в шесть этажей, во мраке каменного колодца что-то копошилось, отвратительное и страшное, словно недодавленный паук.

– Аля, огнемет! – закричал Гронский.

Алина, не успев даже подумать о том, что делает, прыгнула боком на крутой склон крыши и заскользила вниз, как с горки, прижимая к себе огнемет и целясь выставленной вперед ногой в водосток. Ветхая жесть дрогнула и прогнулась, принимая на себя тяжесть двух человек. Гронский подхватил железную трубу огнемета и поднял его вертикально вверх над каменным мешком двора.

– Привет от леди Вивиен, – негромко сказал он и нажал на спуск.

Грянул гром. Короткий столб пламени и шлейф порохового дыма вырвались вверх, осветив на мгновение яркой вспышкой крыши домов. Капсула зажигательного заряда ушла в темноту, и в следующий миг все вокруг содрогнулось. Грохот расколол темную ночь, как елочную игрушку. Старые стены домов затряслись, покрылись глубокими трещинами и разом осели, покосившись в разные стороны. Хлипкий желоб водостока не выдержал, оборвался, и Гронский с Алиной скользнули вниз, откуда им навстречу уже взлетало яростное, всепожирающее пламя.

В последний момент Гронский успел ухватиться за рукоятку ножа, вбитого в крышу, а другой рукой прижать к себе Алину и откинуться как можно дальше назад, уклоняясь от языков огня, которые рвались из каменного жерла двора, словно из недр вулкана. Алина судорожно вцепилась в Гронского, пряча лицо у него на груди, и ей скорее показалось, чем она услышала на самом деле, что сквозь рев пламени звучит, постепенно затихая, нечеловеческий душераздирающий вой...

Очнулась Алина уже наверху. Кругом летали крупные черные хлопья сажи, поднимаясь к ясному холодному небу, и оседали обратно, словно отвергнутые падшие души. Из квадратного чердачного люка густыми клубами валил дым. Где-то вдалеке завывали мертвыми голосами сирены пожарных машин.

Гронский протянул ей руку, помогая подняться. Она встала, с трудом приходя в себя и морщась от боли в подвернутой так неловко лодыжке.

– Пожалуй, самое время отсюда уйти, – сказал он. – Если, конечно, у тебя нет больше здесь никаких дел.

Алина посмотрела на Гронского, на покрытые волнами прогнувшегося металла крыши, трещины в стенах, на летящую из каменного провала сажу и на затянутый дымом вход на чердак.

– И как мы уйдем?

– Не беспокойся. Я знаю другую дорогу.

Он взял ее за руку и повел по заснеженным крышам.

* * *

Сообщение о пожаре в квартире номер 22 поступило на пульт пожарной охраны в 3.45 утра, но первые расчеты прибыли только минут через тридцать. Позже пожарные и спасатели и сами не могли объяснить себе причину такой необычно долгой задержки: им как будто пришлось преодолевать состояние странного оцепенения, среднего между сном и бодрствованием. Довольно много времени потребовалось и для того, чтобы добраться до места возгорания через запутанный лабиринт дворов, протянуть шланги к немногим работающим гидрантам на улице, так что, когда пожарные команды наконец приступили к тушению, весь дом был объят гудящим неистовым пламенем, которое уже протягивало жадные хищные пальцы к соседним зданиям. Следом за пожарными приехали кареты «Скорой помощи», автомобили полиции и бойцы МЧС, которых вызвали перепуганные жильцы других домов, наперебой кричавшие в телефонные трубки о страшном взрыве, сотрясшем квартал. В тесном дворе у горящего дома столпились его бледные жители, похожие на вытащенных из воды обитателей морских глубин, в наспех наброшенных поверх пижам и ночных рубашек пальто, сжимая в руках те из своих жалких пожитков, которые им удалось спасти. Среди них суетились пожарные, спасатели, врачи, полицейские и несколько человек в черных комбинезонах и бронежилетах, выскочивших из дверей черного хода за несколько минут до того, как огонь охватил весь дом. Грузный мужчина в байкерской кожаной куртке с трудом удерживал высокую женщину с короткими черными волосами, которая рвалась обратно в полыхающий пламень так, как будто там осталось нечто более ценное, чем ее жизнь.

Десятки брандспойтов сражались с пожаром, обрушивая в пламя тонны воды, и в конце концов старые и прогнившие деревянные перекрытия дома не выдержали напора двух стихий: шесть этажей пылающих обломков, балок, стропил и горящего скарба с треском рухнули разом вниз до самого подвала, погребая под собой подземелье, разложившиеся мертвые тела, недвижную нежить и капище Некроманта. Как слезы брызнули вылетевшие стекла, из черных окон повалил дым, и густые облака серой пыли, как будто недобрые души, спасались бегством от разъяренного пламени. Остатки грязных стен и обшарпанных лестниц с грохотом сложились внутрь, и от дома остался лишь остов с пустыми глазницами оконных проемов, подсвеченных багровым пламенем, словно глаза жуткой каменной маски, надетой на пустоту...

Иван Каин стоял неподвижно, со спокойным достоинством глядя в огонь, уничтожающий его полотна. У него на груди рыдал и бился доктор Зельц, захлебываясь слезами и повторяя раз за разом одно и то же:

– Она погибла! Погибла! Моя любовь! Она погибла, сгорела! Моя любовь...

Каин одной рукой обнимал его за плечи, а другой держал накрытую простыней картину, последнее свое творение, написанное прошлым вечером. Порыв ветра откинул на мгновение простынь, открыв тем, кто желал бы это увидеть, исполненное ярости и ужаса лицо Якова Самуиловича Роговера, пенсионера и библиографа, исчезающее в языках клубящегося адского пламени.

# Глава 22

Холодное небо было спокойным и чистым. Бледное солнце светило неярко, ровно, устало дожидаясь конца короткого дня. Деревья далекого парка на другом берегу, тягучие серые воды реки, дома и сам воздух застыли в прозрачном молчании, чувствуя морозное дыхание близкого зимнего сна. Угасающий свет тихо лился в окно и ложился на стены и пол желтоватыми длинными клиньями.

– Сегодня еще троих привезли, – сказала Алина.

Она сделала глоток зеленого чая и взглянула на Гронского. Синяки и ссадины на бледном лице превратились в смутные тени. Под белой рубашкой просвечивали повязки на груди и левой руке. Алина машинально прикоснулась кончиками пальцев к своей щеке: три длинные царапины уже давно перестали болеть и кровоточить, превратившись в розовые отметины на светлой коже.

Прошедшие две недели выдались беспокойными, но это была относительно нормальная суета рабочих будней, пусть даже причинами ее являлись отголоски тех событий, которые завершились памятной ноябрьской ночью, когда в пламени объемного взрыва сгинул зловещий лорд Марвер. Тогда, уже под утро, Гронский и Алина ввалились домой, покрытые грязью, копотью и кровью, измученные и истерзанные, в странном состоянии лихорадочно-радостного возбуждения. Они так и не уснули: сидели на кухне до самого рассвета и разговаривали, словно пытаясь с помощью слов выпустить прочь из души темную мглу кошмарных переживаний.

На следующий день Алина поехала к отцу, и, пока его не было дома, собрала вещи и вернулась в свою квартиру. Теперь та не казалась ей больше ни чужой, ни страшной. Алина наспех привела себя в порядок, переоделась и отправилась на работу. Ее бурная деятельность последних недель принесла неожиданные и запоздалые плоды: на основании результатов исследований эксгумированных останков погибшей в августе девушки-телохранителя, тела несчастной Марины и еще одной жертвы все аналогичные случаи были объединены в одно производство и по ним начато новое уголовное дело. Лучшие силы Следственного комитета и полиции города были брошены на поиски серийного убийцы, так долго и безнаказанно совершавшего свои кровавые преступления. Одно за одним в морг поступали все новые эксгумированные тела в сопровождении документов, в которых в категорической форме подтверждалась важность и приоритетная необходимость этих экспертиз для скорейшего изобличения загадочного злодея. Алина организовывала работу, распределяла поступающие тела между сотрудниками своего отдела, подписывала акты и молчала. К телам жертв Вервольфа она сама больше не прикоснулась ни разу.

По факту выявленных нарушений при исполнении служебных обязанностей специалистами городского Бюро судебно-медицинской экспертизы было назначено служебное расследование, имевшее серьезные перспективы стать уголовным делом. Впервые за последние недели на работе появился Эдип: бледный, небритый, всклокоченный, с затравленным взглядом покрасневших от алкоголя глаз. Его нашли на собственной даче, в компании нескольких бутылок виски и заряженного охотничьего ружья, которое он, к огромному счастью для себя, не успел применить против обнаруживших его сотрудников полиции: когда они вошли в дом, бывший руководитель отдела судебно-медицинской экспертизы трупов мирно спал. Что же до Мампории, то он еще неделю назад написал заявление о предоставлении отпуска за свой счет и отбыл на родину, откуда, судя по всему, возвращаться не собирался.

Расследованием причин, побудивших Эдипа Иванова давать неверные заключения по всем случаям, когда ему приходилось исследовать истерзанные собачьими клыками тела, занималась специальная комиссия. Алину пару раз вызывали в бывший кабинет Кобота, где она, как могла, рассказывала трясущемуся от волнения директору и нескольким серьезным мужчинам в плохих костюмах о том, как совершенно случайно обнаружила ошибки в результатах экспертиз и настояла на их повторном проведении. Сидевший здесь же Эдип бросал на нее быстрые взгляды исподлобья, и она не знала, чего в них было больше: страха или мольбы. Впрочем, он мог ничего не бояться: Алина промолчала и здесь, рассказав не более необходимого, а в отсутствии бесследно пропавшего Кобота, который был бы главным подозреваемым в организации сокрытия тяжких преступлений, Эдипу не грозило ничего, кроме увольнения, которое в сложившихся обстоятельствах можно было счесть подарком судьбы.

За это время Алина пару раз созванивалась с Гронским, просто так, без повода: у них больше не было общих дел, и это было странно и непривычно. Один раз ей позвонил отец.

— Привет, дочка, — сказал он. — Как ты поживаешь?

— Все хорошо, папа, — ответила она. — А как ты?

— У меня тоже все в порядке. Может быть, найдем время на неделе и встретимся? Я собирался съездить на стрельбище, присоединишься?

— Наверное, не получится. — Алина не стала говорить, что ей еще долго не захочется стрелять из ружья. — Очень много работы. Может быть, через неделю?

— Хорошо. Я позвоню.

Отец ни о чем ее не спросил, а Алина ничего не сказала.

Потом наступил день новолуния, и в морг стали привозить другие тела. На них не было признаков насильственной смерти, но каждое находилось в той или иной стадии разложения, что было особенно странным, если учесть, что смерть всех этих людей была скоропостижной, и те, чьи обезображенные тлением трупы один за другим ложились на прозекторский стол, еще вчера управляли крупными компаниями, занимались политической деятельностью или руководили силовыми структурами различных ведомств. Алина молчала и спокойно делала свою работу, детально описывая состояние тел и оставляя другим строить догадки о причинах столь странных посмертных явлений. На сегодняшний день, второй после наступления новолуния, через ее отдел прошло одиннадцать таких мертвецов.

— Сегодня еще троих привезли, — сказала она. — Итого с предыдущими уже четырнадцать.

Гронский кивнул.

— Всего должно быть двадцать четыре, — сказал он. — Помнишь, Кардинал говорил о количестве клиентов «Данко»? Хотя не всех из них привезут на освидетельствование патологоанатома. Среди пациентов покойного Кобота было немало таких людей, чью смерть не будут афишировать. Впрочем, тех, чей переход в иной мир стал достоянием общественности, уже достаточно для того, чтобы в газетах и выпусках новостей не осталось живого места от некрологов и панегириков с выражением искренних соболезнований. В последние дни похоронный бизнес в городе переживает небывалый подъем: все умершие были очень состоятельными людьми. Не удивлюсь, если скоро какое-нибудь из крупных похоронных агентств объявит о первичном размещении акций. У меня уже телефон разорвался от звонков.

– Жутко. – Алина передернула плечами. – Как ты думаешь, они знали о том, что их ждет?

Гронский покачал головой.

– Кто-то, может быть, и знал, но скорее всего, большинство не догадывалось о возможности подобного исхода. Вряд ли Кобот сообщал своим пациентам о таком интересном свойстве эликсира, когда продавал его очередному клиенту.

– Ты мог бы заработать кучу денег только на торговле информацией, – заметила Алина.

Гронский посмотрел на нее. Она покраснела, тут же мысленно отругала себя за нелепую реплику и поспешно добавила:

– Я имею в виду, что ты ведь знал... Ну, то есть ты работаешь в этом бизнесе, так что... в общем, если бы ты захотел, то заказов у тебя было бы более чем достаточно. Вот.

Гронский слегка улыбнулся.

– Увы, я пренебрег открывшимися передо мной блистательными возможностями. В этом городе достаточно тех, кто может похоронить своих мертвецов и без моей помощи. Хотя без работы я тоже не остался. Среди тех, кто ушел из жизни в последние дни, есть люди, проводить которых лично я счел своим долгом.

– Кто?

– Во-первых, Мейлах. Университет неожиданно выделил средства для его похорон: родственников у него не осталось, а он все-таки был в свое время известным ученым, доктором наук. Вчера получили тело из вашего морга, так что завтра состоится гражданская панихида и погребение.

Алина кивнула.

– Да, по трупу все следственные действия были закончены, я знаю. Только была не в курсе, что ты взялся за похороны. Мог бы сказать, я бы ускорила процедуру выдачи тела. Все равно это будет еще одним уголовным делом, которое останется нераскрытым и уйдет в архив.

Алина помолчала.

– А кто еще? – спросила она.

Гронский посмотрел в сторону, и Алина, проследив его взгляд, увидела стоящий на полке небольшой пластиковый сосуд, в котором на желтом листке неподвижно замерла черная бабочка.

...Высокая кованая калитка, стиснутая меж двух толстых каменных опор, приоткрыта, и когда Гронский толкает тяжелую решетку, она отзывается слабым жалобным скрипом, похожим на погребальную песнь. Будка охраны опустела, темное стекло помутнело изнутри и покрылось капельками измороси, глаз видеокамеры над воротами застыл и смотрит в пустоту остановившимся взглядом мертвеца. Парк вокруг огромного серого дома в готическом стиле занесен плотным слоем опавшей листвы, скрывшим дорожки и подъездную аллею; легкий снег лежит на нем пятнами белых проплешин, схваченные первыми морозами листья похрустывают под ногами, черные неподвижные деревья застыли, как кладбищенские стражи. Вокруг ни души. В сумраке за окнами особняка угадывается та особая молчаливая пустота, которая бывает в покинутых людьми домах. Гронский поднимается на крыльцо. Дверь открыта, и ветер нанес внутрь листья и серую пыль. В огромном пустом холле царят холод и сумрак. Тусклый свет хмурого утра едва проникает сюда сквозь высокие арки окон. Широкая лестница полого уходит во тьму. Сквозняки бродят по дому, скрипят приоткрытыми ставнями и разбрасывают остывшую золу из камина.

Посреди холла на возвышении стоит открытый гроб. Тление почти не коснулось бледного лица Маши, и его черты замерли навсегда, сохранив выражение ожидания вечной гармонии и покоя. Посиневшие губы чуть приоткрыты, словно на них замерло последнее не сказанное слово, черные кудри волос обрамляют покоящуюся на белой подушке голову, как нимб смерти. На холодных пальцах руки сидит, сложив траурные крылья с желтой каймой, уснувшая бабочка.

В глубоком кресле напротив холодного очага застыла темная согбенная фигура хозяина дома. Рядом с правой рукой, тяжело свисающей с подлокотника, лежит на ковре небольшой пистолет. Голова Германа Андреевича Галачьянца с черной пулевой отметиной на виске свесилась на грудь, а плечи склонились, словно кроме смерти их пригибала к земле тяжесть невыносимого горя.

Гронский молча постоял рядом с креслом, подошел к открытом гробу и коснулся губами холодного чистого лба.

*Не каждую заколдованную принцессу можно спасти, даже если перебить всех драконов.*

– Маша?.. – спросила Алина.

Гронский мотнул головой, прогоняя воспоминания.

– Да. И ее отец. Галачьянц всю последнюю неделю приводил в порядок свои дела, связанные с бизнесом, а за день до новолуния отослал из дома всю прислугу и охрану. Видимо, он провел с дочерью последние часы ее жизни: сидел рядом, разговаривал с ней, держал за руку и смотрел, как жизнь постепенно угасает вслед за уходящим днем. Последнее, что мне написала Маша за несколько часов до смерти, что они вместе с отцом смотрят на закат. И попросила меня тоже посмотреть, как заходит солнце. Потом она умерла. Галачьянц отнес тело вниз, положил в заранее приготовленный гроб, сел рядом в кресло и пустил себе пулю в голову. Когда я вошел в дом, он сидел спиной к дочери, как будто не хотел, чтобы она видела его самоубийство.

Алина содрогнулась.

– Какой ужас, – сказала она и посмотрела на Гронского. – Бедная девочка. Это ведь она тогда случайно подсказала тебе, как найти Некроманта?

Гронский покачал головой.

– Знаешь, во всей этой истории с самого начала было столько случайностей, что они кажутся мне проявлением какой-то стихийной силы самой жизни, которая постепенно, очень медленно, но верно, выталкивала из себя этого старого упыря, как живая ткань человеческого организма отторгает отравляющее ее чужеродное тело. Много лет назад совершенно случайно Кристина выбрала своей очередной жертвой твоего отца, и тоже случайно именно в тот раз она потерпела поражение и в ярости послала Вервольфа убить твою мать. Случайно малолетние подонки изнасиловали и заразили смертельной болезнью дочь человека, не только обладавшего огромными деньгами и властью, но еще и помнившего рассказы своего деда, бывшего свидетелем чудовищных экспериментов Некроманта в годы русской революции. Потом ты тоже случайно оказалась на месте убийства Марины, и...

– Господи! – Алина всплеснула руками. – Марина!

Гронский вопросительно посмотрел на нее. Алина покраснела и на мгновение закрыла лицо ладонями.

– Родион, прости, ради Бога... я же совсем забыла...

– В чем дело?

– Помнишь, я позвонила тебе в ту ночь и сказала, что Мейлах убит?

– Да.

– Ты еще ворчал что-то неразборчивое и вообще был занят и не расположен к разговорам...

— Помню, что дальше?

— Я хотела сказать тебе еще кое-что. Очень важное. Марину убил не Вервольф. Во всяком случае, она погибла не от того ножа, который он использовал во всех других случаях.

Гронский застыл. Алина стала говорить все быстрее и быстрее:

— Я с самого начала чувствовала, что упустила что-то существенное, еще когда ты меня спрашивал, является ли нож оборотня орудием убийства. И вот когда у меня появилось время, я решила провести дополнительные исследования, включая эксгумацию тела моей мамы, ну я тебе рассказывала, и посмотреть заключения по гистологическим экспертизам двух других тел; так вот, на кинжале Вервольфа были характерные зазубрины и сколы, а на лезвии оружия, которым убили Марину, таких дефектов не было. То есть получается, что кто-то использовал точную копию его ножа и действовал так же, как оборотень, во всяком случае, очень старался наносить удары с той же силой и в том же направлении. Но только это был не Вервольф. Это был кто-то другой.

Алина перевела дыхание. Лицо Гронского словно окаменело, и она узнала это хорошо знакомое ей выражение отрешенности и в то же время мрачной решимости.

— И еще одно, — добавила она. — В связи с тем, что сейчас проводятся повторные исследования всех жертв за период с марта по октябрь, отдельная группа экспертов изучила следы зубов на костных останках и фрагментах мышечной ткани. Так вот, они идентичны во всех случаях: отметины клыков крупного волка или пса, специалисты еще не пришли к одному мнению, а учитывая обстоятельства, и вряд ли придут. Но на теле Марины следы зубов действительно принадлежат собакам, причем, скорее всего, не одной, а нескольким. То есть ее в самом деле рвали какие-то псы, и...

Она посмотрела на Гронского и осеклась.

— Родион, я еще раз прошу прощения. Просто тогда все так закрутилось, что было не до разговоров, а потом у меня просто вылетело это из головы совсем...

Гронский молчал, и Алина увидела, как у него по лицу словно промелькнула какая-то тень. Алина внимательно посмотрела ему в глаза. Взгляд Гронского был совершенно непроницаемым, но она хорошо знала, что он означает.

— Думаешь, тут тоже какая-то случайность? — осторожно

спросила Алина. – Ну, например, у Вервольфа был второй такой же нож, а к телу действительно подбежали бродячие собаки... может ведь такое быть?

Молчание.

– Или вот я еще думаю, – продолжила Алина рассуждать вслух, поглядывая на Гронского, – что это могло быть делом рук Абдуллы и его людей. Кобот пытался самостоятельно получить ассиратум, дела у него шли не очень-то хорошо, так что вполне возможно, что он решил полностью повторить образ действий Вервольфа и добыть нужные органы и человеческую кровь не у себя в подвале, а тоже прямо на месте убийства, а потом использовал собак, чтобы скрыть следы преступления, как и в остальных случаях...

Гронский закурил, и огонек зажигалки на мгновение отразился в зрачках серых глаз недобрыми сполохами.

– Послушай, – сказала Алина, – я могу еще долго высказывать предположения одно нелепее другого, а ты можешь отмалчиваться в ответ, но я же вижу, что ты о чем-то догадываешься. А скорее всего, уже догадался. Я права?

Гронский махнул рукой, разгоняя дым, и пожал плечами.

– Нет, что ты. Какие догадки? Я просто задумался.

Алина вздохнула и отвернулась в сторону. Свет дня за окном тускнел, и солнце повисло над краем земли, готовясь нырнуть вниз, за грань, отделяющую мир живых и обитель теней и чудовищ. Так представляли это в Древнем Египте, подумала Алина. Каждый вечер бог солнца уходит из этого мира, чтобы совершить полный опасностей путь среди подземных глубин, в лабиринтах, кишащих порождениями вечного мрака, и если когда-нибудь ему не удастся пробиться сквозь темные катакомбы, то утро больше никогда не настанет. Нелегкая доля для бога: раз за разом спускаться в подвалы, полные нежити, чтобы выйти оттуда под утро, неся с собой яркий свет солнца, испепеляющий нечисть и зло. Бесконечный круг смертей и рождений, сна и бодрствования, света и тьмы, одно из гигантских незримых колес, вращающихся в механизме Вселенной.

– Знаешь, мне будет этого не хватать, – сказала она.

– О чем ты? – спросил Гронский.

– Обо всем этом. Очень странно, но за те несколько недель, которые прошли с момента нашей встречи, я успела привыкнуть к таким вещам, о которых раньше даже не думала и вообще не могла представить, чтобы нечто подобное могло случиться со мной и стать частью жизни. Я проникла в заброшенный дом, нашла тайную лабораторию и следы кровавых экспериментов в подвале; мой бывший начальник продавал эликсир, созданный средневековым некромантом; меня чуть не убили в собственном доме; я выдерживала разговоры с умнейшим и опаснейшим человеком, возглавляющим могущественную тайную организацию, видела настоящий бой, смерть сотен людей, труп волка-оборотня без головы и держала в руках нож, оборвавший сотни, а то и тысячи жизней, включая жизнь моей мамы. Я уходила от погони, я перепрыгнула на машине разводящийся мост, я стреляла в ламию, которая была любовницей моего отца, пробилась через подвалы, полные живых мертвецов, и чуть не погибла, отстреливаясь от них из дробовика; я висела на крыше и едва не сорвалась в пламя взрыва, в котором сгорел древний вампир. Теперь я тоже не верю, а знаю, потому что это знание было дано мне через опыт и я сама видела тела жертв кровавых мистерий и то, какой силой обладает мистический эликсир, дарующий одновременно и жизнь, и смерть. Я привыкла к опасности, к тяжести пистолета в сумке или в кармане одежды, как-то даже успела привыкнуть помнить о том, что нужно считать патроны, привыкла, что в любой момент может раздаться звонок и мне нужно будет мчаться куда-то среди ночи. После того, как ко мне в дом ворвались бандиты Абдуллы, я думала, что никогда уже не смогу спокойно уснуть, не смогу вернуться в свою квартиру и буду мучиться страшными снами всю оставшуюся жизнь. Странно, но теперь я вообще ничего не боюсь. Я не думаю и не вспоминаю о том, что на полу, по которому я ежедневно ступаю, лежали мертвые тела, меня не пугают кошмары, они мне просто не снятся, зная, что бесполезно. Я как Алиса в Стране чудес: надкусила все пирожки и грибы, прошла через тайные двери, а теперь нужно вернуться назад, а я не могу это сделать. Впервые за всю свою жизнь я вдруг почувствовала, что занимаюсь настоящим делом. Вообще почувствовала, что живу.

Алина сделала паузу и посмотрела на Гронского.

— А еще я привыкла к тебе. Напрасно, наверное, но это так. Привыкла ждать, что ты позвонишь и назначишь встречу в неудобное время, что попросишь о чем-нибудь без объяснений, что категорическим тоном заявишь такое, против чего мгновенно восстанет весь мой здравый смысл и жизненный опыт. Привыкла даже вот к такому выражению лица, как будто никого нет дома, к твоей манере молчать и ничего не рассказывать до последнего момента. А теперь этого нет. Я даже твой пистолет потеряла. А нож Вервольфа забрали как вещественное доказательство. У меня остались только воспоминания, за которые я цепляюсь, как за обрывки сна, постоянно повторяя их про себя, проживая снова и снова, чтобы не дать им потускнеть и исчезнуть.

Гронский хотел было что-то сказать, но осекся и промолчал. Алина взглянула ему в глаза и спросила:

– Ты догадываешься, кто убил Марину? Есть предположения?

Гронский поколебался и кивнул.

– И ты уже знаешь, что будешь делать дальше?

Он снова кивнул.

– И ты не скажешь мне об этом?

Гронский отрицательно покачал головой. Алина вздохнула.

– Я так и думала.

Некоторое время они сидели молча. В прощальном сиянии солнце уходило за край горизонта. «Удачи, – подумала Алина. – И не забудь прихватить дробовик у входа в подземное царство». Гронский тоже смотрел на далекий закат, как будто готов был последовать вслед за уходящим светилом.

– Ладно, – устало сказала Алина. – Мне пора.

Она встала, одернула юбку и пошла к двери в коридор, но остановилась и повернулась на пороге.

– Я все равно буду ждать. В любое время. Не могу сказать, что хочу, чтобы дела у тебя пошли плохо, но надеюсь, тебе понадобится моя помощь. Ты знаешь, я могу быть полезной. Должен же кто-то подавать тебе огнеметы, отвязывать от кроватей и помогать в отношениях с женщинами.

Гронский улыбнулся, и они вместе вышли в коридор. Алина молча продела руки в рукава поданного Гронским пальто, взяла сумочку и подождала, пока он откроет дверь. Несколько раз отрывисто лязгнул замок. Алина обернулась и посмотрела Гронскому в глаза, снизу вверх. Они стояли совсем рядом, и она почувствовала, что словно касается его всем своим телом. Алина подняла руку, легко провела пальцами по его лицу, там, где еще не до конца зажили старые ссадины, коснулась длинной повязки на груди и чуть сжала руку.

– Всего доброго, Аля. Береги себя.

– Ага. Ты тоже. Пока.

Она быстро повернулась и вышла. Теперь уже навсегда.

* * *

Я закрываю за ней дверь и слышу, как стучат каблуки по ступеням лестницы. Гулко хлопает дверь подъезда. Тишина. Через минуту доносится еле слышный звук двигателя. Вот и все.

Я иду в кабинет и включаю компьютер. Нужно послать сообщение. Настало время познакомиться поближе с тем, кто пока оставался в тени.

Смерть Марины не была случайной. До сегодняшнего дня я считал ее гибель какой-то нелепой ошибкой, странной прихотью хищного оборотня, а может быть, причиной трагедии стали какие-то неизвестные личные обстоятельства сродни тем, которые привели к убийству матери Алины тринадцать лет назад. Как бы то ни было, никого из тех, кто мог бы ответить на этот вопрос, уже не осталось в живых, и мне приходилось смириться с тем, что эта загадка останется неразрешенной, и успокаивать себя, что справедливое возмездие настигло всех, кто мог быть виновен в смерти несчастной девушки.

Но теперь все изменилось. Алина была права: среди обрушившихся, как лавина, событий я совершенно упустил из виду некоторые причинно-следственные связи, которые должен и мог бы увидеть, если бы не был так занят погоней за Некромантом. Марину убил не Вервольф и уж конечно не Абдулла. Это сделал кто-то, в точности знающий детали совершения кровавого ритуала, предшествующего созданию ассиратума; кто-то, владеющий таким же ножом, каким пользовался оборотень, ножом, специально созданным для потрошения человеческих тел. Кто-то прекрасно осведомленный, одним точным и прекрасно рассчитанным движением запустивший последовавшую за убийством Марины цепь событий, которые привели к гибели не только самого Некроманта, но и всех, кто был причастен к изготовлению эликсира. Совершенное вне календарного цикла преступление неизбежно привлекло внимание другого эксперта, не принадлежавшего к числу тех, кто работал на Кобота и вместе с ним прикрывал зловещие охотничьи вылазки Вервольфа; оно довело до предела напряженность в отношениях Абдуллы и его инфернальных партнеров и предопределило гибель бывшего охранника Галачьянца. Одного этого было достаточно, чтобы серьезно осложнить жизнь старого упыря и его компании и поставить под угрозу тайну, которую он так ревностно оберегал на протяжении многих столетий. Но самое главное, смерть Марины определила мое личное участие в этой истории. И это решило дело.

Я пишу несколько коротких слов и отправляю письмо. Теперь остается только ждать.

Телефон зазвонил через два часа, когда за окном уже сгустилась холодная тьма и небо налилось стылой ночной синевой. Я беру трубку.

– Здравствуйте, леди Вивиен.

Негромкий короткий смех, такой мелодичный и чистый.

– Здравствуйте, Родион. Приятно, что вы меня узнали. Впрочем, я не удивлена: рано или поздно вы должны были догадаться обо всем. Странно только, что этого не случилось раньше.

У нее нежный девичий голос и четкий, правильный выговор, какой бывает у тех, кто старательно выучил иностранный язык.

– Я был немного занят. Все никак не доходили руки, чтобы перевести с ирландского ваш почтовый логин. Dilleachta. Сирота.

– Что же, пользуясь случаем, хочу выразить вам свою глубокую признательность за успешное разрешение моей старой семейной проблемы. Спасибо.

– Не стоит благодарности.

– Вы написали, что у вас есть ко мне какой-то вопрос? Можете задавать.

Я начинаю чувствовать себя на аудиенции у коронованной особы. Это злит.

– Да, один чертовски важный вопрос, леди. Зачем вы убили Марину?

Пауза. Я слышу легкий вздох, долетающий, как далекое дуновение ветра, через тысячи миль и сотни веков.

– Это было очень неприятным решением, поверьте мне, Родион, но вместе с тем единственным эффективным способом мотивировать вас на решительные действия, которые должны были привести к необходимому результату: смерти лорда Марвера. Если бы я видела другие возможности привлечь вас к этому делу, уверяю вас, я бы использовала их.

Юный голос холоден и тверд, как непогрешимый клинок крестоносца, а я вижу перед собой полутемный бар, желтую лампу, свет, дробящийся в рядах бутылок на полке, черную челку, улыбку и взгляд...

– Почему было просто не рассказать мне все как есть? Такая мысль не приходила вам в голову, леди?

— Вовсе нет, — отвечает она все тем же звонким девичьим голоском. — Это было бы не только странно, но и совершенно бессмысленно. Как вы себе это представляете, Родион? Я должна была написать вам пространное письмо, в котором изложить историю моего бедного отца и лорда Марвера, рассказать про манускрипт и ассиратум, про то, как я едва ускользнула от преследовавшего меня Некроманта ценой жизни своего верного слуги, сэра Вильяма? Поведать, каких усилий мне стоило почти через сотню лет стать из гонимой злым роком девочки той, которая сама смогла погнать Некроманта, как бешеного пса, по всей Европе, преследуя его везде, куда бы он ни направлялся, так, что земля горела и проваливалась у него под ногами, и в конце концов он уже нигде не мог чувствовать себя в безопасности? Как ему удалось бежать в Россию, и как я потеряла его след в огне русской революции и последовавших за ней массовых убийствах, в пожаре мировой войны, среди холода и мрака, объявшего умирающий от голода, окруженный кольцом блокады город? Как даже не знала о том, что он еще жив, пока вдруг мои люди не сообщили мне о серии странных убийств, совершенных таким знакомым и страшным образом? И изложив это все, я должна была попросить вас о помощи в том, чтобы найти и убить моего старого врага, шестисотлетнего вампира, засевшего в мрачных трущобах? Вы бы поверили в это?..

— Но я ведь поверил.

— Когда дошли до всего сами, только тогда. Но пусть даже и так, что бы заставило вас мне помочь? Последние два или три года вы только и делали, что кое-как хоронили покойников, пили без меры и предавались депрессии за барной стойкой или дома в компании виски. Когда-то давно вас могли мотивировать деньги или самолюбие, но потом вы добровольно отказались от одного и другого, предпочитая трагический образ изгоя, наслаждаясь своим одиночеством, страданием и печальными воспоминаниями. Ради чего такой человек вдруг стал бы мне помогать? А ведь вы могли бы заинтересоваться этим делом чуть раньше, еще летом, когда хоронили одну из этих несчастных девушек, убитых ради эликсира. Помните обезглавленное тело в городском парке? Я не зря тогда сообщила вам об этой смерти. Но ваше равнодушие достигло такой степени, что стало сильнее сострадания и чувства справедливости, которые всегда были вам присущи. Для того, чтобы пробудить силы, похороненные в вашей душе, нужен был глубоко личный мотив. И я его нашла. И потом, Родион, разве вы сами, когда еще служили наемником у Кардинала, не поступали точно так же с людьми, которые были нужны для достижения собственных целей? Разве вы не манипулировали ими, их страстями, страхами и желаниями, получая в результате максимальный результат с минимумом собственных усилий? Кроме того, была и еще одна причина придать делу личный характер: кто знает, как бы вы поступили, предложи вам лорд Марвер сделку? Устояли бы перед искушением стать обладателем тайны ассиратума и той власти, которую он дает? Ваша ненависть и боль были гарантией того, что Некромант не переживет встречи с вами. Мне действительно искренне жаль бедную девочку, но повторю: если бы я видела другой способ привлечь вас к этому делу, я бы им воспользовалась.

Она замолчала, а я думаю об умирающем рыцаре, до конца верном своей госпоже, о юной девушке, одинокой, несчастной, обреченной чужой и злой волей нести груз векового проклятия, лишенной семьи и родных; о том, что мысли об этих двоих не позволили мне даже предположить не только возможность присвоить себе ассиратум, но и спасти с его помощью невинную жизнь; о том, что последние слова, которые услышал проклятый Некромант за мгновение до страшной смерти, были именем леди Вивиен, а не погибшей Марины.

Я не говорю ей об этом, прогоняя мысли о красном платье, пыльных дорогах, постоялых дворах среди темного леса и морских чудовищах. Мне нужны были и другие ответы.

– Почему именно я?

– Это хороший вопрос, Родион. Когда я узнала, что лорд Марвер находится в вашем городе, мои люди стали искать того, на кого мы сможем возложить миссию по избавлению мира от его присутствия. Мы часто работаем при помощи тех, кто даже не подозревает, что выполняет наши задания. Нам нужен был человек, обладающий соответствующей подготовкой, образованием, интеллектом, а еще набором личных качеств, необходимых для этого дела. Вы подошли идеально, и, как видно, я не ошиблась.

– Могли бы поручить это вашим убийцам.

– Для каждого дела, Родион, нужен тот человек, который справится с ним лучше всех. Ведь вы не станете поручать шоферу работу бухгалтера. Вы не смогли бы хладнокровно убить беззащитную девушку ритуальным кинжалом, вырвать ей сердце и селезенку, слить кровь, а потом подвести к растерзанному телу двух голодных, прикормленных человечьим мясом собак, я права? Но вы смогли не только найти Некроманта, но и уничтожить всех, кто был причастен к этому делу и что-либо знал об эликсире. Это ли не успех? Кстати, о тех, кто причастен: как дела у вашей напарницы? Алина, кажется, так? Ей ведь тоже известна история от начала и до конца? Она знает про «Красные цепи» и ассиратум, знает больше, чем положено знать человеку.

— Даже не начинайте думать в эту сторону, леди. Даже не начинайте.

Она снова тихо смеется, юная девушка-сирота, жуткое бессмертное существо, скрытое мраком ночи и тайны.

— Хорошо, не начну. Тем более что у нас с вами впереди еще много работы.

— О чем это вы?

— Родион, поиски старого врага, шесть веков назад уничтожившего мою семью, далеко не единственное, чем я занималась все это время. И уж точно не самое главное. Нельзя превращать месть в дело всей своей жизни, не рискуя потерять ее смысл, особенно если жизнь эта бесконечно долгая. Вы даже не представляете себе, чего можно достичь за шестьсот лет, если правильно распорядиться временем, а еще собственными силами и средствами. По сравнению с теми возможностями, что есть сейчас у меня, ваш друг Кардинал со всей своей организацией выглядит как предводитель шайки лесных разбойников рядом с имперскими легионами. Если бы вы не связались со мной сегодня первым, я бы все равно позвонила сама и предложила работу, точнее, служение, которое может стать смыслом жизни. Вы помогли мне отдать старый семейный долг, и я благодарна за это, но это лишь первый шаг, испытание, нужное для того, чтобы открыть новые перспективы. По мере своих сил я стараюсь сделать этот мир лучше и могу предложить новые миссии, высокие и благородные, дела, достойные рыцарского звания. Я дам вам новую жизнь, и эта жизнь не будет напрасной. А еще... — она осеклась на мгновение, — вы никогда и ни в чем не будете нуждаться.

— В последнее время просто нет отбоя от желающих обеспечить мою будущность, — отвечаю я. — Ламия, которая говорила мне очень похожие слова, превратилась в кучку праха на полу, а от Некроманта, тоже предлагавшего что-то в этом роде, не осталось и пепла. Чувствуете тенденцию, леди?

В телефонной трубке застыло молчание.

— У меня нет никакого желания участвовать в ваших благородных миссиях. Мне кажется, что мы вряд ли сойдемся в методах работы. И если ваше личное дело я закончил, то мое осталось незавершенным. Вам действительно удалось прекрасно меня мотивировать.

– Я надеялась, вы меня поймете...

– Я все понял, леди. И полагаю, вы тоже. Ждите нашей встречи: я приложу все усилия, чтобы она состоялась как можно скорее.

На этот раз звонкий смех звучит так ярко и громко, словно она находится в комнате рядом со мной.

– Я буду ждать с нетерпением, Родион. Буду ждать, когда вы придете. Вы мой рыцарь, мой воин, хотя сами еще об этом не знаете. Пожалуй, я дам вам одну подсказку: поинтересуйтесь у своего друга Кардинала, зачем ему в свое время понадобилось становиться опекуном для юноши, о существовании которого он ничего не знал и с родителями которого никогда не был знаком? Я очень долго наблюдаю за вами, Родион, дольше, чем можно представить, и когда-нибудь вы поймете, что нас связывает нечто гораздо большее, чем земные дела. Мои предложения остаются в силе, и я уверена, что рано или поздно вы их примете. До встречи, Родион.

– До скорой встречи, леди Вивиен.

Я кладу замолчавшую трубку на стол и встаю, чувствуя, как тело колотит крупная дрожь. Я подхожу к окну: светятся фары проносящихся мимо машин, спешат домой редкие прохожие, в иссиня-черном небе тускло блестят редкие звезды – ночь живет своей жизнью, возвращая мне покачнувшееся чувство реальности.

Надо уходить. На этот раз я бросил вызов силе слишком могущественной для того, чтобы можно было оставаться здесь, в этой квартире, о которой наверняка известно моей недавней собеседнице. Если я хочу довести свое дело до конца, мне понадобится другое убежище, такое, где меня никто не найдет.

Сборы не занимают много времени. Никогда не привязывайся к людям, не заводи отношений, это сделает тебя уязвимым и открытым для чужого влияния. Никогда не имей ничего, чего бы нельзя было бросить и уйти. Всегда будь готов сняться с места за пятнадцать минут и исчезнуть. Если первым правилом я фатально пренебрег, то соблюсти остальные вполне еще в силах.

Я последний раз прохожу по квартире, снимаю с полки прозрачную пластиковую банку с черной бабочкой и кладу ее в сумку поверх ноутбука и немногих вещей. Теперь все. Я стою у дверей и проверяю карманы пальто. Выкладываю ключи от квартиры, рядом ложится связка автомобильных ключей. Верный маленький джип останется без хозяина. «Прости, дружище, — шепчу я, — но иначе нельзя». Пальцы натыкаются на какой-то смятый комочек в боковом кармане. Я вынимаю руку и вижу сложенную вчетверо салфетку с затертыми почерневшими линиями сгибов. На потрепанной мягкой бумаге написанный от руки номер. Последний привет от Кристины.

Я достаю телефон и медленно, аккуратно набираю семь цифр. Длинные гудки монотонно звучат в динамике, и я ловлю себя на том, что подпеваю им, стараясь попасть в тон. Никто не отвечает, и гудки один за одним уходят в вечность.

Разобранный телефон и сим-карта ложатся рядом с двумя связками ключей. Я беру пепельницу, кладу туда салфетку и подношу к ней огонек зажигалки. Пламя медленно ползет по бумаге, ярко разгорается на несколько мгновений и быстро гаснет. В пепельнице остается только кучка сероватого пепла.

Я бросаю последний взгляд на пустую квартиру, беру сумку, выхожу за порог и закрываю за собой дверь.

*Санкт-Петербург*
*2012*

# Оглавление

**Часть III. СЕРА**

Литературно-художественное издание

Интеллектуальный триллер

**Образцов Константин Александрович**

**КРАСНЫЕ ЦЕПИ**

*В авторской редакции*

Ответственный редактор *О. Дышева*
Художественный редактор *А. Сауков*
Технический редактор *О. Лёвкин*
Компьютерная верстка *О. Шувалова*
Корректор *Г. Москаленко*

В коллаже на обложке использована фотография:
Boris Ryaposov / Shutterstock.com
Используется по лицензии от Shutterstock.com

ООО «Издательство «Э»
123308, Москва, ул. Зорге, д. 1. Тел. 8 (495) 411-68-86.
Өндіруші: «Э» АҚБ Баспасы, 123308, Мәскеу, Ресей, Зорге көшесі, 1 үй.
Тел. 8 (495) 411-68-86.
Тауар белгісі: «Э»
Қазақстан Республикасында дистрибьютор және өнім бойынша арыз-талаптарды қабылдаушының өкілі «РДЦ-Алматы» ЖШС, Алматы қ., Домбровский көш., 3«а», литер Б, офис 1.
Тел.: 8 (727) 251-59-89/90/91/92, факс: 8 (727) 251 58 12 вн. 107.
Өнімнің жарамдылық мерзімі шектелмеген.
Сертификация туралы ақпарат сайтта Өндіруші «Э»

Сведения о подтверждении соответствия издания согласно законодательству РФ о техническом регулировании можно получить на сайте Издательства «Э»

Өндірген мемлекет: Ресей
Сертификация қарастырылмаған

Подписано в печать 14.12.2016. Формат 84x108 1/32.
Гарнитура «NewBaskerville». Печать офсетная. Усл. печ. л. 30,24.
Доп. тираж 3000 экз. Заказ 8667

Отпечатано с электронных носителей издательства.
ОАО "Тверской полиграфический комбинат". 170024, г. Тверь, пр-т Ленина, 5.
Телефон: (4822) 44-52-03, 44-50-34, Телефон/факс: (4822)44-42-15
Home page - www.tverpk.ru Электронная почта (E-mail) - sales@tverpk.ru

ISBN 978-5-699-87159-9

9 785699 871599 >